BERLINER ABENDBLÄTTER

BERLINER ABENDBLÄTTER

Herausgegeben von
HEINRICH VON KLEIST

Nachwort und Quellenregister von
Helmut Sembdner

1959
WISSENSCHAFTLICHE BUCHGESELLSCHAFT
DARMSTADT

Hinsichtlich des Textteils (626 Seiten) fotomechanischer Nachdruck der von Georg Minde=Pouet im Verlag Klinkhardt & Biermann, Leipzig, veranstalteten Faksimileausgabe von 1925

Printed in Germany
Druck: fotokop GmbH. Darmstadt

Berliner Abendblätter.

1stes Blatt   Den 1sten October 1810.

Einleitung.

Gebet des Zoroaster.

(Aus einer indischen Handschrift, von einem Reisenden in den
Ruinen von Palmyra gefunden.)

Gott, mein Vater im Himmel! Du hast dem
Menschen ein so freies, herrliches und üppiges Leben bestimmt. Kräfte unendlicher Art, göttliche und
thierische, spielen in seiner Brust zusammen, um ihn
zum König der Erde zu machen. Gleichwohl, von
unsichtbaren Geistern überwältigt, liegt er, auf ver-
wundernswürdige und unbegreifliche Weise, in Ketten und Banden; das Höchste, von Irrthum geblen-
det, läßt er zur Seite liegen, und wandelt, wie
mit Blindheit geschlagen, unter Jämmerlichkeiten
und Nichtigkeiten umher. Ja, er gefällt sich in seinem Zustand; und wenn die Vorwelt nicht wäre
und die göttlichen Lieder, die von ihr Kunde geben, so würden wir gar nicht mehr ahnden, von
welchen Gipfeln, o Herr! der Mensch um sich
schauen kann. Nun lässest du es, von Zeit zu Zeit,
niederfallen, wie Schuppen, von dem Auge Eines deiner Knechte, den du dir erwählt, daß er die
Thorheiten und Irrthümer seiner Gattung über-
schaue; ihn rüstest du mit dem Köcher der Rede,
daß er, furchtlos und liebreich, mitten unter sie
trete, und sie mit Pfeilen, bald schärfer, bald lei-
ser, aus der wunderlichen Schlafsucht, in welcher
sie befangen liegen, wecke. Auch mich, o Herr,
hast du, in deiner Weisheit, mich wenig Würdigen,

[1]

zu diesem Geschäft erkoren; und ich schicke mich zu
meinem Beruf an. Durchdringe mich ganz, vom
Scheitel zur Sohle, mit dem Gefühl des Elends,
in welchem dies Zeitalter darnieder liegt, und mit
der Einsicht in alle Erbärmlichkeiten, Halbheiten,
Unwahrhaftigkeiten und Gleisnereien, von denen
es die Folge ist. Stähle mich mit Kraft, den Bogen des Urtheils rüstig zu spannen, und, in der
Wahl der Geschosse, mit Besonnenheit und Klugheit, auf daß ich jedem, wie es ihm zukommt, be-
gegne: den Verderblichen und Unheilbaren, dir
zum Ruhm, niederwerfe, den Lasterhaften schrecke,
den Irrenden warne, den Thoren, mit dem bloßen
Geräusch der Spitze über sein Haupt hin, necke.
Und einen Kranz auch lehre mich winden, womit
ich, auf meine Weise, den, der dir wohlgefällig ist,
kröne! Ueber Alles aber, o Herr, möge Liebe
wachen zu dir, ohne welche nichts, auch das Ge-
ringfügigste nicht, gelingt: auf daß dein Reich ver-
herrlicht und erweitert werde, durch alle Räume
und alle Zeiten, Amen!

x.

————

Fragment eines Schreibens aus Paris.

Den 6ten September.

Als des Kaisers Maj. den 4ten d. 7 Uhr Morgens nach Paris kam, um das Monument auf dem
Platz Vendôme zu besehen, traf sich's, daß mich die
Wanderungen, die ich bei Tagesanbruch gewöhnlich,
um mich zu belustigen und zu unterrichten, durch die
Stadt zu machen pflege, gerade auch auf diesen Platz
geführt hatten. Der Monarch, der so nahe an mir
vorbeiritt, daß ich den Hut vor ihm rücken konnte,
sieht wohl und heiter aus; obschon, wie mehrere bemerkt haben wollen, nicht mehr ganz so stark und
wohlbeleibt, als im Frühjahr. Derselbe hat auch noch,

an diesem Morgen, mehrere andere Monumente und öffentliche Arbeiten, die ihrer Vollendung nahe sind, in Augenschein genommen; besonders hierunter sind die in der Rue Seine und am Hôtel Dieu, wo eine große Anzahl von Häusern demolirt wird, merkwürdig; und ich werde vielleicht in einem meiner nächsten Briefe, Gelegenheit haben, Dich näher davon zu unterrichten.

Wenn man in den Straßen von Paris, den Verkehr, den Kaufleute, Handwerker, Schenkwirthe, u. s. w. treiben beobachtet: so zeigt sich ein Charakter an demselben, der, auf die sonderbarste Weise, absticht gegen den Charakter unsers einfältigen deutschen Verkehrs. Zuvörderst muß man wissen, daß der Kaufmann nicht wie bei uns eine Probe seiner Waare zur Schau stellt: die Waare selbst, das Beste und Kostbarste, was er besitzt, wird an Riegeln und Haken, auf Tischen, Stühlen und Bänken, auf die wohlgefälligste und ruhmredigste Weise, ausgebreitet. Aushängeschilde, die von beiden Seiten in die Straße hineinragen, geben, in langen Tarifen, zudringliche und schmeichlerische Auskunft über die Wohlfeilheit sowohl, als über die Vortrefflichkeit der Waaren; und bei der unüberwindlichen Anlage der Nation, sich dadurch täuschen zu lassen, ist nichts lustiger, als das Spiel zu sehen, das getrieben wird, um sich damit zu überbieten. In der That, man glaubt auf einem Theater zu sein, auf welchem, von höherer Hand gedichtet, ein satyrisches Stück, das den Charakter der Nation schildert, aufgeführt wird: so zweckmäßig, ich mochte sagen, schalkhaft und durchtrieben, sind die Züge, aus denen er, in allen Umrissen, klar wird, zusammengestellt und zur Anschauung gebracht. Der Caffetier zum Beispiel, der am Eingang einer Straße wohnt, affichirt vielleicht, auf einem bloßen schwarzen Brett, mit weißen Lettern: Caffe; einige Artikel führt er, auf einfache Weise, mit ihren Preisen an; er hat den Vortheil, er ist der Erste. Der Zweite, um ihm den Rang abzulaufen, fügt schon überall bei der Enumeration seiner Leckereien hinzu: du plus exquis; de la meilleure qualité; und: le tout au plus modique prix; sein Brett ist bunt gefärbt, es sei nun gelb, roth oder blau, und er schiebt es, um die Aufmerksamkeit damit zu fangen, noch tiefer in die Straße hinein. Der Dritte schreibt: Caffé des Connoisseurs, oder Caffé des Turcs; er hilft sich noch, indem er sein Schild, um noch einen oder zwei Fuß tiefer in die Straße reckt; und seine Lettern, auf schwarzem oder weißem Grunde, sind, auf sonderbare und bizarre Weise, bunt gefärbt in sich. Des Vierten Lage scheint verzweifelt; gleichwohl durch die Verzweiflung selbst witzig gemacht, überbietet er noch alle seine Vorgänger. Caffé au non plus ultra, schreibt er; seine Lettern sind von Mannsgröße, dergestalt, daß sie in der Nähe gar nicht gelesen werden können; und sein Schild, das den ganzen Regenbogen spielt, ragt bis auf die Mitte der Straße hinaus. Aber was soll der Fünfte machen? Hoffnungslos, durch Charlatanerie, Selbstlob und Uebertreibung etwas auszurichten, fällt er in die Ureinfalt der ersten Patriarchen zurück. Caffé, schreibt er, mit ganz gewöhnlichen (niedergeschlagenen) Lettern, und darunter: Entrés et puis jugés.

(Die Fortsetzung folgt.)

Tagesbegebenheiten.

Stadtgericht. Von dem Preußischen Eigenthum im Herz. Warschau, mit Ausschluß der Bank, Seehandl. und Wittw. Casse, ist der Sequester aufgehoben worden. — Privatnachrichten. Der Gr. Gottorp soll in Riga angekommen sein.

Von diesem Blatte erscheint täglich, mit Ausschluß des Sonntags, ein Viertelbogen, und wird in der Stunde von 5—6 Uhr Abends in der Expedition desselben, hinter der katholischen Kirche Nr. 3, zwei Treppen hoch, ausgegeben. Das Abonnement beträgt vierteljährig, also für 72 Stück, achtzehn Groschen klingendes Courant, das einzelne Blatt dagegen, kostet 8 Pf. Den Interessenten des Herrn Buchaltky kann es durch diesen in s Haus geschickt werden; Auswärtige, die es mit den Zeitungen zugleich zu erhalten wünschen, belieben sich an das hiesige Königl. Hof-Postamt zu wenden. Die Expedition an die Buchhandlungen, jedoch nur in Monatsheften, hat der hiesige Buchhändler, J. E. Hitzig übernommen.
Berlin den 1. October 1810. Die Redaction.

Extrablatt
zum ersten Berliner Abendblatt.

Durch den Königl. Präsidenten der Polizei, Herrn Gruner, der jedes Unternehmen gemeinnütziger Art mit so vieler Güte und Bereitwilligkeit unterstützt, sind wir in den Stand gesetzt, in solchen Extrablättern, als hier das Erste erscheint, über Alles, was innerhalb der Stadt, und deren Gebiet, in polizeilicher Hinsicht, Merkwürdiges und Interessantes vorfällt, ungesäumten, ausführlichen und glaubwürdigen Bericht abzustatten: dergestalt, daß die Reihe dieser, dem Hauptblatt beigefügten Blätter, deren Inhalt wir auch mit statistischen Nachrichten aus den Provinzen zu bereichern hoffen dürfen, eine fortlaufende Chronik, nicht nur der Stadt Berlin, sondern des gesammten Königreichs Preußen, bilden werden.

Folgende Extracte aus den Polizei = Rapporten sind uns b s heute 10 Uhr zugekommen.

Rapport vom 28. September.

Am 27. in der Nacht ist der Krug in Steglitz mit allen Nebengebäuden abgebrannt, und zugleich ein mit Zucker beladener Frachtwagen nebst 4 Pferden.

Rapport vom 29. September.

Am 28. Abends ist das alte hölzerne Wohnhaus des Zimmergesell n Grassow in der Dresdner Straße Nr. 93. abgebrannt.

Rapport vom 30. September.

Gestern Abend sind im Dorfe Alt = Schönberg 3 Bauerhöfe mit sämmtlichen Nebengebäuden abgebrannt. Das Feuer ist in der Scheune des Schulzen Willmann ausgekommen, und zu gleicher Zeit ist ein ziemlich entfernter, gegenüber stehender Küsternbaum in Brand gerathen, welches die Vermuthung begründet, daß das Feuer angelegt ist.

6

Rapport vom 1. October.

In dieser Nacht ist das Haus des Bäckermeister Lambrecht in der neuen Königsstraße Nr 71 abgebrannt. Das Haus war sehr baufällig, und die Entstehungsart ist noch nicht ausgemittelt. Auch außerhalb Berlin, angeblich in Friedrichsfelde, ist in dieser Nacht Feuer gewesen.

In Lichtenberg brennt in diesem Augenblick (10 Uhr Morgens) ein Bauerhof. Die Entstehungsart ist noch unbekannt, und sind alle Vorkehrungen gegen die weitre Verbreitung getroffen.

Auch sind in dieser Nacht von den Stadtthürmen 3 Brände in verschiedenen Gegenden, jedoch außerhalb des Berlinischen Polizei Bezirks, entdeckt worden

Zu bemerken ist, daß bei einem, in Schönberg verhafteten Vagabonden gestohlne Sachen gefunden worden sind, welche dem abgebrannten Schulzen Willman in Schönberg und den abgebrannten Krüger in Steglitz gehören. Dieses giebt Hofnung den Brandsti tern auf die Spur zu kommen, deren Dasein die häufigen Feuersbrünste wahrscheinlich machen. (Sobald die Redaction, durch die Gefälligkeit der hohen Polizeibehörde, von diesem glücklichen Ereigniß unterrichtet sein wird, wird sie dem Publico, zu seiner Beruhigung, davon Nachricht geben.)

Berliner Abendblätter.

2tes Blatt.   Den 2ten October 1810.

Freimüthige Gedanken bei Gelegenheit der neuerrichteten Universität in Berlin.

In dem neuerlich publicirten ersten Lectionskatalog der Universität Berlin sind absichtlich bey den Namen der Lehrer die bürgerlichen Qualificationen und Titulaturen derselben weagelassen worden   Die Universität erkennt in ihrem Umkreise nur literarische Würden und Distinctionen; sie folgt der hergebrachten Vorstellung einer von dem Staate in gewisser Rücksicht unabhängigen Republik der Wissenschaften; sie strebt, die durch Mißbrauch herabgewürdigten Doctoren- und Professoren-Titel wieder zu Ehren zu bringen, und es muß ihr großentheils gelingen, da Namen wie Wolf, Niebuhr, Savigny, Reil, Fichte, u. s. f. in diesem einfach erhabenen Schmuck auftreten.

Es zeigt offenbar von Rohheit politischer Ansichten, wenn es nur Einen Maaßstab des Verdienstes und der Wirksamkeit im Staate giebt; und das stille auf die Ewigkeit gerichtete Streben bleibt sicher zurück, wenn der Gelehrte sich erst in die Fluth des praktischen Lebens stürzen, und den Augenblick ergreifen muß, um zu jener äußeren Consideration zu gelangen, ohne die er, in der heutigen Verfassung der Staaten, seines Lebens nicht satt noch froh wird. Wenn der Staat also neben seiner Civil- und Militair Rangordnung auch für den geistlichen Stand eine eigne und unabhängige Rangordnung festsetzt, so setzt er durch diese Liberalität ein dem Gemeinwesen nothwendiges Glied in seine Rechte ein. Bloß weltliche, dem Gelehrten, ohne weitere administrative Function, angeheftete Titel werden von den Mitgliedern der Universität gern aufgegeben werden, da sie ja nur das ehemalige traurige Bedürfniß andeuten, einen zurückgekommenen Stand dadurch zu heben, daß man ihm den Schein eines andern, geehrteren Standes anhängt; und diejenigen, welche praktische Aemter mit dem Amte des Lehrers vereinigen, die sujets mixtes auf geistlichem und weltlichem Gebiet, werden aus dem einen in das andre nicht hinübertragen wollen, was zu beiderseitiger Ehre getrennt sein muß.

Sollte der Staat noch die Universität mit dem unschätzbaren Privilegium der Censurfreiheit, wodurch einst Göttingen groß geworden, begnadigen — es versteht sich von selbst, mit der Clausel der persönlichen Verantwortlichkeit der Professoren, und bey Strafe der Cassation für jede Indiscretion in Rücksicht auf die äußeren politischen Verhältnisse; — hätte der Professor der Universität das große und wahrhaft geistliche Vorrecht, die Ueberzeugung seines Geäües vor Gott und seinem Könige ohne weitere Controlle auszusprechen; so würde bald ein wohlthätiges Gleichgewicht eintreten zwischen diesem durch eigne Schuld aber auch durch den unmittelbaren Drang der Zeit herabgesetzten Stand und den übrigen Ständen.

(Die Fortsetzung folgt.)

Fragment eines Schreibens aus Paris.

(Beschluß.)

So affichirte bei Gelegenheit der Vermählungsfeierlichkeiten, der Gastwirth von Chantilly folgendes Blatt: Comme les plaisirs du (15. Avril) rendront un délassement necessaire, l'hôte du hameau de Chantilly s'offre ... & Man sollte also, wenn man von Vergnügen übersättigt war, bei ihm das Vergnügen haben, keins zu genießen.

Aber noch spaßhafter sind die Ankündigungen von Gelehrten, Künstlern und Buchhändlern. Am Louvre fand ich letzthin eine Mathematik in zwölf Gesängen angekündigt. Der Verfasser hatte die algebraischen Formeln und Gleichungen gereimt; als z. B.:

Donc le quarré de cinq est égal, à la fois,
A la somme de ceux de quatre et de trois.

Ein Anderer, Namens François Renard &c. kündigte ür Fremde, die, in kurzer Zeit, die französische Sprache zu erlernen wünschten, eine Grammatik in Form eines Panoramas an. Die inneren Wände nämlich dieser Grammatik (die Concavität) waren über...ll, von oben bis unten, mit Regeln beschrieben; und da man demnach außer einem kleinen Luftloch, nichts sah, als Syntax und Prosodie, so rühmte er von ihr, daß wer drei Tage und drei Nächte, bei mäßiger Kost, darin zubrächte, am vierten Tage die Sprache, soviel als er zur Nothdurft braucht, inne hätte. — Ich zweifle nicht, daß er Deutsche gefunden hat, die ihn besucht haben.

Polizei - Rapport.

Vom 2. October.

Der nach dem gestrigen Rapport in Lichtenberg entstandene Brand, hat damit geendiget, daß die beiden dem Kaufmann Sandow zugehörigen Wohngebäude nebst Scheune und Stall, in die Asche gelegt sind. Die Flamme hat sich zuerst Morgens gegen 8 Uhr in der Scheune — angeblich an 2 entgegen gesetzten Ecken zugleich — gezeigt, welches auf eine vorsätzliche Brandstiftung hindeuten würde.

Daß wirklich Bösewichter vorhanden sind, die auf vorsätzliche Brandstiftungen ausgehen, zeigt deutlich ein, gestern vom Regiments-Chirurgus Löffler, auf

der Straße gefundener, und vom Geheimen Rath
von Kummer der Polizei übergebener alter baum-
wollener Handschuh. Dieser war mit einer Menge
Holzkohlen, Feuerschwam, Papier und einem Präpa-
rat von Kohlenstaub und Spiritus gefüllt, welches
schon, bei Annäherung der Flamme, Feuer fing; und
lag dicht an einer Hausthür, welche an einem Keller
grenzt, bei dem sich das Laboratorium des Apotheker
Kunde an der Junker= und Lindenstraßen Ecke befindet; so daß der beabsichtigte Brand sehr gefährlich
werden konnte.

(Die Fortsetzung folgt.).

Tagesbegebenheiten.

Dem Capitain v. Bürger, vom ehemaligen Regiment Tauen-
zien, sagte der, auf der neuen Promenade erschlagene Arbeitsmann
Brietz: der Baum, unter dem sie beide ständen, wäre auch wohl
zu klein für zwei, und er könnte sich wohl unter einen Andern
stellen. Der Capitain Bürger, der ein stiller und bescheidener
Mann ist, stellte sich wirklich unter einen andern: worauf der ꝛc.
Brietz unmittelbar darauf vom Blitz getroffen und getödtet ward.

Pariser Blätter erklären das Geschwätz wegen Einführung eines Papiergeldes, für eine lächerliche Fabel, und geben die bestimmte
Versicherung, daß die Regierung davon nichts wissen wolle.

Die Loosschen vier Whistmedaillen, mit der Fabel vom Fuchs
und der Traube u. s. w., werden, von diesem geschätzten Künstler
mit neuen Umschriften versehen, in Kurzem im Publico erscheinen.

Interessante Schriften, welche in der Buch-
handlung von J. E. Hitzig zu haben sind.

von Woltmann Geist der neuen Preußischen Staats-
    organisation.   20 gr.
J. C. F. Meister über mehrere schwierige Stellen im
    Persius und Horaz   8 gr.
Friedrich Rochlitz Denkmale glücklicher Stunden. Er-
    ster Theil. Mit Kupfern.   2 thl.

Berliner Abendblätter.

3tes Blatt.   Den 3ten October 1810.

Freimüthige Gedanken bei Gelegenheit der neuerrichteten Universität in Berlin.

(Fortsetzung.)

Aber dann muß es auch höchster Zweck der Individuen dieses Standes werden, einen besondern Stand in diesem besonderen Staate zu bilden; die bisherige bloß cosmopolitische Richtung des Gelehrten, wobei dieser Stand zersplittert worden, und um seine Ehre gekommen, muß balancirt und regulirt werden durch eine vaterländische; man muß einsehn, daß die literarische Republik, so gut wie die politische, von Rechtswegen in besondere Gebiete zerfällt; daß es für die Wissenschaften so gut wie für das praktische Leben ein näheres und ein entfernteres, ein wichtigeres und ein unwichtigeres, und keine Liebe ohne Vorliebe giebt.

Bedeuten kann in dieser Welt nur, was das Gemeinwesen fördert, gleichviel auf dem sichtbaren oder unsichtbaren Wege. Wollen die Gelehrten in diesem bestimmten Preussischen Staate bedeuten, so müssen sie zunächst ihm dienen. Zu einem bloßen Gastmahl für die wissenschaftlichen Gourmands von Europa, wird die Universität nicht gestiftet; zuförderst sind die Zeiten nicht danach, und dann ist auch den Gelehrten wie den Layen, der frühere wissenschaftliche Luxus übel bekommen. Die Gelehrten zumal sind dem vaterländischen Boden untreu geworden, ein leerer, ewig unbefriedigter Eroberungsgeist hat sich ihrer bemeistert, sie haben sich alle Reiche und Zeiten der Welt vom Teufel aufbinden lassen, sind deshalb mit Recht um die Ehren ihres besondern Standes gekommen, und haben zuletzt Titel und Pensionen als Almosen von demselben Staate

[3]

hinnehmen müssen, den sie hätten mit Stolz tragen helfen konnen.

Der nächste Zweck alles höheren Unterrichts ist die Bildung des Staatsbeamten und da nehme ich dieses Wort in dem umfassenden Sinn, wo jeder Bürger des Staats, und der Gelehrte ganz besonders, wie er es ja auch will oder wenigstens scheinen möchte, Staatsbeamter ist; und die höchste Verirrung der Erziehung ist, wenn sie bloß fürs Allgemeine, ins Blaue, Entfernte hin, erzieht, und vor aller Humanität und Philanthropie nicht zum Stehen und Wirken kommt. Wenn der chrtstliche Glaube in seiner Glorie bestände, wie damals als Bologna, Paris und Prag blüheten, dann gäbe es ein großes Besonderes, Bestimmtes und Nächstes, welches dem Streben der Wissenschaften ins Allgemeine und Entfernte die Wage hielte: jetzt aber können die Wissenschaften nur Leben und Umriß erhalten, wenn sie sich in freier Dienstbarkeit dem Staate anschließen. Aufgespeichert, gesammelt, entdeckt, emendirt ist genug; überflüssig viel wissenswürdiges hat das letzte Säkulum zusammengeschleppt. Von keiner andern Seite ist den Wissenschaften mehr zu dienen, als dadurch, daß man ihnen die lebendigen Beziehungen, die praktische Kraft, das Fleisch und Blut wiedergebe, welches sie in der Barbarei der letzten Zeiten verlohren haben.

(Beschluß folgt.)

An unsern Iffland
bei seiner Zurückkunft in Berlin
den 30. September 1810.

Singt, Barden! singt Ihm Lieder,
   Ihm, der sich treu bewährt;
Dem Künstler, der heut' wieder
   In Eure Mitte kehrt.

In fremden Landen glänzen,
  Ist Ihm kein wahres Glück:
Berlin soll Ihn umkränzen,
  Drum kehret Er zurück.

Wie oft sah't Ihr Ihn reisen,
  Mit furchterfüllter Brust.
Ach! seufzten Volk und Weisen:
  Nie kehret unsre Lust!
Nein Freunde, nein! und schiede
  Er mehr Mal' auch im Jahr,
Daß Er Euch gänzlich miede
  Wird nie und nimmer wahr.

In Sturm nicht, nicht in Wettern
  Kann dieses Band vergeh'n;
Stets auf geweih'ten Brettern
  Wird Er, ein Heros, seh'n;
Wird dort als Fürst regieren
  Mit kunst=übter Hand,
Und unsre Bühne zieren
Und unser Vaterland!

Von einem Vaterländischen Dichter.

———————

Franzosen = Billigkeit.
(werth in Erz gegraben zu werden.)

Zu dem französischen General Hulin kam, während des Kriegs, ein .... Bürger, und gab, Behufs einer kriegsrechtlichen Beschlagnehmung, zu des Feindes Besten, eine Anzahl, im Pontonhof liegender, Stämme an. Der General, der sich eben anzog, sagte: Nein, mein Freund; diese Stämme können wir nicht nehmen. — „Warum nicht?" fragte der Bürger. „Es ist königliches Eigenthum." — Eben darum, sprach der General, indem er ihn flüchtig ansah. Der König von Preußen braucht dergleichen Stämme, um solche Schurken daran hängen zu lassen, wie er. —

Polizei=Rapport.

Vom 3. October.

Der Schreiber Seidler, Friedrichsstraße Nr. 56, hat gestern in der letzten Straße einen sogenannten Brandbrief gefunden, nach dessen Inhalt Berlin binnen wenigen Tagen an 8 Ecken angezündet werden soll. Das Publikum braucht gleichwohl, bei der Wachsamkeit der obersten Polizei=Behörde, keinen unzweckmäßigen Besorgnissen Raum zu geben.

Die Dienstmagd Schleske, früherhin schon in Criminal=Untersuchung, wurde von Polizeiwegen recherchirt, und bei ihr und außer mehreren, ihrer jetzigen Herrschaft, dem Branntweinbrenner Stachow gehörigen Sachen, 127 Rthlr. baar Geld, wahrscheinlich an 14 verschiedenen Orten zusammengestohlen, aufgefunden.

Bei der Revision der Fleischergewichte und Waagen ereignete sich der sonderbare Fall, daß bei dem Schlächter Krause, in dem Poststraßen=Scharren, zwei Gewichte à 8 Pf. und 5 Pf. um ein Beträchtliches zu schwer waren.

Im vorigen Monat sind, durch die Wachsamkeit der Polizei=Commissarien 18 Concubinate in gesetzmäßige Ehen verwandelt worden.

Gegen den, nach dem Rapport vom 1sten dieses verhafteten Vagabonden wird die Untersuchung fortgesetzt, und dürfte ein für das Publicum beruhigendes Resultat geben. Er scheint danach wirklich bei den kürzlich so häufigen Feuersbrünsten thätig gewesen zu sein; jedoch sind die diesfälligen Unterhandlungen vor dem Schluß der Untersuchung nicht zur Publicität geeignet.

Berliner Abendblätter.

4tes Blatt. Den 4ten October 1810.

Freimüthige Gedanken bei Gelegenheit der neuerrichteten Universität in Berlin.

(Beschluß.)

Der jetzt herrschende, aller wahren Wissenschaft abgewendete, hyperkritische Geist der Gelehrten, der Krieg aller gegen alle, die fruchtlose Zersplitterung der literarischen Republik ist nicht anders zu beschwichtigen, ein Verein unter Gelehrten nicht anders zu errichten und: dem gelehrten Stände nicht anders seine Ehre zurückzugeben, als durch den Staat, durch ein gemeinschaftliches, bestimmtes, praktisches Ziel, welches diesen entzweiten Wissenschaften vorgehalten wird.

Endlich sei mit besondrer Beziehung auf den Preußischen Staat die Frage erlaubt: warum sind aus den bisherigen Lehranstalten nur Virtuosen der Jurisprudenz und Provinzialbeamte und durchaus keine höhere Staatsbeamten hervorgegangen? Die höheren Staatsbeamten, die wir nennen könnten, sind es durch Talent und praktische Erfahrung, keiner durch die Schule: und seitdem die alten Provinzialverwaltungen einer Staatsverwaltung bei uns Platz gemacht haben, bedürfen wir der allgemeinen Staatsbeamten, die das Ganze ins Auge fassen, viel mehr als vorher. — Die Antwort ist: weil die alten Universitäten in den letzten Zeiten, etwas zu sehr und zu ausschließend im Universo verkehrt haben, und das Studium der vaterländischen Lokalität versäumt worden ist. — Es ist das höchste Interesse des Staates, daß die Candidaten seiner Aemter in den besonderen Gerichtshof und in das besondere administrative Departement nicht anders

4]

eintreten, als ausgerüstet mit einer tüchtigen vollständigen Anschauung des vaterländischen Universums.

Dazu errichtet der Staat die Universität; und daß für das Europäische Universum und für die Republik der Wissenschaften nichts dabei verloren geht, daß dadurch vielmehr den Wissenschaften die einzige Ergänzung gegeben wird, die ihnen mangelt, konnte die in Berlin errichtete Universität dereinst zeigen, da ihr Kräfte und Mittel und Geister zu Gebot stehn, wie sich deren vielleicht keine Anstalt ähnlicher Art bey ihrer Entstehung rühmen konnte.

Ps.

Der verlegene Magistrat.

Eine Anekdote.

Ein H...r Stadtsoldat hatte vor nicht gar langer Zeit, ohne Erlaubniß seines Offiziers, die Stadtwache verlassen. Nach einem uralten Gesetz steht auf ein Verbrechen dieser Art, das sonst der Streifereien des Adels wegen, von großer Wichtigkeit war, eigentlich der Tod. Gleichwohl, ohne das Gesetz, mit bestimmten Worten aufzuheben, ist davon seit vielen hundert Jahren kein Gebrauch mehr gemacht worden: dergestalt, daß statt auf die Todesstrafe zu erkennen, derjenige, der sich dessen schuldig macht, nach einem feststehenden Gebrauch, zu einer bloßen Geldstrafe, die er an die Stadtcasse zu erlegen hat, verurtheilt wird. Der besagte Kerl aber, der keine Lust haben mochte, das Geld zu entrichten, erklärte, zur großen Bestürzung des Magistrats: daß er, weil es ihm einmal zukomme, dem Gesetz gemäß, sterben wolle. Der Magistrat, der ein Mißverständniß vermuthete, schickte einen Deputirten an den Kerl ab, und ließ ihm bedeuten, um wieviel vortheilhafter es für ihn wäre, einige Gulden Geld zu erlegen, als arquebusirt zu werden. Doch der Kerl blieb dabei, daß er seines Lebens müde sei, und daß er sterben wolle: dergestalt, daß dem Magistrat, der kein Blut vergießen wollte, nichts übrig blieb, als dem Schelm die Geldstrafe zu erlassen, und noch froh war, als er erklärte, daß er, bei so bewandten Umständen am Leben bleiben wolle.

rz.

Theater.

Den 2. October: Ton des Tages, Lustspiel von Voß.

Kant sagt irgendwo, in seiner Kritik der Urtheils-kraft, daß der menschliche Verstand und die Hand des Menschen, zwei, auf nothwendige Weise, zu einander gehörig und auf einander berechnete, Dinge sind. Der Verstand, meint er, bedürfe, falls er in Wirksamkeit treten solle, ein Werkzeug von so mannichfaltiger und vielseitiger Vollkommenheit, als die Hand; und hin-wiederum zeige die Struktur der Hand an, daß die Intelligenz, die dieselbe regiere, der menschliche Ver-stand sein müsse. Die Wahrheit dieses, dem Anschein nach paradoxen Satzes, leuchtet uns nie mehr ein, als wenn wir Herrn Iffland auf der Bühne sehen. Er drückt in der That, auf die erstaunenswürdigste Art, fast alle Zustände und innerliche Bewegungen des Ge-müths damit aus. Nicht, als ob, bei seinen theatra-lischen Darstellungen, nicht seine Figur überhaupt, nach den Forderungen seiner Kunst, zweckmäßig mit-wirkte: in diesem Fall würde das, was wir hier vor-gebracht haben, ein Tadel sein. Es wird ihm, in der Pantomimik überhaupt, besonders in den bürgerlichen Stücken, nicht leicht ein Schauspieler heutiger Zeit gleichkommen. Aber von allen seinen Gliedern, behaup-ten wir, wirkt, in der Regel, keins, zum Ausdruck eines Affekts, so geschäftig mit, als die Hand; sie zieht die Aufmerksamkeit fast von seinem so ausdrucksvollen Gesicht ab: und so vortrefflich dies Spiel an und für sich auch sein mag, so glauben wir doch, daß ein Ge-brauch, mäßiger und minder verschwenderisch, als der, den er davon macht, seinem Spiel (wenn dasselbe noch etwas zu wünschen übrig läßt) vortheilhaft sein würde.

xy.

Tagesbegebenheiten.

Wie grundlos oft das Publicum beunruhigt wird, beweist die, in der Stadt bereits bekannte Aussage eines kürzlich aufgefan-genen Militair-Deserteurs: „er sei auf eine Bande Mordbrenner gestoßen, welche ihm Anerbietungen gemacht, sich in ihr aufnehmen zu lassen" u. s. w. Dieser Kerl hat, dem Vernehmen nach, nun-mehr gestanden, daß dieser ganze Bericht eine Erfindung war, um sich dadurch Befreiung von der verwirkten Strafe zu verschaffen.

Polizei-Rapport.

Vom 4ten October.

Das 5jährige Kind des Schumachermeister Lang-
brand, ist in der Bruderstraße, vom Kutscher des Geh.
Commerz Rath Pauli, übergefahren, und durch einen
Schlag des Pferdes am Kopfe, jedoch nicht tödlich, beschädigt worden.

———

Die Polizeilichen Notizen, welche in den Abendblättern erscheinen, haben nicht bloß den Zweck, das
Publikum zu unterhalten, und den natürlichen Wunsch,
von den Tagesbegebenheiten authentisch unterrichtet zu
werden, zu befriedigen. Der Zweck ist zugleich, die oft
ganz entstellten Erzählungen über an sich gegründete
Thatsachen und Ereignisse zu berichtigen, besonders
aber das gutgesinnte Publikum aufzufordern, seine
Bemühungen mit den Bemühungen der Polizei zu
vereinigen, um gefährlichen Verbrechern auf die Spur
zu kommen, und besorglichen Uebelthaten vorzubeugen.
Wenn z. B. wie geschehen ist, bekannt gemacht wird,
daß Brandbriefe und Brandmaterialien gefunden oder
Verbrechen begangen worden, deren Urheber noch nicht
entdeckt sind, so kann dabei nicht die Absicht sein, Besorgnisse bei dem Publiko zu erwecken, indem es sich
auch ohne ausdrückliche Ermahnung von selbst versteht,
daß von Seiten der Polizeibehörde alle Maasregeln
genommen werden, sowohl das beabsichtigte Verbrechen
zu verhüten, als den Urhebern auf die Spur zu kommen; sondern blos das Stadtgespräch zu berichtigen,
welches aus einem solchen Brandbrief deren hundert
macht, und ängstliche Gemüther ohne Noth mit Furcht
und Schrecken erfüllt. Zugleich wird aber auch jeder
redliche Einwohner darin eine Aufforderung finden,
seine Wachsamkeit auf die Menschen nnd Ereignisse
um ihn her zu verdoppeln, und alles was zur Entdek-
kung des Verbrechers führen könnte, dem nächsten
Polizei-Offizianten auf das schleunigste anzuzeigen, damit das Pol.-Präsidium sogleich davon Nachricht erhalte, und seinen Maaßregeln zur Sicherung des Pu-
blici die Richtung geben könne.

———

Berliner Abendblätter.

5tes Blatt.   Den 5ten October 1810.

Ode auf den Wiedereinzug des Königs im Winter 1809.

Was blickst Du doch zu Boden schweigend nieder,
Durch ein Portal siegprangend eingeführt?
Du wendest Dich, begrüßt vom Schall der Lieder,
Und Deine schöne Brust, sie scheint gerührt.
Blick' auf, o Herr! Du kehrst als Sieger wieder,
Wie hoch auch immer Cäsar triumphirt:
Ihm ist die Schaar der Götter zugefallen,
Jedoch den Menschen hast Du wohlgefallen.

Du hast ihn treu, den Kampf, als Held getragen,
Dem Du, um nicht'gen Ruhms, Dich nicht geweiht.
Du hättest noch, in den Entscheidungstagen,
Der höchsten Friedensopfer keins gescheut.
Die schönste Tugend, laß mich's kühn Dir sagen,
Hat mit dem Glück des Krieges Dich entzweit:
Du brauchtest Wahrheit weniger zu lieben,
Und Sieger wärst Du, auf dem Schlachtfeld, blieben.

Laß denn zerknickt die Saat, von Waffenstürmen,
Die Hütten laß' ein Raub der Flammen sein!
Du hast die Brust geboten, sie zu schirmen:
Dem Lethe wollen wir die Asche weihn.
Und müßt' auch selbst noch, auf der Hauptstadt
                                    Thürmen,
Der Kampf sich, für das heil'ge Recht, erneun:
Sie sind gebaut, o Herr, wie hell sie blinken,
Für beß're Güter in den Staub zu sinken!

H. v. K.

[5]

Literarische Merkwürdigkeiten.

Wir erwarten in wenigen Tagen die Erscheinung der Lettres sur l'Allemagne von Madame Stael. Es sind die Früchte der Reisen dieser merkwürdigen Frau, vielleicht auch der häuslichen Unterweisung ihrer Freunde, welche diese Syrene entführt, und anständigeren Wirkungskreisen abwendig gemacht hat. Da werden wir Deutsche nun der großen Welt und den Franzosen vorgestellt, vielleicht gar empfohlen werden; man wird zeigen, wie wir den idealisme repräsentirten, während Frankreich den réalisme; wir werden behandelt werden, wie es einem jungen, gesunden, mitunter etwas schwärmerischen, oder störrigen, oder stummen, oder ungeschickten Liebhaber gebührt, den eine solche Dame in die Welt einzuführen würdigt; kurz, wie der Bär im Park der Madame Stael. Deutschland mit seinen Schicksalen eignet sich unvergleichlich für die douce melancolie seiner Beschützerinn, und wenn sich die Empfindung auf Reisen begiebt, so findet sie bei uns viel zu schaffen. Was wären wir Deutsche auch, wenn es keinen Villers und keine Stael gäbe? — Nur das Eine hoffen wir, daß diesmal endlich der Geoffroy bekehrt werde, denn so lange wir den nicht haben, hat auch der Deutsche Geist den Rhein nicht überschritten.

Viel näher steht uns, da wir einmal von geistreichen Frauen reden, die Schrift unsrer Landsmännin, der Frau von Fouqué, „über weibliche Bildung," welche gleichfalls in diesen Tagen erwartet wird. Ohne jenen Empfindungsballast, der auf allen Museen und Landstraßen Europas zusammengelesen, und ohne jenen gesprächigen, wollüstigen, in seinem eignen Nebel schwelgenden Trübsinn, wird hier eine deutsche Frau, mit ihrer eigenthümlichen Klarheit und Innigkeit, über die Grenzen ihres Geschlechts reden.

Das größte aber und theuerste, was wir eben jetzt aus Frauenhänden erhalten, sind die unvergleichlichen

Denkwürdigkeiten der Prinzessinn Friedrike von Baireuth. Was könnte uns aufregen, erheben und entzücken, wie eine Fürstinn unsers Hauses, die, groß und gut geworden, unter unnachlassenden Leiden, ihr Leben mit dem eignen und völlig unabsichtlichen Tiefsinn der Weiblichkeit erzählt? — Und ist nicht diese Leidensschönheit das besondere Erbtheil aller Frauen unsers Fürstenhauses?

A. M.

Der Griffel Gottes.

In Polen war eine Gräfinn von P...., eine bejahrte Dame, die ein sehr bösartiges Leben führte, und besonders ihre Untergebenen, durch ihren Geiz und ihre Grausamkeit, bis auf das Blut quälte. Diese Dame, als sie starb, vermachte einem Kloster, das ihr die Absolution ertheilt hatte, ihr Vermögen; wofür ihr das Kloster, auf dem Gottesacker, einen kostbaren, aus Erz gegossenen, Leichenstein setzen ließ, auf welchem dieses Umstandes, mit vielem Gepränge, Erwähnung geschehen war. Tags darauf schlug der Blitz, das Erz schmelzend, über den Leichenstein ein, und ließ nichts, als eine Anzahl von Buchstaben stehen, die, zusammen gelesen, also lauteten: sie ist gerichtet! — Der Vorfall (die Schriftgelehrten mögen ihn erklären) ist gegründet; der Leichenstein existirt noch, und es leben Männer in dieser Stadt, die ihn samt der besagten Inschrift gesehen.

Theater.

Gestern zum Erstenmale: Der Sohn durch's Ungefähr; Posse in zwei Akten.

„Cest un rien" würden die Franzosen von dieser Posse sagen; und wir glauben sogar, daß man dem Stückchen nicht zu viel thäte, wenn man die fremde

Redensart wörtlich übersetzte und (freilich etwas här-
ker) von ihm sagte: Es ist ein Nichts. Aber auch ein
solches Nichts, als vorübergehende Erscheinung, darf,
da wir nur eine Bühne haben, keinesweges verdrängt
von ihr werden, und das Publikum bleibt der Direktion für Kleinigkeiten der Art, sollten sie auch nur
wenige Male wiederholt werden, für jetzt noch immer
Dank schuldig. Wem mit Variationen auf das beliebte „Rochus Pumpernickel" mit etwas „Je toller je
besser" vermischt, gedient ist; der gehe und höre und
sehe den Sohn durch's Ungefähr mit seinen beiden
unüberschwenglichen Redensarten, die durch das ganze
Stück wie zwei gewaltige Grundtöne durchgehen, nehmlich Nr. 1.: Stellen Sie sich vor! und Nr. 2.:
daran ist gar nicht zu zweifeln! — — Die nähere Beschreibung des Stucks; was Alles drin vor-
kommt, wann der erste Act aufhört und wann der zweite
anfängt, wird wahrscheinlich in den nächsten Blättern
unsrer Zeitungen zu lesen seyn. Daran ist gar nicht
zu zweifeln. Wir aber wollen von dieser kleinen We-
nigkeit nur noch sagen, daß sie mit mehr Präcission und
ineinander greifender gegeben wurde, als manch vorzügliches Lust = oder Trauerspiel auf unsrer Bühne.
Stellen Sie sich vor! Was die Schauspieler im Einzelnen betrifft, so zeigten sich Herr Wurm und Herr Gern
d. S als ächte Komiker; Herr Stich wird in seinem
Fache mit jedem Tage sicherer und gewandter; Herr
Kaselitz und Herr Labes spielten wie gewöhnlich, Herr
Berger lobenswerth = moderat. Mad. Fleck war recht
hübsch; auch Madame Vanini hat mitgespielt.

++

Tagesbegebenheiten.

Dem Bauer Münchenhofe ist ein neues Stel-
zeug vom Pferde gestohlen, mit dem er eine Sprütze
zur Löschung des Brandes in Lichtenberg führen wollte.

Der Hausknecht Dieme, im Dienst des Kaufmann
Grebin, ist wegen zu schnellen Fahrens auf der Straße
verhaftet.

Beim Nachmessen eines halben Haufens Torf, den
der Schullehrer Krüger gekauft hatte, fehlten 12 Kiepen, daher die Schiffer, welche das Messen verrichtet
haben, zur Untersuchung gezogen sind.

An das Publikum.

Um alle uns bis jetzt bekannt gewordene Wünsche des Publikums in Hinsicht der Austheilung der Berliner Abendblätter zu befriedigen, sind folgende Veranstaltungen getroffen word n.

1) Da man das bisherige Lokal, bei dem außerordentlichen Andrange von Menschen, zu enge befunden; so werd n, von Montag den 8. d. an, die gedachten Abendblätter nicht mehr hinter der Katholischen Kirche Nr. 3; sondern in der Leihbibliothek des Herrn Kralowsky in der Jägerstraße Nr. 25 Parterre, ausgegeben werden. Die Stunde, in der dies geschieht, bleibt für die neuen Blätter eines jeden Tages, wie bisher, die von 5 bis 6 Uhr; daaegen sind die vom vorigen Tage ebendaselbst, (nämlich bei Hrn Kralowsky) von Morgens 8 bis Mittags 12 Uhr, und von Nachmittags 2 bis Abends 6 Uhr zu haben; so wie auch in dieser ganzen Zeit Abonnements angenommen werden.

2) Wer die Abendblätter j den Abend ins Haus geschickt verlangt, kann sich, er möge abonnirt haben wo er wolle, unter Vorzeigung seiner Abonnements-Quittung, an Herrn Buchalsky in der Fischer-Straße Nr. 13. wenden, welcher vierteljährlich nicht mehr als 4 gGr. Bringegeld nimmt.

3) Derjenige Theil des Publikums, der der Post nahe wohnt, kann die Abendblätter auch von da jeden Abend abholen lassen, wenn er deshalb mit

Einem der Herrn Hof-Post-Secretaire Verabredungen trifft.

4) Es werden in den nächsten Tagen, auch für die entfernteren Gegenden der Stadt, Orte angezeigt werden, wo deren Einwohner sich abonniren und jeden Abend die Blätter erhalten können.

5) Auswärtige Abonnenten dürfen sich nur an die Postämter ihres Wohnorts addressiren, da das hiesige Hof-Postamt die Güte gehabt hat, an sämtliche Postämter in den Königl. Staaten Frei-Exemplare des ersten Blattes, mit der Aufforderung, Abonnenten zu sammeln, zu übersenden.

Uebrigens wird nur auf den Schluß des vierten Blattes (vom 4ten October) verwiesen, um das Publikum zu überzeugen, daß bloß das, was dieses Blatt aus Berlin meldet, das Neueste und das Wahrhafteste sei.

———

Nachschrift. Auf viele deßfalsige Anfragen wird endlich auch bemerkt, daß es sich von selbst verstehe:

daß jeder der jetzt noch, oder auch später, mit 18 Gr. für das 1ste Vierteljahr abonnirt, alle Stücke des Blattes, vom 1sten October an, die bisher ausgegeben worden, nachgeliefert erhält.

Berlin, den 5ten October 1810.

Die Redaction der Abendblätter.

Berliner Abendblätter.

6tes Blatt. Den 6ten October 1810.

Kunst-Ausstellung.

Gestern endlich ist auch das Porträt der hochseeligen Königinn vom Herrn Wilhelm Schadow auf die Ausstellung gebracht worden.

Bey Lebzeiten Ihrer Majestät ist es keinem Mahler gelungen, ein nur einigermaaßen ähnliches Bild von Ihr hervorzubringen. Wer hätte es auch wagen dürfen, diese erhabene und doch so heitere Schönheit, die lebendige, bewegliche, geistreiche, holdselige Freundlichkeit und den ganzen, unendlichen, immer neuen Liebreiz Ihres Wesens neben dem Ausdrucke des sinnigen Ernstes und der würdevollen Hoheit in dieser königlichen Frau festhalten oder gar wiedergeben zu wollen? Erst nachdem Sie selbst hinweggenommen worden ist, und die niederschlagende Vergleichung mit dem unerreichbaren Originale nicht mehr Statt finden kann, scheint die begeisterte Trauer, womit um sie geklagt wird, Ihr Bild treuer ergriffen zu haben.

Seine Majestät, der König, hat das Schadowsche Porträt für das ähnlichere erklärt und dadurch den Werth desselben in dieser Rücksicht bestimmt. Denn wo gäbe es einen sicherern Maaßstab dafür, wo ein lebendigeres und vollständigeres Bild der verewigten Monarchinn als in der treuen traurenden Erinnerung des erhabenen Wittwers? Der König findet das Bild ähnlich; Er billigt es; mehr bedarf es nicht, um demselben alle Stimmen zuzuwenden. Daß Sein heiliger Schmerz ohne Widerwillen und Störung bei diesen Zügen verweilen kann, dadurch wird dies Bild geadelt und weit hinausgehoben über jede Verantwortlichkeit gegen Wünsche, Forderungen und Ansprüche, die daran von Liebhabern, Kennern und Künstlern anderweitig erhoben werden könnten.

Ueberdem scheint dasselbe noch nicht ganz fertig gemahlt zu seyn, und kann auch aus diesem Grunde einer vollständigen Beurtheilung noch nicht unterworfen werden. Indessen ist es nicht unbillig, daß die Kritik, mit je größerem Rechte dieses Bild des jungen Mahlers sich derselben entzieht, um desto strenger in der Beurtheilung der übrigen Porträte verfahre, womit derselbe die Ausstellung hat zieren wollen.

(Wird fortgesetzt.)

Anekdote aus dem letzten preußischen Kriege.

In einem bei Jena liegenden Dorf, erzählte mir, auf einer Reise nach Frankfurt, der Gastwirth, daß sich mehrere Stunden nach der Schlacht, um die Zeit, da das Dorf schon ganz von der Armee des Prinzen von Hohenlohe verlassen und von Franzosen, die es für besetzt gehalten, umringt gewesen wäre, ein einzelner preußischer Reiter darin gezeigt hätte; und versicherte mir, daß wenn alle Soldaten, die an diesem Tage mitgefochten, so tapfer gewesen wären, wie dieser, die Franzosen hätten geschlagen werden müssen, wären sie auch noch dreimal stärker gewesen, als sie in der That waren. Dieser Kerl, sprach der Wirth, sprengte, ganz von Staub bedeckt, vor meinen Gasthof, und rief: „Herr Wirth!" und da ich frage: was giebt's? „ein Glas Branntewein!" antwortet er, indem er sein Schwerdt in die Scheide wirft: „mich dürstet." Gott im Himmel! sag' ich: will er machen, Freund, daß er wegkömmt? Die Franzosen sind ja dicht vor dem Dorf! „Ei, was!" spricht er, indem er dem Pferde den Zügel über den Hals legt. „Ich habe den ganzen Tag nichts genossen!" Nun er ist, glaub' ich, vom Satan besessen —! He! Liese! rief ich, und schaff' ihm eine Flasche Danziger herbei, und sage: da! und will ihm die ganze Flasche in die Hand drucken, damit er nur reite. „Ach, was!" spricht er, indem er die Flasche wegstößt, und nch den Hut abnimmt: „wo soll ich mit dem Quark hin?" Und: „schenk' er ein!" spricht er, indem er sich den Schweiß von der Stirn abtrocknet: „denn ich habe keine Zeit!" Nun er ist ein Kind des Todes, sag' ich. Da! sag ich, und schenk' ihm ein; da! trink' er und reit' er! Wohl mag's ihm bekommen: „Noch Eins!" spricht der Kerl; während die Schiffe schon von allen Seiten ins Dorf prasseln. Ich sage: noch Eins? Plagt ihn —! „Noch Eins!" spricht er, und streckt mir das Glas hin — „Und gut gemessen" spricht er, indem er sich den Bart wischt, und sich vom Pferde herab schneuzt: denn es wird baar bezahlt!" Ei, mein Seel, so wollt ich doch, daß ihn —! Da! sag' ich, und schenk' ihm noch, wie er verlangt, ein Zweites, und schenk' ihm, da er getrunken, noch ein Drittes ein, und frage: ist er nun zufrieden? „Ach! — schüttelt sich der Kerl. „Der Schnaps ist gut! — Na!" spricht er, und setzt sich den Hut auf: „was bin ich schuldig?" Nichts! nichts! versetzt' ich. Pack' er sich, ins Teufelsnamen; die Franzosen ziehen augenblicklich ins Dorf! „Na!" sagt er, indem er in seinen Stiefel greift: „so solls ihm Gott lohnen," Und holt, aus dem Stiefel, einen Pfeifenstummel hervor, und spricht, nachdem er den Kopf ausgeblasen: „schaff' er mir Feuer! Feuer sag ich: plagt ihn —? Feuer, ja!" spricht er: „denn ich will mir eine Pfeife Taback anmachen." Ei, den Kerl reiten Legionen —! He, Liese, ruf ich das Mädchen! und während der Kerl sich die Pfeife stopft, schafft das Mensch ihm Feuer. „Na!" sagt der Kerl, die Pfeife, die er sich an geschmaucht, im Maul: „nun sollen doch die Franzosen die Schwerenoth kriegen!" Und damit, indem er sich den Hut in die Augen drückt, und zum Zügel greift, wendet er das Pferd und zieht von Leder. Ein Mordkerl! sag' ich; ein verfluchter, verwetterter Galgenstrick! Will er sich ins Henkers Namen scheeren, wo er hingehört? Drei Chasseurs — sieht er nicht? halten ja schon vor dem Thor? „Ei was! spricht er, indem er ausspuckt; und faßt die drei Kerl blitzend ins Auge. „Wenn ihrer zehen wären, ich fürcht mich nicht.' Und in dem Augenblick reiten auch die drei Franzosen schon ins Dorf. „Bassa Manelka! ruft der Kerl, und giebt seinem Pferde die Sporen und sprengt auf sie ein; sprengt; so wahr Gott lebt, auf sie ein, und greift sie, als ob er das ganze Hohenlohische Corps hinter sich hätte, an, dergestalt, daß, da die Chasseurs, ungewiß, ob nicht noch mehr Deutsche im Dorf sein mögen, einen Augenblick, wider ihre Gewohnheit, stutzen, er, mein Seel! ehe man noch eine Hand umkehrt, alle drei vom Sattel haut, die Pferde, die auf dem Platz herumlaufen, aufgreift, damit bei mir vorbeisprengt, und: „Bassa Teremtetem!" ruft, und: „Sieht er wohl, Herr Wirth?" und „Adies!" und „auf Wiedersehn!" und: „hoho! hoho! hoho!" — — So einen Kerl, sprach der Wirth, habe ich Zeit meines Lebens nicht gesehen.

Polizeiliche Tages-Mittheilungen.

Der Posamentier-Meister Martin Friedrich Krüger, in der Frankfurter Straße Nr. 45, hat sich gestern, aus Melancholie, an seinen Arbeitsstuhl erhenkt.

Dem Fräulein v. d. Marwitz sind Vormittags zwischen 9 und 10 Uhr, aus einer verschlossenen Stube, mittelst Nachschlüssel, 2 Uhren, 5 Thalerstücke und einige Groschen Münze gestohlen. Nachmittags dem unter den Linden wohnenden Musikus Hamburg ein brauner Ueberrock.

Dem Kleidermacher Pahlert in der Canonierstraße Nr. 14, aus einer verschlossenen Commode, 8 Thaler Sächsisch Courant.

Zwei Kohlenträger sind, wegen Tabackrauchens bei den Kohlen, verhaftet.

Gerüchte.

Ein Schulmeister soll den originellen Vorschlag gemacht haben, den, wegen Mordbrennerei verhafteten Delinquenten Schwarz — der sich, nach einem andern im Publico coursirenden Gerücht, im Gefängniß erhenkt haben soll — zum Besten der in Schönberg und Steglitz Abgebrannten, öffentlich für Geld sehen zu lassen.

Interessante Schriften, welche in der Buchhandlung von J. E. Hitzig zu haben sind.

J. E. F. Meister, Ueber den Eid nach reinen Vernunftbegriffen. Eine von den hohen Curatoren des Stolpeschen Legats auf der weltberühmten Universität Leyden gekrönte Preisschrift, nach dem lateinischen Originale in freyer deutscher Bearbeitung für das liebe Deutsche Vaterland.   13 gr.

Berliner Abendblätter.

7tes Blatt. Den 8ten October 1810.

Kunst=Ausstellung.

(Fortsetzung.)

Das Porträt soll überhaupt den Menschen dar=
stellen, wo möglich, im vollständigsten und gedräng=
testen Augenblicke seines Lebens; dergestalt, daß
nicht bloß der äußere Schein und Schatten seiner
Züge ähnlich abgeschrieben, sondern sein ganzes Inn=
res gleichsam eröffnet und die daurende Grundrich=
tung seines Wesens vernehmlich offenbart werde.
Ein Gesicht, welches von keinem Gedanken belebt
wird, auf welchem sich kein Charakter ausdrückt,
macht schon im Leben einen unangenehmen Eindruck;
aber auf der Leinwand eine solche Unbedeutenheit
dieses bloße selbstbewußte und selbstgefällige Vorzei=
gen der eigenen Gesichtszüge für alle Ewigkeit fest=
gehalten zu sehen, ist wahrhaft widerlich. Wenn
wir uns das Porträt eines Verwandten, eines Freun=
des, kurz eines werthen Gegenstandes wünschen, so
möchten wir in diesem Bilde gewissermaßen ihn
selbst besitzen, wie er leibte und lebte, wie er sein
konnte, wenn er am meisten Er selbst war. Wir
möchten die ganze Gutmüthigkeit oder die Ironie,
den Ernst oder die Laune, die Kraft oder die Be=
haglichkeit seines Wesens ausgedrückt sehen; wir
möchten die ihm eigenthümliche Sorgfalt oder Nach=
lässigkeit seines Anzuges nicht vermissen; ja wir
möchten um ihn her die ihm eigensten und liebsten
Umgebungen und als Hintergrund sogar den Ort
erblicken, wo er am aufgeregtesten, wo er am mei=

[7]

ſten Er ſelbſt ſein konnte. Wenn man ihn ſtatt
deſſen uns nun zeigte in einer ihm ganz fremden
Tracht, wunderbar geſchminkt und mit einem unverkennbar angenommenen, ihm ſelbſt nicht angehö-
renden Ausdrucke, oder gar ohne allen Ausdruck;
würden wir nicht glauben, er ſei gemacht worden
im Augenblicke, da er auf eine Bühne habe treten
wollen? würden wir nicht eine Mißempfindung haben, daß unſer Verwandter oder Freund hier ſich
ſelbſt ſo entwendet erſcheine? Aus welchem anderen
Grunde werden wir von den Porträten altdeut-
ſcher Meiſter ſo unwiderſtehlich angezogen, als weil
wir dort menſchliche Geſichter erblicken, die ſich
gleich uns kund geben, mit denen die Bekannt-
ſchaft ſo leicht gemacht iſt, die wir ſchon gekannt zu
haben glauben? Dieſe Männer, die ſo rüſtig und
derb, oder ſo treu und ehrlich, oder ſo froh und
wohlgemuth, oder ſo fromm und gottesfürchtig aus-
ſehen, und dieſe züchtigen, häuslichen, andächtigen,
reinlichen Frauen, alle mit ihren natürlichen, unge-
färbten Geſichtern, erſcheinen ſie nicht wie alte,
werthe Bekannte und Freunde? Und wenn wir
nun gar die Werke der großen Meiſter betrachten,
ihre Porträte der öffentlichen Perſonen und Cha-
ractere ihrer Zeit: die Päpſte Leo X und Sixtus V
vom Rafaël und Velasquez, den Herzog Sforza vom
Leonardo da Vinci, Heinrich VIII vom Hollbein,
die vier Staatsmänner des Rubens, die Stuarts
des VanDyck u. ſ. w. ſcheint es nicht, als würde
durch dieſe Bilder die Geſchichte und das Leben jener
Männer ſelbſt erſt erläutert und vervollſtändigt?

Indeſſen darf es auch nicht überſehen werden,
daß die Porträtmahler unſerer Zeit eine ſchwierigere
Aufgabe haben, wie jene älteren. Das durchgän-
gige Streben unſerer Zeitgenoſſen nach einer äu-

ßern allgemeinen Politur, nach einem convenzionel-
len Scheinleben verhindert das Heraustreten und
also auch das Auffassen entschiedener Eigenthümlich-
keiten, und daher ist es zu begreifen, warum sinnige und bescheidene Künstler, die ihre Kunst und ihre
Zeit kennen, mit Recht zu einer bedeutsamen, man
möchte sagen, symbolisirenden Einkleidung und Ab-
fassung ihrer Porträte ihre Zuflucht haben nehmen
müssen.

(Wird fortgesetzt.)

Ueber die wissenschaftlichen Deputationen.

Eine charakteristische Eigenheit der neuen Preußischen Staatsorganisation sind die mancherley Canäle
welche man den Wissenschaften eröfnet hat, um auf
die Administration einzuwirken, um, wie durch eine
Art von Infusion alle Zweige der Verwaltung zu durchdringen. Die Urheber der neuen Institutionen haben
richtig erkannt daß unter den letzten Weltbewegungen
das Licht der Wissenschaften zu mächtig geworden ist,
um es von der Regierung der Völker auszuschließen.

Um den Staat durch die Wissenschaften zu ver-
edlen, seine Wirksamkeit zu versichern, seinen Lauf zu
beschleunigen giebt es zwei Mittel, ein direktes, durch
Deputationen, d. h. durch gelehrte Korporationen
welche den einzelnen Verwaltungszweigen zu Rath,
Hülfe und Bericht angehängt sind. Das Reich der
Wissenschaften sendet Deputirten, um in allen einzelnen Fällen die gerade benöthigte Portion Wissenschaft
der administrativen Behörde zuzumessen.

Der indirekte Weg wäre den Geist der lebendigen Wissenschaft den Staatsbeamten von vorn herein durch eine verbesserte politische Erziehung so mitzutheilen, daß das Reich der Wissenschaften den Staat
durchdränge und daß es weiter keiner Deputirten von
aussenher bedürfte.

Es scheint eine beſſere Manier, durch weiſe naturgemäße Pflege, den Baum die angemeßne Nahrung
durch ſeine Wurzel ſanft und allmählig aus der Erde
ſaugen laſſen, als durch künſtliche, chemiſche Bereitung
ihm in iedem bedürftigen Augenblick ſeine Nahrungs-
ſäfte durch äußere Infuſion zuzuführen.

Man würde dieſe einfachen Bemerkungen ſehr miß-
verſtehn, wenn man ſie ohne Vorſicht auf die bey uns
bereits eingerichteten wiſſenſchaftlichen Deputationen
beziehen wollte, welche aus Gelehrten gebildet ſind,
auf deren Beſitz die Nation mit Recht ſtolz iſt. Es
bedarf ihrer vielleicht einſtweilen, weil eine verbeſſerte
politiſche Erziehung doch erſt der folgenden Generation
zu Gute kommen könnte. Indeß kann ihr höchſter
Zweck nur der ſein, im Laufe der Zeit ſich ſelbſt un-
nöthig zu machen.

Immer iſt die Frage von der Capitulation oder
der Vereinigung der Wiſſenſchaften und des praktiſchen
Lebens eine der wichtigſten die ietzt zur Beantwortung
vorliegen. Der größte Staatsmann empfindet den
hemmenden Einfluß der Syſteme und Prinzipien, welche die letzte Zeit ausgegohren, und die nun in einer
verführeriſchen Reife daſtehn und trotzen, ohne daß ſie
gerade durch Gewalt oder bloße Klugheit zu beſeiti-
gen wären.

Je mehr es der beſondre Ruhm unſrer Zeit iſt,
daß die Wiſſenſchaften mächtig geworden ſind, um ſo
mehr iſt es, erſtes unter allen Problemen des Staatsmanns ſie zu bändigen, das heißt, da er ſie braucht
und ſie ſich nicht mehr unterdrücken laſſen, ſie zu regieren.

Polizei-Ereigniß.
Vom 7. October.

Ein Arbeitsmann, deſſen Name noch nicht angezeigt
iſt, wurde geſtern in der Königsſtraße vom Kutſcher des
Profeſſor Grapengießer übergefahren. Jedoch ſoll die
Verwundung nicht lebensgefährlich ſein.

Extrablatt
zum 7ten Berliner Abendblatt.

Polizeiliche Tages-Mittheilungen,
Etwas über den Delinquenten Schwarz und die Mordbrenner-Bande.

Die Verhaftung des in den Zeitungen vom 6. d. M. signalisirten Delinquenten Schwarz (derselbe ungenannte Vagabonde, von dem im 1sten Stück dieser Blätter die Rede war) ist einem sehr unbedeutend scheinenden Zufall zu verdanken.

Nachdem er sich bei dem Brande in Schönberg die Taschen mit gestohlnem Gute gefüllt hatte, ging er sorglos, eine Pfeife in der Hand haltend, durch das Potsdamsche Thor in die Stadt hinein. Zufällig war ein Soldat auf der Wache, welcher bei dem Krüger La Val in Steglitz gearbeitet hatte, und die Pfeife des Schwarz als ein Eigenthum des La Val erkannte.

Dieser Umstand gab Veranlassung, den Schwarz anzuhalten, näher zu examiniren, und nach Schönberg zum Verhor zurückzuführen, wo sich denn mehrere, dem rc. La Val und dem Schulzen Willmann in Schönberg gehörige, Sachen bei ihm fanden.

Bei diesem ersten Verhöre in Schönberg standen, wie sich nachher ergeben hat, mehrere seiner Spießgesellen vor dem Fenster, und gaben ihm Winke und verabredete Zeichen, wie er sich zu benehmen habe. Dieses Verhör wurde während des ersten Tumults gehalten, wie der Brand noch nicht einmal völlig gelöscht war, und niemand konnte damals schon ahnden, mit welchem gefährlichen Verbrecher man zu thun habe.

Daß er zu einer völlig organisirten Räuberbande gehört, geht aus den bekannt gemachten Steckbriefen hervor. Diese Bande ist in der Chur- und Uckermark verbreitet, treibt ihr schändliches Gewerbe systematisch, und bedient sich der Brandstiftung als Mittel zum Stehlen, wenn andre Wege zu schwierig und gefahrvoll scheinen. Dem Schwarz selbst war besonders die Rolle zugetheilt, sich einige Tage vorher in dem zum Abbrennen bestimmten Hause einzuquartieren und die Gelegenheit zu erforschen. Dann gab er seinen Helfershelfern die nöthigen Nachrichten, verabredete Zeit und Ort, setzte die Bewohner, sobald der Brand sich zeigte, durch lautes Geschrei in Verwirrung, und benutzte diese, unter dem Vorwande, hülfreiche Hand zu leisten, um Alles ihm Anständige über die Seite zu schaffen. Diese Rolle hat er in Steglitz und in Schönberg mit Erfolg gespielt.

Daß diese Bande auch die gewaltsamsten Mittel nicht scheut, um ihre Zwecke zu erreichen, haben die unglücklichen Erfahrungen der letzten Zeit gelehrt. Aber es stehen ihr auch alle Arten des raffinirtesten Betruges zu Gebote, und das macht sie um so gefährlicher. Schon aus den Steckbriefen ergiebt sich, daß jedes Mitglied unter mannichfachen Gestalten und Verkleidungen auftritt, mehrere Nahmen führt, und jede Rolle, welche die Umstände fordern, zu spielen vorbereitet ist. Auch auf Verfälschungen von Pässen, Documenten und Handschriften sind sie eingerichtet, und der sub 2 im Steckbrief bezeichnete Grabowsky versteht die Kunst, Petschafte zu verfertigen und nachzustechen.

(Künftig werden wir ein Mehreres von dieser Rotte mitzutheilen Gelegenheit haben.)

Berliner Abendblätter.

Kunst-Ausstellung.

(Fortsetzung.)

Um nun von den übrigen ausgestellten Arbeiten
des Herrn W. Schadow zu reden, so bietet sich zuförderst das Porträt Sr. Durchl. des Fürsten Rad-
zivil dar, als welches das Auge und mithin auch
das Urtheil gewissermaßen herauszufordern scheint.
Die vortheilhafte Pohlnische Tracht mit ihren kecken
Farben, die Orden, der kühne Ausdruck des männ-
lich schönen Gesichtes, Alles dieses macht Wirkung
und die Aehnlichkeit ist nicht zu verkennen. Nichts
desto weniger fehlt dem Bilde gerade das, wodurch
es zum Porträt, zum Charakterbilde hätte werden
können, und diejenigen, welche gewohnt sind, diesen geistreichen und liebenswürdigen Fürsten als den
eifrigen Kenner und Beförderer der Künste und
Talente, als den zärtlichen Gemahl und Vater und
als die Zierde der Gesellschaft zu betrachten und zu
bewundern, werden schwerlich in diesem Bilde mehr
von Ihm wieder finden, als die äußere Aehnlichkeit der Gesichtszüge. Das Porträt soll aber, nach
dem, was vorhin im Allgemeinen gesagt worden
ist, keineswegs irgend einen willführlichen, möglichen Moment des Lebens herausheben und festhalten dürfen, sondern vielmehr das ganze vollständige Leben selbst im bedeutenden Auszuge darstellen
wollen; und es wird daher in demselben durchaus
keine Zufälligkeit des Beywesens gestattet, sondern
überall eine nothwendige Bezüglichkeit und Bedeu-

[8]

tung auf das bestimmteste verlangt. Wozu also, könnte man bei diesem Bilde fragen, der vom Winde bewegte Mantel? Wozu im Hintergrunde der unnatürlich geschwärzte und bewölkte Himmel? Soll denn derselbe Zufall, dem unsre Zeit so leichtsinniger Weise im Leben die Gewalt eingeräumt hat, auch im Reiche der Kunst frei schalten und walten dürfen? Oder ist es etwa die Idee dieses Bildes, den Fürsten darzustellen, wie er in den Stürmen und Ungewittern der letzten Zeit den beiden, damals mit einander entzweiten Mächten, seinem Vaterlande und dem verschwägerten Königshause, zugleich beharrlich treu und ergeben geblieben sey? Dann würde den Künstler der noch größere Vorwurf treffen, daß er nicht verstanden habe, dem Gesichte einen ernsteren und tieferen Ausdruck zu geben, und das ebenfalls ausgestellte Porträt des Prinzen von Oranien von Herrn Erdmann Hummel würde ihn nicht wenig beschämen, wo dieser Prinz gehüllt in einen Mantel, worauf der schwarze Adler = Orden zu sehen ist, kräftig, besonnen und gefaßt vor den bedeutungsvollen Hintergrund des offenen Meeres gestellt worden ist.

(Wird fortgesetzt.)

Betrachtungen über den Weltlauf.

Es giebt Leute, die sich die Epochen, in welcher die Bildung einer Nation fortschreitet, in einer gar wunderlichen Ordnung vorstellen. Sie bilden sich ein, daß ein Volk zuerst in thierischer Rohheit und Wildheit daniederlage; daß man nach Verlauf einiger Zeit, das Bedürfniß einer Sittenverbesserung empfinden, und somit die Wissenschaft von der Tugend aufstellen müsse; daß man, um den Lehren derselben Eingang zu verschaffen, daran denken wurde, sie in schönen Beispielen zu versinnlichen, und daß somit die Aesthetik erfunden werden würde: daß man nunmehr, nach den Vorschriften derselben, schöne Versinnlichungen verfertigen, und somit die Kunst selbst ihren Ursprung nehmen würde: und daß vermittelst der Kunst endlich das Volk auf die höchste Stufe menschlicher Cultur hinaufgeführt werden würde. Diesen Leuten dient zur Nachricht, daß Alles, wenigstens bei den Griechen und Römern, in ganz umgekehrter Ordnung erfolgt ist. Diese Völker machten mit der heroischen Epoche, welches ohne Zweifel die höchste ist, die erschwungen werden kann, den Anfang; als sie in keiner menschlichen und bürgerlichen Tugend mehr Helden hatten, dichteten sie welche; als sie keine mehr dichten konnten, erfanden sie dafür die Regeln; als sie sich in den Regeln verwirrten, abstrahirten sie die Weltweisheit selbst; und als sie damit fertig waren, wurden sie schlecht.

z.

Polizeiliche Tages-Mittheilungen.

Am 3. d. M. hat sich in Charlottenburg ein fremder Hund mit einem Stricke um den Hals eingefunden, und ist nachdem er sich mit mehrern Hunden gebissen hatte, und aus mehrern Häusern verjagt war, auf den Hof des Herrn Geh. Commerz. Rath Pauli gerathen. Daselbst wurde er von sämmtlicher Hunden angefallen, und weil er sich mit ihnen herumbiß, so hielt man ihn für toll, erschoß ihn, und alle Paulische, von ihm gebissene Hunde, und begrub sie ehrlich. Dieses Faktum hat zu dem Gerücht Anlaß gegeben, daß in Charlottenburg ein toller Hund Menschen und Vieh gebissen habe. Menschen sind gar nicht gebissen, das Vieh aber, das er biß, ist theils getödtet und begraben, theils in Observation gesetzt. Zudem da er sich gutwillig aus mehreren Häusern verjagen ließ, ist nur zu wahrscheinlich, daß der Hund gar nicht toll gewesen.

Auf dem Abendmarkt sind 4 fremde nicht richtige Maaße zerschlagen, und einem Butterhändler, wegen ungetreuen Abwägens, 50½ W. Butter confiscirt worden.

Am 7. des Abends ist der vierjährige Sohn des Seidenwürkers Albrecht unter den Frankfurter Linden von einem Bauer übergefahren worden. Weil der Bauer nur im Schritt fuhr, gleich still hielt und das Pferd über ihn wegsprang, ist er bloß am Kopf vom Rade ein wenig gestreift und außer aller Gefahr.

Stadt = Gerücht.

Die berüchtigte Louise, von der Mordbrenner-Bande, soll vorgestern unerkannt auf dem Posthause gewesen sein, und daselbst nach Briefen gefragt haben. Es ist nicht unmöglich, daß dieselbe sich noch in diesem Augenblick in der Stadt befindet.

Interessante Schriften, welche in der Buchhandlung von J. E. Hitzig zu haben sind.

Wilhelm Kuhns Handbuch der deutschen Sprache, mit Aufgaben zur häuslichen Beschäftigung. Zum besondern Gebrauch für Töchter = und Elementarschulen entworfen.
Karl Heinrich Sintenis Ciceronische Anthologie, oder Sammlung interessanter Stellen aus den Schriften des Cicero. Zwei Theile.   1 thl. 18 gr.

Druckfehler.

7tes Blatt. Seite 28. Zeile 16 von oben: lies gemahlt statt gemacht.

Berliner Abendblätter.

9tes Blatt. Den 10ten October 1810.

Kunst-Ausstellung.

(Fortsetzung.)

Und derselbe Mangel an Gedanke und Absicht ist auch den beiden anderen Porträten dieses Mahlers vorzuwerfen.

Was aber die Behandlung und Ausführung des Einzelnen betrifft, so ist darin zwar ein Bestreben nach Wirkung und ein Talent der Nachahmung auffallend zu bemerken, aber auch eine Neigung zur Manier schwerlich zu verkennen. Denn unmöglich können diese dunkelbraunen Schatten, diese hochroth lackirten Lippen, diese unnatürlich erhitzte Farbe der Gesichter, welche ihnen ein schnupfichtes Ansehn zu geben scheint, der Natur selbst abgesehen sein, und es würde vielleicht nicht schwer werden, die verschiedenen Niederländischen Meister zu nennen, welche dem jungen Mahler bald hier, bald dort vorgeschwebt haben müssen.

Aufs auffallendste und wohlthätigste contrastirt mit diesen Bildern ein dicht daneben hängendes Doppelporträt, von dem, leider! zu früh verstorbenen jungen Künstler, Herrn Johann Carl Andreas Ludwig. Dasselbe stellt die Köpfe seiner Eltern vor, und ist mit solcher Treue, Wahrheit und Ausführlichkeit gemahlt, so sinnig, einfach und natürlich entworfen und so geistreich und fleißig ausgeführt, daß nicht genug zu seinem Lobe gesagt werden kann. Nur äußerst wenig fehlt diesem Bilde, nur ein geringer Zusatz von Leben, wir möch-

ten sagen, nur der äußere Schein und Glanz des
Lebens, um den bessern Bildern Deutscher Meister
an die Seite gesetzt zu werden.

Und somit können wir nunmehr eine ganze
Masse anderer Porträte, womit die Ausstellung
überfüllt ist, auch die des Herrn Gerhard von Kügelgen in Dresden, dreist übergehen *). Für ihr
Verdienst und ihre Fehler haben wir in dem bereits
Gesagten einen Maaßstab anzugeben versucht, und
ohne deshalb die nicht genannten geradezu ver-
werfen zu wollen, möchten wir nur für die wohl-
gefälligen und empfundenen Sepia-Bilderchen des
Herrn Heusinger, für das gelungene Porträt eines
alten Mannes vom Herrn Director Frisch und
etwa noch für das Bild einer ältlichen Frau vom
Herrn Ternite eine günstige Meinung zu erwecken
wünschen.

Dagegen wenden wir uns nunmehr zu dem
Besten, was die Ausstellung zeigt, zu der Reihe von
Porträten, womit Herr Friedrich Bury die
Sääle der Akademie wahrhaft geschmückt hat.

(Wird fortgesetzt.)

Muthwille des Himmels.
Eine Anekdote.

Der in Frankfurt an der Oder, wo er ein Infan-
terie-Regiment besaß, verstorbene General Dierings-
hofen, ein Mann von strengem und rechtschaffenem
Charakter, aber dabei von manchen Eigenthümlichkei-
ten und Wunderlichkeiten, äußerte, als er, in spätem
Alter, an einer langwierigen Krankheit, auf den Tod

*) Anmerk. des Herausgeb. Des Raums wegen. Wir
werden im Feld der historischen Mahlerei auf ihn zurückkommen.   H. v. K.

darniederlag, seinen Widerwillen, unter die Hände der Leichenwäscherinnen zu fallen. Er befahl bestimmt, daß niemand, ohne Ausnahme, seinen Leib berühren solle; daß er ganz und gar in dem Zustand, in welchem er sterben würde, mit Nachtmütze, Hosen und Schlafrock, wie er sie trage, in den Sarg gelegt und begraben sein wolle; und bat den damaligen Feldprediger seines Regiments, Herrn P..., welcher der Freund seines Hauses war, die Sorge für die Vollstreckung dieses seines letzten Willens zu übernehmen. Der Feldprediger P... versprach es ihm: er verpflichtete sich, um jedem Zufall vorzubeugen, bis zu seiner Bestattung, von dem Augenblick an, da er verschieden sein würde, nicht von seiner Seite zu weichen. Darauf nach Verlauf mehrerer Wochen, kömmt, bei der ersten Frühe des Tages, der Kammerdiener in das Haus des Feldpredigers, der noch schläft, und meldet ihm, daß der General um die Stunde der Mitternacht schon, sanft und ruhig, wie es vorauszusehen war, gestorben sei. Der Feldprediger P... zieht sich, seinem Versprechen getreu, sogleich an, und begiebt sich in die Wohnung des Generals. Was aber findet er? — Die Leiche des Generals schon eingeseift auf einem Schemel sitzen: der Kammerdiener, der von dem Befehl nichts gewußt, hatte einen Barbier herbeigerufen, um ihn vorläufig zum Behuf einer schicklichen Ausstellung, den Bart abzunehmen. Was sollte der Feldprediger unter so wunderlichen Umständen machen? Er schalt den Kammerdiener aus, daß er ihn nicht früher herbei gerufen hatte; schickte den Barbier, der den Herrn bei der Nase gefaßt hielt, hinweg, und ließ ihn, weil doch nichts anders übrig blieb, eingeseift und mit halbem Bart, wie er ihn vorfand, in den Sarg legen und begraben.

———

Anzeige.

Der uns von unbekannter Hand eingesandte Aufsatz über die Proklamation der Universität, kann, aus bewegenden Gründen, in unser Blatt nicht aufgenommen werden, und liegt zum Wiederabholen bereit.

Polizeiliche Tages-Mittheilungen.

Einem Schlächtermeister ist eine durch Beihängen eines eisernen Hakens unrichtig gemachte Waage in Beschlag genommen.

Gestern Abend hat sich ein Mann in seiner Wohnung aus noch unbekannter Ursach erhenkt.

Interessante Schriften, welche in der Buchhandlung von J. E. Hitzig zu haben sind.

F. Gründler Gedanken über eine Grundreform der Protestantischen Kirchen = und Schulverfassung im Allgemeinen, besonders aber in der Preußischen Monarchie.   14 gr.
Karl Friedrich Burdach Physiologie.   2 thl. 18 gr.
C. G. Heinrich Handbuch der Sächsischen Geschichte.   1 thl. 8 gr.

Druckfehler.

In dem gestrigen Abendblatte ist aus einem Versehen die Rubrik: Polizeiliche Tages-Mittheilungen über dem Artikel vom tollen Hunde in Charlottenburg gedruckt, anstatt nach diesem Artikel zu folgen; der Artikel ist keine Tages-Mittheilung und seine Fassung beruht bloß auf der Redaction.

Das Bettelweib von Locarno.

Am Fuße der Alpen, bei Locarno im oberen Italien, befand sich ein altes, einem Marchese gehöriges Schloß, das man jetzt, wenn man vom St. Gotthard kommt, in Schutt und Trümmern liegen sieht; ein Schloß, mit hohen und weitläufigen Zimmern, in deren Einem einst, auf Stroh, das man ihr unterschüttete, eine alte, kranke Frau, die sich bettelnd vor der Thür eingefunden hatte, von der Hausfrau, aus Mitleiden, gebettet worden war. Der Marchese, der, bei der Rückkehr von der Jagd, zufällig in das Zimmer trat, wo er seine Büchse abzusetzen pflegte, befahl der Frau unwillig, aus dem Winkel, in welchem sie lag, aufzustehn, und sich hinter den Ofen zu verfügen. Die Frau, da sie sich erhob, glitschte mit der Krücke auf dem glatten Boden aus, und beschädigte sich auf eine gefährliche Weise das Kreuz; dergestalt, daß sie zwar noch mit unsäglicher Mühe aufstand, und quer, wie es ihr vorgeschrieben war, über das Zimmer ging: hinter den Ofen aber, unter Stöhnen und Aechzen, niedersank und verschied.

Mehrere Jahre darauf, da der Marchese, durch Krieg und Mißwachs, in bedenkliche Vermögensumstände gerathen war, fand sich ein Genuesischer Ritter bei ihm ein, der das Schloß, seiner schönen Lage wegen, von ihm kaufen wollte. Der Marchese, dem viel an dem Handel gelegen war, gab seiner Frau auf, den Fremden in dem obenerwähnten, leerstehenden Zimmer, das sehr schön und bequem eingerichtet war, unterzubringen. Aber wie betreten war das Ehepaar, als der Ritter mitten in der Nacht, verstört und bleich, zu ihnen herunter kam, hoch und theuer versichernd, daß es in dem Zimmer spuke, indem etwas, das dem Blick

unsichtbar gewesen, mit einem Geräusch, als ob es auf
Stroh gelegen, im Zimmerwinkel aufgestanden, mit
vernehmlichen Schritten, langsam und gebrechlich, quer
über das Zimmer gegangen, und hinter dem Ofen,
unter Stöhnen und Aechzen niedergesunken sei.

Der Marchese erschrocken, er wußte selbst nicht
recht warum, lachte den Ritter mit erkünstelter Heiterkeit aus, und sagte, er wolle sogleich aufstehen, und
die Nacht, zu seiner Beruhigung, mit ihm in dem
Zimmer zubringen. Doch der Ritter bat um die Gefälligkeit, ihm zu erlauben, daß er auf dem Lehnstuhl,
in seinem Schlafzimmer, übernachte; und als der Morgen kam, ließ er anspannen, empfahl sich und reiste ab.

Dieser Vorfall, der außerordentliches Aufsehen
machte, schreckte, auf eine dem Marchese höchst unangenehme Weise, mehrere Käufer ab; dergestalt, daß,
da sich unter seinem eignen Hausgesinde, befremdend
und unbegreiflich, das Gerücht erhob, daß es in dem
Zimmer, zur Mitternachtstunde, umgehe, er, um es,
mit einem kurzen Verfahren, niederzuschlagen, beschloß,
die Sache in der nächsten Nacht selbst zu untersuchen.
Demnach ließ er, beim Einbruch der Dämmerung,
sein Bett in dem besagten Zimmer aufschlagen, und
erharrte, ohne zu schlafen, die Mitternacht. Aber wie
erschüttert war er, als er, in der That, mit dem
Schlage der Geisterstunde, das unbegreifliche Geräusch
wahrnahm; es war, als ob ein Mensch sich von Stroh,
das unter ihm knisterte, erhob, quer über das Zimmer
ging, und hinter dem Ofen, unter Geseufz und Gerö-
chel niedersank. Die Marquise, am andern Morgen, da
er herunter kam, fragte ihn, wie die Untersuchung ab-
gelaufen; und da er sich, mit scheuen und ungewissen
Blicken, umsah, und, nachdem er die Thür verriegelt,
versicherte, daß es mit dem Spuk seine Richtigkeit habe:
so erschrak sie, wie sie in ihrem Leben nicht gethan, und
bat ihn, bevor er die Sache verlauten ließe, sie noch
einmal, in ihrer Gesellschaft, einer kaltblütigen Prüfung zu unterwerfen. Sie hörten aber sammt einen

treuen Bedienten, den sie mitgenommen hatten, in der
That, in der nächsten Nacht, dasselbe unbegreifliche,
gespensterartige Geräusch; und nur der dringende
Wunsch, das Schloß, es koste was es wolle, los zu werden, vermogte sie, das Entsetzen, das sie griff, in Gegenwart ihres Dieners, zu unterdrücken, und dem Vorfall
irgend eine gleichgültige und zufällige Ursache, die sich
entdecken lassen müsse, unterzuschieben. Am Abend des
dritten Tages, da beide, um der Sache auf den Grund
zu kommen, mit Herzklopfen wieder die Treppe zu dem
Fremdenzimmer bestiegen, fand sich zufällig der Haushund, den man von der Kette losgelassen hatte, vor
der Thür desselben ein; dergestalt, daß die Marquise,
in der unwillkührlichen Absicht, außer ihrem Mann noch
etwas Drittes, Lebendiges, bei sich zu haben, den Hund
mit sich ins Zimmer nahm. Das Ehepaar, zwei Lichter auf dem Tisch, die Marquise unausgezogen, der
Marchese Degen und Pistolen, die er aus dem Schrank
genommen, neben sich, setzen sich, gegen eilf Uhr, jeder
auf sein Bett; und während sie sich mit Gesprächen, so
gut es sein kann, zu unterhalten suchen, legt sich der
Hund, Kopf und Beine zusammengekauert, in der Mitte
des Zimmers nieder, und schläft ein. Drauf, in dem
Augenblick der Mitternacht, läßt sich das entsetzliche
Geräusch wieder hören; jemand, den kein Mensch mit
Augen sehen kann, hebt sich, auf Krücken, im Zimmerwinkel empor; man hört das Stroh, das unter ihm
rauscht; und mit dem ersten Schritt: tapp! tapp! erwacht der Hund, hebt sich plötzlich, die Ohren spitzend,
vom Boden empor, und knurrend und bellend, grad'
als ob ein Mensch auf ihn eingeschritten käme, rückwärts gegen den Ofen, weicht er aus. Bei diesem Anblick stürzt die Marquise, mit sträubenden Haaren, aus
dem Zimmer; und während der Marchese, der den De-
ergriffen: werda? ruft, und da ihm niemand antwortet,
gleich einem Rasenden, nach allen Richtungen, die Luft
durchhaut, läßt sie den Wagen anspannen, in der Absicht,
um nach der Stadt zu fahren. Aber ehe sie noch aus

dem Thor gerasselt, sieht sie schon das Schloß ringsum in Flammen aufgehen. Der Marchese, von Entsetzen überreizt, hatte eine brennende Kerze genommen, und es an allen vier Ecken, müde seines Lebens, angesteckt. Vergebens schickte sie Leute hinein, den Unglücklichen zu retten; er war, auf die elendiglichste Weise bereits umgekommen, und noch jetzt liegen, von den Landleuten zusammengetragen, seine weißen Gebeine in dem Winkel des Zimmers, von welchem er, als er von der Jagd kam, das Bettelweib hatte aufstehen heißen.

mz.

Räthsel auf ein Bild der Ausstellung dieses Jahres.

Es spielt das Jahr in Farben wunderbar,
Es spielt die Kunst mit manchem bunten Bild,
Und manches reizt, wenn es auch nichts erfüllt,
Wenn man vorüber, weiß man was es war.

O arme Kunst, du sinkend armes Jahr,
Sagt an was künftig dauernd von euch gilt,
In meinem Herzen ernste Andacht quillt
Für alles Schöne, was unwandelbar.

Da bleibt ein Bild in meiner Seele stehn,
Ich hab's nicht mehr als andre angesehn,
Es ist nicht reizend und es ist doch schön.

Daran hat Lieb die ganze Seel gesetzt,
Der Künstler starb, er werde nicht beschwätzt,
Zum Reich der Wahrheit hat ihn Lieb versetzt.

L. A. v. A.

Polizeiliche Tages-Mittheilungen.

An einem Viertel Haufen Torf, den ein hiesiger Bürger von einem fremden Torfhändler gekauft hat, fehlten beim Nachmessen acht Kiepen; weshalb die Untersuchung gegen den Verkäufer eingeleitet ist.

Berliner Abendblätter.

11tes Blatt.   Den 12ten October 1810.

Ueber Christian Jakob Kraus.

Der verstorbene Professor Kraus in Königsberg
war ein scharfsinniger und wohlgeordneter, obwohl etwas langsamer und unfruchtbarer Kopf. Einen gegebenen Gedanken zu zerlegen, zu veriphrasiren, von allem falschen Beisatz zu läutern, nachher in allen seinen Elementen zu rubriciren, und zu numeriren, und
dergestalt ihn auch ganz mechanischen Köpfen annehm-
lich zu machen, hat er treflich verstanden; ein außerordentliches Talent für die Deduction, wie es auf dem
Felde der Staatswirthschaft noch nicht vorgekommen,
läßt sich ihm nicht absprechen. Seine Bearbeitung des
Adam Smith ist ein Werk großen, rechtschaffenen und
mühseligen Fleißes: er hat aus den Aussagen Sach-
verständiger, aus der Geschichte und denen Reisebeschreibungen, zur Bewährung seines Autors vielfältiges
beigebracht, und gebietet unbedingte Ehrfurcht, wenn
man erwägt, wie vor ihm das Werk des großen brittischen Staatsgelehrten von völlig Unberufenen, denen
Soden, Lüder, Sartorius, Jakobs u. s. f. war zersetzt
und zerfetzt, ausgezogen und ausgesogen worden.

In der Fluth von Gedanken und Apperçus, worin wir leben, und bei der Seltenheit gründlicher und
schulgerechter Form, die in Ermanglung eigentlichen
wissenschaftlichen Lebens allezeit ein schätzbares Surrogat desselben bleiben wird, bedauern wir es doppelt, gegen einen Mann sprechen zu müssen, der zur Ehre seines Vaterlandes gelebt hat, und den nur die übertriebene Adoration geistreicher Schüler, an seinem wohl-
verdienten Ruhme hat verkürzen können.

Das Werk des Adam Smith ist jetzt, nachdem es

seit 30 Jahren alle bedeutenden Staatsmänner Europas beschäftigt hat, reif für die Geschichte und für ein gründliches Urtheil. Wir glauben sogar, daß der große Mann viel größere und freiere Ansichten der Staatswirthschaft veranlaßt hat, als die sein Buch darbietet; also müssen wir die Positivität und Tyranney womit jetzt — nach 30 Jahren — der Buchstab desselben in der Krausschen Bearbeitung auftritt für etwas Unzeitiges erklären. Tief überzeugt von dem Unheil, welches dieser Buchstab in der Gesetzgebung unsers Vaterlandes anrichten könnte, müssen wir angehenden Staatswirthen rathen, über den dogmatisirten und fixirten Adam Smith des Professor Kraus, nicht das Studium ihrer lehrreichen Zeit zu versäumen. Wir müssen sie warnen vor der verführerischen Bestimmtheit jenes Buchs, und es ihrem ernstlichen Nachdenken überlassen, ob wohl die Wissenschaft der Oekonomie zu absoluten Prineipien und unbedingter Präeision gelangen könne, ohne die von ihr beständig unzertrennliche, schwesterliche Wissenschaft des Rechts, und so lange die Theorie des Staats selbst noch im Argen liegt. — Wir ehren die Talente, denen Kraus die erste Richtung gegeben, aber wir fürchten einen unheilbaren Zwiespalt zwischen den Gerichtshöfen und der Administration, wenn sich je diese, jugendlichen Köpfen wohl anstehende, Richtung der Gesetzgebung eines bejahrten Staates mittheilen könnte.

Zum Schluß können wir zwei Fragen nicht unterdrücken, die wir aus Unbekanntschaft mit den Königsbergischen Verhältnissen nicht zu beantworten wagen: zuerst, wie konnte ein guter aber völlig unproductiver und abhängiger Kopf zu der Lokalautorität gelangen, von der wir uns manches Wunder haben erzählen lassen? und dann: wie konnte in einem wissenschaftlich gar nicht entlegenen Orte die Lehre des Adam Smith erst so spät und nachdem sie schon zwanzig Jahre hindurch Europa beschäftigt hatte, zu diesem übertriebenen Ansehn gelangen? —

Wir ehren Christian Jakob Kraus und sein redliches Forschen und Bearbeiten vielleicht mehr als diejenigen, welche aus überschwellender Dankbarkeit ihm im Tode eine Gesetzgeberrolle aufdringen wollen, für die er nicht geboren war.

Ps.

Nützliche Erfindungen.

Entwurf einer Bombenpost.

Man hat, in diesen Tagen, zur Beförderung des Verkehrs innerhalb der Gränzen der vier Welttheile, einen elektrischen Telegraphen erfunden; einen Telegraphen, der mit der Schnelligkeit des Gedankens, ich will sagen, in kürzerer Zeit, als irgend ein chronometrisches Instrument angeben kann, vermittelst des Elektrophors und des Metalldraths, Nachrichten mittheilt; dergestalt, daß wenn jemand, falls nur sonst die Vorrichtung dazu getroffen wäre, einen guten Freund, den er unter den Antipoden hätte fragen wollte: wie geht's dir? derselbe, ehe man noch eine Hand umkehrt, ohngefähr so, als ob er in einem und demselben Zimmer stünde, antworten könnte: recht gut. So gern wir dem Erfinder dieser Post, die, auf recht eigentliche Weise, auf Flügeln des Blitzes reitet, die Krone des Verdienstes zugestehn, so hat doch auch diese Fernschreibekunst noch die Unvollkommenheit, daß sie nur, dem Interesse des Kaufmanns wenig ersprießlich, zur Versendung ganz kurzer und lakonischer Nachrichten, nicht aber zur Uebermachung von Briefen, Berichten, Beilagen und Paketen taugt. Demnach schlagen wir, um auch diese Lücke zu erfüllen, zur Beschleunigung und Vervielfachung der Handels = Communikationen, wenigstens innerhalb der Gränzen der cultivirten Welt, eine Wurf- oder Bombenpost vor; ein Institut, das sich auf zweckmäßig, innerhalb des Raums einer Schußweite, angelegten Artillerie = Stationen, aus Mörsern oder Haubitzen, hohle, statt des Pulvers, mit Briefen und Paketen angefüllte Kugeln, die man ohne alle Schwierigkeit, mit den Augen verfolgen, und wo sie hinfallen, falls es ein Morastgrund ist, wieder auffinden kann, zuwürfe; dergestalt, daß die Kugel, auf jeder Station zuvörderst eröffnet, die respektiven Briefe für jeden Ort herausgenommen, die neuen hineingelegt, das Ganze wieder verschlossen, in einen neuen Mörser geladen, und zur nächsten Station weiter spedirt werden könnte. Den Prospectus des Ganzen und die Beschreibung und Auseinandersetzung der Anlagen und Kosten behalten wir einer umständlicheren und weitläufigeren Abhandlung bevor. Da man, auf diese Weise, wie eine kurze mathematische Berechnung lehrt, binnen Zeit eines halben Tages, gegen geringe Kosten von Berlin nach Stettin oder Breslau würde schreiben oder respondiren können, und mithin, verglichen mit unseren reitenden Posten, ein zehnfacher Zeitgewinn entsteht oder es eben soviel ist, als ob ein Zauberstab diese Orte der Stadt Berlin zehnmal näher gerückt hätte: so glauben wir für das bürgerliche sowohl als handeltreibende Publicum, eine Erfindung von dem größesten und entscheidendsten Gewicht, geschickt, den Verkehr auf den höchsten Gipfel der Vollkommenheit zu treiben, an den Tag gelegt zu haben.

Berlin d. 10. Oct. 1810.   rmz.

Auf einen Denuncianten.

(Räthsel.)

Als Kalb begann er; ganz gewiß
Vollendet er als Stier — des Phalaris.

(Die Auflösung im folgenden Stück.)

st.

Polizeiliche Tages-Mittheilungen.

Der Leichnam eines hiesigen Seidenwirkers, der schon seit einiger Zeit von seiner Familie gesucht wurde, ist jetzt, schon sehr in Verwesung übergegangen, vor dem Köpnicker Thore in der Spree gefunden.

Einer von den 7 Verbrechern, welche im Juli d. Jahrs aus der Vestung Spandau entwichen sind, ist jetzt hier erkannt und verhaftet.

Ein fremder Schiffer hat beim Torfverkauf eines hiesigen Bürger auf ¼ Haufen um 5 Kiepen übervortheilt und ist daher zur Untersuchung gezogen.

Berliner Abendblätter.

12tes Blatt.   Den 13ten October 1810.

Empfindungen vor Friedrichs Seelandschaft.

Herrlich ist es, in einer unendlichen Einsamkeit am
Meeresufer, unter trübem Himmel, auf eine unbe-
gränzte Wasserwüste, hinauszuschauen. Dazu gehört
gleichwohl, daß man dahin gegangen sei, daß man zurück muß, daß man hinüber mögte, daß man es nicht
kann, daß man Alles zum Leben vermißt, und die
Stimme des Lebens dennoch im Rauschen der Fluth,
im Wehen der Luft, im Ziehen der Wolken, dem einsamen Geschrei der Vögel, vernimmt. Dazu gehört
ein Anspruch, den das Herz macht, und ein Abbruch,
um mich so auszudrücken, den Einem die Natur thut.
Dies aber ist vor dem Bilde unmöglich, und das, was
ich in dem Bilde selbst finden sollte, fand ich erst zwischen mir und dem Bilde, nehmlich einen Anspruch,
den mein Herz an das Bild machte, und einen Abbruch, den mir das Bild that; und so ward ich selbst
der Kapuziner, das Bild ward die Düne, das aber,
wo hinaus ich mit Sehnsucht blicken sollte, die See,
fehlte ganz. Nichts kann trauriger und unbehaglicher sein, als diese Stellung in der Welt: der einzige
Lebensfunke im weiten Reiche des Todes, der einsame Mittelpunct im einsamen Kreis. Das Bild liegt,
mit seinen zwei oder drei geheimnißvollen Gegenständen, wie die Apokalypse da, als ob es Joungs Nacht-
gedanken hätte, und da es, in seiner Einförmigkeit
und Uferlosigkeit, nichts, als den Rahm, zum Vorder-
grund hat, so ist es, wenn man es betrachtet, als ob
Einem die Augenlieder weggeschnitten wären. Gleichwohl hat der Mahler Zweifels ohne eine ganz neue Bahn
im Felde seiner Kunst gebrochen; und ich bin über-

zeugt, daß sich, mit seinem Geiste, eine Quadratmeile
märkischen Sandes darstellen ließe, mit einem Berbe-
ritzenstrauch, worauf sich eine Krähe einsam lustert,
und daß dies Bild eine wahrhaft Ossiansche oder Kose-
garte nsche Wirkung thun müßte. Ja, wenn man diese
Landschaft mit ihrer eignen Kreide und mit ihrem eigenen Wasser mahlte; so, glaube ich, man könnte die
Füchse und Wölfe damit zum Heulen bringen: das
Stärkste, was man, ohne allen Zweifel, zum Lobe für
diese Art von Landschaftsmahlerei beibringen kann. —
Doch meine eigenen Empfindungen, über dies wunderbare Gemählde, sind zu verworren; daher habe ich
mir, ehe ich sie ganz auszusprechen wage, vorgenommen,
mich durch die Aeußerungen derer, die paarweise, von
Morgen bis Abend, daran vorübergehen, zu belehren.

cb.

Den 6ten October: Selbstbeherrschung.

Die Persönlichkeit und das eigenthümliche Talent
Unzelmanns in der Rolle des Oberhofmeisters
wurde sehr vermißt. Dergleichen ist den sonst glücklichen komischen Gaben des jungen Gern versagt.
Der Dichter Iffland portraitirt und das Fehlen
eines dieser Porträts aus dem Zusammenhang der
Gallerie konnte der Schauspieler Iffland auch mit
der überschwenglich spaßhaftesten Laune nicht vergessen machen. Die ernsthafte Parthie des Stück's
wird selbst durch die tiefe Gemüthlichkeit der Madame
Bethmann und die lieblichste Zartheit der Mlle. Maas
nicht immer in gleichem Interesse erhalten. Erwähnen müssen wir noch der überraschend angenehmen
Erscheinung des Herrn Rebenstein durch Wärme des
Vortrags, Anstand und Gewandheit in den Bewegungen, nur an Geschmeidigkeit und Fluß der Rede bleibt
noch viel zu wünschen übrig.

fs.

Charité = Vorfall.

Der von einem Kutscher kürzlich übergefahrne Mann, Namens Beyer, hat bereits dreimal in seinem Leben ein ähnliches Schicksal gehabt; dergestalt, daß bei der Untersuchung, die der Geheimerath Hr. K., in der Charité mit ihm vornahm, die lächerlichsten Mißverständnisse vorfielen. Der Geheimerath, der zuvorderst seine beiden Beine, welche krumm und schief und mit Blut bedeckt waren, bemerkte, fragte ihn: ob er an diesen Gliedern verletzt wäre? worauf der Mann jedoch erwiederte: nein! die Beine wären ihm schon vor fünf Jahr, durch einem andern Doktor, abgefahren worden. Hierauf bemerkte ein Arzt, der dem Geheimenrath zur Seite stand, daß sein linkes Auge geplatzt war; als man ihn jedoch fragte: ob ihn das Rad hier getroffen hätte? antwortete er: nein! das Auge hätte ihm ein Doktor bereits vor 14 Jahren ausgefahren. Endlich, zum Erstaunen aller Anwesenden, fand sich, daß ihm die linke Rippenhälfte, in jämmerlicher Verstümmelung, ganz auf den Rücken gedreht war; als aber der Geheimerath ihn fragte: ob ihn des Doktors Wagen hier beschadigt hätte? antwortete er: nein! die Rippen wären ihm schon vor 7 Jahren durch einen Doktorwagen zusammen gefahren worden. — Bis sich endlich zeigte, daß ihm durch die letzte Ueberfahrt der linke Ohrknorpel ins Gehörorgan hineingefahren war. — Der Berichterstatter hat den Mann selbst über diesen Vorfall vernommen, und selbst die Todtkranken, die in dem Saale auf den Betten herumlagen, mußten, über die spaßhafte und indolente Weise, wie er dies vorbrachte, lachen. — Uebrigens bessert er sich; und falls er sich vor den Doktoren, wenn er auf der Straße geht, in Acht nimmt, kann er noch lange leben.

Auflösung des Räthsels im vorigen Blatt.

Freund, missest du des Räthsels Spur? —
Durchblättere den Jason nur.

Fr. Sch.

Miscellen.

Der Commendant der Französischen Truppen in Eisenach soll den dasigen Einwohnern versprochen haben, daß künftig alle Pulverwägen vorher untersucht werden, oder um die Stadt herumfahren sollen. Diese Versicherung soll den Einwohnern zur großen Beruhigung gereichen.

Eine hiesige Künstlerin, die sehr geschätzt wird, soll, wie man sagt, eben darum das Theater verlassen. Das Nähere hierüber in einem zukünftigen Blatt.

Der Gr. von St. Leu wird, heißt es, nach Vollendung seiner Cur in Töplitz, wieder nach Frankreich zurückkehren. —

Polizeiliche Tages-Mittheilungen.

Auf dem Markte ist einem fremden Müller eine abgenutzte Metze zerschlagen und eine ungestempelte nach Erlegung von 2 Rthlr. Strafe konfiszirt.

Einem hiesigen Einwohner, ist ein silberner Vorlegelöffel und Eßlöffel gestohlen.

Montag, den 15ten d. M.
wird bei J. E. Hitzig, hinter der katholischen Kirche Nr 3, und in der Expedition der Berliner Abendblätter, Jägerstraße Nr. 25, ausgegeben:
UNIVERSITATI LITTERARIAE.
Kantate auf den 15ten Okt. 1810 von Clemens Bretano.
Mit einer schönen Titelvignette, das Universitätsgebäude vorstellend.
4to splendid gedruckt und geh. 10 Gr. Cour.

Berliner Abendblätter.

13tes Blatt. Den 15ten October 1810.

Zum Geburtstag des Kronprinzen.

Laß, Stern der Hoffnung, Dich mit Klarheit schauen! —
Glückssterne, deren Aufgang wir nur hoffen,
Sind einst, mit Dir, den Enkeln eingetroffen:
Der Zukunft Heil ist h e u t e — Gott vertrauen.

Den Liebesstern — die Königin der Frauen —
Die Mutter — hat kein Untergang getroffen. —
Es ist verschwundner Schein, der uns betroffen;
Das Wesen hilft den Staat der Liebe bauen.

Das Volk empor zu Sich — zu Gott — zu lenken,
Vater und Sohn — d e n K ö n i g — zu umschweben,
Ist Sie der Mutterfreude hier entzogen.

Sei Tagesfeier — Ihrer zu gedenken! —
Der Gnade ewges Zeichen bleibt gegeben:
Ihr Strahl, auf Thränen, schafft — den Regenbogen.

F. L.

Schreiben aus Berlin.

10 Uhr Morgens.

Der Wachstuchfabrikant Hr. Claudius will, zur Feier des Geburtstages Sr. Königl. Hoheit, des Kronprinzen, heute um 11 Uhr, mit dem Ballon des Prof. I. in die Luft gehen, und denselben, vermittelst einer Maschine, unabhängig vom Wind, nach einer bestimmten Richtung hinbewegen. Dies Unternehmen scheint befremdend, da die Kunst, den Ballon, auf ganz leichte und naturgemäße Weise, ohne alle Maschienerie, zu bewegen, schon erfunden ist. Denn da in der Luft alle nur mögliche Strömungen (Winde) übereinander liegen: so braucht der Aeronaut nur vermittelst perpendikularer Bewegungen, den Luftstrom aufzusuchen, der ihn nach seinem Ziel führt: ein Versuch, der bereits mit vollkommnem Glück, in Paris, von Hrn. Garnerin, angestellt worden ist.

Gleichwohl scheint dieser Mann, der während mehrerer Jahre im Stillen dieser Erfindung nachgedacht hat, einer besondern Aufmerksamkeit nicht unwerth zu sein. Einen Gelehrten, mit dem er sich kürzlich in Gesellschaft befand, soll er gefragt haben: ob er ihm wohl sagen könne, in wieviel Zeit eine Wolke, die eben an dem Horizont heraufzog, im Zenith der Stadt sein würde? Auf die Antwort des Gelehrten; „daß seine Kenntniß so weit nicht reiche," soll er eine Uhr auf den Tisch gelegt haben, und die Wolke genau, in der von ihm bestimmten Zeit, im Zenith der Stadt gewesen sein. Auch soll derselbe, bei der letzten Luftfahrt des Prof. I. im Voraus nach Werneuchen gefahren, und die Leute daselbst versammelt haben: indem er aus seiner Kenntniß der Atmosphäre mit Gewißheit folgerte, daß der Ballon diese Richtung nehmen, und der Prof. I. in der Gegend dieser Stadt niederkommen müsse.

Wie nun der Versuch, den er heute, gestützt auf diese Kenntniß, unternehmen will, ausfallen wird: das soll in Zeit von einer Stunde entschieden sein. Hr. Claudius will nicht nur bei seiner Abfahrt, den Ort, wo er niederkommen will, in gedruckten Zetteln bekannt machen: es heißt sogar, daß er schon Briefe an diesen Ort habe abgeben lassen, um daselbst seine Ankunft anzumelden. — Der Tag ist, in der That, gegen alle Erwartung, seiner Vorherbestimmung gemäß, ausnehmend schön.

N. S.   2 Uhr Nachmittags.

Hr. Claudius hatte beim Eingang in den Schützenplatz Zettel austheilen lassen, auf welchen er, längs der Potsdammer Chaussee, nach dem Luckenwaldischen Kreis zu gehen, und in einer Stunde vier Meilen zurückzulegen versprach. Der Wind war aber gegen 12 Uhr so mächtig geworden, daß er noch um 2 Uhr mit der Füllung des Ballons nicht fertig war; und es verbreitete sich das Gerücht, daß er vor 4 Uhr nicht in die Luft gehen würde.

Der Studenten erstes Lebehoch bei der Ankunft in Berlin am 15ten Oktober.

Eingeborner.

Ihr Pilger schüttelt ab den Staub
Von euren Reiseschuhen,
Und kränzet euch mit letztem Laub,
Am Festtag auszuruhen.

Chor der Ankommenden.

„So hell, so froh, des Festes Klang,
„So müd, so schwer der Pilger = Gang,
„So streng, so rastlos hält ein Schwur
„Uns noch auf segenreicher Spur."

Eingeborner.

Was sucht ihr in dem fernen Land,
Was treibt euch durch die Wüste,
Da ist kein Geld, da ist nur Sand
Und Wein ein fremd Gelüste.

Chor der Ankommenden.

„So tief, so heiß der Wüste Sand,
„So hoch, so heiß der Sonne Stand,
„So tief, so hoch glüht fromme Lust
„Nach Wissenschaft in unsrer Brust.

Eingeborner.

So grüßet diese heilge Stadt,
Die Wallfahrt ist geendet,
Und wer vom Wege müd' und matt,
Dem sei dies Glas gesendet.

Chor der Ankommenden.

„So hell, so froh das Glas erklingt,
„So hell, so hoch die Kehle singt,
„So hell, so hoch strahlt gute Zeit
„Aus dieses Willkomms Fröhlichkeit.

Eingeborner.

Geendigt ist die Pilgerreis',
Hier schafft in gutem Willen,
Hier betet froh, in muthgem Fleiß,
So wird sich viel erfüllen.

Chor der Ankommenden.

„So still, so treu die Spree hier fließt,
„So hell, so weit die Straße grüßt,
„So still, so hell glänzt Wissenschaft,
„Die aller Welt Verbindung schafft."

Eingeborner.

Hier findet ihr der Wissenschaft
Ein Heldenschloß geweihet,
Das deute euch den Muth, die Kraft,
Womit Sie Sich erneuet.

Chor der Ankommenden.

„So tief, so weit des Schlosses Grund,
„So groß, so ernst thut Sie Sich kund,
„So weit dies Schloß und auch so hoch
„Erschalle Ihr ein Lebehoch."

Eingeborner.

Dies Lebehoch dem König bringt,
Der ihr dies Schloß verliehen,
Der Wunsch, der frei vom Herzen dringt,
Der wird im Himmel blühen.

Chor der Ankommenden.

„So fern, so weit noch Wissen blüht,
„So wahr, so treu die Jugend glüht,
„So weit, so wahr schall Lebehoch,
„Dem König freies Lebehoch."

Eingeborner.

Ein Segensstern, erglänzt am Thron,
Hat diesen Tag geweihet,
Denn ihm erschien ein Königssohn,
Den Wissenschaft erfreuet.

Chor der Ankommenden.

„So tief, so hoch Begeisterung,
„So groß wird einst, wer kräftig jung,
„So kräftig, jung ruft Lebehoch,
„Dem Königssohn dies Lebehoch."

L. A. v. A.

Miscellen.

Es heißt, der Erzherzog Karl werde im Oesterreichischen wieder die Würde eines Generalissimus übernehmen.

Hr. Degen hat neuerdings im Prater einen Versuch gemacht, und ist, nachdem er sich höher, als der Stephansthurm, emporgeschwungen, über ganz Wien hinweggeflogen.

Se. Hoheit der Kronprinz von Schweden ist in Hamburg angekommen, und es liegt eine Galleere bei Helsingborg, um ihn sogleich bei der Ueberfahrt zu begrüßen.

Polizeiliche Tages-Mittheilungen.

Von einem auswärtigen Magistrat ist vorgestern ein Sattlergesell durch Militair-Transport hergeschickt, weil das durch den Brandstifter Horst gegebene Signalement eines Mitgliedes der Bande auf ihn zu passen schien. Indeß scheint derselbe nach der ersten Vernehmung völlig unschuldig zu sein, indem ihn der ꝛc. Horst nicht recognoscirt hat.

Ein Schmiedegesell ist in der verflossenen Nacht von der Schleusenbrücke herab in's Wasser gestürzt. Ein nicht weit davon mit seinem Kahn liegender Schiffer hat ihn herausgezogen, und ein sogleich herbeigeeilter Chirurgus ihn wieder ins Leben zurückgerufen.

Kunst-Ausstellung.

(Fortsetzung des im 9ten Blatt abgebrochenen Aufsatzes.)

Es ist keinesweges die Absicht, die Bûry'schen Bilder
hier mit unverdienten Lobsprüchen überschütten zu wollen. Der bescheidene Künstler würde sich dadurch am
meisten verletzt halten. Aber das Bestreben, die Absicht und den Sinn desselben zu verständigen, das ist
es, was hier versucht werden soll, wobei der unerschüt-
terlichen und strengen Ehrfurcht vor der Natur, neben
der Gegenwart wahrer Kunst in seinen Werken die
gebührende Achtung nicht versagt werden kann.

Es sind in Allem fünf Porträte, welche Hr. Bûry
ausgestellt hat, und welche angesehen werden können
als eine Stufenfolge künstlerischer Behandlungsarten
des Porträts überhaupt, von dem einfachen, ausdrucksvollen Charakterbilde an, bis hinauf zur bedeutungs-
vollesten symbolischen Vergötterung der menschlichen
Gestalt. Wenn daher oben das Porträt nur brauchte
von seiner gewöhnlichen, gleichsam natürlichen Seite
betrachtet zu werden, so sind wir dagegen durch die
Bûry'schen Bilder veranlaßt, dasselbe nunmehr in einer
höheren Beziehung und vom Standpunkte der Kunst-
ansicht selbst ins Auge zu fassen.

Der große Haufe von Beschauern und die sogenannten Liebhaber verlangen von einem Bilde zuerst,
daß es ihre Aufmerksamkeit und Theilnahme errege,
und außerdem noch ein gewisses, ihnen selbst nicht
recht deutliches Etwas, welches sie bald Grazie, bald
Schönheit, bald Ideal zu nennen pflegen; die Profes-
sionisten der Mahlerei hingegen und die sogenannten
Kenner dringen auf Richtigkeit der Zeichnung, auf
Wahrheit der Farben, auf Wirkung des Lichtes und

[14]

Schattens und auf Fertigkeit des Pinsels. Beide haben Recht, sowohl jene, welche die Idee, wie diese, welche deren angemessene Darstellung verlangen, und wenn die wohlverstandenen Forderungen beider erfüllt sind, so ist die Kunst erschienen. Denn alle Kunst überhaupt besteht in Darstellung einer Idee, d. h. eines Ganzen, eines Einen in Allem. Durch welches Mittel die Idee dargestellt werde, ist an und für sich einerlei; am schönsten und erhabensten geschieht es, wenn der sittliche Mensch sich selbst zum Kunstwerk macht, oder der begeisterte sein ganzes Geschlecht. Die Mahlerei aber erwählt zu ihrem Mittel die sichtbare Gestalt und Erscheinung der Dinge durch Farbe und Licht. Wie vermittelst derselben die unsichtbare Idee auf das verständlichste ausgedrückt werden könne, ist ihr Studium, und die Natur und das Leben selbst sind ihre Schule.

Damit aber Ideen wirklich dargestellt werden können, ist vor allen Dingen nöthig, daß dergleichen überhaupt vorhanden seyen; und nie haben sie der Welt gefehlt. Keine Zeit hat derselben entbehrt; jede ist von ihnen auf andere, eigene Weise bewegt worden und jede hat demzufolge auch ihre besondere eigenthümliche Kunst hervorgebracht oder begünstigt.

Was nun unser Zeitalter betrifft, so ist demselben überhaupt und dem Deutschen Volke insonderheit bereits zur Genüge die mangelnde Begeisterung für Religion, Freiheit und Vaterland vorgeworfen und dagegen Selbstsucht und Empfindelei zugeschrieben worden. Auch widerlegt der gegenwärtige Zustand der Kunst und insbesondere der Malerei diese Vorwürfe keinesweges, indem dieselbe ihres eigentlichen und würdigsten Gebietes, der Religion und Geschichte, ganz zu entbehren und auf Porträt und Landschaft eingeschränkt worden zu sein scheint. Allein nur zu leicht wird übersehen, wie dagegen unsere Zeit und unser Volk von zwei anderen, nicht minder erhabenen, Ideen auf= und angeregt werde, welche das Leben selbst und deſſen politiſche und geſellſchaftliche Verhältniſſe zu geſtalten unternommen haben, vom Rechte nämlich und von der Sitte. Jeder, der zu dieſer Zeit wirklich lebt, iſt von ihnen berührt und bewegt worden; jedes wahrhafte Werk dieſer Zeit trägt den Stempel derſelben und die ganze Richtung derjenigen Kunſt, welche dieſer Zeit in der That und Wahrheit angehört, iſt durch ſie beſtimmt worden.

Auch die Büryſchen Bilder bekräftigen nun dieſes. Sowohl das große Gemälde, von welchem an einem andern Orte geredet werden ſoll, als auch ein Theil der Porträte tragen das unverkennbare Gepräge einer wirklichen, ächten und Deutſchen Begeiſterung für das Recht und die Sitte.

(Wird fortgeſetzt.)

Schreiben eines Berliner Einwohners an den Herausgeber der Abendblätter.

Mein Herr!

Dieſelben haben in dem 11ten Stück der Berliner Abendblätter, unter der Rubrik: Nützliche Erfindungen, den Entwurf einer Bombenpoſt zur Sprache gebracht; einer Poſt, die der Mangelhaftigkeit des elektriſchen Telegraphen, nämlich, ſich mit nichts, als kurzen Anzeigen, befaſſen zu können, dadurch abhilft, daß ſie dem Publico auf zweckmäßig angelegten Artillerie-Stationen, Briefe und Packete mit Bomben und Granaten zuwirft. Erlauben Dieſelben mir zu bemerken, daß dieſe Poſt, nach einer, in Ihrem eigenen Aufſatz enthaltenen Aeußerung, vorausſetzt, der Stettiner oder Breslauer Freund habe auf die Frage des Berliners an ihn: wie geht's dir? zu antworten: recht gut! Wenn derſelbe jedoch, gegen die Annahme, zu antworten hätte: ſo, ſo! oder: mittelmäßig! oder die Wahrheit zu ſagen, ſchlecht; oder geſtern Nacht, da ich verreiſ't war, hat mich meine Frau hintergangen; oder: ich bin in Prozeſſen verwickelt, von denen ich kein Ende abſehe; oder: ich habe Bankerot gemacht, Haus und Hof verlaſſen und bin im Begriff in die weite Welt zu gehen: ſo gingen, für einen ſolchen Mann, unſere ordinairen Poſten geſchwind genug. Da nun die Zeiten von der Art ſind, daß von je hundert Briefen, die zwei Städte einander zuſchicken, neun und neunzig Anzeigen von der beſagten Art enthalten, ſo dünkt uns, ſowohl die elektriſche Donnerwetterpoſt, als auch die Bomben- und Granatenpoſt könne vorläufig noch auf ſich beruhen, und wir fragen dagegen an, ob Dieſelben nicht die Organiſation

einer anderen Post zu Wege bringen können, die, gleichviel, ob sie
mit Ochsen gezogen, oder von eines Fußboten Rücken getragen
würde, auf die Frage: wie geht's dir? von allen Orten mit der
Antwort zurückkäme: je nun! oder: nicht eben übel! oder: so wahr
ich lebe, gut! oder: nein Haus habe ich wieder aufgebaut; oder:
die Pfandbriefe stehen wieder al pari; oder: meine beiden Töchter
habe ich kützlich verheirathet; oder: morgen werden wir, unter dem
Donner der Kanonen, ein Nationalfest feiern; — und was dergleichen
Antworten mehr sind. Hiedurch würden Dieselben sich das
Publikum auf das lebhafteste verbinden, und da wir von Dero Eifer
zum Guten überall, wo es auf Ihrem Wege liegt, mitzuwirken,
überzeugt sind, so halten wir uns nicht auf, die Freiheit dieses Briefes zu entschuldigen, und haben die Ehre, mit der vollkommensten
und ungeheucheltsten Hochachtung zu sein, u. s. w.
        Berlin den 14. Okt. 1810.   Der Anonymus.

Antwort an den Einsender des obigen Briefes.

Dem Einsender obigen witzigen Schreibens geben wir hiemit
zur Nachricht, daß wir uns mit der Einrichtung seiner Ochsenpost,
oder seines moralischen und publizistischen Eldorados nicht befassen
können. Persiflage und Ironie sollen uns, in dem Bestreben, das
Heil des menschlichen Geschlechts, soviel als auf unserem Wege
liegt, zu befördern, nicht irre machen. Auch in dem, Gott sei
Dank! doch noch keineswegs allgemeinen Fall, daß die Briefe mit
lauter Seufzern beschwert wären, würde es, aus ökonomischen und
kaufmännischen Gesichtspunkten noch vortheilhaft sein, sich dieselben
mit Bomben zuzuwerfen. Demnach soll nicht nur der Prospectus
der Bombenpost, sondern auch ein Plan, zur Einsammlung der
Actien, in einem unserer nächsten Blätter erfolgen.
        Die Redaktion.

Fragment eines Haushofmeisters-Examens aus dem Shakespear.

Was ihr wollt. Akt 4.
Ehrn Matthias. Was ist des Pythagoras Lehre wildes Geflügel anlangend? — —
    Was achtest du von dieser Lehre? —
                            Vx.

Miscellen.
Außer dem Feuer in der Landsberger Straße soll auch in der
vorgestrigen Nacht in Wilmersdorf wieder Feuer gewesen sein.

[Hierbei ein Extrablatt.]

Extrablatt

zum 14ten Berliner Abendblatt.

Ueber die gestrige Luftschiffahrt des Herrn Claudius.

Herr Claudius hat seinen Versuch, den Ballon willkührlich, vermittelst einer Maschiene, zu dirigiren, nicht
zu Stande bringen können. Sei es nun, daß der Wind,
indem er die Taftwände zusammendrückte, der Anfül-
lung hinderlich, oder aber die Materialien (welches das
Wahrscheinlichere ist), von schlechter Beschaffenheit waren: der Ballon hatte um 4 Uhr noch keine Steige-
kraft. Das Volk ist, bei solchen Gelegenheiten, immer wie ein Kind; und während sich Hr. Reichard,
der sich der Sache angenommen hatte, der augenscheinlichen Gefahr ungeachtet, erbot, in die Lüfte zu gehen, ward Hr. Claudius, durch die Vorsorge der Polizei, im Stillen in Sicherheit gebracht. Hr. Reichard,
dieser erfahrne und muthige Luftschifahrer, dessen Einsicht man diese Sache überlassen mußte, setzte sich demnach in der That in die Gondel; sein Glück aber wollte,
daß er, sogleich beim Aufsteigen, in die Bäume des zunächst liegenden Gartens gerieth: ohne welchen Glücks-
fall er unfehlbar auf halsbrechende Weise über die Dächer der Stadt hinweg geschleift haben würde. Hierauf, nachdem man den Ballon wieder niedergezogen
und in die Mitte des Schützenplatzes gebracht hatte,
ward er von höherer Hand befragt: ob er anders
nicht, als mit Lebensgefahr steigen könne? und da Hr.
Reichard antwortete: „steigen könne und wolle er;
aber, unter solchen Umständen, ohne Lebensgefahr
nicht!" so ward ihm, auf unbedingte Weise, befohlen,
auszusteigen: worauf die Herren Unternehmer, nachdem dies bewerkstelligt war, dem Volk noch, um es zu
befriedigen, das kostspielige Schauspiel gaben, den Ballon für sich, ohne Schiffahrer, in das Reich der Lüfte
empor gehen zu lassen. In weniger als einer Vier-

telstunde, war derselbe nunmehr den Augen entschwunden; und ob man ihn wieder auffinden wird, steht dahin.

Bei dieser Gelegenheit müssen wir auf den Versuch Hrn. Garnerins zurückkommen, den Ballon, auf ganz leichte und ungewaltsame Weise, ohne alle Maschienerie, willkührlich zu bewegen. Dieser Versuch scheint Hrn. Claudius nicht in seinem ganzen Umfange bekannt geworden zu sein. Hr. Garnerin hat, bei seinem interessanten Experiment, zwei Erfahrungen zum Grunde gelegt: einmal, daß in der Luft alle nur möglichen Winde in horizontaler Richtung, über einander liegen; und dann, daß diese Winde, während der Nacht, den mindesten Wechseln (Veränderungen) unterworfen sind. Demnach ist er, im August d. J., zu Paris, mit der Vorherbestimmung, daß er nach Rheims gehen würde, zur Zeit der Abenddämmerung, aufgestiegen: überzeugt, daß er, in senkrechten Auf- und Niederschwebungen, vermittelst des Compasses, den er bei sich hatte, den Luftstrom finden würde, der ihn nach dieser Stadt hintragen würde. Hier bei der Morgendämmerung des nächsten Tages angekommen, hat er sich ausgeruht und restaurirt, und ist, bei Einbruch der Nacht, mit der Vorherbestimmung, daß er nach Trier gehen würde, mit demselben Ballon, von Neuem in Luft gegangen. Diese Vorherbestimmung schlug in so fern fehl, daß er, am andern Morgen, nach Cölln kam: aber der Versuch war entscheidend genug, um darzuthun, daß man, bei der Direction des Luftballons, schlechthin keiner Maschienen bedürfe. — Hr. Claudius kann die nähere Beschreibung davon in den öffentlichen Blättern finden.

Polizeiliche Tages-Mittheilungen.

Im Backhause eines Bäckermeisters in der Landsberger Straße brach vorgestern Abend Feuer aus, wurde aber in kurzer Zeit glücklich gelöscht.

Ein Uhlan hat seinen Vize-Wachtmeister, der ihn arretiren wollen, vorgestern Nachmittag um 3 Uhr in seiner Wohnung durch zwei Pistolenschüsse getödtet.

Berliner Abendblätter.

15tes Blatt.   Den 17ten October 1810.

Kunst-Ausstellung.

(Fortsetzung.)

Dieses im Allgemeinen vorauszuschicken, schien um
deswillen nöthig, damit die tiefsinnigen und gehaltrei-
chen Büryschen Bilder überhaupt verstanden und mit
der Menge flacher und gedankenloser Gemählde nicht
verwechselt werden möchten, von denen es heut zu Tage
überall und auch auf der diesjährigen Ausstellung wimmelt. Dem, vornehmlich durch Mengs, verbreiteten
Glauben, als könne das Gebiet der Kunst von aussen
gleichsam Provinzen weise zusammen erobert werden,
ist der gegenwärtige Zustand der Mahlerei unter uns,
ihre Leere, Bedeutungslosigkeit und Allerwelts Manier
hauptsächlich zuzuschreiben.   Um so erfreulicher ist es
daher, einen Künstler anzutreffen, der es unternimmt,
den Gedanken und die Idee, als den Kern und das
Wesen der Kunst, wieder in ihr gebührendes Recht ein-
zusetzen, sollte es auch auf die Gefahr geschehen, daß
seinen Werken dagegen ein Uebergewicht der Idee über
die Darstellung vorgeworfen würde.   Doppelte Freude
aber verschafft es, wenn man gewahr wird, daß durch
dieses sinnvolle Streben nach Inhalt und Bedeutung,
welches überhaupt der eigenthümliche Charakter Deutscher Art und Kunst ist, dieser Künstler den großen
Deutschen Meistern der Vorzeit verwandt wird, als
welche in ihren Bildern ebenfalls durchaus nichts zu-
fälliges oder unbedeutendes verstatteten, sondern allenthalben, selbst im geringfügigsten Détail, überlegt,
sinnreich und beziehungsvoll erschienen.

Unter den fünf Porträten des Herrn Büry, die
anjetzt nach der Stufenfolge ihrer Behandlungsarten

genannt werden follen, muß aber zuvörderſt ein we=
ſentlicher Unterſchied nicht überſehen werden.   Zwei
derſelben ſind die Porträte von Privatperſonen, näm=
lich: die Bruſtbilder 1) des Mahlers Herrn Genelli
und 2) der jungen Frau Gräfinn von Voß; die drei
anderen hingegen ſind die Porträte Fürſtlicher Perſo=
nen, vehmlich: die Bilder in Lebensgröße 3) des jun=
gen Prinzen von Heſſen 4) Ihrer Königl. Hoheiten,
der Prinzeſſinnen von Oranien und von Heſſen, nebſt
der jüngſten Tochter der letzteren und 5) das Bruſt=
bild der Prinzeſſinn von Heſſen.   Wenn daher an die
beiden erſteren keine anderen Anſprüche gemacht wer=
den können, als welche überhaupt das Charakterbild
zu befriedigen im Stande iſt, und denen in den beiden
genannten Bildern ein ſo vorzügliches Genüge geſchieht;
ſo machen dagegen die drei letzteren, als die Bildniſſe
öffentlicher Charaktere und hiſtoriſcher Perſonen, eine
ganz andere, beziehungsvollere und ideenreichere Be=
handlung von Nöthen.

Ehe aber von dieſen Bildern im Einzelnen gere=
det wird, können wir nicht verſchweigen, wie wunder=
bar wir in den drei letzten Porträten Bürys an Van
Dyck erinnert worden ſind, keinesweges durch Aehn=
lichkeit der Behandlung oder durch irgend eine andere
Uebereinſtimmung, ſondern einzig und allein durch
den Umſtand, daß Van Dyck zu ſeiner Zeit der Mah=
ler der Stuarts geweſen iſt.

(Wird fortgeſetzt.)

Theater.
Unmaßgebliche Bemerkung.

Wenn man fragt, warum die Werke Göthe's ſo
ſelten auf der Bühne gegeben werden, ſo iſt die Ant=
wort gemeinhin, daß dieſe Stücke, ſo vortrefflich ſie
auch ſein mögen, der Caſſe nur, nach einer häufig wie=
derholten Erfahrung, von unbedeutendem Vortheil
ſind   Nun geht zwar, ich geſtehe es, eine Theater Di=
rection, die, bei der Auswahl ihrer Stücke, auf nichts,

als das Mittel sieht, wie sie besteht, auf gar einfachem und natürlichem Wege, zu dem Ziel, der Nation ein gutes Theater zu Stande zu bringen. Denn so wie, nach Adam Smith, der Bäcker, ohne weitere chemische Einsicht in die Ursachen, schließen kann, daß seine Semmel gut sei, wenn sie fleißig gekauft wird: so kann die Direction, ohne sich im Mindesten mit der Kritik zu befassen, auf ganz unfehlbare Weise, schließen, daß sie gute Stücke auf die Bühne bringt, wenn Logen und Bänke immer, bei ihren Darstellungen, von Menschen wacker erfüllt sind. Aber dieser Grundsatz ist nur wahr, wo das Gewerbe frei, und eine uneingeschränkte Concurrenz der Bühnen eröffnet ist. In einer Stadt, in welcher mehrere Theater nebeneinander bestehn, wird allerdings, sobald auf irgend einem derselben, durch das einseitige Bestreben, Geld in die Casse zu locken, das Schauspiel entarten sollte, die Betriebsamkeit eines andern Theaterunternehmers, unterstützt von dem Kunstsinn des besseren Theils der Nation, auf den Einfall gerathen, die Gattung, in ihrer ursprünglichen Reinheit, wieder festzuhalten. Wo aber das Theater ein ausschließendes Privilegium hat, da könnte uns, durch die Anwendung eines solchen Grundsatzes, das Schauspiel ganz und gar abhanden kommen. Eine Direction, die einer solchen Anstalt vorsteht, hat eine Verpflichtung sich mit der Kritik zu befassen, und bedarf wegen ihres natürlichen Hanges, der Menge zu schmeicheln, schlechthin einer höhern Aufsicht des Staats. Und in der That, wenn auf einem Theater, wie das Berliner, mit Vernachlässigung aller anderen Rücksichten, das höchste Gesetz, die Füllung der Casse wäre: so wäre die Scene unmittelbar, den spanischen Reutern, Taschenspielern und Fatzenmachern einzuräumen: ein Spektakel, bei welchem die Casse, ohne Zweifel, bei weitem erwünschtere Rechnung finden wird, als bei den göthischen Stükken. Parodieen hat man schon, vor einiger Zeit, auf der Bühne gesehen; und wenn ein hinreichender Aufwand von Witz, an welchen es diesen Producten zum Glück gänzlich gebrach, an ihre Erfindung gesetzt worden wäre, so würde es, bei der Frivolität der Gemüther, ein Leichtes gewesen sein, das Drama vermittelst ihrer, ganz und gar zu verdrängen. Ja, gesetzt, die Direction käme auf den Einfall, die göthischen Stücke so zu geben, daß die Männer die Weiber = und die Weiber die Männerrollen spielten: falls irgend auf Costüme und zweckmäßige Carrikatur einige Sorgfalt verwendet ist, so wette ich, man schlägt sich an der Casse

um die Billets, das Stück muß drei Wochen hinter
einander wiederholt werden, und die Direction ist mit
einemmal wieder solvent. — Welches Erinnerungen sind,
werth, wie uns dünkt, daß man sie beherzige.

H. v. K.

———

An die Nachtigall.

(Als Mammsell Schmalz die Camilla sang.)

Nachtigall, sprich, wo birgst du dich doch, wenn der
tobende Herbstwind
Rauscht? — In der Kehle der Schmalz überwin-
tere ich.

Vx.

———

Miscellen.

Nach einem Briefe aus Fontainebleau in der Liste der Börsenhalle ist am 31 September die Schwangerschaft Ihrer Majestät
der Kaiserinn dem diplomatischen Korps offiziel angezeigt, auch der
Reichserzkanzler nach Paris abgefertigt worden um dem Senate
diese erfreuliche Mittheilung zu machen.

Die Miszellen der neuesten Weltkunde vom 3 Oktober (ein
auswärtiges, in der Schweiz erscheinendes Blatt) enthalten
eine Rechtfertigung des glorreichen Andenkens König Friedrich
Wilhelms II von Preussen gegen die Angriffe der topographischen
Chronik von Breslau.

———

Polizeiliche Tages-Mittheilungen.

Einem Lieutenant von Brandenburgschen Husaren-
Regiment sind aus einer verschlossenen Stube mehrere
Uniformstücke gestohlen, und

einem Schiffer aus seinem Kahne hinter dem
Stralauer Koblenmarkt durch Erbrechung der Kajüte
und eines darin befindlichen Schrankes 150 Thlr. in
verschiedenen Münzsorten.

Ein Hausknecht ist, durch einen herabgestürzten
Dachstein, fast tödlich am Kopf verwundet.

Ein Dienstmädchen ist beim Messerputzen plötzlich
an einem Blutsturz gestorben.

Freitag früh sprang in einer hiesigen Brennerei
der Blasenkopf ab. Vier Kinder von resp. 14 und 11
Jahren, welche in der Brennerei waren, um sich zu
wärmen, sind durch die heiße Masse verbrüht Indeß
ist die Beschädigung nicht lebensgefährlich, und vom
sogleich herbeigerufenen Arzt sind Heilmittel angeordnet.

———

Berliner Abendblätter.

16tes Blatt. Den 18ten October 1810.

Kunst-Ausstellung.

(Fortsetzung.)

Weder von seinem dritten noch fünften Porträte soll
hier weitläuftig geredet werden. Jenes stellt den
jungen Prinzen von Hessen dar, stehend vor dem mit
zwei Löwen gezierten Portale eines großen Gebäudes,
vielleicht eines Arsenales, und in der Linken den Stock
einer weißen Fahne haltend, welche hinter Ihm um
Kopf und Schultern wehet und von der rechten, in die
Seite gestemmten, Hand dergestalt ergriffen ist, daß
sie sich wie ein Panzerhandschuh um den Arm zu legen
scheint. Dieses ist das Brustbild der edlen Mutter
jenes jungen Prinzen auf allegorischem Hintergrunde.

Dagegen wollen wir es versuchen, das vierte, viel
besprochene und wenig verstandene, Bild unsers Künstlers zu beschreiben und eben dadurch zu deuten, obgleich diejenigen von selbst in das Verständniß desselben eingeweiht sind, welche nicht vergessen haben, mit
welcher Kraft, Entsagung, Reinheit und Würde die
beiden Schwestern des Königes, zwei traurige Jahre
hindurch, den Einwohnern dieser Hauptstadt die Noth
und das Unglück tragen geholfen und eben dadurch erleichtert haben.

Auf dem, vom Herrn Genelli gemahlten Hintergrunde erscheint von der Süd-West-Seite, etwa vom
Botanischen Garten aus, die Stadt Berlin mit ihren
Thürmen, wie sie eben von schweren, dunklen Wolken,
die über ihr gelegen haben, verlassen zu werden scheint.
Im Vordergrunde zwischen Gebüsch, worunter links
eine Aloe, sieht man schon, im hellesten Sonnenglanze, die
beiden Fürstinnen. Sie scheinen von dem Palmbaume,

der mitten hinter Ihnen steht und seine Zweige über beide gleich verbreitet, während des Ungewitters geschützt gewesen zu seyn und schreiten nun aufrecht, ernst und voll Würde neben einander wieder vorwärts. Beide sind in altdeutscher, schwarz seidner Tracht, wie sie in jener Zeit der Trauer beständig gekleidet waren, und jede trägt einen Schawl darüber von der Farbe Ihres Hauses, rechts die Aeltere den orangefarbenen, links die Jüngere den scharlachrothen. Beide haben sich die Hand gereicht; die Aeltere scheint etwas vorauszugehen, sie blickt kräftig um sich, mit der Rechten hat Sie den Schawl gefaßt, der Ihr von den Schultern herabfallen zu wollen scheint, und um Ihren Hals an einer goldenen Kette hängt eine Denkmünze mit dem Bildnisse des großen Wilhelm von Oranien; die Jüngere folgt, mit klarer und ruhiger Gebehrde, in der Linken hält sie ein Buch, welches wir für die Legende der heil. Elisabeth zu halten uns nicht erwehren können, und vor Ihr an der rechten Seite geht Ihre jüngste Tochter, in jeder Hand eine Lilie haltend, welche sie beiden vorzutragen scheint. Indem wir das Bild beschrieben haben, ist es auch gedeutet worden. Manche Beziehung in demselben ist von uns nicht ausgesprochen worden, und andere mögen uns noch entgangen sein. Denn, wie jede Idee selbst etwas überschwengliches ist, so enthält auch jedes wahre Kunstwerk etwas unaussprechliches in sich, und deshalb wagen auch wir nicht, mit Worten auszudrücken, wie wunderbar ergreifend und rührend wir durch dieses Gemählde, durch diese ernsten und edlen Gestalten an das Recht und die Sitte sind erinnert worden.

(Beschluß folgt.)

Theater.

Den 15. Octob. Achilles von Paer.

Es sei dem Artikel National Theater der Berliner Zeitung vorbehalten den Inhalt der Oper Achilles dem Publika bekannt zu machen, wir wollen uns bloß beschränken über die Vorstellung derselben einige Bemerkungen mitzutheilen. Die Musik gehört nicht zu den gelungensten Werken Hrn. Kapellmstr. Paer's, die er der öffentlichen Kritik Preis gab. Einem so bewährten Künstler muß es allerdings glücken, set das Sujet so gedehnt und langweilig, wie man wolle, Melodien und einzelne Sätze zu schaffen, die das Ohr ergötzen und den Musiker so wie den Musikliebhaber, zum Beifall zwingen. So ist es bei dieser Musik der Fall. Die einzelnen Stücke eignen sich zu brillanten Concert=Parthien, wenn auch das Ganze feinesweges dem theatralischen Effect entspricht, der sich nur durch Simplicität und Einheit des Ganzen bewirken läßt. Was der Musik aber im Wesentlichen noch großen Nachtheil gebracht hat, ist ohne Zweifel die schwerfällige unmusikalische Uebersetzung des Original=Textes, und die hier' und da vielleicht aus Noth unvortheilhafte Austheilung der Rollen, so wie die ganz kraftlose, öfters nachläßige Execution des Orchesters, welches letztere in der Vorstellung v. 15ten in der That ohne gleichen matt und unaufmerksam war. Ferner, schrieb und berechnete der Composteur die Haupt Singe=Parthien für Künstler, die er kannte und die zu damaliger Zeit, in seiner Nähe lebten. Die Rolle der Briseis schrieb, der Meister für seine Frau, deren hohen Tone, wie bekannt, allerdings mit geringer Anstrengung hell und deutlich ansprachen. Mad. Müller hört, jeder Aufmerksame, sie hat mit Sorgfalt diese Parthie studiert und thut so viel ihr Physisches gestattet die vorgeschriebenen Noten zu heben, obgleich die meisten Töne und Passagen außer dem Gebiet ihres Vermögens liegen. Mad. Müller ist mehr für das galante und einschmeichelnde Fach geeignet, und ungewöhnt, theils noch unvermögend ein so großes Haus als das Opernhaus auszufüllen, daher sie, unter solchen Umständen, den ihr gebührenden ungetheilten Beifall nie einerndten wird, den sie im Sargin, Belmonte und Constanze und in der heimlichen Ehe erhält und gewiß in vollem Maaße verdient.

(Der Beschluß folgt.)

Stadt=Neuigkeiten.

Es ist hier von neuem und sehr allgemein das Gespräch, von einer nahe bevorstehenden totalen Reform unsers Theaters — Italiänische Oper (seria und buffa) sollen wieder eingerichtet, und für Deutsches und Italiänisches Theater eue, tüchtige Subjecte gesucht werden. — Die Königl. Kapelle, an ihrer Spitze der verdiente Meister, Herr Righini, soll wieder in Aktivität kommen. — Gewiß ist, daß die berühmte Mamsell Schmalz mit 3200 Thlr. jährlichen Gehalt, vermuthlich für beide Bühnen, hier bei uns engagirt ist. Man erwartet im Laufe des Winters Mamsell Fischer und im April Mamsell Milder aus Wien, beide Sängerinnen und sehr rühmlich bekannt. —

Polizeiliche Tages-Mittheilungen.

Ein Kaufmanns-Lehrling hat sich, nachdem er auf den Namen seines Prinzipals in einem andern Comtoir 100 Thlr. aufgenommen, heimlich aus dessen Dienst entfernt.

Eine Tagelöhnerfrau hat bei einer Wittwe durch Eröffnung eines Vorhänge-Schlosses verschiedene Wäsche gestohlen.

Auf dem Neuen Markt ist einem fremden Obsthändler ein abgenutztes Gemäß zernichtet, und ein ungestempeltes mit Einziehung der gesetzlichen Strafe von 2 Thlr. in Beschlag genommen.

Ein Weinhändler ist gestern früh in seinem Keller erhenkt gefunden.

Neueste Nachricht.

Der Ballon des Hrn. Claudius soll, nach der Aussage eines Reisenden, in Düben niedergekommen sein.

Anzeige.

Zwei Aufsätze, der Eine betitelt: Christian Jacob Kraus. Antwort auf den Aufsatz im Abendblatt Nr. 11. (welcher den 14. d.) der Andere betitelt: Antikritik (welcher den 17. d. an uns abgegeben worden ist) werden, so wie der Aufsatz: Fragmente eines Zuschauers u. s. w (der bereits vor 8 Tagen an uns abgegeben ist) nebst mehrern andern schätzbaren Aufsätzen, sobald es der Raum dieser Blätter irgend gestattet, darin aufgenommen werden; wobei wir die unbekannten Herrn Mitarbeiter, die uns mit ihren Beiträgen beehren, ganz ergebenst bitten, auf die Oekonomie dieses Blattes Rücksicht zu nehmen, und uns gefälligst die Verlegenheit zu ersparen, die Aufsätze brechen zu müssen.

Die Redaction.

Kunst-Ausstellung.

(Beschluß.)

Aber auch in Rücksicht der Ausführung darf diesem
Bilde das gebührende Lob nicht entzogen werden.
Richtige Zeichnung, höchste Sorgfalt im Einzelnen,
Ebenmaaß, Faltenwurf, Farbenreiz und wahre Grazie
werden bei einem unbefangenen Beschauer ihre Wirkung nicht verfehlen, so wie das gelungene Unternehmen, im vollen, gradauf fallenden Sonnenlicht zu mahlen, für seine Kühnheit schon Bewunderung verdient.
Ausserdem endlich muß die kräftige, charaktervolle Behandlung des ersten Porträts, die Zierlichkeit, Anmuth und der geistreiche, sinnige Ausdruck des zweiten und die Vollendung des fünften mit verdientem
Ruhme erwähnt werden.

Wir haben anjetzt erfüllt, was wir uns vorgenommen hatten.　Veranlaßt durch die diesjährige Kunst-
Ausstellung wollten wir im Allgemeinen unsere Gedanken über das Porträt äußern, als über denjenigen Theil der Mahlerkunst, welche von der gegenwärtigen Zeit am meisten begünstigt wird und werden
muß.　Die Menge leerer und gedankenloser Bilder
machten es uns zur Pflicht, wieder an Charakter und
Bedeutung in der Kunst zu erinnern　Zu dem Ende
haben wir einen jungen talentvollen, nach Wirkung
strebenden Mahler, einem erfahrnen, strengfleißigen,
bescheidenen Meister entgegengestellt, keinesweges —
wir betheuern es — um durch die Vergleichung jenen
persönlich zu demüthigen, oder diesen über die Gebühr
zu erheben, sondern um die unterdrückte Sache der
Idee gegen die herrschende Aeußerlichkeit und Manier

[17]

in der Kunst zu verfechten, um dem Gedanken und
der Absicht wieder zu ihrem Rechte zu verhelfen, aus
welchem ein inhaltloses Streben nach Effect sie ver=
drängen zu wollen scheint.

Nicht ohne Vorliebe haben wir diese unsere Sache
in diesen Blättern geführt; aber wir sind uns dessen
sehr wohl bewußt; wir haben es absichtlich gethan und
Niemand kann uns deshalb mißverstehen, wenn wir
nun zum Schlusse noch erklären, daß wir gar wohl
wissen: der Gipfel aller Kunst, also die Kunst selbst,
bestehe, gleich wie die Natur, deren ewiges Gegenbild
sie ist, nur in der vollkommnen Verschmelzung und
Vermählung der Idee mit der Darstellung, des Cha=
rakters mit der Schönheit, des Wesens mit der Gestalt.

L. B.

Theater.
Den 15. Octob. Achilles von Paer.
(Beschluß.)

Achilles ward Hrn. Brizzi zugetheilt dessen schön=
ste Töne Bariton waren. Der Meister kannte die
Vollkommenheiten wie die Schwächen dieses Künstlers,
daher schrieb er viel Noten in die Partie, indem das
Tragen der Stimme Brizzis glänzende Seite nicht war.
Hrn. Eunickens Mittel Töne oder eigentliche Tenor=
Töne sind die schönsten und besten in dem ganzen Um=
fange seiner Stimme; er selbst ist sehr guter Musiker,
weiß daher, was er uns oft zeigt, daß das Tragen der
Stimme die erste Regel des Gesanges ist, die in ihrer
Ausübung das Gefühl ergreift, und den Beifall rege
macht. Wenn daher Hr. Paer, statt für Brizzi für
Eunicke componirt hätte, so stehen wir nicht an, zu
glauben, daß er seiner Feder eine ganz andere Weisung
gegeben hätte. — Indeß hat Hr. Eunicke mit vielem
Ausdruck und richtiger Declamation (in so fern die
Declamation der Musik richtig ist) gesungen und von
neuem sich als ein sinniger Künstler bezeugt, dessen wirk=
lich große Verdienste oft nicht so anerkannt werden,
als sie es verdienen. Wem Hr. Paer die Parthie des
Patroklus zugedacht hatte, ist unbekannt: jedoch

scheint es unwahrscheinlich daß er sich bei dieser interessanten Rolle das musikalische Talent des Hrn. Blume gedacht hat. Wer diese Singe=Partie übernimmt, der scheue nicht, manche saure Stunde in Uebung der Skala zu verleben; sonst wagt er, allein der Freund des Achilles zu sein, und alle Uebrigen wenig zu befriedigen. Welch einen Begriff bekömmt man von der göttlichen Musik des Apollon, wenn ein solcher Priester, als Hr. Wauer, sie absingt? Doch vielleicht war dies sein Probe=Gesang, der freilich bei einen ziemlich guten Organ noch vervollkommnet werden kann, wenn er auf die Töne des Meisters horcht. Hipodamia, Mad. Herbst, sollte der Rolle der Oberpriesterinn mehr Bedeutung geben. Der Beurtheilung der Baß-Parthien in dieser Vorstellung, wollen wir uns entschlagen, da die Talente dieser Sänger schon öfter geprüft und hinlänglich beurtheilt sind. — In welcher Sprache die Chore gegeben sind, ist bisjetzt noch unbekannt. — Den Unkundigen müssen sich noch, bei dieser Vorstellung, unwillführlich einige Fragen aufdringen: einmal ob es Agamemnons Liebhaberei war, einen weißen Adler auf dem Schilde zu tragen; und dann, ob die Brücken in Griechenland mit seidnen Umhängen verziert waren, welche eine alte Baumstange zusammenhielt?

v. M.

Der Branntweinsäufer und die Berliner Glocken.

(Eine Anekdote.)

Ein Soldat vom ehemaligen Regiment Zignowsky, ein heilloser und unverbesserlicher Säufer, versprach nach unendlichen Schlägen, die er deshalb bekam, daß er seine Aufführung bessern und sich des Branntweins enthalten wolle. Er hielt auch, in der That, Wort, während drei Tage: ward aber am Vierten wieder besoffen in einem Rennstein gefunden, und, von einem Unterofficier, in Arrest gebracht. Im Verhör befragte man ihn, warum er, seines Vorsatzes uneingedenk, sich von Neuem dem Laster des Trunks ergeben habe? „Herr Hauptmann!" antwortete er; „es ist nicht meine Schuld. Ich ging in Geschäften eines Kaufmanns, mit einer Kiste Färbholz, über den Lustgarten; da läuteten vom Dom herab die Glocken: „Pommeranzen! Pommeranzen! Pommeranzen!" läut, Teufel, läut! sprach ich, und gedachte meines Vorsatzes und trank nichts.

In der Königsstraße, wo ich die Kiste abgeben sollte, steh ich einen Augenblick, um mich auszuruhen, vor dem Rathaus still: da bimmelt es vom Thurm herab: „Kümmel! Kümmel! Kümmel! — Kümmel! Kümmel! Kümmel!" Ich sage, zum Thurm: bimmle du, daß die Wolken reißen — und gedenke, mein Seel, gedenke meines Vorsatzes, ob ich gleich durstig war, und trinke nichts. Drauf führt mich der Teufel, auf dem Rückweg, über den Spittelmarkt; und da ich eben vor einer Kneipe wo nicht denn dreißig Gäste beisammen waren, stehe, geht es, vom Spittelthurm herab: „Anisette! Anisette! Anisette!" Was kostet das Glas, frag' ich? Der Wirth spricht: Sechs Pfennige. Geb' er her, sag' ich — und was weiter aus mir geworden ist, das weiß ich nicht.

xyz.

Polizeiliche Tages-Mittheilungen.

Ein Zimmergesell war vorgestern bei einem Bau in der Behrenstraße beschäftiget, mit einem seiner Kameraden einen Balken aus dem Hause zu tragen. Ein noch nicht ausgemittelter Fuhrmann fuhr mit seinem Wagen so heftig gegen den Balken, daß dieser den Zimmergesellen umwarf und auf der Stelle todtschlug.

Auf dem Gensd'armen-Markt sind zweien Bauern, einem Jeden eine ungestempelte Metze konfiszirt und 2 Rthlr. Strafe eingezogen worden.

Auf dem Spittelmarkt hat eine Gärtnerin sich verbotwidrig über einen offenen Kohlentopf gesetzt, welcher in Beschlag genommen worden ist.

Einem Bäcker ist für 6 Gr. zu leichtes Brod konfiszirt.

Einem Schlächter eine unrichtige Waage. Die Schaale auf welcher das Fleisch gelegt wurde, war um 2 Loth schwerer, als die Schaale zu den Gewichten.

An einem Haufen Torf, den ein hiesiger Einwohner von einem Schiffer gekauft hat, fehlten bei der Revision 26$\frac{1}{4}$ Kiepen, weshalb eine Untersuchung eingeleitet ist.

Berliner Abendblätter.

18tes Blatt. Den 20ten October 1810.

Theater.

Ueber Darstellbarkeit auf der Bühne.

Es wird viel gesprochen über Darstellbarkeit auf der
Bühne, nämlich in Rücksicht auf den Schauplatz selbst,
und die Art der Handlung: wir wollen auch darüber ein
Wörtlein fallen lassen. — Der Gegenstand der Darstellung, das versteht sich zuvörderst von selbst, darf weder
ekelhaft noch unziemend sein. Manches aber ziemt sich
nicht für das erhabene Trauerspiel, was wohl beim
Lustspiel gelten könnte. Ersochen, oder auch; in einem
Ritterschauspiel, todtgehauen mag einer immerhin vor
unsern Augen auf der Bühne werden; es kann uns
schrecklich sein, aber gerade diese Stimmung ist oft
nöthig, um zur leichten Harmonie zu führen. Wollte
man dagegen eine Hinrichtung darstellen (wie schon in
dem Schauspiel: der General Schlensheim, der Versuch mit einer förmlichen militairischen Execution, dem
beliebten Füsilliren, gemacht worden) oder wollte man
im Gefecht, der Geschichte treu, einem Helden förmlich das Haupt vom Rumpfe fliegen lassen; so würde
dieses gewissermaßen ekelhaft sein. Das geht nicht.
Gesteht ferner auf dem Theater eine Heldin (wie in
der Sonnenjungfrau) ihrem Geliebten, daß sie sich im
Zustande guter Hofnung befinde, so ist dieses höchst
ungeziemend; denn eine solche Entdeckung, an sich von
der höchsten Bedeutsamkeit, gehört in die Reihe alles
dessen, was mit einem geweihten Schleier bedeckt sein
muß. Nur so bleibt es heilig, es ist tragisch — wird
der Schleier vermessen gehoben, so hat man es ent-
heiligt, es wird komisch.

Solche Bewandniß hat es auch mit den äußern

Anordnungen auf dem Theater. Da darf nicht alles
wie in der Natur aufgestellt werden, denn durch den
Absicht des gar zu Wirklichen mit dem Nachgeahmten
geht die Uebereinstimmung verloren, die Fantasie des
Zuschauers wird gehemmt, wo nicht gerädert, und
seine Forderungen gehn sodann mit Recht immer weiter und so weit, daß das Theater zuletzt nichts weniger thun könnte, als die ganze wirkliche Welt zu sein,
um den so hoch geschraubten und gebildeten Leutchen
ein völliges Genüge zu leisten. Nicht bloß mit den
Dekorationen geht es so, nein auch mit dem was sich
darin und dazwischen bewegt. Wer vermißt nicht in
der Jungfrau von Orleans, wenn das Schlachtgetüm-
mel wirklich dargestellt werden soll, und dann 4 oder
5 Paare von Soldaten sich auf der Bühne regelmäßig
schlagen, bis einer dem andern den Garaus macht,
wer, fragen wir, vermißt nicht dabei eine größere Masse,
ein wirkliches Heer? Und gesetzt man könnte auf einer
Bühne auch einige hundert Mann im gegenseitigen
Kämpfen zeigen, wir würden gerade dadurch fast gezwungen, den natürlichen Maßstab mitzubringen, wir
würden eine ordentliche Seezahl haben wollen!

     Was ist nun da zu machen? — Es ist sehr einfach,
was die wahre Kunst erheischt. Ehrlich geht sie zu
Werke, sie spricht zum Zuschauer rund heraus: bringe
dir zu dem, was du hören und sehen wirst, hübsch deine
Fantasie mit, welche dir Gott gegeben hat, und wende
sie an, und denke ja nicht etwa, du würdest es so ge-
mächlich haben, daß man dir nichts zu denken ließe.
Sodann thut sie nur bei allem so, als wäre es — ein
wahres Spiel, worin die wirkliche Natur, frei und
üppig, wie in einem magischen Wiederschein, sich entfaltet. Die Einbildungskraft erhält sie stets thätig, was
vor Augen gebracht wird, zieht die Aufmerksamkeit erst
recht auf das, was noch dahinter liegt. Erscheinen Fürsten, Könige mit ihrem Gefolge, so läßt sie dasselbe nicht
in einer bestimmten Ordnung auf die Bühne treten
und sich ganz ausbreiten, denn das ist die Wirklichkeit,
wobei des Zuschauers Fantasie ruht, wobei er zu vergleichen anfängt mit den andern nicht so genau nach-
ahmenden Umgebungen, und der Mißklang für Sinn
und Gemüth ist da. Tritt dagegen von solch einem
Gefolg verhältnißmäßig nur wenig an Personen wirklich auf, doch so, daß sich diese als Masse zwischen Säulen, oder zwischen Pforten verlieren, so bleibt dem Zuschauer ein ungeheurer Spielraum übrig, und er hat
einen richtigen Masstab, sich hinter der Scene eins im-

ponirende Menge zu denken, deren Anfang die wenigen
wirklich Erscheinenden sind. Dasselbe kann denn auch
bei Vorstellungen von Schlachten geschehen; und nur
so verlieren sie das Kleinliche, und erheben sich zu dramatischer Wahrheit durch die Verschmähung wirklicher
Nachahmung. — Ein Beispiel statt aller. Im Shakespear's Julius Cäsar soll Brutus und Cassius von
der einen, Augustus und Antonius von der andern
Seite, mit ihren beiderseitigen Heeren, auf die Bühne
kommen. Das ist unausführbar! es ist lächerlich! schreit
der Blödsinn. Und es ist wohl ausführbar, und es ist
nicht lächerlich. Man lasse nur hinter den Heerführern,
sowie sie von beiden Seiten auftreten, einige Krieger folgen, welche so stehen bleiben, als drängen sie in Masse
hinter den Koulissen heraus, indem Spieße über ihren
Häuptern hervorragen und die ihnen nachdringenden
Krieger bezeichnen — so wird dies ein ergreifender Anblick sein, man wird wirklich sich beide Heere dahinter
denken, deren Anfang man sieht. — Wir werden Gelegenheit finden, noch in mancherlei andern Beziehungen auf diesen Punkt zurückzukommen, um das Theater
auch darin aus dem prosaischen Netz zu befreien und
es in sein poetisches Element zurückzuführen.

W....t.

Anekdote aus dem letzten Kriege.

Den ungeheuersten Witz, der vielleicht, so lange die Erde steht,
über Menschenlippen gekommen ist, hat, im Lauf des letztverflossenen
Krieges, ein Tambour gemacht; ein Tambour meines Wissens von
dem damaligen Regiment von Puttkammer; ein Mensch, zu dem,
wie man gleich hören wird, weder die griechische noch römische Geschichte ein Gegenstück liefert. Dieser hatte, nach Zersprengung der
preußischen Armee bei Jena, ein Gewehr aufgetrieben, mit welchem
er, auf seine eigne Hand, den Krieg fortsetzte; dergestalt, daß da er,
auf der Landstraße, Alles, was ihm an Franzosen in den Schuß
kam, niederstreckte und ausplünderte, er von einem Haufen französischer Gensdarmen, die ihn aufspürten, ergriffen, nach der Stadt
geschleppt, und, wie es ihm zukam, verurtheilt ward, erschossen
zu werden. Als er den Platz, wo die Execution vor sich gehen
sollte, betreten hatte, und wohl sah, daß Alles, was er zu seiner
Rechtfertigung vorbrachte, vergebens war, bat er sich von dem
Obristen, der das Detaschement commandirte, eine Gnade aus;
und da der Obrist, inzwischen die Officiere, die ihn umringten, in
gespannter Erwartung zusammentraten, ihn fragte: was er wolle?
zog er sich die Hosen ab, und sprach: sie mögten ihn in den

. . . . schießen, damit das F . . . kein L . . . bekäme. — Wobei man noch die Shakespearsche Eigenschaft bemerken muß, daß der Tambour mit seinem Witz, aus seiner Sphäre als Trommelschläger nicht herausging.

x.

Warum werden die Abendblätter nicht auch Sonntags ausgegeben?

Diese Frage that ein junger Bürger an seinen Vater und verwunderte sich dabei sehr über eine solche Unterbrechung. Der alte Mann antwortete: Weil Schreiber, Drucker, Herumträger und was dazu gehört, am heiligen Sonntage Gott dem Herren dienen wollen und nachher auch fröhlich sein, im Herrn. Da ist nichts zu verwundern. Daß aber in einer Christenstadt ein Christenmensch so was fragen kann, da muß ich mich sehr darüber verwundern und auch sehr betrüben, mein Sohn!

d. I. M. F.

Polizeiliche Tages-Mittheilungen.

Ein Musikus ist am 15ten d. M. Abends von seiner Treppe herabgestürzt und am 16ten an den Folgen dieses Falles gestorben.

Ein hiesiger Polizei- und ein Kriminal-Offiziant haben von außerhalb einen muthmaßlichen Komplizen der Mordbrenner-Bande nebst seiner Geliebten hergeschickt.

Auf dem vorgestrigen Abendmarkt ist ein abgenutztes Gemäß zerschlagen und ein ungestempeltes konfiszirt. Da Kontravenient die Bezahlung der gesetzlichen Strafe von 2 Rthlr. verweigerte, ist er zum Arrest gebracht.

In Charlottenburg ist dreien Bäckern für resp. 6, 4 und 2 Gr. zu leichtes Brod zerschnitten.

Einem Kaufmann aus Straßburg sind 400 Stück Frd'ors gestohlen. Der Verdacht fällt auf eine Frauensperson, welche mit ihm hieher reisete und gemeinschaftlich im Gasthofe logirte, hiernächst sich aber entfernt hat. Von Seiten der Polizei sind indeß alle Veranstaltungen zu ihrer Wiederhabhaftwerdung bereits getroffen.

Erklärung.
S. Voß. Zeitung, den 25. Sept. 1810.

Mancherlei Rücksichten bestimmen mich, mit diesem Blatt, welches sich nunmehr etablirt hat, aus der Masse anonymer Institute herauszutreten. Demnach bleibt der Zweck desselben zwar, in der ersten Instanz, Unterhaltung aller Stände des Volks; in der zweiten aber ist er, nach allen erdenklichen Richtungen, Beförderung der Nationalsache überhaupt: und mit meinem verbindlichsten Dank an den unbekannten Herrn Mitarbeiter, der, in dem nächstfolgenden Aufsatz, zuerst ein gründliches Gespräch darüber einging, unterschreibe ich mich,

der Herausgeber der Abendblätter,
Heinrich von Kleist.

Christian Jacob Kraus.
Antwort auf den Aufsatz im Abendblatt Nr. 11. Vom 12. Oct. 1810.

Das Hauptverdienst des zu früh verstorbenen Professor Kraus besteht allerdings darin, daß er die Lehre Adam Smiths für den Preuß. Staat gleichsam lebendig gemacht, und kräftig mitgewirkt hat, ihr bei den Verwaltungs=Behörden Eingang zu verschaffen. Eine eigne staatswirthschaftliche Theorie hat er nicht aufgestellt, und nicht aufstellen wollen, weil ihm die Smithsche genügte, und es auch schwerlich eine praktische Aufgabe giebt, welche sich durch sie nicht befriedigend lösen ließe. Wenn alle diejenigen, welche nichts neues und originelles zu Tage bringen unfruchtbare Köpfe sind, so war es allerdings auch Kraus. Aber ist eine solche Unfruchtbarkeit nicht mehr werth, als eine übelgerichtete Fruchtbarkeit, die nach Neuheit strebt, bloß — um neu zu sein; die darin allein einen Ruhm setzt, und diesem Ruhme alles opfert, selbst das Heil des Vaterlandes, das durch Eintracht am Ende doch wohl mehr, als durch Gegensätze, gewinnen dürfte?

[19]

So klar und gediegen die Ansichten Adam Smiths sind, so mangelte ihm doch das Talent der Darstellung. Sein Werk ist corpulent, und seine Grundsäze sind bei weitem nicht so lichtvoll zu Papiere gebracht, als sie seinem Geiste vorschwebten. Es ist ein mühseliges Tagewerk sich durch die aus Weitschweifigkeit entspringenden Dunkelheiten durchzuarbeiten, welche durch Smiths mitunter schwerfälligen Styl und nicht sehr geschickte Zusammenstellung entspringen. Diesem Uebelstande hat Kraus durch seine meisterhafte Bearbeitung abgeholfen, und dadurch das Publicum des großen Meisters sehr vergrößert. Man kann wohl von ihm sagen: er hat die Staatswirtschaft vom Himmel herabgeholt, d. h. sie gemeinnüzig gemacht, und dazu mitgewirkt, daß sie auf den Preuß. Staat nach seiner eigenthümlichen Lage, practisch angewandt wurde.

Darin besteht das Verdienst des Prof. Kraus um den Preuß. Staat, und es lebt in dem Herzen jedes Staatsmannes, der es mit seinem Vaterlande gut meint. Er arbeitete ohne Aussicht auf Belohnung und Dank. Die arbeitende Klasse für die er besonders auftrat, und die weder liest noch schreibt, kennt wahrscheinlich seinen Namen nicht. Der Landmann, der ein Eigenthum hat, und diesem jezt seine ganze Zeit und Kraft widmen kann; der sein Getraide mahlen lassen kann, wo es ihm am nächsten und bequemsten ist; der jezt sein Bier selbst brauen kann, was er vorher nicht durfte ꝛc. ahndet schwerlich daß der Professor Kraus es war, der von seinem Katheder herab die angehenden Staatsbeamten von seinem Bedürfniß unterrichtete und ihm Wohlthaten vorbereitete, deren Größe er jezt segnend erkennt.

In Neu-Ost-Preußen wurden die Kraußischen Prin wien am mehrsten, und zwar im Großen angewandt. Theils standen durch ein glückliches Zusammentreffen Staatsmänner an der Spize, die von ihrer Wahrheit durchdrungen waren; theils hatte dort die Regierung freieren Spielraum, und weniger Privilegien und wohlhergebrachte Rechte zu beseitigen. Troz der politischen Mißgriffe bei Verwaltung und Besiznehmung dieser Provinz, war sie doch in staatswirthschaftlicher Hinsicht am vollkommensten organisirt, und zeigte bei den lange nicht genug gekannten und gewürdigten Operationen der dortigen Verwaltungsbehörden, ein wundersames Gedeihen. Es liegt eine Skizze der dortigen Organisation vor uns, nach welcher es schwerlich ein herzerhebenderes Fest giebt, als es den dortigen Separations-Commissarien nicht selten bei der Verwandlung von Schaarwerksbauerdörfern in Zinsbäuerliche zu Theil wurde. Wenn der Separationsplan genehmigt und die Verlosung geschehen war, wenn er den Bauern die vergrößerten Grundstücke als zinsbares Eigenthum übergab, diese, die Wohlthätigkeit ihrer neuen Existenz wohl begreifend, anfangs in stummem Erstaunen ihr neues Eigenthum musterten, dann sich mit einer Freudenthräne im Auge auf den kalten Boden niederwarfen, ihn umklammerten und mit Küssen bedeckten, als wollten sie ihn für die Ewigkeit ergreifen; wenn nun das Gefühl der Freiheit diese vorher so stupiden Gesichter plötzlich mit Leben und Ausdruck übergoß, wenn Mann, Weib und Kind in heiliger Umarmung verschränkt, sich feierlich gelobten, dem Trunke und den Lastern der Knechtschaft fortan zu entsagen — und der Commissarius unter diesen glücklichen Gruppen mit dem Gefühle einer Gottheit da stund — das waren in der That Scenen, erhaben wie der Bund der 3 Schweizer, und werth durch denselben Pinsel verewigt zu werden. Wenigstens gesteht der Verfasser jener Skizze ein, das Göttliche im Menschen nie lebendiger empfunden zu haben, als bei solchen Scenen, ohnerachtet sein, durch die Revision eben so lugenhafter als formgerechter Anschläge, abgestumpftes Gemüth eben nicht zu den Empfänglichsten gehört; und versichert durch solche Momente für seine übrigen ihm wenig befriedigenden Geschäft Verrichtungen, vollständig entschädiget worden zu sein.

(Die Fortsetzung folgt.)

Literarnotiz.

Als Anhang zu der bekannten histoire des généreaux françois von Chateauneuf in 18 Heften ssind vor kurzem simples notices historiques sur les généreaux etrangers zu Paris erschienen, worin diese, dem avis aux sousscripteurs gemäß, depuis le berceau jusqu'à leurs dernieres batailles dargestellt werden sollen. Da dieses Machwerk wegen der darin enthaltenen Notizen von Preußischen Generalen die Neugierde manches Lesers reizen könnte, so haben wir vor allem Schaden warnen und unter unzähligen historischen Curiositäten nur die eine anführen wollen, daß der Verfasser v. 93 die Preußische Armee bei Austerlitz fechten läßt.

ps.

Brief eines Mahlers an seinen Sohn.

Mein lieber Sohn,

Du schreibst mir, daß du eine Madonna mahlst, und daß dein Gefühl dir, für die Vollendung dieses Werks, so unrein und körperlich dünkt, daß du jedesmal, bevor du zum Pinsel greifst, das Abendmahl nehmen mögtest, um es zu heiligen. Laß dir von deinem alten Vater sagen, daß dies eine falsche, dir von der Schule, aus der du herstammst, anklebende Begeisterung ist, und daß es, nach Anleitung unserer würdigen alten Meister, mit einer gemeinen, aber übrigens rechtschaffenen Lust an dem Spiel, deine Einbildungen auf die Leinewand zu bringen, völlig abgemacht ist. Die Welt ist eine wunderliche Einrichtung; und die göttlichsten Wirkungen, mein lieber Sohn, gehen aus den niedrigsten und unscheinbarsten Ursachen hervor. Der Mensch, um dir ein Beispiel zu geben, das in die Augen springt, gewiß, er ist ein erhabenes Geschöpf; und gleichwohl; in dem Augenblick, da man ihn macht, ist es nicht nöthig, daß man dies, mit vieler Heiligkeit, bedenke. Ja, derjenige, der das Abendmahl darauf nähme, und mit dem bloßen Vorsatz ans Werk gienge, seinen Begriff davon in der Sinnenwelt zu construiren, würde ohnfehlbar ein ärmliches und gebrechliches Wesen hervorbringen; dagegen derjenige, der, in einer heitern Sommernacht, ein Mädchen, ohne weiteren Gedanken, küßt, zweifelsohne einen Jungen zur Welt bringt, der nachher, auf rüstige Weise, zwischen Erde und Himmel herumklettert, und den Philosophen zu schaffen giebt. Und hiermit Gott befohlen.

y.

Polizeiliche Tages-Mittheilungen.

Die nach den vorgestrigen polizeilichen Mittheilungen verfolgte Frauensperson, auf welche der Verdacht, der einem Kaufmann aus Straßburg gestohlenen 400 Stück Frd'ors gefallen, ist von einem hiesigen Polizei-Kommissarius in Potsdam verhaftet, und hat derselbe noch 300 Stück Frd'ors baar bei ihr vorgefunden.

Der durch einen hiesigen Polizei- und einen Kriminal-Offizianten herausgesandte Unterofficier ist vom Inquisiten Horst als ein Mitglied der Brandstifter-Bande rekognoszirt.

Erklärung. Der Aufsatz Hrn. L. A. v. A. und Hrn. C. B. über Hrn. Friedrichs Seelandschaft (S. 12te Blatt.) war ursprünglich dramatisch abgefaßt; der Raum dieser Blätter erforderte aber eine Abkürzung, zu welcher Freiheit ich von Hrn A. v. A freundschaftlich berechtigt war. Gleichwohl hat dieser Aufsatz dadurch, daß er nunmehr ein bestimmtes Urtheil ausspricht, seinen Charakter dergestalt verändert, daß ich, zur Steuer der Wahrheit, falls sich dessen jemand noch erinnern sollte, erklären muß: nur der Buchstabe desselben gehört den genannten beiden Hrn.; der Geist aber, und die Verantwortlichkeit dafür, so wie er jetzt abgefaßt ist, mir.   H. v. K.

Christian Jacob Kraus.

(Fortsetzung.)

Wenn wir das Gefühl der Leser in Anspruch neh=
men wollten, so könnten wir eine recht große Parallele
des vorigen und jetzigen Zustandes der Preuß. Domai=
nen=Bauern ziehen.

Den Wohlstand und die Selbstständigkeit des Land=
manns und der arbeitenden Classe überhaupt zu grün=
den, das hielt Kraus für die Wesentlichste aller staats=
wirthschaftlichen Operationen. Ueber diesen Gegen=
stand, der diesen etwas langsamen und unfruchtbaren
Kopf immer zur Begeisterung hinriß, mußte man ihn
sprechen hören, um von Achtung und Liebe nicht sowohl
für den Staatswirth als für den herrlichen reinen Men=
schen erfüllt zu werden. Wohlhabende, selbstständige
Menschen wollte er schaffen, und dadurch seinem Va=
terlande, das er mit der ganzen Kraft einer männli=
chen Seele liebte, allmählig eine sichere Existenz unter
seinen drei kolossalen Nachbarn vorbereiten.

Er wußte so gut als diejenigen, die es vornehm
bedauern, gegen diesen Mann sprechen zu müssen, daß
es etwas höheres giebt, als Wohlstand; aber er wußte
auch, daß Wohlstand dessen nothwendige Bedingung ist;
daß dieses Höhere nur aus dessen allgemeinster Ver=
breitung hervorgehen kann; daß außer dem Wohlstande,
bürgerliche Freiheit und Gerechtigkeit das Einzige ist,
was die Gesellschaft ihren Mitgliedern zu gewähren
vermag; daß dieses Höhere kein Vorwurf der Regierung
und Landesverwaltung sein kann und soll, sondern ei=
ner höheren Macht, mag man sie Natur oder Gottheit
nennen, die sich in ihre Operationen nicht eingreifen
läßt. Wir sind nun einmal so unmodern, ein Verdienst
darin zu finden, Menschen glücklich zu machen, d. h.
um allen Mißdeutungen vorzubeugen, ihnen bürgerliche
Freiheit als Bedingung des Wohlstandes und des Glücks
zu gewähren; und zu glauben, daß ein solches Verdienst
Ehrensäulen und Monumente verdient, wie Preußen
seinem Kraus bei ruhigeren Zeiten gewiß setzen wird.
Wir sind so aleudterisch dieses Verdienst unendlich er=

habener zu finden, als die höchste Genialität zur Vertheidigung von Gräueln der Vorwelt gemißbraucht. Die er völlig unproduktive Kopf hat Menschenglück producirt. Er hat Veranlassung gegeben, dem Vaterlande eine Menge wohlhabender selbstständiger, ihm ergebener Familien zu gewinnen, die einzige Guarantie für die Dauer der äußeren und inneren Sicherheit eines Staates. Daraus mag sich der Herr Verfasser die Schlußfrage: wie Kraus zu diesen Ruf und zur Achtung seiner Zeitgenossen gelangt ist, selbst beantworten. Der Hauptzweck seines Aufsatzes scheint zu sein: den Kraußschen Schriften gleichsam eine Warnungstafel anzuhängen, und der Jugend ihren vorsichtigen Gebrauch anzurathen. Er besorgt Unheil aus der Anwendung der Kraußschen Lehre, und unheilbaren Zwiespalt zwischen den Gerichtshöfen und der Administration; oder stellt sich wenigstens so. Sogar von dem Kraußschen Buchstaben fürchtet er Unheil für die Gesetzgebung unseres Vaterlandes. Darüber kann sich der Hr. V. völlig beruhigen; denn der Buchstab ist bloß in seiner Fantasie. Wo tritt denn der Buchstab in Adam Smith oder Kraus auf? Beide protestiren auf jeder Seite gegen den todten Buchstaben kämpfen überall gegen Pennalismus und Schlendrianismus; verlangen überall Selbstprüfung und die freieste Thätigkeit des Geistes. Oder — was meint der Herr-Verfasser mit dem Buchstaben?

(Beschluß folgt.)

Zuschrift eines Predigers an den Herausgeber der Berliner Abendblätter.

Mein Herr,

Der Erfinder der neuesten Quinen-Lotterie hat die aufgeklärte Absicht gehabt, die aberwitzige Traumdeuterei, zu welcher in der Zahlen-Lotterie, die Freiheit, die Nummern nach eigner Willkühr zu wählen, Veranlassung gab, durch bestimmte und festehende Loose, die die Direction ausschreibt, niederzuschlagen.

Mit Bedauern aber machen wir die Erfahrung, daß diese Absicht nur auf sehr unvollkommene Weise erreicht wird, indem der Aberglauben, auf einem Gebiet, auf dem man ihn gar nicht erwartet hatte, wieder zum Vorschein kommt.

Es ist wahr, die Leute träumen jetzt keine Nummern mehr; aber sie träumen die Namen der Collecteurs, bei denen man setzen kann. Die gleichgültigsten Veranlassungen nehmen sie, in einer Verkettung von Gedanken, zu welchen kein Mensch die Mittelglieder erratben würde, für geheimnißvolle Winke der Vorsehung an. Verwichenen Sonntag nannte ich den David, auf der Kanzel, einen gottgefälligen Mann; nicht den Collecteur dieses Orts, wie Dieselben leicht denken können, sondern den israelitischen König, den bekannten Sänger der frommen Psalmen. Tags darauf ließ mir der Collecteur, durch einen Freund, für meine Predigt, scherzhafter Weise danken, indem alle Quinenloose, wie er mir verscherte, bei ihm vergriffen worden waren.

Ich bitte Sie, mein Herr, diesen Vorfall zur Kenntniß des Publicums zu bringen, und durch Ihr Blatt, wenn es möglich ist, den Entwurf einer anderweitigen Lotterie zu veranlassen, die den Aberglauben auf eine bestimmtere und so unbedingte Weise, als es der Wunsch aller Freunde der Menschheit ist, ausschließe.

F... d. 15. Okt. 1810.   F...

Nachricht an den Einsender obigen Briefes.

Geschäfte von bedeutender Wichtigkeit halten uns ab, selbst an den Entwurf einer solchen Lotterie zu denken.

Inzwischen wollen wir, zu Erreichung dieses Zwecks, soviel in unsern Kräften steht, von Herzen gern beförderlich seyn.

Wir setzen demnach einen Preis von 30 Rthlr. auf die Erfindung einer solchen Lotterie.

Die Mathematiker, die sich darum bewerben wollen, haben ihre Entwürfe mit Divisen versehen, an uns einzusenden.

Berlin, d. 22. Oct. 1810.
Die Redaction der Abendblätter.

Unekdote.

Als (William) Shakespear einst der Vorstellung seines Richard des III. beiwohnte, sah er einen Schauspieler sehr eifrig und zärtlich mit einem jungen reizenden Frauenzimmer sprechen. Er näherte sich unvermerkt, und hörte das Mädchen sagen: um 10 Uhr poche dreimal an die Thür, ich werde fragen: wer ist da? und du mußt antworten: Richard der III. —. Shakespear, der die Weiber sehr liebte, stellte sich eine Viertelstunde selber ein, und gab beides, das verabredete Zeichen und die Antwort, ward eingelassen, und war, als erkannt würde, glücklich genug, den Zorn der Betrogenen zu besänftigen. Zur bestimmten Zeit fand sich der wahre Liebhaber ein. Shakespear öffnete das Fenster und fragte leise. wer ist da? — Richard der III., war die Antwort. — Richard, erwiederte Shakespear, kömmt zu spät; Wilhelm der Eroberer hat die Festung schon besetzt. —

Miscellen.

Sr. Königl. Hoheit der Kronprinz von Schweden sind mit ihrem Gefolge durch eine doppelte Linie von 500 Engl. Segeln, die im Norden und Süden des Belts lagen, glücklich, und ohne den mindesten Unfall von Nyborg zu Corsöer auf Seeland eingetroffen.

Nach den neuesten Nachrichten ist es nunmehr bestimmt, daß nicht Wittenberg, sondern Torgau eine sächsische Festung werden soll.

Sr. Maj. der König von Neapel hat nach einem zu Scylla erschienenen Tagesbefehl die Expedition auf Sizilien verschoben, und mit der Armee die Winterquartiere bezogen.

Polizeiliche Tages-Mittheilungen.

Einem hiesigen Kaufmann sind von seinem Reisewagen durch Aufschneidung des Hinterverdecks mehrere Handlungs Artikel an Kattun, Materialwaaren ꝛc. entwendet.

Bei der in der Nacht vom 19ten zum 20ten d. M. zwischen 1 und 5 Uhr vorgenommenen General-Visitation der hiesigen Residenz und des äußern Polizei-Bezirks, sind, wegen nächtlichen Herumtreibens und mangelnder Legitimation 11 Mannspersonen und 4 Frauenzimmer gefänglich eingezogen worden. Unter ihnen befand sich ein berüchtigter Betrüger und Dieb, welcher sich erst vor Kurzem der Entwendung eines Koffers mit Sachen, 100 Thlr. an Werth, schuldig gemacht hatte.

Auf dem Spittelmarkt ist eine abgenutzte Metze zerschlagen.

Ebendaselbst ist einem Bauer ein ordnungswidriges Gemäß zerschlagen worden.

Interessante Schriften, welche in der Buchhandlung von J. E. Hitzig zu haben sind.

Musikalien.

Es kann doch schon immer so bleiben, als Antwort auf das Lied: Es kann schon nicht immer so bleiben; in Musik gesetzt von C. F. H. Schmidt.

4 Gr.

Berliner Abendblätter.

21tes Blatt. Den 24ten October 1810.

Christian Jacob Kraus.

(Beschluß.)

Dieser Zwiespalt zwischen der Gesetzgebung und Administration dürfte schwerlich entstehen, wenn er nicht durch Brandbriefe angeschürt wird. Die Frage scheint zu sein: soll der Preuß. Staat über der Achtung für das strenge Recht gänzlich zu Grunde gehn, oder gebeut die Pflicht der Selbsterhaltung, verjährte Rechte zu modificiren, die mit seiner Existenz und dem Zeitgeiste unverträglich sind, weil sie einen geheimen Zwiespalt in der Nation pflegen und nähren, zu einer Zeit, wo Eintracht und Hintansetzung aller egoistischen Ansichten, und Aufhebung von Verfassungen, welche dieser Eintracht nachtheilig sind, so dringendes Bedürfniß ist?

Es giebt andre Schriften, die weit eher eines Warnungszeichens für junge Gemüther bedürfen. Vielleicht werden wir in der Folge dieses Blattes eine derselben analysiren; nicht einen Feuerbrand, wie wir sie gehabt haben, bei denen der Umschlag das feurigste war; sondern einen echten Feuerbrand, wie es je einen gab, deren Verfasser, ein wirklicher nicht ein fingirter Faust, einen in Preußen beseitigten Streit wieder aufnimmt, und sein Vaterland in helle Flammen setzen könnte, wenn die politischen Verhältnisse seinen Bewohnern nicht täglich zuriefen: Ruhe ist die erste Bürgerpflicht!

Uebrigens machte Kraus nie Anspruch auf die Rolle eines Gesetzgebers. Smith und er waren bloß Organe der Natur, dieser großen Gesetzgeberin, und protestirten gegen Gesetze der Willkühr, die nicht ihren heiligen Stempel tragen. Sie verlangen eine nothwendige Gesetzgebung aus der Natur des Staatsvereins entwickelt, und durch die äußeren Verhältnisse des Staates modificirt. Sie bestimmen die Grenzen der Gesetzgebung, verengen dieselben, bezeichnen die Gegenstände, deren Bestimmung sich die Natur vorbehalten hat, und wo der Gesetzgeber ohne Mißgriffe nicht eingreifen darf, erklären jedes nicht durch innere Noth=

wendigkeit oder äußere gebieterische Verhältnisse gerechtfertigte Geseß für schädlich, und wünschen eine allgemeine Revision, weil wir deren noch eine Menge haben.

Fragmente aus den Papieren eines Zuschauers am Tage.

Dutens erzählt in seinen Mémoires, daß in Paris einst die Comtesse de Boufflers einer dort, dem Anscheine nach in einer abhängigen Lage, sich aufhaltenden jungen Engländerin, bei einem entstandenen Zwiste den Vorwurf gemacht habe: Mais, Vous êtes bien orgueilleuse! Die Engländerin habe geantwortet: Vous vous trompez, Madame, je ne suis que fière. Mad. de B. habe verseßt: Mais quelle difference y-a-t-il à cela? Worauf die Engländerin erwiedert: C'est que l'orgueil est offensif, & que la fierté est defensive.

Diese, auch von Dutens herausgehobene, sehr feine und richtige Distinction, könnte vielleicht zu einer billigern Würdigung eines Vorwurfs führen, der allgemein der Englischen Nation gemacht wird, des Vorwurfs eines übertriebenen Stolzes. Wer die Nation viel gesehn hat, wird zugeben müssen, daß der Stolz derselben nicht zu der anmaßenden Gattung gehöre; daß er keine beleidigende Prätensionen, durch Liß oder Gewalt, noch weniger durch trügerisch = einschmeichelnde äußere Formen geltend zu machen suche; daß er wenig von der eigentlichen Sucht zu glänzen, oder von einer stets unruhigen, kleinlichen Eitelkeit in sich fasse. Aber, der defensive Stolz ist allerdings ein ziemlich allgemeiner Character = Zug der Engländer. Er äußert sich in einer kalten, ruhigen, gleichgültigen Zurückhaltung. Er ist gegründet auf die allgemeine, leidenschaftliche Neigung zur Independenz, wohl verstanden der Independenz, die auch die Independenz Anderer sehr billig gestattet und anerkannt. Aber, um die eigene Independenz nicht zu compromittiren, wird mit Strenge auf das gehalten, was Jeder für eigenthümliches Recht in den Societätsverhältnissen rechnet, und keine Annäherung gesucht oder verstattet, bevor das Terrain nicht hinlänglich recognoscirt ist. Ein recht auffallender Beweis dieser Absicht liegt in einer Englischen Sitte, die einem Ausländer im Anfange höchst sonderbar aufstößt, so allgemein sie auch, wiewohl mit den Etiketten der mehrsten übrigen Länder contrastirend; unter den Eng-

ländern ist. Kömmt eine Englische Familie an einen
fremden Ort, so erwartet sie, vorzüglich die Damen,
daß man die ersten Schritte thue, um ihren Umgang
zu suchen, anstatt daß bekanntlich in andern Ländern,
die Bekanntschaft durch Herumsendung der Visitencar-
ten von Seiten der Ankommenden eröffnet wird. Dieser Gebrauch würde in England als Zudringlichkeit verschmäht, oder, im Anwendungsfalle, als solche geahndet
werden. Frägt man die Engländer um die Ursache, so
ist die Antwort: „Wir wünschen uns gegen Verbindungen zu sichern, die uns nicht anständig sein mögten, aber wir werden selbst nach unserer Ueberzeugung
solche aufsuchen, die wir nach unsern Verhältnissen und
hinlänglicher Kenntniß für wünschenswerth halten.‟
Und so wird der Umgang von den bereits Etablirten
gegründet, und ist gewöhnlich — um desto solider.

Wer ist der Aermste?

„Geld!‟ rief, „mein edelster Herr!‟ ein Armer.
Der Reiche versetzte:
„Lümmel, was gäb' ich darum, wär ich so hungrig,
als er!‟

Der witzige Tischgesellschafter.

Treffend, durchgängig ein Blitz, voll Scharfsinn, sind
seine Repliken:
Wo? An der Tafel? Vergieb! Wenn er's zu Hause
bedenkt.

xp.

Anekdote.

Bach, als seine Frau starb, sollte zum Begräbniß
Anstalten machen. Der arme Mann war aber gewohnt,
Alles durch seine Frau besorgen zu lassen; dergestalt,
daß da ein alter Bedienter kam, und ihm für Trauer=

flor, den er einkaufen wollte, Geld abforderte, er unter stillen Thränen, den Kopf auf einen Tisch gestützt, antwortete: „sagt's meiner Frau." —

Polizeiliche Tages-Mittheilungen.

Ein Knecht eines hiesigen Branntweinbrenners ist aus einer 20 Fuß hohen Bodenlucke gefallen und am Kopfe jedoch nicht lebensgefährlich verwundet.

Einer hiesigen Bäckerwittwe ist für 8 Gr. zu leichtes Brod zerschnitten.

Ein Schneidergesell, der lange an der Auszehrung krank war, hat sich gestern, wahrscheinlich aus Verzweiflung über seine hülflose Lage, durch einen Pistolenschuß das Leben genommen.

Ein Lehrling eines hiesigen Uhrmachers hat zwei seinem Herrn gehörige Uhren verkauft und noch mehrere Betrügereien verübt.

Zweien Bauern sind auf dem neuen Markte abgenutzte Gemäße zerschlagen.

Berliner Abendblätter.

22tes Blatt.   Den 25ten October 1810.

Das Gesicht Karls XI. Königs von Schweden.

In Hamburg erscheint seit dem 1sten Julius des laufenden Jahres eine Zeitschrift: Vaterländisches Museum, die bei der tüchtigen Denkungsart und dem edlen Gemeinsinn ihres Unternehmers und Verlegers, des Herrn Perthes, das Interesse von ganz Deutschland zu erregen nicht ermangeln wird. Wir theilen aus einem darin enthaltenen Briefe über Gripsholm, das folgende Aktenstück mit, welches seit langer Zeit in Schweden circulirt und bei den neuerlichen Ereignissen vielfältige Beziehungen erlitten hat. Der hier dargestellte Vorfall erzählt sich auch schon längst in Deutschland, jedoch mannichfaltig entstellt, so daß unsre Leser ihn gern berichtigt sehn werden.

Document.

„Ich, Karl der Elfte, heute König von Schweden, war die Nacht zwischen dem 16. und 17. December 1676 mehr als gewöhnlich von meiner melancholischen Krankheit geplagt. Ich erwachte um halb 12 Uhr, da ich von ungefähr meine Augen auf das Fenster warf, und gewahr ward, daß ein starker Schein im Reichssaal leuchtete. Ich sagte da zu dem Reichsdrost Bielke, der bei mir im Zimmer war: was ist das für ein Schein im Reichssaal? ich glaube da ist Feuer los. Er antwortete mir: o nein, Euer Majestät, es ist der Schein des Mondes, der gegen das Fenster glittert. Ich war da vergnügt mit diesen Antworten, und wandte mich gegen die Wand, um einiger Ruhe zu genießen, aber ich war unbeschreiblich ängstlich in mir, wandte mich wieder nach vorne hin, und ward des Scheins wieder gewahr. Ich sagte da wieder: hier muß es nimmer richtig zustehn. Ja, sagte der große und geliebte Reichsdrost Bielke, es ist nichts anders, als der Mond. In demselben Augenblick trat der Reichsrath Bielke ein, um sich zu erkundigen, wie ich mich befände. Ich fragte da diesen wackern Mann, ob er irgend ein Unglück oder Feuer im Reichssaal gewahr geworden? Er antwortete da nach dem Stillschweigen einer kleinen

Weile: nein, Gott sey Lob! da ist nichts; es ist allein der Mondschein, der verursacht, daß es aussieht, als wäre im Reichsaal Licht. Ich ward wieder etwas befriedigt, aber, indem ich meine Augen wieder dahin warf, ward ich gerade wie gewahr, daß es aussah, als wären Menschen da gewesen. Ich stand dann auf und warf meinen Schlafrock um, und ging an das Fenster, und öffnete es, wo ich gewahr ward, daß es da ganz voll mit Lichtern war. Da sagte ich: gute Herrn, hier steht es nicht richtig zu. Ihr verlasset Euch darauf, daß der, welcher Gott fürchtet, sich vor nichts in der Welt fürchten muß; so will ich nun dahin gehen, um zu erforschen, was es sein kann. Ich bestellte da bei den Anwesenden, herunter zu gehen zum Wachtmeister, um ihn zu bitten, mit den Schlüsseln herauf zu kommen. Als er herauf gekommen war, ging ich im Gefolge mit dem Mana zu dem geschlossenen heimlichen Gang, der über meinem Zimmer war, zur Rechten von Gustav Erichsons *) Schlafzimmer. Als wir dahin kamen, befahl ich dem Wachtmeister, die Thüre zu öffnen, aber aus Bangigkeit bat er um die Gnade, ihn damit zu verschonen. Ich bat darauf den Reichsdrost, aber auch er weigerte sich dessen. Ich bat darauf den Reichsrath Oxenstierna, dem nie vor etwas bange war, die Thüre aufzuschließen; aber er antwortete mir: Ich habe einmal geschworen, Leib und Blut für Euer Majestät zu wagen, aber nie, diese Thüre aufzuschließen. Nun begann ich selbst, bestürzt zu werden, aber faßte Muth, nahm selbst die Schlüssel, und schloß die Thüre auf, da wir das Zimmer und sogar den Fußboden überall schwarz bekleidet fanden. Ich nebst meiner ganzen Gesellschaft waren sehr zitterig. Wir gingen da zur Reichsaalsthüre. Ich befahl dem Wachtmeister wieder die Thüre zu öffnen, aber er bat mich um Gnade, ihn damit zu verschonen; ich bat da die andern von der Gesellschaft, aber sie baten sich alle die Gnade aus, es nicht zu thun. Ich nahm da selbst die Schlüssel und öffnete die Thüre, und als ich einen Fuß hineinsetzte, zog ich ihn aus Bestürzung hastig zurück. Ich stutzte so ein wenig, aber dann sagte ich: gute Herren, wollt Ihr mir folgen, so werden wir sehen, wie es sich hier verhält; vielleicht daß der gnädige Gott uns etwas offenbaren will. Sie aber antworteten alle mit bebenden Worten: Ja." —

(Beschluß folgt.)

*) Wahrscheinlich Gustav Wasa, des Ersten, der Erich Wasa's Sohn war.

Literarische Neuigkeiten.

Die früher in diesen Blättern erwähnten: Brie=
fe über Zweck und Richtung weiblicher Bil=
dung, von Caroline, Baronin Fouque: Eine
Weihnachtsgabe. Berlin, Hitzig, 1811, sind
nunmehr unter dem Haupttitel: Taschenbuch für den=
kende Frauen 1811, wirklich erschienen, und dies
Taschenbuch wird in der Deutschen Kalenderfluth
des Jahrs 1811 nicht untergehen. Schon Friedrich
Schlegel hat es empfohlen, die weibliche Empfindung
durch das Studium der Philosophie abzuklären: hier
nun zeigt sich wirklich eine Frau, die von dem größ=
ten Gedanken ihrer Zeit berührt und ergriffen ist,
und die aus dem ernsten Umgang mit der Philoso=
phie reiner und über die eigne Bestimmung versicher=
ter zurückkehrt. Das glückliche Verhältniß der Frauen
zur Welt und zum männlichen Geschlecht, beruht zu=
letzt auf die Frage: ob der Wirkungskreis beider Ge=
schlechter, das häusliche und das öffentliche Leben, streng
und schneidend von einander abgesondert werden sollen,
oder ob diese beiden Gebiete in einander fließen kön=
nen, so etwa daß sich nur in dem Sinn und in der
Art der Behandlung die Geschlechtsverschiedenheit of=
fenbarte? Der große Haufen ist für die strenge Ab=
sonderung der Gegenstände des weiblichen Interesses;
sein Ideal weiblicher Bildung ist eine gewisse engher=
zige Mütterlichkeit und Häuslichkeit, der mancherlei
Dilettantismus, Hand= und Mund=Fertigkeit angestickt
wird, während ihr jede Berührung des männlichen
Schreibtisches oder Bücherschranks untersagt bleibt.
Die Verfasserin dieser Briefe zeichnet, durch eigne,
glückliche Erfahrung berechtigt, ein andres Ideal: kein
Gebiet des Lebens darf den Frauen verschlossen sein,
denn sie ergreifen, wenn sie nur dem schönen Instinkt
ihrer Natur treu bleiben, das Entlegenste mit einer
Art von Heimweh nach dem Innerlichsten und Näch=
sten; sie halten das menschliche Geschlecht und alle
Wirksamkeit desselben beisammen, wie könnte also et=
was menschliches von ihnen angeeignet zu werden ver=
schmähn?
Die Briefe sind gegen eine besondere Art der Prü=
derie gerichtet: denn wo sich Anstand und Sitte nur
im Vermeiden, im Ausweichen des Unschicklichen, oder
dafür gehaltenen, äußert, da ist Prüderie. Frau von
Fouque zeigt den ernsteren und überlegteren ihres Ge=
schlechts nicht bloß was sich schicke, sondern wie es sich

schickt. Nicht bloß für Männer ist die Freiheit, der freie Umgang mit dem tiefsinnigsten und erhabensten: Tretet ein und lernet, daß es auch eine Art der Freiheit giebt, die sich für Frauen schickt.

Die Leserinnen mögen nicht glauben, diesem Buche leicht und eilig absehn zu können, was darin gemeint wird: es ist ein Geschenk nicht bloß für 1811; öfters in späteren Jahren zu diesen stillen und innigen Gedanken zurückzukehren, wird größeren Genuß geben, als, nach flüchtiger Lecture, ein leichtsinniges Aburtheilen in der nächsten Theegesellschaft über dieses Buch, so wie über die andern literarischen Näschereien, je gewähren kann.

A. M.

Französisches Exercitium
das man nachmachen sollte.

Ein Französischer Artillerie-Capitain, der, beim Beginn einer Schlacht, eine Batterie, bestimmt, das feindliche Geschütz in Respect zu halten oder zu Grund zu richten, placiren will, stellt sich zuvörderst in der Mitte des ausgewählten Platzes, es sei nun ein Kirchhof, ein sanfter Hügel oder die Spitze eines Gehölzes, auf: er drückt sich, während er den Degen zieht, den Huth in die Augen, und inzwischen die Karren, im Regen der feindlichen Kanonenkugeln, von allen Seiten rasselnd, um ihr Werk zu beginnen, abprotzen, faßt er mit der geballten Linken, die Führer der verschiedenen Geschütze (die Feuerwerker) bei der Brust, und mit der Spitze des Degens auf einen Punkt des Erdbodens hinzeigend, spricht er: „hier stirbst du!" wobei er ihn ansieht — und zu einem Andern; „hier du!" — und zu einem Dritten und Vierten und alle Folgenden: „hier du! hier du! hier du!" — und zu dem Letzten: „hier du!" — — Diese Instruction an die Artilleristen, bestimmt und unverklausulirt, an den Ort wo die Batterie aufgefahren wird zu sterben, soll, wie man sagt, in der Schlacht, wenn sie gut ausgeführt wird, die außerordentlichste Wirkung thun.

Vx.

Polizeiliche Tages-Mittheilungen.

Einem hiesigen Bäcker ist für 16 Gr. zu leichtes Brod konfiszirt und dreien andern resp. für 2 und 4 Gr. verbackenes zerschnitten.

Ein Torfhändler hat einen hiesigen Bürger auf ¼ Haufen Torf, 20 Kieven zu wenig gemessen, und ist deshalb zur Untersuchung gezogen.

Berliner Abendblätter.

23tes Blatt. Den 26ten October 1810.

Das Gesicht Karls XI. König von Schweden.

(Beschluß.)

„Wir gingen da hinein. Allzusammen wurden wir
eines großen Tisches gewahr, von 16 würdigen Männern umgeben; alle hatten große Bücher vor sich, unter ihnen ein junger König von 16, 17, 18 Jahren,
mit der Krone auf dem Haupt und dem Scepter in
der Hand. Zur rechten Seite saß ein langer, schöner
Herr, von ungefähr 40 Jahren, sein Angesicht verkündigte Ehrlichkeit; und zu seiner linken Seite ein alter
Mann von ungefähr 70 Jahren. Es war besonders,
daß der junge König mehrmals den Kopf schüttelte,
da alle diese würdigen Männer mit der einen Hand
hart auf die Bücher schlugen. Ich warf dann meine
Augen von ihnen weg, und ward straks neben dem
Tische Richtblock bei Richtblock, und Henker gewahr,
alle mit aufgezogenen Hemdärmeln, und hieben einen
Kopf nach dem andern ab, so daß das Blut längs dem
Fußboden fortzuströmen anfing. Gott soll mein Zeuge
seyn, daß mir mehr, als bang war; ich sah auf meine Pantoffeln, ob etwa einiges Blut auf sie gekommen
wäre; aber das war es nicht. Die, welche enthauptet
wurden, waren meistentheils junge Edelleute. Ich
warf meine Augen davon weg, und ward hinter dem
Tisch in der Ecke eines Throns gewahr, der fast umgestürzt war, und daneben einen Mann, der aussah,
als sollte er Reichsvorsteher seyn; er war ungefähr
40 Jahre alt. Ich zitterte und bebte, indem ich mich
zur Thüre zog, und laut rief: welche ist des Herrn
Stimme, die ich hören soll? Gott, wann soll dieß geschehen? Es wurde mir nicht geantwortet. Ich rief
wieder: o Gott, wann soll dieß geschehen? Aber es
wurde mir nicht geantwortet; allein der junge König
schüttelte mehrmals den Kopf, indem die andern würdigen Mnäner hart auf ihre Bücher schlugen Ich rief
wieder, stärker denn zuvor: o Gott, wann soll dies geschehen? so sey denn, großer Gott, so gnädig, und sage,
wie man sich dann verhalten soll. Da antwortete mir
der junge König: nicht soll dieß geschehen in Deiner
Zeit, sondern in der Zeit des sechsten Regenten nach

Dir, und er wird seyn von eben dem Alter und Gestalt, wie Du mich siehest; und der, welcher hier steht,
offenbart, daß sein Vormund aussehen wird, wie dieser; und der Thron wird grade in des Vormunds letzten Jahren an seinem Fall seyn durch einige junge
Edelleute; aber der Vormund, der unter seiner Regierung den jungen Herrn verfolgt, wird sich da seiner
Sache annehmen, und sie werden den Thron stärker
befestigen: daß nie zuvor ein so großer König in Schweden gewesen, und nie nachher kommen wird, als dieser werden wird, und daß das Schwedische Volk in
seiner Zeit glücklich werden wird; und er wird ein
seltnes Alter erreichen; er wird sein Reich ohne Schulden, und mehrere Millionen in der Schatzkammer hinterlassen. Aber ehe er sich auf dem Thron befestigen
kann, wird es ein großes Blutbad werden, daß nie
desgleichen im Schwedischen Lande gewesen, und auch
nimmer werden wird. Gieb Du ihm, als König im
Schwedenlande, Deine guten Vermahnungen. — Und
als er dieß gesagt, verschwand alles, und allein wir
mit unsern Lichtern waren noch da. Wir gingen mit
dem allergrößten Erstaunen, wie jedermann sich vorstellen kann, und als wir in das schwarze Zimmer kamen, war es auch weg, und alles in seiner gewöhnlichen Ordnung. Wir gingen da hinauf in meine Zimmer, und gleich setzte ich mich, diese folgenden Vermahnungen zu schreiben in Briefen, so gut ich konnte.
(Die Vermahnungen liegen versiegelt, werden von König zu König erbrochen, gelesen, und versiegelt.) Und
alles dieses ist wahr. Dieß bekräftige ich mit meinen
leiblichen Eyde, so wahr mir Gott helfen soll.

Karl der Elfte,
heute König in Schweden.

Als auf der Stelle gegenwärtige Zeugen haben
wir alles gesehen, wie Se. Königl. Majestät es auf-
gezeichnet hat, und bekräftigen es mit unserm leiblichen Eyde, so wahr uns Gott helfen soll.

Karl Bjelke,   **U. W. Bjelke,**   **A. Oxenstierna,**
Reichsdrost.   Reichsrath.   Reichsrath.

Peter Granslén,
Vice-Wachtmeister.

R. Eylert,

Königlich Preußischer Hofprediger, und Kurmärkischer Consistorialrath.

Bei den unendlich mannigfachen Strebungen unsres vielseitig und fein gebildeten Zeitalters giebt es unter andern Erscheinungen im Reiche der Geister auch noch Christen, ernste Christen, die es mit ihrem Glauben ohne alle Umschreibung treuherzig so halten, wie es die Bibel als Urquell des Christenthums gebeut. Solche Leute verlangen von Christlichen Predigern ein Gleiches, weil ihnen sonst alles Vertrauen auf Lehrer ausgehen müßte, welche evangelische Prediger hießen, ohne es nach vollster, unbedingtester Ueberzeugung zu sein. Der Zweifler, oder der Indifferentist, der unser positives Christenthum nur negativ gelten läßt, müsse, — meinen die oberwähnten Leute, — schon nach dem pflichtmäßigen Sinne des ehrlichen Mannes abtreten, sprechend: „Ihr mögt nicht Unrecht haben, Ihr Christen, aber überzeugt bin ich nicht, und lehren also kann ich nicht in Euern Kirchen. — „Also einen Christen, nach dem strengsten Begriffe des Wortes, wollen sie zu ihrem Prediger, und das soll er vor allen andern Dingen voraus unbedingt und unerlaßlich sein. Sie finden auch wohl öfters solche Männer nach ihrem Herzen, aber weil es des Guten nie zu viel geben kann, will der Einsender, der selbst zu jenen Leuten gehört, ihnen den Namen nennen, der an der Spitze dieses Aufsatzes stehet. Nicht, als könnte ein Mann von Eylerts Herz und Geist und der eine solche Stelle bekleidet, in den Preußischen Hauptstädten unbekannt sein, aber es geschieht, weil ihm doch wohl Einzelne nicht die gebührende Aufmerksamkeit geschenkt haben möchten, und weil die Abendblätter ja auch durch die Provinzen des Reiches gehn.

Es ist hiemit nichts gemeint, als ein Wink an solche, die sich in der oben geschilderten Sinnesart selbst wiederfinden. Aber das sei noch erlaubt zu bemerken, daß man selten eine so tiefe Durchdringung der höchsten religiösen Klarheit und der innigsten besondersten Individualität finden wird, als in Eylerts Predigten. Er ist es ganz und eigenthümlich selbst, der spricht, es sind ganz und eigenthümlich die gegebenen Zuhörer, zu denen er spricht, aber in hoher geistiger Verklärung nähert er diese Einzelheiten dem Lichte des einzig Wahren und Guten, bis sie darin zu seligem Frieden geläutert, aufgelös't und so erst wie-

ber für Zeit und Ewigkeit wahr geworden sind. —
Gedruckt sind außer frühern Arbeiten zwei Bände
Predigten, — zu Potsdam in den Jahren 8, 9 und 10
gehalten, — von ihm erschienen, und wer sich dem
Einsender durch Wunsch und Sinnesart verwandt
fühlt, wird dringend zu deren Lesung aufgefordert.
Wer aber Eylert selbst hören kann, thut um Vieles
besser. Er findet diesen Freund des Himmels mit rei-
chen Gaben des Himmels ausgerüstet. Gestalt, Stim-
me, Kraft des Geistes und Ausdrucks erinnert an
Luther, Weichheit und Milde des Gemüthes an den
Jünger, welchen Jesus lieb hatte.

Daß aber ein solcher Mann auf dem Posten steht,
wo er steht, muß das Herz jedwedes frommen Preussen mit inniger Freude und mit erneuerter Liebe gegen seinen guten König erfüllen.

d. l. M. F.

Kriegsregel.

Ein alter ausgedienter Kriegsknecht sagte zu seinem Sohne:
Höre Fritz, du bist nun auch ein Reiter geworden, wie ich war, und
übermorgen marschiert die Schwadron gegen den Feind. Da will ich
dir was sagen. Wenn wir sonst einhauen sollten, pflegte unser Ritt-
meister zu sprechen: „haut die Hunde zusammen, daß sie die Schwerenoth kriegen!“ — Der Herr Wachtmeister rief auch wohl: „Drauf!
In's Teufel Namen!“ — Ich habe mir aber nie was Sonderliches
dabei denken können. Meine Manier war die, daß ich den Pallasch
recht fest faßte, und ganz stille aber recht inbrünstig zu mir sagte:
„nun mit Gott.“ — Ich wollte, du thätest das auch; es haut sich
ganz prächtig darnach.

Miscellen.

Französische Blätter enthielten schon längst, und russische Briefe
(S. Liste der Börsenh.) bestätigen die Nachricht, daß der Gr. Gottorp
sich in Riga eingeschifft habe.

Hr. P. Schmid, aus Stettin, der Mahler des trefflichen Vieh-
stücks nach Potter, das kürzlich zur Ausstellung gebracht worden ist,
auch als Schriftsteller (Anleitung zur Zeichenkunst, Leipzig, bei Feind,
1809,) rühmlich bekannt, befindet sich, seit einiger Zeit in Berlin.

Se. Königl. Hoheit der Kronprinz von Schweden sind in Kopenhagen eingetroffen.

In Riga hat man, durch einen Kourier, die Nachricht erhalten,
daß die Festungen Rutschuck und Giurgewo sich den siegreichen Russischen Waffen unterworfen haben.

Polizeiliche Tages=Mittheilungen.

Beim Nachmessen des Torfs fehlten einem hiesigen Bürger am
¼ Haufen 11½ Kiepen.

Zweien Bäckern ist für resp. 6 und 4 Gr. verbackenes Brod
zerschnitten; und dem einen von ihnen überdies für 12 Gr. Brod,
woran 1 Pfd. 6 Lth. fehlten, konfiszirt.

Berliner Abendblätter.

24tes Blatt. Den 27ten October 1810.

Antikritik.

Der Aufsatz im 11ten dieser Abendblätter, dessen Verfasser auf eine sehr vorsichtige, aber doch nicht schlagende Weise gegen den verstorbenen Professor Kraus zu Felde zu ziehen scheint, hat es offenbar eigentlich mit seinen Schülern aufnehmen wollen. Die Wahrheit kann zwar durch die Angriffe einer jeden und selbst einer solchen Kritik nur gewinnen. Ruhig könnte man also in dieser Hinsicht zu allen Bemerkungen jener Kritik schweigen; weil indeß darin manches Wahre, selbst in persönlicher Hinsicht auf Kraus gesagt ist, so könnten Leser, welche den Mann nicht kannten, leicht verleitet werden, das übrige auch für wahr zu halten. Kein Schüler des Verstorbenen darf durch den Vorwurf der übertriebenen Adoration und der überschwellenden Dankbarkeit, den Herr *Ps.* im Allgemeinen den Freunden des verewigten Kraus macht, abgeschreckt werden, ihm Gerechtigkeit widerfahren zu lassen. Im Namen aller übrigen, die gemeint waren, erlauben wir uns die Bemerkung, daß die Personen, welche oft seines Umgangs, welche seines Unterrichts genossen, eine Stimme haben zu beurtheilen, ob er wie Herr *Ps.* (mit den Königsbergschen Verhältnissen jedoch ganz unbekannt) meint

,,ein etwas langsamer und unfruchtbarer'' oder ob er ,,ein schneller und zu neuen eignen Ansichten fähiger Kopf'' gewesen sei. Daß der Freund des unsterblichen Kant, gerade die zuletzt gedachten Eigenschaften in seltenem und eminenten Grade besessen habe, dies zeigte sein Umgang, dies bewies sein Unterricht, durch den er und mit Recht sicherer als durch Schriften, auf das Leben einwirken zu können überzeugt war. Wir fordern den Herrn *Ps.* bescheiden auf, irgend einen Mathematiker, der jetzt lebenden oder der Zeitgenossen von Kraus zu nennen, der nach dem Urtheil von Sachkundigen, die beide kannten, schneller die schwierigsten Lehren der höhern Mathematik ergriff und entwickelte, als er; der zu allen Zeiten aus dem wohlbekannten Gebiet der disparatesten Wissenschaften,

dorthin wie nach seiner Heimath zurückkehren, und
neue ihm eigenthümlich gehörende Beweise, gelunge-
ner dafür erschaffen konnte, als er. Wir fügen hinzu,
daß er nur solche Köpfe achtete, die er fähig erkannte,
namentlich im Felde der Mathematik, etwas zu erfinden, daß er die, bei denen er Neigung zu der ernsten Wissenschaft wahrnahm, wie seine Kinder liebte,
daß sein Widerwille gegen alles nicht Eigene, gegen
alles nicht aus sich selbst Entwickelte, mechanisch Schei-
nende, sein stetes Eilen zum Gedanken, zu dem hellen
Punkt, ihn charakterisirte. Daher ihm das Rubriciren und Numeriren bei dem Vortrage eigentlich erschwert wurde, und dieses Verdienst ist da, wo es in
seinen Schriften angetroffen wird, spätern Federn mehr
zuzuschreiben, als ihm selbst; er fühlte zwar die Nothwendigkeit davon, konnte es aber nur andeuten, da sein
rascher Geist, der eben das eigentlich wissenschaftliche
Leben zu führen verstand, jeden Augenblick, der nicht
eine neue Ausbeute lieferte, für verloren hielt.

Kraus war entschieden gegen alle Positivität
und Tyrannen, dies kann als eine ganz ausgemachte
Wahrheit jeder der ihn näher kannte, er mogte ihn
adoriren oder ruhig beurtheilen, bezeugen; er warnte
stets vor jenen Klippen, aber um die absoluten
Princivien der Obscuranten und der Barbarey zu vernichten, mußte er sie auf eine précise Weise angreifen. Inzwischen keiner, wenigstens keiner von denjenigen Schülern, die seinen Geist richtig gefaßt, welche nicht bloß die nach seinem Tode herausgekomme-
nen Schriften gelesen, sondern auch seinen lebendigen
Vortrag gehört haben, läuft Gefahr für Maaßregeln
zu stimmen, wodurch die Administration in Zwiespalt mit den Gerichtshöfen gerathen könnte;
auch steht alles was der heiligen Idee des Rechts wi-
derstreitet, gewiß weder jugendlichen noch geal-
terten Köpfen wohl an.

Kraus versäumte nie neben dem Studio der ältern Geschichte das der lehrreichen Zeit worin
er lebte; manche seiner Lehren z. B. die in Betreff
des Papiergeldes, hat schon die neueste Zeit-Geschichte
bestätigt, und herrliche, eigenthümlich ihm angehörige
Winke hat er zu der noch vorliegenden Auflösung mehrerer wichtigen Fragen gegeben. Kraus liebte nicht
zu blenden, glühend für die Wahrheit fröhnte er keiner Parthei, er haßte allen Frohndienst. Noch die
spätre Nachwelt wird es einst anerkennen, was er,
bekanntlich ein Freund des Mannes, der in Preußen

siegreich die der Dienst=Aufhebung entgegen siehende
Hindernisse durchbrach, auch an seinem Theil zur Ver=
nichtung der Frohndienste beigetragen.   Viele Tau=
sende von Familien in Preußen, welche jetzt frei
(und durch die Gnade des Königs, seit kurzem als Ei=
genthümer) ihre Hände bewegen, deren durch den Krieg
tief erschütterter Wohlstand daher in einer künftigen
bessern Zeit schnell wieder empor blühen kann, werden
es dann dokumentiren, daß irgend ein produktiver
freier Kopf da gewesen sein müsse, der ohne müßig
über der Theorie des Staats zu brüten, praktisch und
eindringend gelehrt habe, wie einer Provinz, wie ei=
nem Staat zu helfen sei. Man wird nicht grübeln,
ob dieser Kopf abhängig oder unabhängig gewesen;
man wird nicht wie Herr Ps. fragen, ob er eine bloß
auf das Lokal beschränkte, oder eine in der Macht der
Wahrheit gegründete Wunderthätigkeit gehabt, noch
ob diese Wahrheit dort zwanzig Jahr später oder viel=
leicht früher als anderswo ins Leben getreten sey;
aber man wird aus den Früchten schließen, daß er
ein seltner Lehrer, daß er ein weiser Rathgeber war,
und man wird sein Andenken segnen.

△ **

Bescheidene Anfrage.

Zur universitas literaria gehört nicht bloß eine To=
talität der wissenschaftlichen Disciplinen; sondern es
müßten auch die dermaligen Hauptrichtungen der Wis=
senschaft repräsentirt, die grade herrschenden Grund=
formen der Philosophie müßte neben einander und in
Streit gebracht werden. — Es ist ja bei solchen In=
stituten eben sowohl um die beständige Verallgemeine=
rung, als um die bestimmte und abgeschlossene Allge=
meinheit zu thun. Daher könnte man bei Betrach=
tung des ersten Lectionscatalogs der Berliner Univer=
sität fragen, ob die Naturphilosophie übergangen
wäre, mit Absicht, oder nur in Ermangelung tüchtiger
Repräsentanten? Das Letztere läßt sich nicht voraus=
setzen, da, soviel wir wissen, Steffens und Schubert
noch leben, die der Berliner Universität wahrschein=
lich manches Opfer gebracht haben würden, und an
Lehrertalent, literarischem Ruhm und wissenschaftlicher
Begeisterung keinem weichen. Es muß also eine Ab=
sicht angenommen werden, die sich indeß mit der an=
derweiten Liberalität dieser Stiftung nicht vereinigen

läßt. Sollte es nicht für die Belebung eines solchen Instituts grade in Berlin, wo das wissenschaftliche Interesse der Jugend, so leicht durch andre, nicht grade verbotene, Reize übertäubt werden kann, wichtig sein eine Concurrenz streitender Ansichten zu veranlassen, und z. B. das große polemische Talent des Herrn Fichte in Bewegung zu setzen, wobei die Wissenschaften an Freiheit, die Universität an Charakter nur gewinnen könnten? —

rQ.

Miscellen.

Fr. v. Stael hat das Unglück gehabt, daß ihr Werk, Lettres sur l'Allemagne u. s. w. woran sie seit acht Jahren gearbeitet hatte und welches von drei Censoren war gebilligt worden, confiscirt worden ist: die Probebögen und Manuscripte sind ihr zu Blevon dem Präfecten abgenommen worden. Man berechnet den Verlust der Verleger auf 50000 Franken.

In Wilmersdorf hat man, bei dem Brande, wiederum zwei verdächtige Menschen bemerkt, die sich gleich nachher entfernt haben.

Auch hat man neuerlich in der Hasenheide wieder zwei Dechkuchen gefunden.

Die Bank von London, heißt es, werde denjenigen Hülfe leisten, die dem Hrn. A. Goldschmidt Vorschüsse gemacht haben. (C.d.B.)

Oeffentliche Blätter widerlegen das Gerücht, daß der Kaiser von Oesterreich und ein Prinz seines Hauses in Fontainebleau eintreffen werden.

Polizeiliche Tages-Mittheilungen.

In der Branntweinbrennerei eines hiesigen Kaufmanns ist vor einigen Tagen der Blasenkopf abgesprungen, und die in der Blase befindlichen 150 Quart Spiritus sind ausgebrannt, ohne das Gebäude zu beschädigen, dagegen sind der Kaufmann und sein Diener bei dem Versuch das Feuer zu löschen, durch den brennenden Spiritus so sehr beschädiget, daß der Erstere am 20sten d. M. gestorben und der letztere noch nicht außer Gefahr ist.

Ein Kind ist todt im Bette gefunden.

Bei J. E. Hitzig, hinter der katholischen Kirche Nr. 3, und in der Expedition der Abendblätter, Jägerstraße Nr. 25, ist zu haben:

Taschenbuch für denkende Frauen 1811. Enthaltend: Briefe über Zweck und Richtung weiblichen Bildung, von Caroline, Baronin Fouqué. Eine Weihnachtsgabe. 16. Elegant gebunden 12 gr.

Berliner Abendblätter.

25tes Blatt. Den 29ten October 1810.

Zu welchen abentheuerlichen Unternehmungen, sei es nun das Bedürfniß, sich auf eine oder die andere Weise zu ernähren, oder auch die bloße Sucht, neu zu sein, die Menschen verführen, und wie lustig dem zufolge oft die Insinuationen sind, die an die Redaction dieser Blätter einlaufen: davon möge folgender Aufsatz, der uns kürzlich zugekommen ist, eine Probe sein.

Allerneuester Erziehungsplan.

Hochgeehrtes Publicum,

Die Experimental = Physik, in dem Capitel von den Eigenschaften elektrischer Körper, lehrt, daß wenn man in der Nähe dieser Körper, oder, um kunstgerecht zu reden, in ihre Atmosphäre, einen unelektrischen (neutralen) Körper bringt, dieser plötzlich gleichfalls elektrisch wird, und zwar die entgegengesetzte Elektricität annimmt. Es ist als ob die Natur einen Abscheu hätte, gegen Alles, was, durch eine Verbindung von Umständen, einen überwiegenden und unförmlichen Werth angenommen hat; und zwischen je zwei Körpern, die sich berühren, scheint ein Bestreben angeordnet zu sein, das ursprüngliche Gleichgewicht, das zwischen ihnen aufgehoben ist, wieder herzustellen. Wenn der elektrische Körper positiv ist: so flieht, aus dem unelektrischen Alles, was an natürlicher Elektricität darin vorhanden ist, in den äußersten und entferntesten Raum desselben, und bildet, in den, jenen zunächst liegenden, Theilen eine Art von Vacuum, das sich geneigt zeigt, den Elektricitäts = Ueberschuß, woran jener, auf gewisse Weise, krank ist, in sich aufnehmen; und ist der elektrische Körper negativ, so häuft sich, in dem unelektrischen, und zwar in den Theilen, die dem elektrischen zunächst liegen, die natürliche Elektricität schlagfertig an, nur auf den Augenblick harrend, den Elektricitäts = Mangel umgekehrt, woran jener krank ist, damit zu ersetzen. Bringt man den unelektrischen Körper in den Schlagraum des elektrischen, so fällt, es sei nun von diesem zu jenem, oder von jenem zu diesen, der Funken: das Gleichgewicht ist hergestellt, und beide Körper sind einander an Elektricität, völlig gleich.

Dieses höchst merkwürdige Gesetz findet sich, auf eine, unseres Wissens, noch wenig beachtete Weise, auch in der moralischen Welt; dergestalt, daß ein Mensch, dessen Zustand indifferent ist, nicht nur augenblicklich aufhört, es zu sein, sobald er mit einem Anderen, dessen Eigenschaften, gleichviel auf welche Weise, bestimmt sind, in Berührung tritt: sein Wesen sogar wird, um mich so auszudrücken, gänzlich in den entgegengesetzten Pol hinübergespielt; er nimmt die Bedingung + an, wenn jener von der Bedingung —, und die Bedingung —, wenn jener von der Bedingung + ist.

(Die Fortsetzung folgt.)

Aëronautik.

S. Haude u. Spenersche Zeitung, den 25. Okt. 1810.

Der, gegen die Abendblätter gerichtete, Artikel der Haude und Spenerschen Zeitung, über die angebliche Direction der Luftbälle ist mit soviel Einsicht, Ernst und Würdigkeit abgefaßt, daß wir geneigt sind zu glauben, die Wendung am Schluß, die zu dem Ganzen wenig paßt, beruhe auf einem bloßen Mißverständniß.

Demnach dient dem unbekannten Hrn Verfasser hiemit auf seine, in Anregung gebrachten Einwürfe zur freundschaftlichen Antwort:

1) daß wenn das Abendblatt, des beschränkten Raums wegen, den unverklausulirten Satz aufgestellt hat: die Direction der Luftbälle sei erfunden; dasselbe damit keinesweges hat sagen wollen: es sei an dieser Erfindung nichts mehr hinzuzusetzen; sondern bloß: das Gesetz einer solchen Kunst sei gefunden, und es sei, nach dem, was in Paris vorgefallen, nicht mehr zweckmäßig, in dem Bau einer, mit dem Luftball verbundenen, Maschiene eine Kraft zu suchen, die in dem Luftball selbst, und in dem Element, das ihn trägt, vorhanden ist

2) Daß die Behauptung, in der Luft seien Strömungen der vielfachsten und mannigfaltigsten Art enthalten, wenig Befremdendes und Außerordentliches in sich faßt, indem unseres Wissens, nach den Aufschlüssen der neuesten Naturwissenschaft, eine der Hauptursachen

des Windes, chemische Zersetzung oder Entwickelung
beträchtlicher Luftmassen ist. Diese Zersetzung oder
Entwickelung der Luftmassen aber muß, wie eine ganz
geringe Einbildung lehrt, ein concentrisches oder ex-
centrisches, in allen seinen Richtungen diametral ent-
gegengesetztes, Strömen der in der Nähe befindlichen
Luftmassen veranlassen; dergestalt, daß an Tagen, wo
dieser chemische Prozeß im Luftraum häufig vor sich
geht, gewiß über einem gegebenen, nicht allzubeträcht-
lichen Kreis der Erdoberfläche, wenn nicht alle, doch
so viele Strömungen, als der Luftfahrer, um die willkührliche Direction darauf zu gründen, braucht, vorhanden sein mögen.

3) Daß der Luftballon des Hrn Claudius selbst
(in sofern ein einzelner Fall hier in Erwägung gezogen
zu werden verdient) zu dieser Behauptung gewissermaßen den Beleg abgiebt, indem ohne Zweifel als derselbe ½5 Uhr durchaus westlich in der Richtung nach
Spandau und Stendal aufstieg, niemand geahndet
hat, daß er, innerhalb zwei Stunden, durchaus südlich, zu Düben in Sachsen niederkommen würde.

4) Daß die Kunst, den Ballon vertical zu dirigiren, noch einer großen Entwickelung und Ausbildung bedarf, und derselbe auch wohl, ohne eben große
Schwierigkeiten, fähig ist, indem man ohne Zweifel
durch Veränderung nicht bloß des absoluten, sondern
auch specifischen Gewichts (vermittelst der Wärme und
der Expansion) wird steigen und fallen und somit den
Luftstrom, mit größerer Leichtigkeit wird aufsuchen lernen, dessen man, zu einer bestimmten Reise, bedarf.

5) Daß Hr. Claudius zwar wenig gethan hat, die
Aufmerksamkeit des Publikums, die er auf sich gezogen
hat, zu rechtfertigen; daß wir aber gleichwohl dahin-
gestellt sein lassen, in wiefern derselbe, nach dem Gespräche der Stadt, in der Kunst, von der Erdoberfläche
aus die Luftströmungen in den höheren Regionen zu
beurtheilen, erfahren sein mag: indem aus der Richtung, die sein Ballon anfänglich westwärts gegen
Spandau und späterhin südwärts gegen Düben nahm,
mit sonderbarer Wahrscheinlichkeit hervor zu gehen
scheint, daß er, wenn er aufgestiegen wäre, sein Versprechen erfüllt haben, und vermittelst seiner mechanischen Einwirkung, in der Diagonale zwischen beiden
Richtungen, über der Potsdammer Chaussee, nach dem
Luckenwaldischen Kreise, fortgeschwommen sein würde.

6) Daß wenn gleich das Unternehmen vermittelst
einer, im Luftball angebrachten Maschiene, den Widerstand ganz contrairer Winde aufzuheben, unübersteigli-

chen Schwierigkeiten unterworfen ist, es doch vielleicht bei Winden von geringerer Ungünstigkeit möglich sein dürfte, den Sinus der Ungünstigkeit, vermittelst mechanischer Kräfte, zu überwinden, und somit, dem Seefahrer gleich, auch solche Winde, die nicht genau zu dem vorgeschriebenen Ziel führen, ins Interesse zu ziehen.

(Beschluß folgt.)

Miscellen.

Nach Briefen aus Paris hat Fr. v. Stael unmittelbar nach der Confiscation ihres Werks binnen 2 mal 24 Stunden Frankreich verlassen müssen. Sie ist mit Hr. Aug. Wilh Schlegel, von Cheaumont, wo sie sich aufhielt, nach der Schweiz zurückgegangen.

St. Königl. Hoheit der Kronprinz von Schweden ist am 20ten Oktober glücklich über den Sund, in Helsingborg eingetroffen.

Am 20 November fängt in England der Prozeß zwischen dem Sprecher und Sir Francis Burdet an.

100 Spanische Mönche die sich nach Etenay begeben, sind kürzlich durch Lyon passirt.

Die Kaiserinn Josephine macht unter dem Namen Gräfinn von Arberg fortdauernd kleine Reisen in der Schweiz.

In Frankreich sind beträchtliche Preise auf die Verfertigung des Traubenzuckers gesetzt worden. Man beschäftigt sich jetzt stark damit, fürchtet aber eine Vertheurung des Weins.

Polizeiliche Tages-Mittheilungen.

Ein Tagelöhner der wegen Diebstahl zu 15jähriger Festungs-Arbeit in Spandau verurtheilt, dort entsprungen und durch Steckbriefe verfolgt war, ist in Pankow erkannt und wieder zur Haft gebracht.

Auf dem neuen Markt ist einer Obsthändlerin ein abgenutztes Gemäß zerschlagen.

Einem Bäcker ist für 4 Gr. verbackenes Brod zerschnitten.

Bei einem Kaufmann sind einige Gewichte, und bei einem Schlächter die Waage nicht gehörig ajustirt gefunden und daher dem Ajustirungs-Amte übergeben.

Einem Schneidermeister wurden aus seiner Wohnung mehrere Kleidungsstücke entwendet.

Allerneuester Erziehungsplan.
(Fortsetzung.)

Einige Beispiele, hochverehrtes Publicum, werden dies deutlicher machen.

Das gemeine Gesetz des Widerspruchs ist jedermann, aus eigner Erfahrung, bekannt; das Gesetz, das uns geneigt macht, uns, mit unserer Meinung, immer auf die entgegengesetzte Seite hinüber zu werfen. Jemand sagt mir, ein Mensch, der am Fenster vorübergeht, sei so dick, wie eine Tonne. Die Wahrheit zu sagen, er ist von gewöhnlicher Corpulenz. Ich aber, da ich ans Fenster komme, ich berichtige diesen Irrthum nicht bloß: ich rufe Gott zum Zeugen an der Kerl sei so dünn, als ein Stecken.

Oder eine Frau hat sich, mit ihrem Liebhaber, ein Rendezvous menagirt. Der Mann, in der Regel, geht des Abends, um Triktrak zu spielen, in die Tabagie; gleichwohl um sicher zu gehen, schlingt sie den Arm um ihn, und spricht: mein lieber Mann! Ich habe die Hammelkeule, von heute Mittag, aufwärmen lassen. Niemand besucht mich, wir sind ganz allein; laß uns den heutigen Abend einmal, in recht heiterer und vertraulicher Abgeschlossenheit zubringen. Der Mann, der gestern schweres Geld in der Tabagie verlor, dachte in der That heut, aus Rücksicht auf seine Casse, zu Hause zu bleiben; doch plötzlich wird ihm die entsetzliche Langeweile klar, die ihm, seiner Frau gegenüber, im Hause verwartet. Er spricht; liebe Frau! Ich habe einem Freunde versprochen, ihm im Triktrak, worin ich gestern gewann, Revange zu geben. Laß mich, auf eine Stunde, wenn es sein kann, in die Tabagie gehn; morgen von Herzen gern stehe ich zu deinen Diensten.

(Die Fortsetzung folgt.)

Aëronautik.

(Beschluß.)

Zudem bemerken wir, daß wenn 7) der Luftschiff-
fahrer, aller dieser Hülfsmittel ungeachtet, Tage und
Wochen lang auf den Wind der ihm passend ist, warten müßte, derselbe sich mit dem Seefahrer zu trösten hätte, der auch Wochen, oft Monate lang, auf
günstige Winde im Hafen harren muß: wenn er ihn
aber gefunden hat, binnen wenigen Stunden damit
weiter kommt, als wenn er sich, von Anfang herein,
während der ganzen verlornen Zeit, zur Age oder zu
Pferde fortbewegt hätte.

Endlich selbst zugegeben, 8) — was wir bei der
Möglichkeit, auch selbst in der wolkigsten Nacht, den
Polarstern, wenigstens auf Augenblicke, aufzufinden, keinesweges thun — dem Luftschiffer fehle es schlechthin
an Mittel, sich in der Region im Luftraum zu orienti-
ren: so halten wir den von dem unbekannten Hrn. R.
berechneten Irrthum von 6 Meilen, auf einen Radius
von 30 Meilen, für einen sehr mäßigen und erträglichen.
Der Aëronaut würde immer noch, wenn x die Zeit ist,
die er gebraucht haben würde, um den Radius zur
Age zurückzulegen, in $\frac{x}{5}$ den Radius und die Sehne
zurücklegen können. Wenn er dies, gleichviel aus welchen Gründen, ohne seinen Ballon, nicht wollte, so
würde er sich wieder mit dem Seefahrer trösten müssen, der auch oft, widriger Winde wegen, statt in den
Hafen einzulaufen, auf der Rhede vor Anker gehen,
oder gar in einen andern ganz entlegenen Hafen einlaufen muß, nach dem er gar nicht bei seiner Abreise
gewollt hat.

Was Hr. Garnerin betrift, so werden wir im
Stande sein, in Kurzem bestimmtere Facta, als die im
13ten Abendblatt enthalten waren, zur Erwiderung auf
die gemachten Einwürfe, beizubringen.

rm.

Schreiben aus Berlin.

Den 28. Octbr.

Die Oper Cendrillon, welche sich Mad. Bethmann
zum Benefiz gewählt hat, und Herr Herklots bereits,
zu diesem Zweck, übersetzt, soll, wie man sagt, der zum
Grunde liegenden, französischen Musik wegen, welche

ein dreisilbiges Wort erfordert, Ascherlich, Ascher-
ling oder Ascherlein u. s. w. nicht Aschenbrö-
del, genannt werden. Brödel, von Brod oder, alt-
deutsch, Bruhe (brode im Französischen) heißt eine mit
Fett und Schmutz bedeckte Frau; eine Bedeutung, in
der sich das Wort, durch eben das, in Rede stehende,
Mährchen, in welchem es, mit dem Muthwillen freund-
licher Ironie, einem zarten und lieben Kinde von über-
aus schimmernder Reinheit an Leib und Seele, gegeben wird, allgemein beim Volk erhalten hat. Warum,
ehe man diesem Mährchen dergestalt, durch Unterschie-
bung eines, an sich gut gewählten, aber gleichwohl
willkührlichen und bedeutungslosen Namens, an das
Leben greift, zieht man nicht lieber, der Musik zu Gefallen, das „del" in „d'l" zusammen, oder elidirt das
d ganz und gar? Ein österreichischer Dichter würde ohne Zweifel keinen Anstand nehmen, zu sagen:
Aschenbtöd'l oder Aschenbröl.

Ascherlich oder Aschenbröd'l selbst, wird Madmois.
Maas; Mad Bethmann, wie es heißt, die Rolle einer der eifersüchtigen Schwestern übernehmen. Mlle.
Maas ist ohne Zweifel durch mehr, als die bloße Jugend, zu dieser Rolle berufen; von Mad. Bethmann
aber sollte es uns leid thun, wenn sie glauben sollte,
daß sie, ihres Alters wegen, davon ausgeschlossen wäre.
Diese Resignation käme (wir meinen, wenn nicht den
größesten, doch den verständigsten Theil des Publicums,
auf unsrer Seite zu haben) noch um viele Jahre zu
früh. Es ist, mit dem Spiel dieser Künstlerin, wie
mit dem Gesang manchen alten Musikmeisters am Fortepiano. Er hat eine, von manchen Seiten mangelhafte, Stimme und kann sich, was den Vortrag betrift, mit keinem jungen, rüstigen Sänger messen.
Gleichwohl, durch den Verstand und die ungemein
zarte Empfindung, mit welcher er zu Werke geht,
führt er, alle Verletzungen vermeidend, die Einbildung,
in einzelnen Momenten, auf so richtige Wege, daß
ieder sich mit Leichtigkeit das Fehlende ergänzt, und
ein in der That höheres Vergnügen genießt, als ihm
eine bessere Stimme, aber von einem geringern Ge-
nius regiert, gewährt haben würde. — Mad. Bethmanns
größester Ruhm, meinen wir, nimmt allererst, wenn
sie sich anders auf ihre Kräfte versteht, in einigen Jahren (in dem Alter, wo Andere ihn verlieren,) seinen
Anfang.

y.

An die Verfasser schlechter Epigramme.

Des Satyrs Geißel schmerzt von Rosenstrauch am meisten.
Wer nur den Knieriem führt, der bleibe ja beim Leisten.

st.

Miscellen.

Die Insel Bonaparte (ehemals Bourbon) ist den 7ten Juli von 6000 Engländern, welche daselbst gelandet, erobert worden. Der französische Obrist Sainte-Suzanne, der auf der Insel kommandirte, hat gleichwohl eine ehrenvolle Capitulation abgeschlossen Isle de France, dem Angriffen der Engländer nunmehr ausgesetzt, ist in zweckmäßigen Vertheidigungsstand gesetzt worden. (Mon.)

Mehrere Generale und höhere Offiziere sind im Oesterreichischen vor ein Spezial-Kriegsgericht gezogen worden, um wegen ihres Verhaltens, während des Kriegs, Rechenschaft abzulegen. Man sagt, die Akten werden zur Kenntniß des Publikums gebracht werden.

Hr. Grattan ist beauftragt worden, die Addresse der Irländer, wegen Zurücknahme der Unionsacte, dem Parlament vorzulegen.

Der Englische Admiral Saumarez soll Befehl erhalten haben, gegen den schwedischen Handel feindlich zu agiren. Demnach wäre der Krieg zwischen England und Schweden erklärt. (Frk. St. Zist.

Polizeiliche Tages-Mittheilungen.

Es sind gestern 4 Personen wegen begangener Marktdiebstäle zur Untersuchung gezogen.

Bei der heute früh um 4 Uhr beendigten Generalvisitation sind 22 Männer und 2 Weiber verhaftet, deren Verhältnisse näher untersucht werden.

Ein angeblicher Oekonom hat sich mit Bettelbriefen bei einem hiesigen Einwohner introduzirt und ist verhaftet.

Die Viehtransporte waren besonders bedeutend blos an Ochsen 286 Stück, größtentheils fremde.

Bei J. E. Hitzig, hinter der katholischen Kirche Nr. 3, und in der Expedition der Abendblätter, Jägerstraße Nr 25, ist zu haben:

Taschenbuch für denkende Frauen 1811. Enthaltend: Briefe über Zweck und Richtung weiblicher Bildung, von Caroline, Baronin Fouqué. Eine Weihnachtsgabe. 16. Elegant gebunden 12 gr.

Berliner Abendblätter.

27tes Blatt. Den 31ten October 1810.

Allerneuester Erziehungsplan.

(Fortsetzung.)

Aber das Gesetz, von dem wir sprechen, gilt nicht bloß von Meinungen und Begehrungen, sondern, auf weit allgemeinere Weise, auch von Gefühlen, Affecten, Eigenschaften und Charakteren.

Ein Portugiesischer Schiffskapitain, der, auf dem Mittelländischen Meer, von drei Venetianischen Fahrzeugen angegriffen ward, befahl, entschlossen wie er war, in Gegenwart aller seiner Officiere und Soldaten, einem Feuerwerker, daß sobald irgend auf dem Verdeck ein Wort von Uebergabe laut werden würde, er, ohne weitern Befehl, nach der Pulverkammer gehen, und das Schiff in die Luft sprengen mögte. Da man sich vergebens, bis gegen Abend, gegen die Uebermacht herumgeschlagen hatte, und allen Forderungen die die Ehre an die Equipage machen konnte, ein Genüge geschehen war: traten die Officiere in vollzähliger Versammlung den Capitain an, und forderten ihn auf, das Schiff zu übergeben. Der Capitain, ohne zu antworten, kehrte sich um, und fragte, wo der Feuerwerker sei; seine Absicht, wie er nachher versichert hat, war, ihm aufzugeben, auf der Stelle den Befehl, den er ihm ertheilt, zu vollstrecken. Als er aber den Mann schon, die brennende Lunte in der Hand, unter den Fässern, in Mitten der Pulverkammer fand: ergriff er ihn plötzlich, vor Schrecken bleich, bei der Brust, riß ihn, in Vergessenheit aller andern Gefahr, aus der Kammer heraus, trat die Lunte, unter Fluchen und Schimpfwörtern, mit Füßen aus und warf sie in's Meer. Den Officieren aber sagte er, daß sie die weiße Fahne aufstecken mögten, indem er sich übergeben wolle.

Ich selbst, um ein Beispiel aus meiner Erfahrung zu geben, lebte, vor einigen Jahren, aus gemeinschaftlicher Kasse, in einer kleinen Stadt am Rhein, mit einer Schwester. Das Mädchen war in der That bloß, was man, im gemeinen Leben, eine gute Wirthinn nennt; freigebig sogar in manchen Stücken; ich hatte es selbst erfahren. Doch weil ich locker und lose war,

und das Geld auf keine Weise achtete: so fieng sie an
zu knickern und zu knausern; ja, ich bin überzeugt,
daß sie geizig geworden wäre, und mir Rüben in den
Caffe und Lichter in die Suppe gethan hätte. Aber das
Schicksal wollte zu ihrem Glücke, daß wir uns trennten.

(Die Fortsetzung folgt.)

Noch ein Wort der Billigkeit über Christ. Jacob Kraus.

Mit dem Verfasser des ersten Aufsatzes (S. 11 B.)
ganz einig in seiner Charakterisirung von Kraus als
Schriftsteller, müssen wir ihm doch darin widersprechen,
wenn er von dessen Rufe als Schriftsteller einen im-
ponirenden Einfluß auf angehende Staatswirthe be-
fürchtet; außer Königsberg wissen die meisten erst seit
der Herausgabe seiner Schriften, also nach seinem
Tode, von ihm und von seiner Lehre, ja es ist eine
oft gehörte Bemerkung, daß sich Leser der Abendblätter beschwerten, warum sie so viel von dem einen
Mann jetzt noch hören sollten, dessen Schriften zu spät
gekommen, nachdem die Theorie schon weiter vorgerückt, die praktischen Beobachtungen mannigfaltig berichtigt worden seien. In dieser Bemerkung liegt
doch eine Unrichtigkeit, gelehrter Ruf und Anerkennung sind vom praktischen Einflusse sehr verschieden,
ein Schüler in einem großen Geschäftskreise wirkt
mehr als tausend Andersgesinnte, die in andern Be-
schäftigungen leben — und der Einfluß Krausens auf
die Verwaltung unsres Staats in den letzten Jahren wird dem Aufmerksamen nicht entgangen seyn, man
vergleiche unter andern seinen Aufsatz, wie die Kriegsschuld zu tilgen sei. Schon früher war aber sein Einfluß auf Königsberg sowohl durch die Jugend, die von
ihm lernte, als auch durch die Geschäftsmänner, die
seinen Rath mit seltenem und löblichen guten Willen
anhörten und benutzten, sehr bedeutend und viel bedeutender als in dem zweiten Aufsatze (S. 19 Blatt)
durchgeführt wird. Separationen und Dienstaufhe-
bungen wurden viel früher schon von Friedrich II und
beinahe in allen deutschen Staaten gefordert, ehe
Kraus lehrte, doch verdient es Lob zu einem nützlichen
Geschäfte mit erneuter Kraft anzuregen; sonderbar ist
es aber, daß ein würdiger Geschäftsmann, den wir
jedoch nicht zu nennen das Recht geben, uns versicherte

daß jenes Geschäft in Neuostpreussen, wovon der zweite
Aufsatz ein burleskes Bild (wie jenes was der Bauer
dem Maler Frank in dem bekannten Liede „Mein
Herr Maler" projektirt) ganz allein durch Hr. von
Knoblanch, der mit Kraus in keiner Verbindung gestanden, zu Stande gebracht sei. Wir wünschten hierüber Auskunft, wollen aber gar nicht gesagt haben, um das verdiente Lob unseres Kraus zu mindern,
denn ihn schmückt ein höheres Lob, in einem Volke,
wie die Deutschen, wo das Wissen von dem Thun so
ganz geschieden ist, durch eine lange Reihe von Jahren
ein B ispiel gegeben zu haben, wie ein Lehrer und
Gelehrter mit Geschäftsmännern zum allgemeinen
Nutzen thätig verbunden, sich ihnen deutlich und nützlich machen könne. Wir können diese Vereinigung
wohl ein Wunder nennen, denn sie fordert von beiden
Seiten mehr Nachgiebigkeit und guten Willen als gewöhnlich gefunden wird, und gleichwie ein Wunder
die Ausbreitung des christlichen Glaubens mehr geför-
dert hat, als die Lehren der Weisheit, die erst später
darin erkannt worden, so sind auch wir unserm Kraus
für diese Vereinigung viel eher eine Denksäule schuldig, als für Lehren, die ihm zum Theil nicht eigen,
theils von andern schon berichtigt und erweitert
worden.

Nützlich war es auf dieses Letzte aufmerksam zu
machen. Die Besorgniß des ersten Verfassers über
einen Streit zwischen Administration und den Gerichtshöfen, der aus der einseitigen Anhängerei an
ein System folgen könnte, ist von seinen beiden
Gegnern nur mit Gegenversicherungen widerlegt
worden, vielleicht giebt der erstere die Gründe seiner Besorgniß an, die Erfahrung spricht für ihn,
denn gerade das Durchbrechen der Hindernisse
was der Dritte rühmt, hat wohl schon manches der
Art veranlaßt. Diesem Dritten (S. 24 Blatt) der
Kraus gegen das Rubriciren und Numeriren in Schutz
nimmt, müssen wir bitten, die encyclopädischen Bände
von Kraus Schriften zu betrachten, wo dieses doch
unmöglich von fremder Hand beigefügt sein kann.
Ferner möchten wir fragen, wenn er von Kraus rühmt.
daß er niemand geschätzt, der nicht etwas Mathemati-
sches erfunden, warum Kraus selbst nichts erfunden
habe, um sich zu schätzen; gegen das Mathematische
in seinen staatswirthschaftlichen Aufsätzen ließe sich
wohl manches sagen, so unbedeutend wenig Mathematik dazu gehört, es zu machen. Wir verkennen übri-

gens die Billigkeit in den Gesinnungen dieses Dritten
keinesweges, und stellen ihn vielmehr dem Zweiten als
Muster vor, dem wir zugleich die Frage ans Herz legen möchten, was wohl Kraus, der jede wohlthuende
Freiheit des Lebens und der Untersuchung, die England so hoch beglückt, auch bei uns zu fördern suchte,
zu einem Vertheidiger gesagt haben mögte, der, an
Gründen schwach, den Anders meinenden der Regierung als gefährlich darzustellen sucht? Wir wollen
in seinem Namen antworten: Bessert euch selbst, ehe
ihr Staaten verbessern wollt, werdet erst selbst frei,
das heißt edel in Gedanken und Charakter, um zu
wissen, was Freiheit eines Volkes sei, und wie sie zu
erreichen.

L. A. v. A.

Nothwehr.

Wahrheit gegen den Feind? Vergieb mir! Ich lege
zuweilen
Seine Bind um den Hals, um in sein Lager zu gehn.

xp.

Miscellen.

Am 25. Nov. wird in England das 50jährige Regierungs-Ju-
biläum des Königs gefeiert werden. Der Erzbischof von Canterbury
hat dazu ein besonderes Kirchengebet aufgesetzt. (Hamb. Z.)

In Frankfurt a. M, ist durch ein kais. Dekret vom 1sten Oct.
der Sequester auf alle daselbst befindliche Englische oder Colonial,
vom Englischen Handel herrührende, Waaren gelegt worden. Dem-
gemäß hat der Divisionsgeneral Friant sämmtliche Kaufleute aufgefordert, binnen 24 Stunden die benannten Waaren, bei Strafe
der Confiscation anzugeben. (Hamb. Z.)

Aus London wird, über Frankreich, gemeldet, daß die Brittisch-
Portugiesischen Truppen am 27. Septemb. am Ufer des Mondeao,
1 Obristen, 3 Obristlieutenants, 7 Majors, 67 Officiere, und 1181
Mann an Todten, Verwundeten und Vernißten, eingebüßt haben.
Von einem so bedeutenden Gefecht zu dieser Zeit, fehlen die bestimm-
ten, französischen Nachrichten.

Polizeiliche Tages-Mittheilungen.

Einem hiesigen Einwohner sind von einem verschlossenen Boden mehrere Kleidungsstücke gestohlen.

In einer Tabagie sind 20 Lehrbursche verhaftet.

In Heinersdorf sind drei Personen als Herumtrei-
ber arretirt.

Auf dem neuen Markte ist eine durch Abnutzung
zu klein gewordene halbe Metze zerschlagen.

Berliner Abendblätter.

28tes Blatt.   Den 1sten November 1810.

Herausforderung Karls IX. Königs von Schweden an Christian IV. König von Dänemark.

Die allgemeine Moden = Zeitung, welche sich vortheilhaft, vor ähnlichen Instituten dieser Art, auszeichnet, liefert ein Paar interessante Aktenstücke aus dem 17ten Jahrhundert, in welchen zwei europäische Potentaten einander herausfordern. Da diese Zeitung nicht in jedermanns Händen ist, so wollen wir die besagten Aktenstücke unsern Lesern hier mittheilen.

Karl IX. König von Schweden an Christian IV. König von Dänemark.

Wir, Karl, von Gottes Gnaden König in Schweden, der Gothen, Wenden ꝛc. lassen Dir, Christian IV. König in Dänemark, wissen, daß Du nicht als ein christlicher und ehrlicher König gehandelt hast, indem du ohne Noth und ohne Ursach den vor 14 Jahren zwischen den beiden Kronen zu Stettin geschlossenen Frieden gebrochen, mit Deiner Armee unsere Festung Calmar berennt, die Stadt überrumpelt, und dadurch zu einem grausamen Blutvergießen Anlaß gegeben hast. Wir hoffen aber zu Gott dem Allmächtigen, der ein gerechter Richter ist, daß er Dein ungerechtes Verfahren strafen und rächen werde; und weil wir alle billige Mittel, einen Vergleich zu bewirken, gebraucht haben, Du aber solchen jederzeit verworfen hast, so wollen wir den kürzesten Weg einschlagen, um dem Streiten ein Ende zu machen, da Du hier so nahe bist. Stelle Dich daher, nach der alten Gewohnheit der Griechen, mit uns im freien Felde mit zwei Deiner Kriegsbedienten zu einem Kampf ein. Wir wollen Dir gleichfalls in einem ledernen Koller, ohne Helm und Harnisch, bloß mit dem Degen in der Faust begegnen. Was die beiden Anderen betrifft, die uns folgen sollen, so mögen sie im vollen Harnisch erscheinen, und der Eine mag zwei Pistolen und einen Degen, der Andere eine Musquete, nebst einer Pistole und einem Degen haben. Wenn Du Dich nicht einstellest, so halten wir Dich für kei-

[28]

nen ehrliebenden König, vielweniger für einen Soldaten Gegeben in unserem Lager zu Risby, den 12. August 1611.

(Die Antwort im folgenden Blatt.)

Schreiben aus Neuhof bei Düben am 16ten October 1810.

Geliebter Bruder!

Indem ich Dir den wärmsten Dank für die besondere Freundschaft und Gewogenheit zolle, mit welcher
Du die Herrn Studenten aus Leipzig in Deinem
Hause aufgenommen und nach Berlin begleitet hast,
benachrichtige ich Dich von einem Ereignisse, welches
wahrscheinlich Berlin interessirt! Gestern Nachmittag
zwischen 4 und 5 Uhr hat sich ein sehr schöner Luftball, nebst einer eleganten Gondel, in der Dübner Gegend in den Lüften gezeigt, und bei dem Dorfe Söl-
lichau 1½ Stunde entfernt von der Stadt Düben, am
Walde auf dem Felde niedergelassen. Auf Anordnung
des löblichen JustizAmtes Düben, blieb er während
der Nacht unter Aufsicht im Gehöfte des Erbrichters
Mühlbach daselbst, ward heute vorsichtig nach der
Stadt getragen, und ich erbot mich ihn in meinem Gehöfte zu Neuhof aufzunehmen, wo er unter militäri-
scher Bedeckung in meiner Gegenwart von Jedermann
in Augenschein genommen werden konnte. Was die
Zuschauer freiwillig in eine Büchse legten, ist zum
Bau der Dübner Kirche als ein Beytrag bestimmt.
Luftball und Gondel scheinen unbeschädigt zu sein; in
letzterem befand sich ein Seil mit Anker, 4 Säckchen
Ballast und 2 Papier worin, wie es scheint, Lebensmittel sich befunden haben mögen. Kein Bänkchen ist
vorhanden, auch kein Fallschirm; ich besorge, daß die
in der Gondel befindlich gewesene Person unterweges
sich mit dem Fallschirm heruntergelassen und vielleicht
verunglückt ist. Herr F... aus Berlin, Sp. Str.
No. 17, nebst Familie und andern Herrn von dort,
haben den Luftball besehen und mir versichert, es sey
wahrscheinlich derjenige Luftball, der gestern Nachmittags um 1 Uhr, als dieser Herr aus Berlin abgereiset, zu Ehren des Kronprinzen Königl. Hoheit daselbst
habe aufsteigen sollen. Der Eigenthümer wird sich

wahrscheinlich, wenn er nicht verunglückt sein sollte,
bald melden und legitimiren; vielleicht wird es durch
die Zurückreisenden schon morgen in Berlin bekannt,
daß er sich bei mir in Verwahrung befindet.

Dein

wahrhaft treuer Bruder

F. Fl . . . . r.

Fragment.

Der selige Brandes, der die Parthie des pol-
ternden Alten in unsrer Literatur übernommen hatte,
schilt in einem letzten, sehr schätzbaren Werke vornehmlich auf die Ressourcen und Gesellschafts = Wuth
unsrer Zeit: das gesellschaftliche Lotterie = Leben meint
er, fange an das ganze Arbeitsleben wegzufressen —
Ist es denn aber natürlich, daß sich der tägliche und
stündliche Gesellschaftstried der Menschen auf die so-
ciete wirft, wenn ihn die respublica nicht mehr zu
gebrauchen und zu befriedigen versteht?

Räthsel.

Ein junger Doktor der Rechte und eine Stiftsdame, von denen kein Mensch wußte, daß sie mit einander in Verhältniß standen, befanden sich einst bei dem Commendanten der Stadt, in einer
zählreichen und ansehnlichen Gesellschaft. Die Dame, jung und
schön, trug, wie es zu derselben Zeit Mode war, ein kleines schwarzes Schönpflästerchen im Gesicht, und zwar dicht über der Lippe,
auf der rechten Seite des Mundes. Irgend ein Zufall veranlaßte,
daß die Gesellschaft sich auf einem Augenblick aus dem Zimmer
entfernte, dergestalt, daß nur der Doktor und die besagte Dame
darin zurückblieben. Als die Gesellschaft zurückkehrte, fand sich,
zum allgemeinen Befremden derselben, daß der Doctor das Schönpflästerchen im Gesicht trug; und zwar gleichfalls über der Lippe,
aber auf der linken Seite des Mundes. —

(Die Auflösung im folgenden Stück.)

Miscellen.

Unter einem Artikel: London, vom 9ten Oct., wird in französischen Blättern dargethan, wie wenig selbst Siege die Sache der Engländer in Spanien fördern können.

Ein Königl. westphälisches Dekret vom 30. Septemb. hat eine neue Organisation der Posten in Vollziehung gebracht. Nach demselben sind die Taxen beträchtlich vermindert, auch den Briefen, die mit der reitenden Post gehen, ein größeres Gewicht zugestanden worden. Im 18. Artikel ist es den Postbeamten verboten, einem Andern, als dem Empfänger, die Adressen des Briefes zu zeigen.

Herr Damas, Leinewandfabrikant zu Charny, im Depart. der Seine und Marne, hat, ohne Glasfenster und Glocken, durch bloße zweckmäßige Bearbeitung des Bodens, in diesem Jahr, eine Erndte von 15 Pfd. Kaffe gemacht. Hr. Desfontaines, Maire von Thorigny hat eine Probe davon an den Minister des Innern gesandt. Man hofft, vermittelst desselben den Makokaffe ganz entbehren zu können.

Nach einer heute geschehenen öffentlichen Bekanntmachung wird nunmehr das große medizinische, chirurgische Clinicum der Universität unter der Direction der Herrn Professoren Reil und Gräfe am 5ten Nov. eröffnet. Eine Anstalt ganz von der Art und Beschaffenheit, ähnlich dem berühmten Wiener Institut, hatte bisjetzt Berlin, bei allem was auch bisher für die Pflege der praktischen Arzneikunde geschehen war, gefehlt, und es verdient den ehrerbietigsten und lebhaftesten Dank des Publicums, daß der landesväterliche König durch Einrichtung einer solchen, mit den bedeutendsten Kosten verbundenen Anstalt und durch Anstellung solcher ausgezeichneten Männer dabei, abermals einen Beweis seiner treuen unablässigen Sorge für das Wohl seiner Unterthanen gegeben hat.

Berliner Abendblätter

Herausforderung Karls IX. Königs von Schweden an Christian IV. König von Dänemark.

Antwort.

(S. das vorig. Blatt.)

Christian IV. König von Dänemark an Karl IX. König von Schweden.

Wir, Christian IV. König in Dänemark und Norwegen, lassen Dir Karl IX. König in Schweden, wissen, daß uns Dein grober und unhöflicher Brief, durch einen Trompeter überliefert worden ist. Wir hätten uns keines solchen Schreibens von Dir versehen: aber wir merken, daß die Hundstage noch nicht vorbei sind, und daß sie noch mit aller Macht in Deinem Gehirn wirken. Wir haben daher beschlossen, uns nach dem alten Sprichwort zu richten: wie man in den Wald hineinschreit, so schallt es wieder heraus. Zur Antwort auf Deinen Brief mag dies dienen: was das Erste anbetrifft, da Du schreibst, daß wir nicht als ein christlicher und ehrlicher König gehandelt hätten, indem wir den Stettiner Frieden gebrochen, so sagst Du hierin nicht die Wahrheit, sondern redest als Einer, der sich mit Schelten verantworten will, weil er sich nicht getrauet, sein Recht mit dem Schwerdt auszuführen Die äußerste Noth hat uns zu diesem Kriege gezwungen, welches wir vor Gott am jüngsten Tage zu verantworten hoffen, wo Du auch erscheinen wirst, um von allem unschuldigen Blut, das in diesem Kriege vergossen worden, und von den Grausamkeiten, die Du gegen Deine Feinde

[29]

und gegen andere Menschen verübt hast, Rechenschaft zu geben. Du schreibst ferner, daß wir die Stadt Calmar überrumpelt und das Schloß nebst Oeland und Borgholm durch Verrätherei eingenommen hätten Dies ist auch nicht wahr; denn wir haben das Schloß mit Ehren eingenommen. Und Du solltest Dich schämen, so oft Du daran gedenkest, daß Du solches nicht mit den nöthigen Dingen versehen, oder entsetzt hat, sondern an dessen Statt vor Deiner Nase hast wegnehmen lassen; und doch willst Du den Namen eines guten Soldaten führen?

Was den Zweikampf anlanget, den Du uns anträgst, so kommt uns solcher sehr lächerlich vor, weil wir wissen, daß du schon von Gott genug gestraft bist *), und daß es Dir dienlicher sein würde, hinter einem warmen Ofen zu bleiben, als mit uns zu fechten. Du bist vielmehr eines guten Arztes benöthigt, der Dein Gehirn zurechte bringen kann, als uns in einem Zweikampf zu begegnen. Du solltest erst Dich schämen, Du alter Narr, einen ehrliebenden König anzugreifen. Du hast solches vielleicht von alten Weibern gelernt, welche gewohnt sind, den Mund zu gebrauchen. Laß das Schreiben nur unterwegs, weil Du noch etwas anders thun kannst! Ich hoffe, mit Gottes Hülfe, daß Du alle Deine Kräfte nöthig haben wirst. Indessen erinnern wir Dich, daß Du unsern Herold und die zwei Trompeter loslassest, welche du wider Kriegsgebrauch hast gefangen nehmen lassen, wodurch Du Deinen schwachen Verstand an den Tag legest. Doch magst Du auch glauben, wenn Du ihnen den geringsten Schaden zufügst, daß Du dadurch Dänemark und Norwegen noch nicht gewonnen hast Nimm Dich in Acht daß Du hierin nicht anders thust, als Du sollst. Dies ist unsere Antwort auf Deinen groben und unhöflichen Brief. Gegeben auf unserm Schloß Calmar, den 14. August, 1611.

*) König Karl war einige Zeit zuvor vom Schlage gerührt worden.

Fragmente aus den Papieren eines Zuschauers am Tage.

I.

Die Sündfluth philosophischer und moralischer Systeme hat starr zum allgemeinen Verderben einge-wirkt. Je mehr man Prinzipien vervielfältigt, die feinsten und tiefsten Falten der Seele zu entwickeln versucht hat, desto unwirksamer ist die Kraft der ein-fachen, aber großen und starken Hebel menschlicher Handlungen geworden.

Eine zu allgemein verbreitete, und doch oft nur trügliche oder halbwahre, Kenntniß der Anatomie des menschlichen Körpers, erzeugt eine Menge ängstlicher, eingebildeter Kranken, aus denen wirkliche werden. — Ein zu fein zugerittenes, zu zärtlich gewartetes Schul-pferd, ist für die wesentlichern Bedürfnisse der Reise, des Feldzuges oder der Arbeit untauglich.

So mit dem Menschen im Moralischen.

Kehrt zu den einfachen Grundgesetzen zurück. Ihr habt sie in den zehn Geboten. Aber in Allen.

II.

Wenn — drei sehr denkbare, natürliche, und, so wie die Sachen lagen und liegen, nicht ungerechte Fälle, — Voltaire sehr früh in die Bastille gesetzt und darin vergessen, Rousseau von Frau von Warens in einem Narrenhospitale versorgt; und Basedow von seinen Gläubigern, bevor und so, daß sein Elementar-Werk nicht hätte an Tageslicht kommen können, im Schuldthurme festgehalten worden wären, so sähe es höchstwahrscheinlich in Frankreich, Deutschland und dem übrigen Europa ganz anders, und besser, aus.

Ist je in Anschlag gebracht, wie viel von Base-dow's Effect (wovon das ganze übrige neuere Erzie-hungswesen in Deutschland wie die Progression be-trachtet werden kann,) auf Rechnung der Kupfer

des Elementarwerks zu setzen sei? Ohne sie wäre die
Einwirkung auf die großen und kleinen Kinder wahrscheinlich um $\frac{0}{100}$ Theile schwächer gewesen.

Miscellen.

Nach einem kaiserl. Dekret vom 19. Oct. zu Fontainebleau
sollen alle von Englischen Fabriken herrührende Waaren, die sich in
Frankreich, Holland, im Grossherzogthum Berg, in den Hanseestädten,
den Königreichen Italien, Neapel Spanien, in den illyrischen Provinzen, im Warschauischen kurz überhaupt im Bereich (a la portée)
der Französischen Truppen liegen, saisirt und verbrannt werden.

Eine englische Fregatte hat bei Nodi, im Neapolitanischen
einen Versuch gemacht zu landen; jedoch ist die Mannschaft von den
herbeigeeilten Truppen genöthigt worden, sich wieder einzuschiffen.

Die Französischen Blätter enthalten jetzt Nachrichten über die
am 27. Sept. am Ufer des Mondego über die Englischen Truppen
erfochtenen Vortheile.

Die Fabrikation des Zuckers aus Weintrauben in Rom verspricht die glücklichsten Erfolge. Der Präfekt von Rom läßt in seinen eignen Pallast diesen Zucker fabriciren.

Alle Portugiesischen Truppen die in Paris in Garnison lagen
sind den 22ten von dort aufgebrochen. Sie haben die Straße nach
Orleans genommen.

Man versichert, daß Hr. Canova im Begriff sei, nach Paris
zu kommen.

Die Ausstellung der Werke lebender Künstler wird wie gewöhnlich wieder mit dem 1sten November in Paris ihren Anfang
nehmen.

Bei dem Fest vom 21ten Oktober zu Fontainebleau ist die
officielle Anzeige von der glücklichen Schwangerschaft Jhr. Maj.
der Kaiserinn erfolgt.

Nach französischen Blättern soll der spanische Krieg den Engländern jährlich 400000 Guineen kosten.

Das Todtengericht, welches über den verstorbenen Abraham
Goldschmid gehalten ward, hat den Ausspruch gethan: „nicht bei
Sinnen, als er sich selbst tödtete.“ Hierdurch bekommt die Fami-
lie ein Recht zum ehrlichen Begräbniß.

Polizeiliche Tages-Mittheilungen.

Einem Bäcker ist für 1 Thl. 4 Gr. verbackenes Brod zerschnitten.

Einem Viehmäster ist eine unrichtige Metze in Beschlag genommen.

Ein Lehrling ist wegen intendirten Selbstmordes verhaftet.

Eine Legende nach Hans Sachs.

Gleich und Ungleich.

Der Herr, als er auf Erden noch einherging,
Kam mit Sanct Peter einst an einen Scheideweg,
Und fragte, unbekannt des Landes,
Das er durchstreifte, einen Bauersknecht,
Der faul, da, wo der Rain sich spaltete, gestreckt
In eines Birnbaums Schatten lag.
Was für ein Weg nach Jericho ihn führe?
Der Kerl, die Männer nicht beachtend,
Verdrießlich, sich zu regen, hob ein Bein,
Zeigt' auf ein Haus im Feld', und gähnt' und sprach:
　　　　　　　　　da unten!
Zerrt sich die Mütze über's Ohr zurecht,
Kehrt sich, und schnarcht schon wieder ein.
Die Männer drauf, wohin das Bein gewiesen,
Gehn ihre Straße fort; jedoch nicht lange währt's,
Von Menschen leer, wie sie das Haus befunden,
Sind sie im Land' schon wieder irr.
Da steht, im heißen Strahl der Mittagssonne,
Bedeckt von Aehren, eine Magd,
Die schneidet, frisch und wacker, Korn,
Der Schweiß rollt ihr vom Angesicht herab.
Der Herr, nachdem er sich gefällig drob ergangen,
Kehrt also sich mit Freundlichkeit zu ihr:
„Mein Töchterchen gehn wir auch recht,
So wie wir stehn, den Weg nach Jericho?"
Die Magd antwortet flink: „Ei, Herr!
Da seid ihr weit vom Wege irr gegangen;
Dort hinterm Walde liegt der Thurm von Jericho,
Kommt her, ich will den Weg euch zeigen."

[30]

Und legt die Sichel weg, und führt, geschickt und emsig,
Durch Aecker die der Rain durchschneidet,
Die Männer auf die rechte Straße hin,
Zeigt noch, wo schon der Thurm von Jericho erglänzet,
Grüßt sie und eilt zurücke wieder,
Auf daß sie schneid', in Rüstigkeit, und raffe,
Von Schweiß betrieft, im Waizenfelde,
So nach wie vor.
Sanct Peter spricht: „O Meister mein!
Ich bitte dich, um deiner Güte willen,
Du wollest dieser Maid die That der Liebe lohnen,
Und, flink und wacker, wie sie ist,
Ihr einen Mann, flink auch und wacker, schenken.“
„Die Maid,“ versetzt der Herr voll Ernst,
„Die soll den faulen Schelmen nehmen,
Den wir am Scheideweg im Birnbaumsschatten trafen;
Also beschloß ich's gleich im Herzen,
Als ich im Waizenfeld sie sah.“
Sanct Peter spricht: „Nein Herr, das wolle Gott ver-
                    hüten.
Das wär ja ewig Schad um sie,
Müßt' all ihr Schweiß und Müh' verloren gehn.
Laß einen Mann, ihr ähnlicher sie finden,
Auf daß sich, wie sie wünscht, hoch bis zum Giebel ihr
Der Reichthum in der Tenne fülle.“
Der Herr antwortet, mild den Sanctus strafend:
„O Petre, das verstehst du nicht.
Der Schelm, der kann doch nicht zur Höllen fahren.
Die Maid auch, frischen Lebens voll,
Die könnte leicht zu stolz und üppig werden.
Drum, wo die Schwinge sich ihr allzuflüchtig regt,
Henk' ich ihr ein Gewichtlein an,
Auf daß sie's beide im Maaße treffen,
Und fröhlich, wenn es ruft, hinkommen, er wie sie,
Wo ich sie Alle gern versammeln mögte.

Theater.

Sonderbares Versehn.

Durch einen unerklärlichen Zufall sind neulich bei der Aufführung der unvergleichlichen Iphigenia in Tauris, der einzigen ernsten Oper in der Welt, ein Paar Tänze aus dem Ballette der Opernschneider am feierlichen Schlusse zwischen getreten, welches dem Publikum große Belustigung gewährt hat. Das Publikum erklärte sich nachher, daß es zwar dankbar wäre, für die Aufmerksamkeit, ihm Ballette zu geben, es bäte sich aber dergleichen, wenn es nirgends gut anzubringen wäre, lieber als Nachspiel aus; auch wäre es ihm lieb, wenn die Tänzer die drei oder vier Zusammenstellungen, die sich seit der Vigano noch immer wie alte abgenutzte Dekorationen herumtreiben, endlich einmal mit ein Paar neuen vertauschten, besonders in einer heroischen Oper; gern wurde es auch im ersten Aufzuge, statt des Gespringes des eines Herrn, den Doppeltanz der beiden Krieger sehen, wie er in Paris aufgeführt wird, das Vollendetste in Wirkung und Zusammenhang (im Gegensatze der beiden Gesangnen die traurig und erschöpft nachgeführt werden,) was je die Tanzkunst hervorgebracht.

ava.

Guter Rath.

Lasse den Thoren daheim, und send' ihn nimmer auf Reisen,
Neue Thorheit allein bringt er aus jeglichem Land.

W.

Zeichen.

Hör und merk es wohl, woran du den Thoren erkennest.
Er denkt dieses Geschlechts, denket der Thoren kein Mensch.

Ein Fuchs wittert den andern, besagt treuherzig das
Sprichwort,

Kein Thor, setz' ich hinzu, der nicht den anderen
merkt.

W.

Miscellen.

Mehreren Individuen in Tyrol sind Wohnorte in andern Theilen Baierns angewiesen. (Alt. Merk.)

In Paris ist die Gräfinn Montesquiou zur Hofmeisterinn der
kaiserlichen Kinder (Gouvernante des enfans de France)
ernannt worden.

Im Russischen Reiche wird nächstens eine außerordentliche Re-
krutenaushebung statt finden.   (K. d. B.)

In Wien hat man die traurige Nachricht erhalten, daß die
Türken, die in so schönem Flor gestandene Russische Handelsstadt
Odessa, am schwarzen Meer, bombardirt, und sehr beschädigt haben.
Viele Waaren sind dabei zu Grunde gegangen.

Nach einem unverbürgten Gerücht soll auf einen Waffenstill-
stand, zwischen der Pforte und Rußland angetragen seyn, und die
Russischen Truppen, welche nach der Donau beordert waren, Gegen-
befehl erhalten haben.   (C. d. B.)

Briefen aus Petersburg zufolge herrscht in dem dasigen Reichs-
senat und bei dem geheimen Conseil eine außerordentliche Thätigkeit. Ueber den Zweck der Sitzungen, die gehalten werden,
herrscht das tiefste Geheimniß. Man sagt, es seien Unterhandlungen mit dem Divan eingetreten.   (Rhein. Cor. d. 25. Oct.)

Laut Particularberichten aus Paris soll das Armee-Corps
des Gen. Reynier, an den Portugiesischen Gränzen, von einer großen Uebermacht und mit ansehnlichem Verlust zurückgedrängt worden sein. Der Herzog von Abrantes soll dieses Corps zu spät und
gar nicht unterstützt haben, woranf er in Ungnade gefallen und
zur Verantwortung gezogen seyn soll.   (Schweiz. N. d. 19. Oct.)

Der Moniteur vom 24. Oct. enthält zwei Briefe vom Div.
Gen. Drouet und vom General-Intendanten der Portug. Armee,
Lambert, über die glücklichen Fortschritte der französischen Truppen
in Portugal.

Polizeiliche Tages-Mittheilungen.

Einem Huthfabrikanten sind gestern 1 Dutzend silberne Eßlöffel und noch mehreres Silbergeräth aus seinem Speisezimmer gestohlen; und

Einer Wittwe mehrere neue Kleidungsstücke.

Auf dem Neuen Markt ist ein abgenutztes Gemäß zerschlagen.

Berliner Abendblätter.

31tes Blatt. Den 5ten November 1810.

Warnung gegen weibliche Jägerei.

Die Gräfin L... war kurzsichtig, aber sie liebte
noch immer die Jagd, ungeachtet sie nie niemals gut
geschossen hatte. Ihre Jäger kannten ihre Art und
nahmen sich vor ihr in Acht; sie schoß dreist auf jeden Fleck, wo sich etwas regte, es war ihr einerlei, was es sein mogte. Abbé D......., einer
der gelehrtesten Literatoren, mußte sie mit ihrem vier-
zehnjährigem Sohne, dem Grafen Johann, auf einer
dieser Treibjagden begleiten, die Jäger suchten ihnen
einen sichern Platz zum Anstand, hinter zwei starken
Bäumen, aus; der Abbé nahm aus Langeweile ein
Buch aus seiner Tasche, das er vom Jagdschloß mitgenommen; es war von Idstädt's Jagdrecht. Der
junge Graf lauerte aufmerksam auf einen Rehbock,
der herangetrieben wurde. In dem Augenblicke, als
er losdrücken wollte, fiel ein Schuß der Gräfin, den
sie ungeschickt und übereilt auf denselben Rehbo...
thun wollte, so geschickt durch den schmalen Luftraum,
zwischen den beiden Bäumen, die den Abbé und den
Grafen sicherten, daß sich beide zu gleicher Zeit verwundet fühlten und aufschrieen. Die Gräfin wurde
bei diesem Geschrei ohnmächtig, die Jäger und die
übrige Gesellschaft, in der sich auch ein Wundarzt
befand, eilten von allen Seiten herbei und theilten
ihre Sorge zwischen der Gräfin und dem jungen
Erbgrafen. Die Güte und Geduld des Abbé's ist
jedem, der ihn gesehen, aus seinem Gesichte bekannt,
seine Bescheidenheit jedem, der mit ihm gesprochen;

hier erschien aber alles Dreies auf einer merkwürdigen Probe. Kein Mensch fragte ihn, was ihm
fehle, vielmehr drängte man ihn beiseite, und als
er einem sagte: Er glaube zu sterben, der eine Reh-
posten wäre ihm in der Gegend der Leber durch die
Rippen eingeschlagen; so antwortete ihm jener verstört: der junge Graf sei durch beide Schulterblät-
ter verletzt. Der Wundarzt sah nur auf den jungen Grafen, und der arme Abbé mußte sich selbst
helfen, so gut er konnte, und suchte sich die Wunde
mit seinem Schnupftuche, das er mit dem Rock fest-
knöpfte, so gut als möglich zu verschließen. Mit
Mühe wurde eine Kutsche durch den steinigen hüg-
ligten Wald, bis nahe an den Unglücksort, gebracht.
Die Gräfin hatte sich erholt, und empfahl mit vielen Thränen, dem Wundarzte ihren Sohn; der
Abbé wollte ihr mit Klagen, über seinen Schmerz,
keinen Kummer machen, und stieg sachte mit der
letzten Anstrengung dem jungen Grafen in den
Wagen nach. Der Wundarzt hielt den Grafen im
Vorsitz, rückwärts saß der Abbé. Der Wagen fuhr
sehr langsam, aber der Weg war uneben und stieß
unvermeidlich; der Graf litt dabei und seufzte leise,
aber der Abbé konnte, bei dem entsetzlichen Druck
der Kugel, sich heftiger Seufzer und einzelner Aus-
rufungen nicht enthalten. Der Wundarzt hatte schon
ein paar Mal gesagt: Es hätte nichts auf sich mit
der Wunde des Grafen, er könnte sich beruhigen;
endlich sprach er ganz ernstlich: Ich ehre ihr Mit-
leid Herr Abbé, aber ich traue ihrem Verstande zu,
daß sie sich der Ausbrüche desselben erwehren können, wenn es dem Gegenstande desselben gefährlich
werden könnte; ihre Beileidsbezeigungen machen aber
den Kranken selbst besorgter, als das Uebel verdient. —

(Beschluß folgt.)

Fragmente aus den Papieren eines Zuschauers am Tage.

Im Gefolge Catharinens von Medici kamen aus dem Asyle der geflüchteten Wissenschaften und Künste, dem Mediceischen Florenz, die Blüthen und Früchte der Poesie, der schönen Wissenschaften, der Philosophie, der Geschichte, — der Mahlerei, der Bildhauerei, der Architektur, — nach Frankreich. Zwar war bereits früher, unter Carl VIII., Ludwig XII. und Franz I., das geistige und physische Italien in Reunion und Requisition gesetzt. Aber die Ausbeuten von Neapel, Mayland, Genua und Pavia waren nicht aufmunternd. Das Gift, welches Franz des Ersten Lebenskraft untergrub und endlich vernichtete, hätte zu heilsamem Nachdenken führen können. Allein damals, wie jetzt, redete Erfahrung umsonst. — Ein Gegengift wäre unter dem Eingebrachten zu finden gewesen — die Geschichte. Aber selbst diese ward, in Macchiavel's falsch angewandten Präparaten, zerstörend, anstatt heilbringend zu werden.

Miscellen.

Ein französischer Courier, der vergangenen Donnerstag in Berlin angekommen, soll, dem Vernehmen nach dem Gerücht, als ob die französischen Waffen in Portugal achtzehn erlitten hätten, widersprochen, und im Gegentheil von Siegsnachrichten erzählt haben, die bei seinem Abgang aus Paris in dieser Stadt angekommen wären.

Der Befehl, daß die in Oesterreichischen Militairdiensten stehenden französischen Unterthanen die besagten Dienste verlassen müßten, soll ein Separat-Artikel des Friedensschlusses vom Jahr 1809 sein.

Der König von Spanien hat am 18 September Alkala de Henares und am 19 Guadalarara besucht. In der ersten Stadt hat er sich mit Herstellung der alten berühmten Universität, in der zweiten mit Aufnahme der großen Tuchfabriken daselbst beschäftigt. Se. Maj. reisten den 20 Sept. nach Madrid zurück.

Der Fürst Johann von Lichtenstein hat das Militair-Commando in Wien und im Erzherzogthum Oesterreich, seiner geschwächten Gesundheit wegen, niedergelegt, und der Kaiser dasselbe dem Feldmarschall, Herzog Ferd. von Württemberg übergeben.

Der Graf von St. Leu wird sich dem Vernehmen nach, den Winter über in Grätz aufhalten.

Der Uhrmacher Degen wird den 21 Oct. eine neue Luftfahrt mit seiner Flugmaschiene verbunden mit einem Luftballon machen.

Der berühmte Ballettmeister Noverre ist zu St. Germain en Laye 82 Jahr alt gestorben.

In Rom beschäftigt sich eine Commission mit Urbarmachung der Gegenden um die Stadt, und mit Austrocknung der pontinischen Sümpfe.

Auch der Mönch Gil, gewesener Rathgeber von Palafox, Anführer einer beträchtlichen Räuberbande in Spanien ist gefangen.

Den holländischen Capitalisten ist das vortheilhafte Anerbieten gemacht worden, daß wenn Einer z. B. eine Oesterreichsche Obligation von 1000 Fl. besitzt und noch 2000 Fl. Conv Geld zuschießt, er nicht allein nach 15 Jahren sein Capital zurück erhält, sondern ihm auch die Zinsen von allen 3000 Fl. in Conv. Münze ausbezahlt werden.

In Amsterdam und längs den holl. Küsten ist der Sieg der Franzosen bei Coimbra gefeiert worden.

Der Kronprinz von Schweden ist den 23 Oct. zu Christianstadt angekommen.   (Hamb. Zeit.)

Zu Dijon haben sich ein junger Mann und ein junges Mädchen, aus unglücklicher Liebe (indem die Eltern nicht in die Heirath willigen wollten) erschossen.

Die neuesten Briefe aus Frankreich bestätigen, daß die Frau von Staël nach Coper in der Schweiz zurückgegangen ist. Dieselbe hatte durch ihren Sohn einen Aufschub von 8 Tagen erhalten; auch ist ihr für ihr Werk Lettres sur l'Allemagne, ein neuer Censor, Hr. Esmenard, gesetzt worden, um die nöthigen Veränderungen und Auslassungen zu besorgen.

Unter einem Artikel: London vom 20. Oct. meldet der Moniteur, daß ein Courier vom Lord Wellington zu London angekommen sei, mit folgender Nachricht: die alliirte Armee ziehe sich zurück, um eine Position vorwärts Lissabon einzunehmen. Die franz. Armee sei über den Mondego gegangen, und scheine die Alliirten verfolgen zu wollen.

Nichts ist ungegründeter, als das Gerücht, daß am 1sten bis 3ten eine allgemeine Schlacht Statt gefunden, in welcher Massena gefangen und 27000 Mann verloren haben soll.   (Mon.)

Polizeiliche Tages-Mittheilungen.

Einer Wildprethändlerin sind 106 verdorbene Leipziger Lerchen konfiszirt; und

Einer andern Frauensperson ein vorschriftswidriges Kohlenbehältniß.

Am 1sten November Nachmittags wurde in Charlottenburg ein toller Hund erschossen. Er hatte bereits ein Kaninchen zerrissen und mehrere Personen, auch eine Katze, wüthend angefallen. Ein Dienstmädchen entging ihm nur durch Geschwindigkeit, jedoch bemerkt sich auf ihrer Hand ein kaum bemerkbarer Punkt, welcher möglicher Weise von einem Bisse herrühren kann, und deshalb chirurgisch untersucht wird.

Berliner Abendblätter.

32tes Blatt.   Den 6ten November 1810.

Warnung gegen weibliche Jägerei.
(Beschluß.)

In dem Augenblicke krachte der Wagen über eine
Wurzel, daß der arme Abbé kein Wort sagen konnte, sondern um sich verständlich zu machen, den Rock
aufknöpfte; das Tuch fiel herunter und das Blut
floß in großer Menge herab. — Mein Gott, rief
der Wundarzt, sind sie auch verwundet, wahrhaftig:
ja, da muß man sich hier nichts draus machen, ich
habe heute auch ein Paar Schroten von der Frau
Gräfin in das dicke Fleisch bekommen, es macht ihr
so viel Vergnügen und ich singe lustig dabei:

> Es ist ein Schuß gefallen,
> Mein, sagt, wer schoß da draus?
> Es war ein junger Jäger,
> Der schoß im Hinterhaus.
> Die Spatzen in dem Garten,
> Die machen viel Verdruß,
> Zwei Spatzen und ein Schneider,
> Die fielen von dem Schuß.
> Die Spatzen von den Schroten,
> Der Schneider von dem Schreck:
> Die Spatzen in die Schoten,
> Der Abbé in den Dreck.

Der gute Abbé, der eine gewisse Kränkung empfunden hatte, wie er erst so verbindlich in dem
Hause aufgenommen und im Unglücke so ganz vergessen sei, mußte jetzt selbst lächeln, als er bei dieser Anzeige bemerkte, wie er sich beim Falle auf
dem feuchten Boden beschmutzt hatte, dabei über-

[32]

nahm ihn eine Ohnmacht, von der er erst im
Schloſſe erwachte. Ich ſah ihn mehrere Jahre
nach dieſem Vorfalle, den er glücklich überſtanden
hatte; ich fühlte die Kugel, ſie hatte ſich wohl zwei
Hände breit hinter den Rippen niedergeſenkt, und
war jetzt unter denſelben fühlbar. Zuweilen litt er
noch an Schmerzen und verſicherte, daß alle Gefahren, die von den Dichtern einem gewiſſen Bo-
gengeſchoß aus weiblichen Augen nachgeſagt würden,
nicht mit den Gefahren weiblicher Jägerei zu vergleichen wären, denn die Geſchicklichkeit Dianens
mögte wohl ſo ſelten geworden ſein, wie ihre anderen Eigenſchaften.

                                                vaa.

Brief eines jungen Dichters an einen jungen Mahler.

Uns Dichtern iſt es unbegreiflich, wie ihr euch
entſchließen könnt, ihr lieben Mahler, deren Kunſt etwas ſo Unendliches iſt, Jahre lang zuzubringen mit
dem Geſchäft, die Werke eurer großen Meiſter zu copiren. Die Lehrer, bei denen ihr in die Schule geht,
ſagt ihr, leiden nicht, daß ihr eure Einbildungen, ehe
die Zeit gekommen iſt, auf die Leinewand bringt;
wären wir aber, wir Dichter, in eurem Fall geweſen,
ſo meine ich, wir würden unſern Rücken lieber unendlichen Schlägen ausgeſetzt haben, als dieſem grau-
ſamen Verbot ein Genüge zu thun. Die Einbildungskraft würde ſich, auf ganz unüberwindliche Weiſe, in
unſeren Brüſten geregt haben, und wir, unſeren un-
menſchlichen Lehrern zum Trotz, gleich, ſobald wir nur
gewußt hätten, daß man mit dem Bürſchel, und nicht
mit dem Stock am Pinſel mahlen müſſe, heimlich zur
Nachtzeit die Thüren verſchloſſen haben, um uns in
der Erfindung, dieſem Spiel der Seeligen, zu verſu-
chen. Da, wo ſich die Phantaſie in euren jungen

Gemüthern vorfindet, scheint uns, müsse sie, unerbittlich und unrettbar, durch die endlose Unterthänigkeit,
zu welcher ihr euch beim Copiren in Gallerieen und
Sälen verdammt, zu Grund und Boden gehen. Wir
wissen, in unsrer Ansicht schlecht und recht von der
Sache nicht, was es mehr bedarf, als das Bild, das
euch rührt, und dessen Vortrefflichkeit ihr euch anzu-
eignen wünscht, mit Innigkeit und Liebe, durch Stunden, Tage, Wochen, Monden, oder meinethalben Jahre, anzuschauen. Wenigstens dünkt uns, läßt sich ein
doppelter Gebrauch von einem Bilde machen; einmal
der, den ihn davon macht, nämlich die Züge desselben
nachzuschreiben, um euch die Fertigkeit der mahleri-
schen Schrift einzulernen; und dann in seinem Geist,
gleich vom Anfang herein, nachzuersinden. Und auch
diese Fertigkeit müßte, sobald als nur irgend möglich,
gegen die Kunst selbst, deren wesentliches Stück die
Erfindung nach eigenthümlichen Gesetzen ist, an den
Nagel gehängt werden. Denn die Aufgabe, Himmel
und Erde! ist ja nicht, ein Anderer, sondern ihr selbst
zu sein, und euch selbst, euer Eigenstes und Innerstes,
durch Umriß und Farben, zur Anschauung zu bringen!
Wie mögt ihr euch nur in dem Maaße verachten, daß
ihr willigen könnt, ganz und gar auf Erden nicht
verhanden gewesen zu sein; da eben das Dasein so
herrlicher Geister, als die sind, welche ihr bewundert,
weit entfernt, euch zu vernichten, vielmehr allererst
die rechte Lust in euch erwecken und mit der Kraft,
heiter und tapfer, ausrüsten sollen, auf eure eigne
Weise gleichfalls zu sein? Aber ihr Leute, ihr bildet
euch ein, ihr müßtet durch euren Meister, den Raphael
oder Corregge, oder wen ihr euch sonst zum Vorbild
gesetzt habt, hindurch; da ihr euch doch ganz und gar
umkehren, mit dem Rücken gegen ihn stellen, und, in
diametral = entgegengesetzter Richtung, den Gipfel der
Kunst, den ihr im Auge habt, auffinden und ersteigen
könntet. — So! sagt ihr und seht mich an: was der
Herr uns da Neues sagt! und lächelt und zuckt die

Achseln. Demnach, ihr Herren, Gott befohlen! Denn da Copernicus schon vor dreihundert Jahren gesagt hat, daß die Erde rund sei, so sehe ich nicht ein, was es helfen konnte, wenn ich es hier wiederholte. Leber wohl!

y.

Als dem mittelmäßigen Alcest eine Auszeich-nung widerfuhr.

Den Optimaten gleich behandelt ihr Alcesten?
Man zählt ihn nicht, man hat ihn nur zum Besten.

sn.

Miscellen.

Unter einem Artikel: London vom 10 Okt. wird gemeldet, daß zur Wiedereinschiffung der englischen Armee in Portugal, falls es die Umstände nothwendig machen sollten, Alles in Bereitschaft ist. Dem Admiral Berkley ist die Sorge dafür übertragen.

(Kwr. d. l'Emp.)

Lord Wellington hat bei Torres Vedras mit seiner Armee festen Fuß gefaßt, und scheint entschlossen in dieser starken Position, zwischen dem Tago und dem Meere, den General Massena, der ihm folgt, zu erwarten.

(J. d. l'E.)

Man glaubt, daß die Franzosen im Besitz von Oporto sind, wo man keine einzige Kanone gelassen hatte, so daß die Stadt ohne Vertheidigung war.

Der Engl. Brig. Gen. Crawfurd ist in Portugall an einer Krankheit gestorben.

Als confoderirte Staaten haben sich beeifert dem Beispiel Frankreichs, die Colonialwaaren betreffend, nachzufolgen. Ueberall erreicht diese Maaßregel ihren Zweck; überall spürt man die glücklichen Wirkungen davon: im Württembergischen ist der Preis der Colonialwaaren noch an demselben Tage, da die Publikation der Regierung erschien, um die Hälfte gestiegen u. s. w. (Mon.)

Polizeiliche Tages-Mittheilungen.

Bei der gestern früh um 4 Uhr beendigten General-Visitation sind wiederum einige Personen arretirt.

Ein Wahriger Mann hat sich in seiner Wohnung aus Melancholie erhenkt.

Ein Rekrute vom Brandenburgschen Husaren Regiment hat sich in abgewichener Nacht in der Fieberhize aus dem Fenster seiner Wohnung 3 Stock hoch herabgestürzt. Er ist zwar noch nicht todt, aber so beschädigt, daß er schwerlich wieder aufkommen wird.

Auf dem Gensd'armen-Spittel- und Molkenmarkt sind einige durch den Gebrauch abgenutzte Gemäße zerschlagen und eine ungestempelte Metze konfiscirt.

Auch sind einer Wildhändlerin 92 verdorbene Krammers- und andere Vögel weggenommen.

Berliner Abendblätter.

33tes Blatt. Den 7ten November 1810.

Theater.

Aus einem Schreiben von Dresden den 25. Octob. 1810.

Der Aufsatz in Ihrem 15ten Blatt, worin gezeigt
wird, wie gefährlich der Grundsatz sei, allein für die
Füllung der Theaterkasse zu sorgen, und wie leicht
eben dadurch das Schauspiel selbst abhanden kommen und verloren gehen könnte; dieser Aufsatz, mein
Herr, hat mir, aus mancherlei Gründen, sehr gefallen. Derselbe hat eine Ansicht bei mir aufs Neue
erregt, die ich niederzuschreiben versuchen will; und
da ich der Hoffnung bin, daß Sie einem alten
Manne seine schlichte Gedanken nicht mißdeuten
werden, so spare ich den Eingang. —————

Ob mehrere Theater in einer großen Stadt; ob die
Mühe, welche sich jeder der verschiedenen Directoren
geben müßte, um das Publikum von Whist= und
l'Hombre, von Thee= Wein= und Biertischen in ihr
Schauspielhaus zu locken, der Kunst und den Ein=
wohnern ersprießlich seyn mögten; ob die Pächtgel=
der, welche diese Bühnen geben würden, dem Staate
Nutzen verschaffen könnten, will ich hier ununter=
sucht lassen. Leute, die von Paris und London, von
Wien rc. kommen, rühmen dergleichen gar sehr. — Es
mag sein! Ich aber bin, wie gesagt, ein alter Mann
und lobe mir alten Brauch und Weise. Mit Einem
Worte: mir ist ein Hoftheater die liebste Bühne, ge=
rade wie eine monarchische Regierung mir der liebste
Staat ist; und ist ein Hoftheater nur ein ächtes Hof=
theater, so wird es schon ganz von selbst auch ein Na=
tionaltheater sein. Was aber National=Regierungen,
Versammlungen u. dgl. betrifft, so haben wir in
unsrer Zeit unter diesem lockenden Titel große Ty=
ranneien ausüben sehen. — Das Wort Hoftheater

bezeichnet die Verbindung des Hofs mit dem Theater, also nichts Geringeres, als den seegenbringenden
Einfluß der besten vornehmsten Gesellschaft auf Vervollkommnung der Bühne und des ihr gegenüber-
sitzenden Volks.   Der Antheil des Hofes an dem
Theater adelt die Sitte des Schauspielers; mildert
die Zügellosigkeit des Dichters; verbreitet Würde,
Anstand, Feinheit, Anmuth über das Ganze, und
erhebt so eine leicht ausartende Spielerei zu einer
Kunstanstalt, die das Volk erfreuet und bildet. — Daher entstand auch in alter, edler Zeit das schöne eh-
renwerthe, hohe Hofamt eines Maitre de spectacle
welcher der Repräsentant ist und das Organ jenes
Antheils, den der Fürst und seine Großen, den zart-
sinnige und vornehme Frauen nehmen an den lebendig gewordnen Werken dramatischer Kunst.   Seine
Aufgabe ist nicht allein die äußere Würde der Anstalt durch den Glanz seines hohen Standes zu erhalten, dem Fürsten voran in die Loge zu treten und
den Wink zum Beginnen des Schauspiels zu geben,
nein, auch das Innere dieser Anstalt muß sein vor-
nehmes Wesen sowohl, als sein geprüfter Geschmack,
sein Kunstsinn, seine Partheilosigkeit bedingen und
beseelen.   Er muß die Wahl der aufzuführenden
Stücke leiten; Er die schicklichen Subjecte für die
Bühne suchen; Er bestimmen wo auf äußre Pracht
der Darstellung Etwas verwendet werden soll, oder
wo sie überflüssig, wo sie ausschweifend, wo sie ver-
führerisch und schädlich wird.   Denn nur Er der
Sinnige, der Vornehm-Partheilose, der nicht in
der über dem Ganzen stehet, nur Er kann es unbefangen übersehn und regieren.   Dieser Dichter an
seiner Stelle würde nur mistisch-phantastische Tra-
gödien und Burlesken; Jener nur haidnische Stücke;
ein Andrer uns nur häusliche Familienscenen aufti-
schen, während ein Musiker nur einzig und allein
und auch wiederum nur seinem Geschmacke-nach,
einseitig für die Oper sorgen würde.   Ein Schauspieler aber dürfte, entweder jedes Machwerk aufführen, sobald er nur eine Rolle darin fände, in
der er sich schon zum voraus beklatscht sähe, oder
doch wenigstens so ausschließend für den hergebrach-

ten Theatereffect sorgen, daß darüber manch wahr=
haftiges Meisterwerk zu Grunde ginge; — abgerechnet
die Vorliebe und den Haß zu einzelnen Subjecten der
Bühne; abgerechnet, daß, wenn der Schauspieler
seine Rollen fleißig und redlich lernen und studi=
ren will, ihm durchaus keine Zeit übrig bleibt, die
anderweitigen Theatergeschäfte treu und prompt
zu besorgen; abgerechnet, daß er mitten innen in
dem Werk stehet und daher durchaus keine Ueber=
sicht des Ganzen haben kann. Welche Fühlhörner —
wenn ich mich so ausdrücken darf — stehen ihm zu
Gebote, sich diese Uebersicht zu verschaffen? Wie=
der ein Schauspieler, den er zu Rathe ziehet? oder
wieder ein einseitiger Dichter; oder, wenn es aufs
Höchste kommt ein technisch=gebildeter Theatermeister
oder Souffleur, u. dgl.? Welche Gesellschaften sieht
er und hat er die Zeit zu sehen; und in welcher
Gesellschaft wird er die Wahrheit hören? — —

Diese nothwendige Umsicht aber, diese Ueber=
sicht des Ganzen hat der vornehme Maitre de
spectacle, der über all den kleinen Verhältnissen
schwebt, der kaum ein Individuum zu nennen ist,
der, indem er die beste Gesellschaft sieht, ihr Ur=
theil hört und sich danach richtet und modelt, so
zu sagen eine Gesammtperson wird, würdig einer
Anstalt vorzustehn, die in alter und neuer Zeit, alle
gesitteten Völker, als die Blüthe ihrer Bildung an=
sahen und verehrten. — — — — —

Ihr ergebenster
Gr. v. S.

Tages=Ereigniß.

Das Verbrechen des Uhlanen Hahn, der heute hin=
gerichtet ward, bestand darin, daß er dem Wachtmei=
ster Pape, der ihn, eines kleinen Dienstversehens we=
gen, auf höheren Befehl, arretiren wollte, und des=
halb, von der Straße her, zurief, ihm in die Wache
zu folgen, indem er das Fenster, an dem er stand, zu=
warf, antwortete: von einem solchen Laffen ließe er
sich nicht in Arrest bringen. Hierauf verfügte der

Wachtmeister Pape, um ihn mit Gewalt fortzuschaf-
fen, sich in das Zimmer desselben: stürzte aber, von einer Pistolenkugel des Rasenden getroffen, sogleich todt
zu Boden nieder. Ja, als auf den Schuß, mehrere
Soldaten seines Regiments herbeieilten, schien er sie,
mit den Waffen in der Hand, in Respect halten zu
wollen, und jagte noch eine Kugel durch das Hirn des
in seinem Blute schwimmenden Wachtmeisters: ward
aber gleichwohl, durch einige beherzte Cameraden, ent-
waffnet und ins Gefängniß gebracht. Se. Maj. der
König haben, wegen der Unzweideutigkeit des Rechts-
falls, befohlen, ungesäumt mit der Vollstreckung des,
von den Militär-Gerichten gefällten, Rechtsspruchs,
der ihm das Rad zuerkannte, vorzugehen.

Miscellen.

Hr. Capellmeister Reichardt wird, im Laufe dieses Winters die
Oper: der Taucher (der bekannte, alte, sicilianische Stoff) von Hr.
Bürde bearbeitet, auf die Bühne bringen.   Das Publicum von Berlin, das diesen Gegenstand schon, aus der Ballade von Schiller
kennt, ist mit Recht auf diese poetische Erscheinung begierig.

Es heißt, der Herzog v. Regaio, Marschall Oudinot, sei zum
General-Gouverneur der holländischen Departements ernannt.

Die Methode, nach welcher der Präfect von Rom in seinem
Palais, nicht bloß Syrup, sondern auch Cossonade und weißen Zuk-
ker, aus Weintrauben gewinnt, ist so leicht, daß jede Hausmutter
sie erlernen kann.

Dourbi Effendi, ehemaliger Scheb Islam, ist, seines hohen
Alters wegen, zu Constantinopel abgesetzt, und seine wichtige Stelle
(eines Oberhaupts der muselmännischen Religion) einem jüngern
Mann von großen Verdiensten, Oglou, ertheilt worden.

Polizeiliche Tages-Mittheilungen.

Bei der Tochter eines verstorbenen Uhrmachers fanden sich
gestern Nachmittag zwei noch nicht ausgemittelte Juden ein, unter dem Vorwande, Uhren zu kaufen. Als sie sich ohne Handels eins
zu werden, entfernt hatten, wurden mehrere goldene und eine silberne Uhr vermißt.

Bei einem Parasolfabrikanten hat ein Unbekannter ein uner-
fahrnes Mädchen, dem die Aufsicht über die Waaren anvertraut
war, durch falsche Angaben über seinen Stand und Wohnung zu
disponiren gewußt, ihm einen Parasol ohne Bezahlung zu verab-
folgen.

Einem Bäcker ist für einige Groschen verbackenes Brod zerschnitten.

Ein Viehhändler aus Pommern hat einem andern Viehhändler in Schönhausen 37 Stück dieher bestimmte Schweine verkauft,
und ist deshalb zur Verantwortung gezogen.

Berliner Abendblätter

34tes Blatt. Den 8ten November 1810.

Kurze Antwort auf den L. A. v. A. unterzeich- neten Aufsatz in Nr. 27. der Abendblätter.

Der Herr Verfasser des ersten Aufsatzes über Kraus warnt vor dessen Schriften. Wir warnen vor an- dere Werke, die nicht einmal genannt sind.

Eins scheint mit dem andern aufzugehen. Wir würden uns auch nicht zu dieser Antwort verstehen, wenn man uns nicht zu verstehen gäbe: wir suchten den Verfasser von Nr. 1. der Regierung als gefähr- lich darzustellen. Von dieser Absicht sind wir him- melweit entfernt. Es ist uns nie in den Sinn ge- kommen, den Verfasser von Nr. 1. durch unsre Ge- genschrift beleidigen zu wollen, oder weiter gegen ihn zu gehen, als er gegen Kraus, der sich leider nicht selbst erklären kann, gegangen ist.

Vielmehr müssen wir öffentlich erklären, daß, — wenn wir anders den Verfasser von Nr. 1. richtig errathen, — wir seinem Talent und der Tadello- sigkeit seines Willens gewiß volle Gerechtigkeit wi- derfahren lassen, und daß es uns scheint, als habe er bei manchen Stellen seiner Schriften, die Re- gungen seines reinen Gemüths recht gewaltsam un- terdrückt, und dem Streben nach Originalität nur widerstrebend geopfert. Es ist ja in beiden Auf- sätzen nicht von der Regierung, sondern von der Ju- gend die Rede, und wäre diese nicht für die Kraus- schen Schriften gewarnt, so würden wir nie auf dergleichen Repressalien gefallen sein.

[34]

Ist demnach etwas unberufen, so ist es die Einmischung des Hrn. A. v. A. Zu einem Urtheile über Gegenstände der Staatswirthschaft gehört Sachkenntniß, und — wenn etwas nach Hörensagen aufgenommen wird — Kritik. Herr von Knobloch (nicht Knoblauch) hat mannigfache Verdienste um Neu-Ost-Preußen, und wurde während seiner Dienstzeit nicht nur von Vorgesetzten und Untergebenen, sondern auch von den Eingebohrnen geachtet. Aber die Benutzung der dortigen Domainen durch Abbau, Vererbpachtung u. s. w. nahm erst ihren Anfang, nachdem er schon eine andere Bestimmung erhalten hatte; also konnte er wohl dabei nicht wirksam sein.

Wir halten es für unschicklich, die Männer, welche dabei vorzüglich mitwirkten, ohne ihre ausdrückliche Einwilligung zu nennen. Und wenn sie Luthern gleich wären, so würden wir Bedenken tragen, ihnen so öffentlich Weihrauch zu streuen.

Uebrigens erlauben unsere Verhältnisse und der vielseitige Zweck der Abendblätter nicht, weitläuftiger uns auszulassen, so wie dieses überhaupt hier unser letztes Wort über diesen Gegenstand sein wird.

Der Verfasser des zweiten Aufsatzes
(s. 19tes Bl.) über den Professor Kraus.

Die sieben kleinen Kinder.

Was mag aus einer Bande kleiner Sänger geworden sein, die im vorigen Jahre sich sehr häufig in vielen Straßen Berlins mit wenigen Liedern hören ließen, die aber so wunderbar auf einzelne Töne eingesungen waren, daß sie am ersten einen Begriff von der Russischen Hörnermusik geben konnten? Sie wur-

den, nach dem einen ihrer bekanntesten Lieder, meist
die sieben kleinen Kinder genannt. Das Lied erzählte
von Kindern, denen zu spät Brod gereicht worden,
nachdem sie lange geschrieen und endlich aus Hunger
gestorben waren. — Ist es diesen armen Schelmen, die
wir immer mit besonderem Vergnügen gehört, etwa
auch so ergangen?

Diese Kinder waren jedermann so bekannt, alle
Kinder sangen ihnen nach, daß wir es kaum begreifen können, daß sie nicht in irgend ein lustiges Stück,
z. B. Rochus Pumpernickel, auf der Straße eingeführt
worden, wo sie gewiß die allgemeinste Wirkung hervorgebracht hätten. Leider aber begnügen sich unsre Thea-
ter-Dichter die Spaße fremder Städte, besonders
Wien, zu wiederholen; was aber bey uns lustig und
erfreulich, dafür haben sie keine Fassung. So finden
sich manche auf unsrer Bühne, die den Wiener oder
Schwäbischen Dialekt recht gut nachsprechen, aber keinen, der, z. B. gut pommrisch-plattdeutsch redete,
was in der Rolle des Rochus Pumpernickel sicher recht
eigenthümliche Wirkung bei uns thäte.

ava.

———

Korrespondenz-Nachricht.

Herr Unzelmann, der, seit einiger Zeit, in Königsberg Gast-
Rollen giebt, soll zwar, welches das Entscheidende ist, dem Publico
daselbst sehr gefallen: mit den Kritikern aber (wie man auch aus
der Königsberger Zeitung ersieht) und mit der Direction viel zu
schaffen haben. Man erzählt, daß ihm die Direction verboten, zu
improvisiren. Hr. Unzelmann der jede Widerspenstigkeit haßt, fügte
sich in diesem Befehl: als aber ein Pferd, das man, bei der Darstellung eines Stücks, auf die Bühne gebracht hatte, in Mitten
der Bretter, zur großen Bestürzung des Publikums, Mist fallen
ließ: wandte er sich plötzlich, indem er die Rede unterbrach, zu dem
Pferde und sprach: „Hat dir die Direction nicht verboten, zu improvisiren?" — Worüber selbst die Direction, wie man versichert,
gelacht haben soll.

———

Miscellen.

Es wäre ein weitläuftiges Geschäft, wird aus Paris geschrieben, die große Menge öffentlicher Arbeiten herzuzählen, die jetzt daselbst im Werke sind und sich mit einer Schnelligkeit, der kaum das Auge folgt, ihrer Vollendung nähern. Wohin man sieht, erblickt man Beweise von der unermüdlichen Sorgfalt der Regierung. Da ist kein Quartier, keine Straße, wo sich nicht ein nützliches, oder angenehmes oder ruhmvolles Denkmaal erhöbe. Die Brücke von Jena, die Börse, das Chateau d'eau des Tempelboulevards, die Brunnen der Bastille, die Wasserleitung des Ourqkanals, der Tempel des Ruhms, der Triumphbogen de l'Etoile, der Pallast des gesetzgebenden Corps und viele andere Monumente, bezeugen den Einwohnern und dem Fremdling die ungeheure Thätigkeit, die Hauptstadt des abendländischen Reichs zur prachtvollsten der Welt zu machen. (Misc f. d. allg. Weltk.)

Aus Warschau meldet man, daß Suwarow mit seinem Corps eiligst nach der Türkei aufgebrochen sei, weil die Russen dort im Gedränge wären. Auf der andern Seite hätten sie mit 100000 Persern zu thun. 20000 Russen sollen Befehl erhalten haben, eiligst nach Finnland zu marschiren, um die Engländer von den Küsten abzuhalten.   (Magd. Zeit.)

Polizeiliche Tages-Mittheilungen.

Einem hiesigen Schutzjuden, der vorgestern nach Frankfurt a. O. reisen wollte, ist vorgestern, seiner Angabe nach, auf dem Wege von der Königsstraße zum Frankfurter Thor sein Felleisen mit Geld und Kleidungsstücken vom Wagen gestohlen; und

Einem Trödler aus seiner Bude 12 Rthr.

An den Brunnen Nr. 7. in der Gipsgasse ist in der Nacht die untere Bekleidung beschädigt und ein Theil davon entwendet.

Zwei Bauern haben einen hiesigen Brauer durch Vorzeigung einer guten Probe, mit schlechter Gerste, betrügen wollen, weshalb die Untersuchung eingeleitet ist.

Auf den Viehmarkt sind wiederum 234 Stück Ochsen angekommen.

Allerneuester Erziehungsplan *).

(Fortsetzung, s. 25, 26, und 27tes Blatt.)

Wer dies Gesetz recht begreift, dem wird die Erscheinung gar nicht mehr fremd sein, die den Philosophen so viel zu schaffen giebt: die Erscheinung, daß
große Männer, in der Regel, immer von unbedeutenden und obscuren Eltern abstammen, und eben so wieder Kinder groß ziehen, die in jeder Rücksicht unter-
geordnet und geringartig sind. Und in der That, man
kann das Experiment, wie die moralische Atmosphäre,
in dieser Hinsicht, wirkt, alle Tage anstellen. Man
bringe nur einmal Alles, was, in einer Stadt, an-
Philosophen, Schöngeistern, Dichtern und Künstlern,
vorhanden ist, in einen Saal zusammen: so werden
einige, aus ihrer Mitte, auf der Stelle dumm werden; wobei wir uns, mit völliger Sicherheit, auf die
Erfahrung eines jeden berufen, der einem solchen Thee
oder Punsch einmal beigewohnt hat.
  Wie vielen Einschränkungen ist der Satz unterworfen: daß schlechte Gesellschaften gute Sitten verderben; da doch schon Männer, wie Basedow und
Campe, die doch sonst, in ihrem Erziehungs-Hand-
werk, wenig gegensätzlich verfuhren, angerathen haben,
jungen Leuten zuweilen den Anblick böser Brispiele zu
verschaffen, um sie von dem Laster abzuschrecken. Und
wahrlich, wenn man die gute Gesellschaft, mit der
schlechten, in Hinsicht auf das Vermögen, die Sitte
zu entwickeln, vergleicht; so weiß man nicht, für welche
man sich entscheiden soll, da, in der guten, die Sitte
nur nachgeahmt werden kann, in der schlechten hingegen, durch eine eigenthümliche Kraft des Herzens erfunden werden muß. Ein Taugenichts mag, in tausend Fällen, ein junges Gemüth, durch sein Beispiel,
verführen, sich auf Seiten des Lasters hinüber zu stel-

*) Wir bitten unsre Leser gar sehr, sich die Mühe, die Aufsätze im
25, 26 und 27ten Abendblatt noch einmal zu überlesen, nicht
verdrießen zu lassen. Die Nachlässigkeit eines Boten, der ein
Blatt abhanden kommen ließ, hat uns an die ununterbrochene
Mittheilung dieses Aufsatzes verhindert. (Die Redaction.)

len; tausend andere Fälle aber giebt es, wo es, in
natürlicher Reaction, das Polar-Verhältniß gegen
dasselbe annimmt, und dem Laster, zum Kampf gerüstet, gegenüber tritt. Ja, wenn man, auf irgend einem Platze der Welt, etwa einer wüsten Insel, Alles,
was die Erde an Bösewichtern hat, zusammenbrächte:
so würde sich nur ein Thor darüber wundern können,
wenn er, in kurzer Zeit, alle, auch die erhabensten
und göttlichsten, Tugenden unter ihnen anträfe.

Wer dies für paradox halten könnte, der besuche
nur einmal ein Zuchthaus oder eine Festung. In den
von Frevlern aller Art, oft bis zum Sticken angefüllten Kasematten, werden, weil keine Strafe mehr, oder
doch nur sehr unvollkommen, bis hierher dringt, Ruch-
losigkeiten, die kein Name nennt, verübt. Demnach
würde, in solcher Anarchie, Mord und Todtschlag und
zuletzt der Untergang Aller die unvermeidliche Folge
sein, wenn nicht auf der Stelle, aus ihrer Mitte,
welche aufträten, die auf Recht und Sitte halten.
Ja, oft setzt sie der Commendant selbst ein; und
Menschen, die vorher aufsäßig waren, gegen alle göttliche und menschliche Ordnung, werden hier, in er-
staunungswürdiger Wendung der Dinge, wieder die
öffentlichen, geheiligten Handhaber derselben, wahre
Staatsdiener der guten Sache, bekleidet mit der
Macht, ihr Gesetz aufrecht zu halten.

Daher kann die Welt mit Recht auf die Entwik-
keluug des Verbrecher-Kolonie in Botany-Bay aufmerksam sein. Was aus solchem, dem Boden eines
Staats abgeschlämmten Gesindel werden kann, liegt
bereits in den nordamerikanischen Freistaaten vor
Augen; und um uns auf den Gipfel unsrer metaphy-
sischen Ansicht zu schwingen, erinnern wir den Leser
bloß an den Ursprung, die Geschichte, an die Entwik-
kelung und Größe von Rom.

(Beschluß folgt.)

Welche Bücher soll man öfter lesen?

„Es giebt Werke, die so behaglich und erwär-
mend in unser Dasein eingreifen, wie es z. B. mehreren Leuten mit dem Leben des Benvenuto Cellini
geht, daß man fast unwillführlich zu ihnen hingezogen
wird, und sie mit einem unbeschreiblichen Wohlgefallen lies't und wieder lies't. Man thut wohl daran,
und den Büchern gereicht es zur schönsten Empfeh-

lung, daß sie zum Wiederlesen keiner Empfehlung bedürfen. Es giebt aber hingegen auch Werke, die uns
zusammenschüttern, daß wir erschrecken, von den sanf-
testen Kissen unsrer Lieblingsneigungen auffahren, und
mit heilsamem Entsetzen unsrer eignen Verderbtheit
inne werden. Solche Bücher ehren wir, sie befördern
auch wackere Entschlüsse in uns, aber kaum haben
wir uns wieder ein wenig auf die Kissen niedergelassen,
so scheuen wir den ernstlichen Warner, machen ihm
höfliche Verbeugungen aus der Ferne, und wagen
uns nicht so leichtlich wieder hin. Trete aber doch
um Gotteswillen, seiner trägen Verderbtheit zum
Trotze, Jedermann, der es ehrlich mit sich meint,
aber und abermals hinzu, und erkenne eben diese Scheu
als Kriterium der Heilsamkeit des Genesungsmittels.
Man kann wohl annehmen, daß sich viele Leser hierbei an Fichtesche Werke z. B. an die Anweisung zu
einem gottseligen Leben, erinnert fühlen werden."

v. l. M. F.

Oeffentliche Danksagung.

(An den Kritiker im 216ten Stück des Freimüthigen, die Recension der Oper Achilles betreffend.)

Der Mondkaiser, in dem bekannten Lustspiel dieses
Namens, läßt sich von einem Tänzer seine Kunst zeigen. Er ist, nachdem sich sein Herz daran ergötzt und
belustigt hat, gewillt, dem Tänzer eine ihm angemessene Belohnung zukommen zu lassen, und beschließt
demnach demselben 1500 Paar Schuhe zu verabreichen.
Was sollen wir mit dem Recensenten im Freimüthigen angeben, der, im 216ten Stück desselben, das
Kunststück macht, die Stimme des Abendblatts, mit
päbstlicher Unfehlbarkeit, ohne Darlegung der Gründe
zu Boden zu schmettern? — Wir wünschen ihm, auf
gut mondkaiserliche Weise, eine ähnliche Anzahl von —
Ohren; ein Geschenk über dessen Bedeutung wir uns
hoffentlich nicht näher zu erklären brauchen, und das
derselbe à deux mains gebrauchen kann.

v. M.

Miscellen.

Der heutige Moniteur enthält folgendes Schreiben aus London vom 9 Okt.

„Das von dem Kaiser angenommene System war das sicherste Mittel, die Engländer zu besiegen. Es erstickt sie in ihren Reichthümern; es ist die Ursache der Bankerotte. Die Ostindische Compagnie sollte im letzten Monat März von dem Gouverneur die Summa von 200000 Pf. St. entlehnen. Ehe man sie bewilligte, stellte man eine Untersuchung der vorräthigen Waaren an, und fand für 42 Mill. Pf. St. (mehr als 1000 Mill. Franken). Die öffentlichen Fonds sinken und werden noch tiefer sinken, wenn die Armee von Portugal geschlagen wird, woran kein Mensch zweifelt. Der Selbstmord Goldshmids, des reichsten Banquiers von London, hat keinen andern Grund, als den Diskredit der Fonds. Es wird nächstens in diesem Lande eine Revolution ausbrechen; man sehnt sich von allen Seiten danach.

Wie man vernimmt, sind einige Portugiesische Truppen auf dem Zuge der franz. Armee nach Coimbra, bei Lafons zerstreut worden, und haben zum Theil die Waffen niedergelegt, zum Theil sind sie zu den Engländern gestoßen, und setzen mit diesen vereint den Rückzug fort. — Uebrigens fahren die franz. Heere fort, in Portugal Fortschritte zu machen. Tralos Montes und die Provinz zwischen dem Minho und Duero sind größtentheils erobert, so daß nunmehr das nördliche Portugal in Kurzem unterworfen sein wird. Auch das Armeekorps des Gen. Reynier hat Fortschritte in Portugal gemacht und marschirt, stets in ununterbrochener Verbindung mit der Hauptarmee, gegen Lissabon. — Die Belagerung von Cadix soll nun ernstlich beginnen. (L. d. B.)

Das zu Amsterdam publicirte Kaiserl. Franz. Dekret wegen Verbrennung der marchandises angloises provenant de fabrique angloise wird gegenwärtig auf der ganzen Douanenlinie in Ausführung gebracht: am 5 November hat diese Procedur auch in Hamburg ihren Anfang genommen.

Im Großherzogthum Baden so wie im Großherzogthum Frankfurt hören alle bisher bestandenen politischen Zeitungen auf und es tritt an ihre Stelle ein einziges, vom Ministerium der auswärtigen Verhältnisse besorgtes, Blatt.

Vorgestern hat der Gr. Gottorp auf einer Engl. Kriegsschaluppe von 20 Kanonen, seine Reise nach London angetreten. Ein Parlamentär hat ihn an Bord dieser Schaluppe gebracht. (L. d. B.)

Polizeiliche Tages-Mittheilungen.

Einem Uhrmacher sind 4 Taschenuhren und ein Rock gestohlen.

Einem Bäcker ist bei Revision der Backwaaren, für einige Groschen verbackenes Brod zerschnitten.

Berliner Abendblätter.

Allerneuester Erziehungsplan.

(Beschluß.)

In Erwägung nun *)
1) daß alle Sittenschulen bisher nur auf den Nach-
ahmungstrieb gegründet waren, und statt das
gute Princip, auf eigenthümliche Weise im Herzen zu entwickeln, nur durch Aufstellung soge-
nannter guter Beispiele, zu wirken suchten **);
2) daß diese Schulen, wie die Erfahrung lehrt,
nichts eben, für den Fortschritt der Menschheit
Bedeutendes und Erkleckliches, hervorgebracht
haben ***);
das Gute aber 3) das sie bewirkt haben, allein von
dem Umstand herzurühren scheint, daß sie schlecht
waren, und hin und wieder, gegen die Verabredung, einige schlechte Beispiele mitunter liefen;
in Erwägung, sagen wir, aller dieser Umstände, sind
wir gesonnen, eine sogenannte Lasterschule, oder
vielmehr eine gegensätzische Schule, eine Schule
der Tugend durch Laster, zu errichten †).

Demnach werden für alle, einander entgegenstehende Laster, Lehrer angestellt werden, die in bestimmten Stunden des Tages, nach der Reihe, auf plan-
mäßige Art, darin Unterricht ertheilen: in der Reli-
gionsspötterei sowohl als in der Bigotterie, im Trotz
sowohl als in der Wegwerfung und Kriecherei, und im
Geiz und in der Furchtsamkeit sowohl, als in der Toll-
kühnheit und in der Verschwendung.

Diese Lehrer werden nicht bloß durch Ermahnungen, sondern durch Beispiel, durch lebendige Handlung,

*) Jetzt rückt dieser merkwürdige Pädagog mit seinem neuesten
Erziehungsplan heraus.　(Die Redaction.)

**) So! — Als ob die pädagogischen Institute nicht, nach ihrer
natürlichen Anlage, schwache Seiten genug darböten!
(Die Redact.)

***) In der That! — — Dieser Philosoph könnte das Jahrhun-
dert um seinen ganzen Ruhm bringen.　(Die Redact.)

†) Risum teneatis, amici!　(Die Redact.)

[36]

durch unmittelbaren praktischen, geselligen Umgang und Verkehr zu wirken suchen.

Für Eigennutz, Plattheit, Geringschätzung alles Großen und Erhabenen und manche anderen Untugenden, die man in Gesellschaften und auf der Straße lernen kann, wird es nicht nöthig sein, Lehrer anzustell n.

In der Unreinlichkeit und Unordnung, in der Zank und Streit ucht und Verläumdung, wird meine Frau Unterricht ertheilen.

Liederlichkeit, Spiel, Trunk, Faulheit und Völlerei, behalte ich mir bevor.

Der Preis ist der sehr mäßige von 300 Rthl.

N. S.

Eltern, die uns ihre Kinder nicht anvertrauen wollten, aus Furcht, sie in solcher Anstalt, auf unvermeidliche Weise, verderben zu sehen, würden dadurch an den Tag legen, daß sie ganz übertriebene Begriffe von der Macht der Erziehung haben. Die Welt, die ganze Masse von Objecten, die auf die Sinne wirken, hält und regiert, an tausend und wieder tausend Fäden, das junge, die Erde begrüßende, Kind. Von diesen Fäden, ihm um die Seele gelegt, ist allerdings die Erziehung Einer, und sogar der wichtigste und stärkste; verglichen aber mit der ganzen Totalität, mit der ganzen Zusammenfassung der übrigen, verhält er sich wie ein Zwirnsfaden zu einem Ankertau; eher drüber als drunter.

Und in der That, wie mißlich würde es mit der Sittlichkeit aussehen, wenn sie kein tieferes Fundament hätte, als das sogenannte gute Beispiel eines Vaters oder einer Mutter, und die platten Ermahnungen eines Hofmeisters oder einer französischen Mamsell. — Aber das Kind ist kein Wachs, das sich, in eines Menschen Händen, zu einer beliebigen Gestalt kneten läßt: es lebt, es ist frei; es trägt ein unabhängiges und eigenthümliches Vermögen der Entwickelung, und das Muster aller innerlichen Gestaltung, in sich.

Ja, gesetzt, eine Mutter nähme sich vor, ein Kind, das sie an ihrer Brust trägt, von Grund aus zu verderben: so würde sich auf der Welt dazu kein unfehlbares Mittel darbieten, und, wenn das Kind nur sonst von gewöhnlichen, rechtschaffenen Anlagen ist, das Unternehmen, vielleicht auf die sonderbarste und überraschendste Art, daran scheitern.

Was sollte auch, in der That, aus der Welt werden, wenn den Eltern ein unfehlbares Vermögen beiwohnte, ihre Kinder nach Grundsätzen, zu welchen sie die Muster sind, zu erziehen: da die Menschheit, wie bekannt fortschreiten soll, und es mithin, selbst dann, wenn an ihnen nichts auszusetzen wäre, nicht genug ist, daß die Kinder werden, wie sie; sondern besser.

Wenn demnach die uralte Erziehung, die uns die Väter, in ihrer Einfalt, überliefert haben, an den Nagel gehängt werden soll: so ist kein Grund, warum unser Institut nicht, mit allen andern, die die pädagogische Erfindung, in unsern Tagen, auf die Bahn gebracht hat, in die Schranken treten soll. In unsrer Schule wird, wie in diesen, gegen je Einen, der darin zu Grunde geht, sich ein andrer finden, in dem sich Tugend und Sittlichkeit auf gar robuste und tüchtige Art entwickelt; es wird Alles in der Welt bleiben, wie es ist; und was die Erfahrung von Pestalozzi und Zeller und allen andern Virtuosen der neuesten Erziehungskunst, und ihren Anstalten sagt, das wird sie auch von uns und der unsrigen sagen: „Hilft es nichts, so schadet es nichts.‟

Rechtenfleck im Holsteinischen,   C. J. Levanus,
    den 15. Oct 1810.   Conrector.

Wer ist berufen?

Berufen war ich, dem Verfasser des Aufsatzes über Kraus (N. 19—21) zu antworten, weil seine Angriffe auf einen Schriftsteller, den er (N. 21) gefährlicher, als den Verfasser der Feuerbrände schilderte (welcher bekanntlich wegen dieser Feuerbrände zur Festungsstrafe verdammt worden) allgemein auf einen geachteten, kenntnißreichen Freund gedeutet wurden, dem die Verläumdung unberufener Leute schon vielfach geschadet hat, dem es aber nicht wohlanstellanden hätte, selbst auf Beschuldigungen der Art zu antworten. — Berufen war ich, denn meine Worte haben die Erklärung (N. 34) jenes unbekannten Anklägers herausgepreßt, daß er jenen Schriftsteller nicht eigentlich dem Staate, sondern nur der Jugend als gefährlich hätte darstellen wollen, ungeachtet er dort von ihm spricht, (N. 21) er sei ein ächter Feuerbrand, der einen in Preußen besänigten Streit wieder aufnehme und sein Vaterland in helle Flammen setzen könnte, wenn die politischen Verhältnisse seinen Bewohnern nicht täglich zuriefen: Ruhe ist die erste Bürgerpflicht. — Berufen war ich, weil ich dadurch Gelegenheit bekam, seinem Ungenannten für seine Kritik und Staatskenntniß mit der er in dem Namen des H. v. Knoblauch das au in ein o verwandelt hat, meinen verbindlichsten Dank abzustatten; der Verfasser wird sich erinnern, daß ich gerade über diese Gelegenheit von ihm Auskunft (Seite 109) begehrte, also keinesweges aus Unkenntniß absprechen wollte. — Berufen bin ich noch zum Schlusse, dem Verfasser zu versichern, daß es nicht unschicklich sei, Männer die ganze Völker beglückt haben, öffentlich zu nennen, vielmehr ist es die Schuldigkeit jedes guten Bürgers, das wahre Verdienst als Vorbild öffentlich aufzustellen, und zu öffentlicher Anerkennung zu bringen.

L. A. v. A.

Korrespondenz und Notizen aus Paris.

Moden. Den Sommer über trugen unsere Damen große Schleier, Roben mit langen Schleppen und große Schawls. Diesen Herbst sieht man sie alle mit sehr kleinen Schawls, kurzen Röcken und halben Schleiern. Cachemirschawls und Schleier von 100 Louisd'or werden abgelegt und verkauft, um kleine Schawl-Fichü, oder einen Diminutivschleier anzuschaffen. Von dem Kleide wird gar nicht viel Erwähnung gethan; lang oder kurz, es gilt Alles gleich, wenn es nur alle Tage ein Neues ist. Zu dem Ende arrangirt sich eine Dame mit ihrer Nätherinn; diese nimmt das Kleid von gestern zurück, und verkauft es einer Andern, die es am dritten Tage wieder eben so, gegen das Kleid einer Vierten macht: dergestalt daß eine Boutique de Modes eine Art von Gemeingut der Pariser Damen und der ganze Handel damit gewissermaßen ein Tauschverkehr (eine Leihanstalt) wird. (C. f. d. eleg. W.)

Miscellen.

Der Kronprinz von Schweden wird den 2ten, seinen Einzug zu Pferde in Stockholm halten.

An den Küsten von Calabria, Sizilien gegenüber, bleibt ein Truppenkorps von 6000 Mann, um die Angriffe, die der Feind versuchen könnte, zurückzutreiben, und die Landbatterien zu vertheidigen. (L. d. V.)

Man will abermals von Unterwerfungsanträgen und Unterhandlungen der Spanischen Junta wissen. (Rhein. Corresp.)

Eine beträchtliche Verstärkung von servischen Truppen, ist an der Drina angekommen. Man glaubt daher, daß in Kurzem entscheidende Vorfälle Statt haben werden.

In Konstantinopel sind, seit geraumer Zeit, alle Couriere und Briefe von der türkischen Armee ausgeblieben; dergestalt, daß man schlechten Nachrichten entgegen sieht.

Der Kronprinz von Schweden ist, an die Stelle des Grafen Axel von Fersen, zum Kanzler der Univ. Upsala ernannt worden.

Das Hauptquartier der Franz. Armee in Deutschland begreift jetzt 4 Divisionen: die des Gen. Friant (auf dem Marsch nach dem Norden) die des Gen. Gudin (die von Hannover nach Magdeburg gegangen ist) die, des Gen. Morand (in den Hanseestädten) und die Cuirassier-Division von la Bruyere (im Hannövrischen).

Polizeiliche Tages-Mittheilungen.

In Böhmisch-Rixdorf ist der lederne Schlauch von der dortigen Feuerspritze, nebst anderm Zubehör gestohlen.

Einem Bäcker ist bei Revision der Backwaaren, für einige Groschen verbackenes Brod zerschnitten.

Berliner Abendblätter.

37tes Blatt.   Den 12ten November 1810.

Uebersicht der Kunstausstellung.

Die öffentliche Ausstellung der Werke lebender Künstler, der Arbeiten von Kunstschülern und Versuche von
Kunstliebhabern wurde heute den 4. Nov. nach sechs-
wöchentlicher Dauer, geschlossen. Erfreulich war der
zahlreiche Besuch, die allgemeine Theilnahme aller
Klassen der Gesellschaft an diesem allgemein menschlichen Genusse, der oft die geschiedensten zu gemeinsa-
mer Anerkennung und Beurtheilung zusammenführte;
die Kunst öffnet sich eigne Wege von einem zum andern, sie macht offenherzig und vertraulich. Wir ließen diese Urtheile, die sich so unbefangen hervorordra-
ten, nicht außer Acht; auch fanden wir manche brave
Künstler mit Recht häufig unter der Menge, um aus
dem beschränkten Urtheile der Freunde oder Gegner
zu der allgemeinen Billigkeit zu gelangen und die Anforderungen der verschiedensten Naturen kennen zu lernen. Es schien wirklich, als wenn der Fortschritt und
das Ausgezeichnete der gelieferten Werke, vor den Aus-
stellungen früherer Jahre, dieses Wohlwollen und diese
Empfänglichkeit für Kunst, welche sich unter den Zuschauern äußerte, erweckt hatte; den Künstlern sei für
diese schöne Einwirkung, wie für jeden eigenen Genuß hier ein öffentlicher allgemeiner Dank vorausge-
bracht. Ohne uns bei den einzelnen Arbeiten, wie wir
wünschten, aufhalten zu können, wollen wir zur Uebersicht aufzeichnen, was das allgemeine Urtheil ausgezeichnet hat. Allgemein war der Wunsch, das Bild
der verehrten Königinn von geschickter Hand ähnlich
bewahrt zu finden, unter verschiedenen, welche dieser
Wunsch hervorgebracht, wurde das Bild von Schadow vorgezogen, ungeachtet es blos nach anderen
Bildern und nach dem Rathe verehrter Angehörigen
der Verstorbenen gemalt worden. Es übertrifft unleugbar alle Bilder, die wir von ihr zu sehen Gelegenheit hatten, die Anmuth ihrer Bewegungen, ihrer
Freundlichkeit veranlassen die Maler sehr leicht, ganz
fremdartige Ideale in ihr darzustellen; doch ist es un-
erklärlich, daß eine so allgemein bewunderte Königinn

bei ihrem Leben nie von einem der besten Porträtmaler unsrer Zeit gemalt worden. Schadows Johannes zeigt mehr Geschick und Wahrheit im Kolorit als seine Bildnisse, überhaupt gewährt aber sein jugendliches Talent schöne Hoffnungen, die Rom ausbilden mag. Die schönste Folge von Bildnissen lieferte Bury, ein früherer Aufsatz in diesen Blättern hat den Sinn des grössesten derselben von den beiden kunstschätzenden Fürstinnen, die diese Ausstellung mit ihren Arbeiten geschmückt haben, sehr gut gedeutet. Mancher Tadel, den wir gegen dieses schätzbare Bild hörten, wäre verschwunden, wenn der Sinn so klar aus dem Anblicke, wie dort aus den Worten hervorgegangen wäre; einzelne Nachlässigkeiten in Nebenwerken sind einem Meister wie Bury so leicht zu verbessern, daß wir sie hir nicht erwähnen mögen; die Zusammenstellung der Figuren und die Zusammenfügung der Hände wurde als steif getadelt: der Künstler suchte vielleicht Ernst und Festigkeit der Verbindnng eben darin auszudrücken. Die Meinung als wäre es in altdeutschem Style gemalt ist durchaus unbegründet. Allgemein anerkannt war sein Bild der drei Schweizer, von aller modernen Effektwuth frei, erhebt es sich zu der Würde älterer Kunstwerke, es ist nach unsrer Ueberzeugung eins der besten Bilder, die seit einem Jahrhundert gemalt sind. Die rechte Schulter des mittleren Schweizers wurde von einigen für zu niedrig gehalten, doch liesse sich wohl aus der Dicke der Zeuge, die sich leicht erheben, diese Ungleichheit erklären; an ein Verzeichnen ist wohl bei etwas so Sichtbarem nicht zu denken, sondern besser scheints die Absicht des Künstlers au zusuchen Hummels Bilder hängen mit den Buryschen angenehm zusammen. Kretschmars Bild eines sehr schönen Mädchens erregte allgemeine Nachfrage nach dem Originale, das wir aber nicht so glücklich waren zu sehen, um zu beurtheilen, ob ihm ein Theil dieser Auszeichnung zukommt. Wachs glückliche Anlage, seine gute Wahl und Zierde in Umgebungen mit Mauerwerk und Blumen, zeigte sich schon in mehreren Bildnissen, eine Madonna mit dem Kinde war noch vortheilhafter geschmückt; wir würden gegen die Mutter gar nichts einzuwenden finden, wenn sie keinen Heiligenschein hätte, das Kind aber ist offenbar im Gesichte zu weit ausgebildet; die älteren Maler erreichten die Auszeichnung des Christ Kindes viel besser durch Blick, Gesichtsausdruck oder Beschäftigung z. B. mit dem Kreuze. Weitsch hat ein reit ndes Gesicht zur Madonna gewählt, auch hat es einigen

Ausdruck von Andacht, aber die Madonna muß überhaupt mehr als reizend und andächtig sein, und in einer so viel versuchten, ganz bestimmten Aufgabe, an der so ungeheure Vorarbeiter vorausgegangen, ist die Leichtigkeit zu verwundern, mit der sich gute Künstler an die Aufgabe machen, die ein ironischer Brief in diesen Blättern (B. 19.) recht artig darstellte. Kügelchen s Madonna in dem heiligen Gruße ist zu klein, um sie in dieser Hinsicht zu prüfen, viele meinten sie allzu griechisch, andere zu jeurig roth, wir bemerken aber, daß die Mutter Gottes, ehe sie Mutter Gottes geworden, nur den jungfräulichen Ausdruck, aber nichts göttliches erhält, und dieser ist allerdings in jenem Bilde recht angenehm ausgedrückt, das mit der geheimnißvollen Gegenwart des Herrn im Lichtkreuze, uns einen eigenthümlichen Schauer erweckt hat. Die Behandlung der Farben ist in Kügelchen's Bildern ausgezeichnet, mit echtem alten Fleiße sind alle, bis auf die Nebenwerke, beendigt, doch möchte der Wunsch zu glätten hin und wieder, besonders aber in den beiden trefflichen Portraits, dieselbe Wirkung, wie die allzu vereinzelte Ausführung in Dennerschen Bildern hervor bringen, die Festigkeit der größeren Gesichtsmassen verliert allzu sehr dabei. Dessen ungeachtet gehört Wielands Bild zu den wahrsten und treusten, welche irgend ein Künstler neuerer Zeit gemacht hat. Sein Hyacinth wäre sehr schön wenn er allein, ohne den Gott, dargestellt worden, als ein Bild frühen gewaltsamen Todes; der fleischige und doch steinerne Apollo gefiel nicht. Die Arbeiten des früh verstorbenen Ludwig, insbesondere das Bild seiner Eltern, erhielten fast allgemeines Lob; freilich gehört ein längerer Verkehr dazu, und eine häufigere Wiederkehr in guten Stunden, als es den meisten Portraitmalern vergönnt ist, um Bildnisse, wie die ältere Deutsche, Holländische und Italiänische Schule sie zeigen, zu liefern, und wozu dieses Ludwische Familienbild eine Annäherung gewährt; auch würde wohl kein Maler für diesen Fleiß einer verhältnißmäßigen Belohnung sich erfreuen können, denn es giebt nur wenige Menschen, die auf sich viel halten dürfen, und sich der Zukunft bewahren mögen.

(Die Fortsetzung folgt.)

Korrespondenz und Notizen.

Von dem Werk der Fr. v. Stael, Lettres sur l'Allemagne, das nun, nach den öffentlichen Blättern, dem Hrn. Esmenard, zu Besorgung der nöthigen Veränderungen und Auslassungen, übergehen worden ist, wird es interessant sein, einige authentische Nachrichten mitzutheilen. Die Verf. welche, wie bekannt, mehrere Jahre in Deutschland zubrachte, bemüht sich darin, auf eine eben so eindringende als beredte Art, das Streben des deutschen Geistes dem Auslande bekannt zu machen. Der Gesichtspunkt ist ein allgemein europäischer; gleichwohl erstreckt sich die Betrachtung auch, soviel es der große Umfang des Gegenstandes verstattet, ins Einzelne. Der erste Theil handelt von den Sitten, dem Charakter und dem geselligen Leben der Deutschen; der zweite von der Litteratur und vom Theater; der dritte von der Philosophie, Naturwissenschaft, Moral und Religion. Jedes Talent vom ersten Range, aus der Vergangenheit sowohl als Gegenwart, wird darin gewürdigt, die Richtung, welche Wissenschaft, Kunst und bürgerliches Leben davon empfangen haben, anerkannt, alles Gute und Vortreffliche, das in der Anlage der Nation vorhanden ist, mit einsichtsvollem Wohlwollen, beschrieben und hervorgehoben. An vergleichenden Blicken auf andere Nationen fehlt es nicht, aber man bereist leicht, daß die Vf. welche selbst die eigenthümlichen Vorzüge des französischen Geistes, deßliche Gegenwart, Klarheit und Gewandheit, in etwem so hohen Grade besißt, nicht ungerecht dagegen wird gewesen sein. Meisterhaft ist der Gang der englischen und französischen Philosophie von Bacon an bis auf die Encyclopädisten verzeichnet. Die Vf stellt ihnen die deutschen Schulen, Leibniß, Kant und unsere neuesten Denker, als Gegensatz gegenüber und bemüht sich, die ganze Wichtigkeit des dadurch bewirkten Umschwungs der Gedanken zur Anschauung zu bringen.

Miscellen.

Zu Mercatella im Distrikt Urbino hat man neuerlich 26 Erdstöße verspürt, wovon 5 von äußerst traurigen Folgen gewesen sein sollen.

Ein Soldat, der in den Gefängnissen zu Torgau in Ketten lag, ist halb von den Ratten aufgefressen, gefunden worden. Dieser Unglückliche, da er seine Glieder nicht gebrauchen konnte, hat sich gegen den Angriff dieser Thiere nicht vertheidigen können.

Man versichert, daß der Kaiserl. Hof Fontainebleau am 8ten Nov. verlassen werde.

Auch in Ungarn, Slavonien und im Bannat, werden Versuche gemacht werden, die Baumwolle anzubauen.

Um die Masse des Papiergeldes zu vermindern, soll, wie man versichert, außer den geistlichen Gütern, auch jetzt das Drittheil der östr. Krongüter, verkauft werden.

Der Posten zu Tarrazona (auf dem rechten Ufer des Ebro) ist am 9 Oct. von einem Haufen spanischer Insurganten, angegriffen; der Angriff aber siegreich zurückgeschlagen worden.

Am 26 Oct. Abends gegen 10 Uhr ist, zwischen Königsbrück und Camenz, die Leipziger Post, von 4 Räubern angefallen, und ihr 4700 Thl. Geld entwendet worden.

Polizeiliche Tages-Mittheilungen.

Bei dem gestrigen Ballet im Schauspielhause: der Verein des Tages mit der Muße, hatte die Minerva nebst dem Knaben das Unglück sammt der Glorie in welcher sie 12 bis 15 Fuß hoch über den Boden schwebte herab zu fallen. Die Tänzerin, welche diese Rolle machte ist an einen Arme und an einen Fuße beschädigt, wird jedoch nach der Meinung hinzugekommener Aerzte in wenig Wochen vollkommen hergestellt sein; der Knabe, Sohn eines Vikrual. Händl. ist gar nicht beschädigt. Die Veranlassung des Unfalls gab das Abspringen des Gloris haltenden Hauptseils von der Welle, auf die es gerollt war. Der Zimmergesell, der die Glorie regierte, ist verhaftet. Da eine Stellvertreterin der Tänzerin nicht sogleich geschafft werden konnte, so konnte die Vorstellung nicht fortgesetzt werden.

Berliner Abendblätter.

38tes Blatt. Den 13ten November 1810.

Uebersicht der Kunstausstellung.

(Fortsetzung.)

Wir schließen mit Ludwig am besten die Reihe der
Oehlporträts und historischen Bilder und wenden uns
zu den Pastell= und Miniaturbildern. Die Aehnlichkeit mehrerer Pastellbilder von Lernite wurde allgemein anerkannt, das Bild seiner Mutter erhielt vorzügliches Lob der Wahrheit und Ausführung; diese
Wahrheit bei vorzüglicher Behandlung der Farbe machte auch auf mehrere Bildnisse der M Robert aufmerksam. Unter den vielen artigen Miniaturen war
das Bildniß der Königinn von Dähling eins der
anziehendsten. Heusingers kleine Familienbilder
in Sepia befriedigten alle Anforderungen, die an so
kleinen Raum gemacht werden konnten. Das Natürliche in der Zusammenstellung der artigsten Mädchen-
gestalten machte seine Arbeiten zu willkommenen Ru-
hepunkten für jedes Auge, das an dem Wechsel der
verschiedensten Bestrebungen ermüdete. Unter den
Landschaftern müssen wir wohl Friedrich zuerst aufführen, weil seine Kraft, ausgezeichnete Momente der
Himmelsconstellation, die selbst arme Gegenden für
einzelne Stunden sehr anziehend machen können, auf-
zufassen und seine Ungeschicklichkeit in der Behandlung
der Farben, zu den widersprechendsten Urtheilen hinriß; die Wirkung seiner Winterlandschaft war meist
entschieden, seine viel ausgezeichnetere Landschaft in
Sepia wurde meist übersehen. Von Rheinhardt in
Rom waren eine große und zwei kleine Gegenden ausgestellt; Farbelosigkeit und Willkührlichkeit der Farben wurde allen dreyen vorgeworfen; überhaupt erhielten sie weniger Beifall als die Erfindung und Vollendung mancher einzelner Theile gefordert hätte. Ein
seltenes Talent, die Manier zweier so entgegengesetzter
Meister wie Claude und Ruisdael in eigenthümlichen
Erfindungen darzustellen, bewährte Wolter; unserem
Gefühle war der Wasserfall besonders zusprechend, und
Oelporträt von ihm bewährte die seltene Verbindung
des mannichfaltigsten Talents in diesem ausgezeichneten

[38]

jungen Künstler. Die beiden großen Phantasiebilder von Weitsch, zwei entfernte Gegenden darstellend, machten die größte Wirkung auf die Jugend, die gern ihre Sehnsucht nach der Ferne befriedigt, ohne gerade mit Ernst zu fordern: ob es wirklich dort ganz so aussehe, wie es ihr vorgestellt wird Es sind Bilder nach Beschreibung und Umrissen, die Gegenwände aber fast einzig und über alles Maaß, und wie wir schon in der Natur bei großen Bergen so leicht das Augenmaaß der Entfernung bis zu ihnen verlieren, so ist es schwer, von einem Maler zu verlangen, daß er uns die Weite der Ebene bis zum Chimbarasso kenntlich machen soll. Die Landschaften von Lüttke erinnern sehr treu an Gegenden, die unsrer Geschichte wichtig geworden sind. — Den Landschaften schließen sich ein Paar treffliche architektonische Zeichnungen von Schinkel an. Der Plan seines Denkmals auf die verewigte Königinn vereinigt den Kirchendienst, der den Ort nach einer ehrwürdigen Volksgesinnung heiligen muß, wo die Herrscher begraben liegen, mit der Gesinnung, daß diese Kirche ausschließlich zu ihrem Andenken erbaut sey; allgemein war das Bedauern, daß derselbe nicht ausgeführt worden. Eine Zeichnung von ihm auf Stein, eine alte Kirche halb von Bäumen versteckt, hat gleichviel Verdienstliches in Erfindung und Ausführung. Der Münster in Freiburg von Müller ist zierlich und treu.

(Beschluß folgt.)

Von einem Kinde, das kindlicher Weise ein anderes Kind umbringt.

In einer Stadt Franecker genannt, gelegen in Westfriesland, da ist es geschehen, daß junge Kinder, fünf, sechsjährige, Mägdlein und Knaben mit einander spielten Und sie ordneten ein Büblein an, das solle der Metzger sein, ein anderes Büblein, das solle Koch sein, und ein drittes Büblein das solle eine Sau sein. Ein Mägdlein, ordneten sie, solle Köchin sein, wieder ein anderes, das solle Unterköchin sein; und die Unterköchin solle in einem Geschirrlein das Blut von der Sau empfahen, daß man Würste könne machen Der Metzger gerieth nun verabredetermaßen an das Büblein, das die Sau sollte sein, riß es nieder und schnitt ihm mit einem Messerlein die Gurgel auf; und die Unterköchinn empfing das Blut in ihrem Geschirrlein.

Ein Rathsherr, der von ungefähr vorübergeht, sieht dies Elend; er nimmt von Stund an den Metzger mit sich, und führt ihn in des Obersten Haus, welcher sogleich den ganzen Rath versammeln ließ. Sie saßen all über diesen Handel, und wußten nicht, wie sie ihm thun sollten, denn sie sahen wohl, daß es kindlicher Weise geschehen war. Einer unter ihnen, ein alter weiser Mann, gab den Rath, der oberste Richter solle einen schönen, rothen Apfel in die eine Hand nehmen, in die andere einen rheinischen Gulden, solle das Kind zu sich rufen, und beide Hände gleich gegen dasselbe ausstrecken; nehme es den Apfel, so solle es ledig erkannt werden, nehme es aber den Gulden, so solle man es auch tödten. Dem wird gefolgt; das Kind aber ergreift den Apfel lachend, wird also aller Strafe ledig erkannt."

Diese rührende Geschichte aus einem alten Buche gewinnt ein neues Interesse durch das letzte kleine Trauerspiel Werners, der vier und zwanzigste Februar genannt, welches in Weimar und Lauchstädt schon oft mit einem so lebhaften Antheil gesehen worden ist, als vielleicht kein Werk eines modernen Dichters. Das unselige Mordmesser, welches in jener Tragödie der unruhige Dolch des Schicksals ist, (vielleicht derselbe, den Macbeth vor sich her zur Schlafkammer des Königs gehen sieht) ist dasselbe Messer, womit der eine Knabe den andern getödtet, und er empfängt in jener That seine erste blutige Weihe. Wir wissen nicht, ob Werner die obige Geschichte ganz gekannt oder erzählt hat, denn jenes treflichste und darstellbarste Werk Werners, zu dem nur drei Personen, Vater und Mutter und Sohn, nur eine doppelte durchgeschlagene Schweizer Bauerstube, ein Schrank, ein Messer und etwas Schnee, den der Winter gewiß bald bringen wird, die nöthigen Requisite sind, ist auf unsrer Bühne noch nicht aufgeführt worden. Gleichwohl besitzen wir mehr, als die Weimaraner, um es zu geben, einen Iffland, eine Bethmann und Schauspieler, um den Sohn darzustellen, im Ueberfluß. Möge diese kleine Mittheilung den Sinn und den guten Willen dazu anregen.

Theater = Neuigkeit.

Das Singspiel: die Schweizerfamilie, vom Hrn. Kapellm Weigl, das in Wien, Stuttgart, München, Frankfurt u. s. w. mit lebhaftem fast ausschweisendem Beifall aufgeführt worden ist, wird nun auch auf dem hiesigen Königl. Nationaltheater einstudirt. Die Direktion verdient dafür den lebhaftesten Dank; wir zweifeln, daß im Fach des Gefälligen und Anmuthigen etwas Vorzüglicheres geleistet worden ist. Wie nun die Rolle der Emeline (von welcher, als der Hauptfigur, das ganze Glück dieses Stückes abhängt) besetzt werden wird, und ob sie der Mmslle. Schmalz, wegen des Umfangs und der Gediegenheit ihrer Stimme — wegen Uebung und Gewandheit im Spiel der Mdm. Müller, oder wegen der glücklichen Verbindung beider der Mdm. Eunicke (welches wohl das Zweckmäßigste wäre) zufallen wird, steht dahin; in Wien ist sie der Mmslle. Milder übertragen, eine der tüchtigsten, von Seiten der musikalischen sowohl als mimischen Kunst, trefflichsten Schauspielerinnen, die Deutschland in diesem Augenblicke besitzt.

rz.

Glückwunsch.

Ich gratulire, Star, denn du ewig wirst du leben;
Wer keinen Geist besitzt, hat keinen aufzugeben.

Miscellen.

London, den 22 u. 23. Oct.

Die Stärke Lord Wellingtons in seiner Position zu Torres Vedras, zwischen dem Tago und dem Meere, ist 30000 Engländer und Deutsche, ohne die portug. Truppen zu erwähnen. La Romaha ist mit 10000 Mann am Ufer des Tago, und setzt hinüber, um sich mit der engl. Armee zu vereinigen. Der Admiral Berkeley, der mit den Schaluppen der Linienschiffe sowohl als andern Canonierschaluppen den Tago heraufsegelt, sucht den rechten Flügel Wellingtons damit zu decken und zu unterstützen. Massena der 50000 M. Inf. und 10000 M. Cavallerie zählt, hat sich 3 Meilen von der engl. Armee zwischen Villanova und Kourthna aufgestellt. Binnen weniger als 10 Tagen wird eine Hauptschlacht statt gefunden haben.

(Moniteur.)

Petersburg, d. 25. Oct.

In der Nacht vom 14ten auf den 15ten Sept. wüthete ein so entsetzlicher Sturm zu Archancel, daß die Meeresfluth 6 Fuß höher stieg, als gewöhnlich. Alle umliegenden Inseln wurden plötzlich überschwemmt, und ein Schiff nebst einer großen Menge Balken, Holz und Heu, das auf den Inseln befindlich war, ging verloren.

Gusdal in Norwegen d. 11. Oct.

Den 8ten Nachm. 5½ Uhr hatten wir hier einen sehr fühlbaren Erdstoß, der ohngefähr 10 bis 15 Secunden währte, doch ohne Schaden zu thun. Seine Richtung war von Norden nach Süden.

(Lifte der Börsenh.)

Paris, den 3. Nov.

Es heißt S. Maj. der Kaiser werden bald nach ihrer Zurückkunft von Fontainebleau eine Reise nach Cherbourg vornehmen.

(Jour. de l'Emp.)

Berliner Abendblätter.

39tes Blatt. Den 14ten November 1810.

Uebersicht der Kunstausstellung.

(Beschluß.)

Den Uebergang zu den Fabrikarbeiten bildeten die
Stickereien, in denen diese Ausstellung eigenthümlich
reich ist. Mslle. Friesner hat mit schönem Talente
die erste gestickte Landschaft nach Rui dael geliefert,
die uns Vergnügen gewährte; Frau Bassoni eine
Maria mit dem schlafenden Kinde, die auch unter Gemälden angenehm anzusehen; auch die Magdalena von
F. Sandrart verdient Lob. Ein gewirktes seidnes
Zeug von Trille, ein Rosenteppich von der Hand-
arbeit einer Ungenannten zeichneten sich aus, die
Fabrike von Hotho und Welper, macht den kühnen Versuch Gold zu Fußteppichen zu brauchen in einer Zeit, wo Niemand Gold in der Tasche hat; Stob-
wasser und Comp. und Höhler behaupteten ihren
alten Ruf. Der Versuch von Frick in Glas Farben
einzubrennen verdient Lob. In England werden schon
jetzt große Bilder der Art ausgeführt, nur darf man
nicht hoffen, auf diesem Wege allein die Farbenpracht
alter Glasfenster herauszubringen, die nicht bloß durch
Einbrennen sondern hauptsächlich durch Zusammensetzung und Unterlegung der kostbarsten Glasstücke
diese Wirkung erreichen Der Vorrath an Porzellanen
der Königl. Fabrik war sehr ausgewählt; die Nach-
bildungen der Mosaik beider Gattungen auf einer
Tischplatte kann für das Vollendetste gehalten werden,
was geliefert worden; auch unter den übrigen Male-
reien war manches sehr brav. Schätzbar ist das Bemühen Straube's, Violinen und Violoncello ganz in
den Maßen der berühmtesten Fabrikanten zu machen.
Marquards neue Tusche scheinen sehr brauchbar; das
Fortkommen der Plattirfabriken, der Bronze-
arbeiten so wie der Eisengießerei ist erfreulich;
doch scheint uns die Benutzung dieser letzteren für das
Fabrikwesen und Gewerbe viel bedeutender, als zur
Verfertigung von allerlei Zierrathen, insbesondre sollten jene Arbeiten niemals wegen dieser verschoben wer-

den. An Fabrik= und Manufakturwaaren neuer Erfindung, eben so an neuen Instrumenten war ein gänzlicher Mangel, es scheint, daß die Einsendung derselben bey uns nicht mit dem Eifer geschieht, wie in Frankreich, wohin von uns zuerst die Idee einer Ausstellung solcher Produkte gekommen ist. Wir erwarteten in Beziehung auf die Zeit Proben der verschiedenen Spinnmaschinen, neue leinene Zeuge zu finden, welche die Baumwolle verdrangen; neue Arten Waffen, tyrographische Prachtwerke, u. dgl.; eben so verwunderten wir uns, nur von der Berliner und Breslauer Zeichenschule einige Arbeiten zu finden; es gehörte durchaus von allen Zeichenschulen des Königreichs eine anschauliche Uebersicht in diese Centralausstellung. Die Zeichnungen, unter denen viel Verdienstliches, von Rheinhardt ein Erlkönig, der aber zum Bilde nicht recht vaßt; von Schick eine sehr artige Bauerfamilie; von Thorwaldsen eine Dante; von Heerd einige sehr ähnliche Porträts, erinnern am nächsten an ihre Vervielfältiger, an die Kupferstecher. Luthers Verbrennen der päbstlichen Bullen, von Buchhorn nach Katel mit dem Grabstichel sehr geschickt gearbeitet, war wohl unstreitig der beste au gestellte Kupferstich, zwei Landschaften von Darmstedt und drei Blätter von Freidhof erhalten den bekannten Namen der Künstler, das Pflanzenwerk des Grafen Hofmannsegge zeichnet sich vor allen in der Welt aus; es kränkte uns vor diesem, mit deutschen Fleiße unternommenen, Werke einen französischen Titel zu sehen. Die Versuche mit Steindruck, so wie eine neue Manier von Wittich geben Hoffnungen. Zahlreich waren die ausgestellten Kupferstiche nicht, eben so wenig die Bildwerke; keine einzige Arbeit von dem Direktor Schadow, bloß zwei reichhaltige Basreliefs in Gips; freilich leidet diese kostbarste aller schönen Künste am nächsten durch die Folgen eines unglücklichen Krieges. Sehr gute Erwartungen geben einige Büsten von der Arbeit seines Sohnes des Bildhauer Schadow, so wie die von ihm ausgestellten Gruppen. Weißer lieferte eine Büste von Göthe, die nach einem Abgusse auf dem Gesichte verfertigt, also alle die Nachtheile und Vorzüge dieser Art Bilderarbeit trägt, Richtigkeit aller festen Theile, Unrichtigkeit aller Beweglichen. Die beiden merkwürdigsten Bildwerke waren unseugbar die kolossalen Marmorbüsten der F. v. Reck und Tisdges von Thorwaldsen. Der große Sinn des Auffassens im

Ganzen und Einzelnen ist über alles Lob erhaben; sonderbar ist's, was in dieser Kunst herrlich wird, scheint Antike. Auch die den Bildnern verwandte Steinschneidekunst ist nicht leer ausgegangen. Medaillen und Münzen fehlten gänzlich; mehrere Arbeiten von Döll und von Jachtmann bewiesen uns die Bewahrung dieser schönen Kunst. Wohl mag es aber in dieser wie in der kommenden Zeit das edelste und höchste Geschäft der Künstler sein, nicht sowohl selbst immer das Herrlichste im einzelnen Kunstwerke hervorzubringen, als vielmehr die Kunst überhaupt glücklichern ruhigern Zeiten zu erhalten, und in ganzer mechanischen Fertigkeit zu überliefern. In dieser Ansicht wird jedes edle Gemüth Trost finden, das bei redlichem Bemühen doch nicht zur Meisterschaft in einer schönen Kunst gelangen könnte, seine Arbeit ist darum der Welt nicht verloren; ein mittelmäßiger Meister hat oft einen großen Schüler erweckt, und in seinen ersten Versuchen geleitet: manches Kunsttalent wird aber auch später sich selbst erst deutlich und von andern erkannt, und damit möchten wir alle die vertrösten, die einen eigenthümlichen Werth ihrer Arbeiten fühlen, ihn aber von uns nicht erwähnt finden, gern hätten wir jedem Talente und jedem guten Bemühen etwas Aufmunterndes gesagt.

aa.

Anekdote.

In einem Werke, betitelt: Reise mit der Armee im Jahr 1809. Rudolstadt, Hofbuchhdl. 1810. erzählt ein Franzose folgende Anekdote vom Kaiser Napoleon, die von seiner Fähigkeit lebhafte Regungen des Mitleids zu empfinden, ein merkwürdiges Beispiel giebt. Es ist bekannt, daß derselbe, in der Schlacht bei Aspern, den verwundeten Matschall Lasnes lange mit großer Bewegung in den Armen hielt. Am Abend eben dieser Schlacht beobachtete er, mitten im Kartätschenfeuer, den Angriff seiner Cavallerie; eine Menge Blessirter lagen um ihn herum — schweigend, wie der Augenzeuge dieses Vorfalls sagt, um dem Kaiser, mit ihren Klagen, nicht zur Last zu fallen. Drauf setzt ein ganzes fr. Kürassierregiment, der feindlichen Uebermacht ausweichend, über die Unglücklichen hinweg; es erhebt sich ein lautes Geschrei des Jammers, mit dem untermischt ein Ausruf (gleichsam um es zu übertäuben): Vive l'Empereur! Vive l'Empereur! Der Kaiser wendet sich; indem er die Hand vors Gesicht hält, stürzen ihm die Thränen aus den Augen, und nur mit Mühe behält er seine Fassung. (Misc. d. n. Weltk.)

Auf einen glücklichen Vater.

Den 7. Novemb. 1810.

Eines verlieh ich Dir gern, der Orden ersten und höchsten,

Hängt Dir die Tochter am Hals, trägst du den schönsten gewiß.

A. v. A.

Miscellen.

Wien den 7ten Nov.

Se. Maj. der Kaiser von Oestreich haben den Fürsten von Metternich zum Staats- und Conferenzminister zu ernennen geruht. (W. Z.)

Der Staatsminister Freiherr von Humboldt, hat am 3ten Nov. sein Beglaubigungsschreiben als außerordentlicher Königl. Preußischer Gesandter und Bevollmächtigter Minister am Wienerhofe überreicht. (W. Z.)

Das Journal de la Cote d'or enthält Details über den Selbstmord jener beiden jungen Liebenden, die sich, wegen verweigerter Einwilligung ihrer Eltern, einander zu heirathen, im Gehölz zu Gilly, erschossen haben. Es ergiebt sich daraus, daß der Gedanke dazu zuerst in dem Hirn des jungen Mädchens entsprang, und der junge Mann, ihr Liebhaber, lange Zeit diesen Entschluß in ihr zu bekämpfen suchte. Auch hat die gerichtliche Untersuchung, die über diesen sonderbaren Vorfall angestellt worden ist, mit ziemlicher Wahrscheinlichkeit erwiesen, daß das junge Mädchen die Erste gewesen ist, die sich die Kugel durch das Hirn gejagt. (Jour. d. Dam.)

Berliner Abendblätter.

40tes Blatt. Den 15ten November 1810.

Die heilige Cäcilie oder die Gewalt der Musik.

Eine Legende.

(Zum Taufangebinde für Cäcilie M . . . .)

Um das Ende des sechszehnten Jahrhunderts, als die
Bilderstürmerei in den Niederlanden wüthete, trafen
drei Brüder, junge, in Wittenberg studierende Leute,
mit einem Vierten, der in Antwerpen als Prädicant
angestellt war, in der Stadt Achen zusammen. Sie
wollten daselbst eine Erbschaft erheben, die ihnen von
Seiten eines alten, ihnen allen unbekannten, Oheims
zugefallen war, und kehrten, weil sie hofften, daß das
Geschäft bald abgemacht sein würde, in einem Gasthof ein. Nach Verlauf einiger Tage, die sie damit
zugebracht hatten, den Prädicanten über die merkwürdigsten Auftritte, die in den Niederlanden vorgefallen
waren, anzuhören, traf es sich, daß von den Nonnen
im Kloster der heiligen Cäcilie, das damals vor den
Thoren dieser Stadt lag, der Frohnleich⸗amstag festlich
begangen werden sollte; dergestalt, daß die vier Brüder,
von Schwärmerei, Jugend und dem Beispiel der Niederländer erhitzt, beschlossen, auch der Stadt Achen das
Schauspiel einer Bilderstürmerei zu geben. Der Prä-
dikant, der dergleichen Unternehmungen mehr als einmal schon geleitet hatte, versammelte, am Abend zuvor, eine Anzahl junger, der neuen Lehre ergebener,
Kaufmannssöhne und Studenten, welche, in dem Gasthof, bei Wein und Speisen, unter Verwünschungen
des Pabstthums, die Nacht zubrachten; und der Tag
über die Zinnen der Stadt aufgegangen, versahen sie
sich mit Zerstörungswerkzeugen aller Art, um ihr aus-
gelassenes Geschäft zu beginnen. Sie verabredeten
jubelnd ein Zeichen, auf welches sie damit anfangen
wollten, die Fensterscheiben, mit biblischen Geschichten
bemahlt, einzuwerfen; und eines großen Anhangs, den
sie unter dem Volk finden würden, gewiß, verfügten sie
sich, entschlossen keinen Stein auf dem anderen zu lassen, als die Glocken läuteten, in den Dom. Die Aebtissinn, die schon, in der Stunde der Mitternacht, durch

einen Freund, von der Gefahr, die über dem Kloster
schwebte, benachrichtigt worden war, schickte vergebens
zu dem Kaiserl Officier, der in der Stadt kommandirte,
und bat ihn, zum Schutz des Klosters, um eine Wache;
der Officier, der selbst ein Feind des Pabstthums, und
der neuen Lehre, unter der Hand, zugethan war, wußte
ihr, unter dem Vorwand, daß sie Geister sähe, und
für ihr Kloster, nicht der Schatten einer Gefahr vorhanden sei, die Wache zu verweigern. Inzwischen brach
die Stunde an, da die Feierlichkeiten beginnen sollten,
und die Nonnen schickten sich, unter Angst und Beten,
und jammervoller Erwartung der Dinge, die da kommen sollten, zur Messe an. Niemand beschützte sie, als
ein alter siebzigjähriger Klostervoigt, der sich, mit einigen bewaffneten Troßknechten, am Eingang der Kirche
aufstellte. In den Nonnenklöstern führen, auf das Spiel
jeder Art der Instrumente geübt, die Nonnen, wie bekannt, ihre Musiken selber auf: oft mit einer Präzision,
einem Verstande und einer Empfindung, die man in
männlichen Orchestern (vielleicht wegen der weiblichen
Geschlechtsart dieser geheimnißvollen Kunst) vermißt.
Nun fügte es sich zur Verdoppelung der Bedrängniß
daß die Kapellmeisterin, Schwester Antonia, welche
die Musik auf dem Orchester zu dirigiren pflegte, wenige Tage zuvor, an einem Nervenfieber, heftig er-
krankte; dergestalt, daß abgesehen von den vier gottes-
lästerlichen Brüdern, die man bereits, in Mänkeln gehüllt, unter den Pfeilern der Kirche erblickte, das
Kloster auch, wegen Aufführung eines schrecklichen Musikwerks, in der lebhaftesten Verlegenheit war. Die
Aebtissin, die am Abend des vorhergehenden Tages
befohlen hatte, daß eine uralte, von einem unbekannten Meister herrührende, italiänische Messe aufgeführt
werden sollte, mit welcher die Capelle oftmals schon,
einer besonderen Heiligkeit und Innigkeit wegen, mit
welcher sie gedichtet war, die größesten Wirkungen hervorgebracht hatte, schickte, mehr als jemals auf ihret
Willen beharrend, noch einmal zur Schwester Antonia
herab, um zu hören, wie sich dieselbe befinde: die
Nonne aber, die dies Geschäft übernahm, kam mit der
Nachricht zurück, daß die Schwester in gänzlich bewußt-
losem Zustande darniederliege, und an ihre Direktions-
führung, bei der vorhabenden Musik, auf keine Weise
zu denken sei. Inzwischen waren in dem Dom, in welchen sich, nach und nach, mehr denn hundert, mit Beilen
und Brechstangen versehene, Frevler, von allen Ständen
und Altern, eingefunden hatten, bereits die bedenklich-
sten Auftritte vorgefallen; man hatte einige Troßknech-

te, die an den Portalen standen, auf die unanständigste
Weise geneckt, und sich die frechsten und unverschäm-
testen Neußerungen gegen die Nonnen erlaubt, die
sich hin und wieder, in frommen Geschäften, einzeln in
den Hallen blicken ließen: dergestalt, daß der Klostervoigt sich in die Sankristei verfügte, und die Aebtissinn auf Knieen beschwor, das Fest einzustellen, und
sich in die Stadt, unter den Schutz des Commendanten, zu begeben. Die Aebtissinn bestand unerschütter-
lich darauf, daß das zur Ehre Gottes angeordnete Fest
begangen werden müsse; sie erinnerte den Klostervoigt
an seine Pflicht, die Messe und den feierlichen Umgang,
der in dem Dom gehalten werden würde, mit Leib
und Leben zu beschirmen; und befahl den Nonnen,
die sie zitternd umringten, ein Oratorium, das häufig
in der Kirche vorgetragen wurde, obschon es von min-
derem Werth war, zu nehmen, und mit dessen Aufführung sofort den Anfang zu machen.

(Die Fortsetzung folgt.)

Fragmente.

1.

Privilegien und Rechte einzelner Menschen werden mit höchster Gewissenhaftigkeit geschont, während
man die Rechte ganzer Stände und Corporationen
mit Flüchtigkeit bei Seite wirft; die Satzungen der
Privaten werden gerade so heilig gehalten, als die
Satzungen und Institutionen des Staats geringgeachtet: und Ihr wundert Euch noch, das die Spezialhy-
potheken beim Publikum mehr Credit haben, als die
Generalhypotheken. — Das Hauptproblem für den
Finanzier unsrer Zeit ist, die Generalhypotheken wieder zu Ehren zu bringen; mit andern Worten: es dahin zu bringen, daß der Staat und der einzelne Stand
wie es die Natur der Sache will mehr Credit habe,
als der Privatmann.

2.

Wenn doch diese aufklärende Freiheitsapostel aus
der Schule Adam Smiths, diese Philosophen vom reinen Ertrage merken möchten, wie sie, ihr etnes Werk
zerstören: mit der einen Hand steigern sie die ideali-
schen Bedürfnisse der Nationen durch die Aufklärung
ins Unendliche, mit der andern bauen sie eine Staatswirthschaft, welche nur rohe, reale, zählbare und handgreifliche Bedürfnisse statuirt. — Die Cosmopolitti-
schen und Freiheits=Ansichten Adam Smiths, haben

nur im Augenblick des tiefsten Verfalls aller National-
lität, in Europa Glück machen können.   A. M.

Aufforderung.

Die Expedition der Vossischen Zeitung (s. 135tes
Stück derselben) hat die, in französischen und Blättern,
verbreitete Beschuldigung, daß die Theaterkritiker, die
in ihren Blättern auftreten, von der Direktion des
Königl. Nationaltheaters, mit Geld und Freibillets,
bestochen wären, widerlegt und erklärt; sie habe für
die Hrn. Recensenten niemals etwas von der Direction
empfangen. Diese Erklärung ist von dem Publikum mit
großem Vergnügen gelesen worden; und um ein Gerücht so häßlicher Art gänzlich niederzuschlagen, bleibt
nichts übrig, als daß die Hrn. Rezensenten, von welchen diese Kritiken herrühren, eine ähnliche Erklärung
von sich geben. Da sich die Sache ohn. Zweifel so, wie
jedermann, zur Ehre der Nation, wünscht, verhält, und
das Theater, mancher Schwächen ungeachtet, Seiten
genug, die zu ehren und zu schätzen sind, darbietet: so
sieht das Publicum, zur gänzlichen Vernichtung dieser
skandalösen Anekdote, mit welcher ganz Europa unterhalten worden ist, mit Ungeduld einer Erklärung dieser
Art, von Seiten der Hrn. Rezensenten selbst, entgegen.
                                                    zr.

Miscellen.

Paris den 20 Oktober.

Moden. Vom Winter bekommt man noch keine Moden zu
Gesicht, als dunkelgrüne oder schwarze Spencer. Die letzteren gemeinhin von Sammet, bilden vorn eine Brustbinde, und werfen
hinten auf dem Rücken so große Falten, daß die Oeffnung nicht be-
merkbar ist. Die grünen Spencer sind gewöhnlich am untern
Rande am Halse und am Ende der Aermel mit einer seidenen Fran-
ze garnirt. Was die Douilletten anbelangt, so ist kein Plüsch mehr darauf, sondern Festons am am Rande des Feston eine runde Schnur;
am Halse eine Fraise statt des aufrechtstehenden Kragens.
   Das Gelbe, das man jetzt am häufigsten braucht, ist nicht das
Dunkele sondern Jonquillen Gelbe. Das Amaranthenfarbige wird
häufig mit weiß gefüttert und weiße Stickereien daran angebracht.
   Schwarze Strohhüte, mit einem Diadem von schwarzen Federn, einem bunten Futter und einem vorschießenden Rande, sind
sehr zahlreich.   (Moden Zeit.)

Magdeburg den 13 ten Nov.

Vergangenen Freitag, am 9ten d. ist das 108te und gestern
das 111 te Kaiserl. Franz. Infant. Regiment hier eingerückt; wage-
gen das 12 te Regiment vergangenen Sonnabend und heute früh
das 21 te Regiment von hier abmarschirt sind.   (Magd. Zeit.)

Die heilige Cäcilie oder die Gewalt der Musik.

(Fortsetzung.)

Eben schickten sich die Nonnen auf dem Altan der Orgel dazu an: als Schwester Antonia plötzlich, frisch und gesund, obschon ein wenig bleich im Gesicht, erschien, und den Vorschlag machte, ungesäumt noch das alte, oben erwähnte, italiänische Musikwerk, auf welches die Aebtissinn so dringend bestanden hatte, aufzuführen. Auf die erstaunte Frage der Nonnen: wie sie sich plötzlich so erholt habe? antwortete sie: daß keine Zeit sei, zu schwatzen; vertheilte die Partitur, die sie unter dem Arm trug, und setzte sich selbst, von Begeisterung glühend, an die Orgel, um die Direktion des trefflichen Musikstücks zu übernehmen. Demnach kam es, wie ein wunderbarer, himmlischer Trost in die Herzen der frommen Frauen; die Beklemmung selbst, in der sie sich befanden, kam hinzu, um ihre Seelen, wie auf Schwingen, durch alle Himmel des Wohlklangs zu führen; die Messe ward, mit der höchsten und herrlichsten, musikalischen Pracht aufgeführt; es regte sich kein Odem, während der ganzen Darstellung, in den Hallen und Bänken; besonders bei dem salve regina und noch mehr bei dem gloria in excelsis war es, als ob die ganze Kirche, von mehr denn dreitausend Menschen erfüllt, gänzlich todt sei; dergestalt, daß, den vier gottverdammten Brüdern zum Trotz, auch der Staub auf dem Estrich nicht verweht ward, und das Kloster noch, bis am Schluß des dreißigjährigen Krieges bestanden hat, wo man es, vermöge eines Artikels im westphälischen Frieden, gleichwohl säkularisirte.

(Beschluß folgt.)

Vom Nationalcredit.

Laßt uns voraussetzen," daß die Gesetzgebung eines bedeutenden Staates niemals die Sache des einzelnen guten Kopfes seyn könne, sondern daß sie nur aus

dem Conflict und der Berathung der bei der Existenz
dieses Staates am meisten interessirten Stände hervorgehen, auch nur auf diesem Wege erhalten und erweitert werden könne."

Der Drang des Augenblicks in den letztverflossenen
Jahren hat uns das Bedürfniß nach eigentlichen Gesetzen nicht empfinden lassen wir hätten gern Zukunft
und Vergangenheit, welche der Einfluß des Gesetzes
umspannen soll, auf sich beruhen lassen, wenn wir nur
durch eine tüchtige Finanz und Polizei hätten
des Augenblicks mächtig werden können.

Unsere Schulden Angelegenheiten indeß haben
uns genöthigt, eine weite Strecke der Zukunft ins
Auge zu fassen, weil wir eingesehn haben, daß nur
durch die Rücksicht auf die Zukunft wir des Augenblicks mächtig zu werden, im Stande sind Da nun
hat uns das große Grundgesetz aller Politik wie-der
einleuchten müssen:

Du kannst nur Einfluß auf die Zukunft, auf den Zustand der kommenden Tage deines Volkes haben,
in wiefern die Vergangenheit mit ihren Gesetzen
Einrichtungen und Verfassungen Einfluß hat auf
dich. — Respekt vor deinen Satzungen kannst
du von deinen Enkeln nur verlangen und erwarten, in wiefern Du selbst Respekt hast vor den
Satzungen deiner Vorfahren. — Wahren
Credit haben Deine Versprechungen und Schuld-
verschreibungen nur, in wiefern du selbst die Versprechungen und Einrichtungen deiner Vorfahren
aufrecht erhältst. Veränderungen der von den Vorfahren errichteten Verfassung können nothwendig
werden, denn die Wendung der Umstände konnten
sie nicht voraussehn, aber eine Verfassung, der edle
patriotische Geist mit welchem sie gestiftet worden,
läßt sich unter allen Veränderungen heilig halten
wie man überhaupt den Geist eines Versprechens
erfüllen kann, wenn es auch die Umstände unmöglich gemacht haben, den Buchstaben zu erfüllen.

Wenn nun eine Nation wie die Brittische auf
ewige Annuitäten (perpetual annuities) borgt, wenn sie
dem veränderlichen Inhaber einer ewigen Schuldver-
schreibung die landesüblichen Zinsen für ein Capital
verspricht, welches ihr ein für allemal und auf ewige
Zeiten übergeben wird, so muß bei den vorübergehenden Creditoren die Ueberzeugung da sein, daß der De-

bitor, der Staat, den nachfolgenden Creditoren, und
den Enkeln und den Urenkeln noch das Wort halten
werde, was er dem ersten Creditor gegeben hat: der
Creditor würde ja sonst lieber sein Geld gegen höhere
Zinsen auf Leibrenten geben, wozu eine Garantie der
Zeiten welche nach ihm sein werden, nicht weiter von-
nöthen ist. Wenn man nun erwägt, daß noch heute
jährlich gegen 10 bis 15 Mill. Sterling Kapital bloß
für ewige Renten (den landesüblichen Zinsen) von 4½
bis 5 p. C. übergeben worden sind, so hat dieses unbedingte, erhabene und beispiellose Zutrauen der brittischen Nation zu ihrer eigenen Zukunft nur allein
in dem Gefühl der Treue gegen die Institutionen und
Gesetze der Vergangenheit ihren Grund. Weil die
Britten den Muth haben und die Macht das Wort
ihrer Vorfahren die Constitutionen zu halten, so und
genau in demselben Maaße trauen sie auch ihren Nachkommen den Muth und die Kraft zu, das Wort (das
Nationalschuldensystem) zu halten, welches sie ihnen
hinterlassen.

Hierauf und nicht auf unermeßlichen Waarenvorräthen, Hypotheken und Pfändern beruht der brittische
Nationalcredit. Also die Gesetzgebung ihre Auf-
rechthaltung, ihre Heiligachtung ist die Mutter des
Nationalcredits, und nicht die Masse der handgreiflichen Reichthümer oder der Production, welche
freilich die Basis des Privatcredits in seinem Beginnen ist, obgleich sich auch der Privatcredit wenn er
durch mehrere Jahre glücklich und mächtig durchgeführt
ist, zu einer andern und ähnlichen Grundlage hinüber-
neigt.

Die Geschichte mancher Handlungshäuser lehrt es,
welche unermeßliche Capitalien creditweise wie durch
magische Kraft angezogen werden, wenn ein solches
Haus auch auf unbeträchtlichen, hypothekahlen Fonds
ruhte, wenn nur ein ganzes oder halbes Jahrhundert
hindurch Wort gehalten, also die erprüfte Constitution
der Gesetzgebung eines solchen Handlungshauses die
Basis desselben ausmacht.

Hort es: die Hypothek aller Hypotheken
ist das wahre, durch Jahrhunderte bestan-
dene Gesetz, und es ist ein Kinderspiel zu zeigen,
wie diese Erzhypothek allen andern Hypotheken erst
den lebendigen Odem einhaucht. Auch das Grund-
eigenthum wird erst hypothekabel durch die ihm deligirte
Kraft des dauerhaften und gedauerten Gesetzes.

Keine Verschlagenheit irgend eines noch so genialischen Administrators kann ein Surrogat vorfinden für den Cre it, der durch Treue gegen die Verfassung erworben und aufrecht erhalten ist. Ein Administrator kann Geld, aber ewig keinen Nationalcredit machen. **Ps.**

Miscellen.

Aus Ungarn, d. 30. Oct.

Rutschuck wird zu einem Depot für die Russ. Armee gestaltet. Sobald der Oberbefehlshaber, Gr. Kaminskoy, einige Verstärkungen an sich gezogen haben wird, wird er den Großvezier aus seiner festen Stellung bei Schumla zu vertreiben suchen. (Liste d. Börs.)

Frankfurt den 5. Nov.

Der Fr. Gesandte Gr. Hedouville hat von Sr. Maj dem Kaiser 120000 Fr. zur Vertheilung unter die verunglückten Eisenacher erhalten. (E. d. B.)

Stockholm d. 2 Nov.

Heute hielten Sr. Königl. Hoheit der Kronprinz von Schweden, in einem mit 8 Pferden bespannten Wagen, unter dem Donner der Kanonen, ihren feierlichen Einzug. (E. d. B.)

Mailand, d. 31. Oct.

Sr. Kaiserl. Hoheit, der Vicekönig, haben gegen die Insel Lissa (im Meerbusen von Venedig) eine äußerst wichtige und glänzende Expedition ausgeführt. 42 in den dortigen Etablissements, vorgefundene englische Fahrzeuge, mit Waaren beladen, sind verbrannt, 11 Kaper genommen, und 14 franz. Fahrzeuge, die dem Feinde in die Hände gefallen waren, wieder erobert worden. Dabei sind 100 Kanonen und ein großer Vorrath von Waffen erbeutet und 100 Gefangene gemacht worden. Man schätzt den Verlust des engl. Handels durch diese Expedition auf 20 Mill. (E. d. B.)

Polizeiliche Tages-Mittheilungen.

Ein Hausknecht der betrunken nach Hause kam, ist, wahrscheinlich vom Schlage gerührt, todt im Bette gefunden.

Eine Schlägerei zwischen Studenten und Handwerksburschen auf einem Tanzboden ist durch das Hinzukommen eines Polizei-Officianten und der Jäger-Patrouille unterdrückt, bevor Jemand beschädigt w rden.

Bei der Revision eines Tanzbodens sind 2 verdächtige Frauenzimmer und 2 dergleichen Mannspersonen, so wie 9 öffentliche Huren arretirt worden.

Berliner Abendblätter.

42tes Blatt.   Den 17ten November 1810.

Die heilige Cäcilie oder die Gewalt der Musik.

(Beschluß.)

Aber der Triumph der Religion war, wie sich nach
einigen Tagen ergab, noch weit größer. Denn der
Gastwirth, bei dem diese vier Brüder wohnten, verfügte sich, ihrer sonderbaren und auffallenden Aufführung wegen, auf das Rathhaus, und zeigte der Obrigkeit an, daß dieselben, dem Anschein nach, abwesenden
oder gestörten Geistes sein müßten. Die jungen Leute,
sprach er, wären nach Beendigung des Frohnleich-
namsfestes, still und niedergeschlagen, in ihre Wohnung zurückgekehrt, hätten sich, in ihre dunkle Mäntel
gehüllt, um einen Tisch niedergelassen, nichts als Brod
und Wasser zur Nahrung verlangt, und gegen die
Mitternachtsstunde, da sich schon Alles zur Ruhe gelegt, mit einer schauerlichen und grausenhaften Stimme, das gloria in excelsis intonirt. Da er, der Gastwirth, mit Licht hinaufgekommen, um zu sehen, was
diese ungewohnte Musik veranlaße, habe er sie noch
singend alle vier aufrecht um den Tisch vorgefunden:
worauf sie, mit dem Glockenschlag Eins, geschwiegen,
sich, ohne ein Wort zu sagen, auf die Bretter des
Fußbodens niedergelegt, einige Stunden geschlafen,
und mit der Sonne schon wieder erhoben hätten, um
dasselbe öde und traurige Klosterleben, bei Wasser
und Brod, anzufangen. Fünf Mitternächte hindurch,
sprach der Wirth, hätte er sie nun schon, mit einer
Stimme, daß die Fenster des Hauses erklirrten, das
gloria in excelsis absingen gehört; außer diesem Gesang, nicht ohne musikalischen Wohlklang, aber durch
sein Geschrei gräßlich, käme kein Laut über ihre Lippen: dergestalt, daß er die Obrigkeit bitten müsse, ihm
diese Leute, in welchen ohne Zweifel der böse Geist
walten müsse, aus dem Hause zu schaffen. — Der
Arzt, der von dem Magistrat in Folge dieses Berichts
befehligt ward, den Zustand der gedachten jungen Leute
zu untersuchen, und den denselben ganz so fand, wie
ihn der Wirth beschrieben hatte, könnte schlechterdings,
aller Forschungen ungeachtet, nicht erfahren, was ich

nen in der Kirche, wohin sie noch ganz mit gesunden und rüstigen Sinnen gekommen waren, zugestoßen war. Man zog einige Bürger der Stadt, die während der Messe, in ihrer Nähe gewesen waren, vor Gericht; allein diese sagten aus, daß sie, zu Anfang derselben, zwar einige, den Gottesdienst störende, Possen getrieben hätten: nachher aber, beim Beginnen der Musik, ganz still geworden, andächtig, Einer nach dem Andern, auf's Knie gesunken wären, und, nach dem Beispiel der übrigen Gemeinde, zu Gott gebetet hätten. Bald darauf starb Schwester Antonia die Kapellmeisterinn, an den Folgen des Nervenfiebers, an dem sie, wie schon oben erwähnt worden, daniederlag; und als der Arzt sich, auf Befehl des Prälaten der Stadt, ins Kloster verfügte, um die Partitur des, am Morgen jenes merkwürdigen Tages aufgeführten Musikwerks zu übersehen, versicherte die Aebtissinn demselben, indem sie ihm die Partitur, unter sonderbar innerlichen Bewegungen übergäb, daß schlechterdings niemand wisse, wer eigentlich, an der Orgel, die Messe dirigirt habe. Durch ein Zeugniß, das vor wenig Tagen, in Gegenwart des Schloßvoigts und mehrerer andern Männer abgelegt worden, sei erwiesen, daß die Vollendete in der Stunde, da die Musik aufgeführt worden, ihrer Glieder gänzlich unmächtig, im Winkel ihrer Klosterzelle danieder gelegen habe; eine Klosterschwester, die ihr als leibliche Verwandtin zur Pflege ihres Körpers beigeordnet gewesen, sei während des ganzen Vormittags, da das Frohnleichnamsfest gefeiert worden, nicht von ihrer Seite gewichen. — Demnach sprach der Erzbischof von Trier, an welchen dieser sonderbare Vorfall berichtet ward, zuerst das Wort aus, mit welchem die Aebtissinn, aus mancherlei Gründen, nicht laut zu werden wagte: nämlich, daß die heilige Cäcilia selbst dieses, zu gleicher Zeit sehr schreckliche und herrliche, Wunder vollbracht habe. Der Pabst, mehrere Jahre darauf, bestätigte es; und noch am Schluß des dreißigjährigen Krieges, wo das Kloster, wie oben bemerkt, säcularisirt ward, soll, sagt die Legende, der Tag, an welchem die heilige Cäcilia dasselbe, durch die geheimnißvolle Gewalt der Musik rettete, gefeiert, und ruhig und prächtig das gloria in excelsis darin abgesungen worden sein.

yz.

Uralte Reichstagsfeierlichkeit, oder Kampf der Blinden mit dem Schweine.

Als Kaiser Maximilian der Erste zu Augsburg, um die Stände zu einem Türkenkriege zu bewegen, einen Reichstag hielt, ergotzten sich Fürsten und Adel mit mancherlei ritterlichen Spielen. Aber eine eigene Belustigung ür den Kaiser hatte sich Kunz von der Rosen, Maximilians Hofnarr sowohl als Obrist ausgedacht. Auf dem Weinmarkt nämlich, in der Mitte eines von starken Schranken eingeschlossenen Platzes, ward ein Pfahl befestigt; an dem Pfahl aber, vermittelst eines langen Stricks, ein fettes Schwein gebunden. Zwölf Blinde, arme Leute, mit einem Prügel bewaffnet, eine Pickelhaube auf, und von Kopf zu Fuß in altes rostiges Eisen gesteckt, traten nun in die Schranken, um gegen das Schwein zu kämpfen; denn Kunz von der Rosen hatte versprochen, daß demjenigen das Schwein gehören solle, der es erlegen würde. Drauf, nachdem die Blinden sich in einen Kreis gestellt, geht, auf einem Trompetenstoß, der Angriff an. Die Blinden tappten auf den Punkt zu, wo die Sau auf etwas Stroh lag und grunzte. Jetzt empfing diese einen Streich und fing an zu schreien und fuhr dabei einen oder zwei Blinden zwischen die Füße und warf die Blinden um. Die übrigen, auf der Seite stehenden, welche die Sau grunzen und schreien hörten, eilten auch hinzu, schlugen tapfer darauf los, und trafen eben so oft einen Mitkämpfer, als die Sau. Der Mitkämpfer schlug auf den Angreifer, dem er nichts gethan hatte, ärgerlich zurück; und endlich schlug gar ein Dritter, der von ihrem Hader nichts wußte, indem er meinte, sie schlügen auf das Schwein, auf beide los. Zuweilen waren die Blinden alle mit ihren Prügeln an einander und arbeiteten so grimmig auf die Pickelhauben der Mitkämpfer los, daß es klang, als wären Kesselschmiede und Pfannenflicker in Eisenhütten und Werkstätten geschäftig. Die Sau, welche den Vortheil hatte, gut zu sehen und den Streichen ausweichen zu können, fing indessen an, zu gröllen. Auf dies Gegröll spitzen die Blinden die Ohren; sie verlassen einander und gehen, mit ihren Prügeln, auf das Schwein zu. Aber dies hat sich indessen schon wieder einen andern Platz gesucht; und die Blinden stoßen aneinander, sie fallen über das Seil, woran das Schwein festgebunden ist, sie berühren die Schranke, und führen, weil sie glauben, das

Schwein getroffen zu haben, einen ungeheuren Schlag darauf. Endlich, nach vielen Stunden vergeblichen Suchens, gelingt es Einem: er trifft das Schwein mit dem Prügel auf die Schnauze; es fällt — und ein unendliches Jubelgeschrei erhebt sich. Er wird zum Sieger ausgerufen, das Schwein ihm, vom Kampfherold zuerkannt; und blutrünstig und unterlaufen, wie sie sein mögen, setzen sie sich, sammt und sonders, an einem herrlichen Gastmahl nieder, das die Feierlichkeit beschließt. —
(Gem. Unterh. Bl.)

Miscellen.

Petersburg d. 28 Okt.

Hier ist eine offizielle Bekanntmachung erschienen, in welcher das von unruhigen Politikern verbreitete Gerücht, als ob ein neuer Krieg im Norden ausbrechen werde, durchaus widerlegt wird. Man beruft sich darin auf das 270 Stück des Moniteurs, worin gesagt wird, daß weder Rußland von Frankreich, noch Frankreich von Rußland etwas zu befürchten habe. Auch wird darin angezeigt, daß Sr. Maj. der Kaiser Napoleon dem Fürsten Kurakin, bei seiner Abreise aus Paris, eine kostbare goldene, mit großen Brillanten besetzte Dose, mit dem Bildniß Sr. Maj. geschenkt habe.
(L. d. B.)

Bern, d. 3 Nov.

Es hat ein neuer Bergfall bei Oberhofen am Thuner See Statt gefunden. Auch will man Erdstöße verspürt haben. (L. d. B.)

Warschau, d. 25 Oct.

Die 30000 Mann starke Bosnische Macht ist von den Serbiern am 20. bei Loznitza in einem entscheidenden Treffen ganz über die Drina zurückgeschlagen worden.
(L. d. B.)

Paris, d. 7. Nov.

Der heutige Moniteur enthält zwei Proklamationen des kommandirenden Offiziers zu Lissabon, Lucas de Seabra da Silva, woraus erhellt, daß eine erstaunliche Menge Landvolks seine Wohnungen verlassen, und sich in Lissabon versammelt habe. Der Commandant ertheilt darin sowohl wegen ihres Unterkommens in der Stadt, als auch wegen Uebersch iffung derselben auf das linke Ufer des Tago, wo ihre Erhaltung leichter ist, die gehörigen Befehle. (Mon.)

London d. 30 Okt.

In Liverpool haben neuerdings sechs der ersten Häuser aufgehört zu zahlen. — Dagegen setzen die Häuser von Abr. Goldschmid und Adelbert ihre Zahlungen ungestört fort. — Man hat Hoffnung, die Prinzessinn Amalia wieder hergestellt zu sehen. — Dagegen ist der Gesundheitszustand Sr. Maj. mißlich. (L. d. B.)

Polizeiliche Tages-Mittheilungen.

Ein angeblich aus der Charité entlassener Mensch, ist sinnlos betrunken auf dem neuen Markte gefunden, und zur Stadtvoigtei abgeliefert.

Ein Posamentiergeselle ist auf Ansuchen seines Meisters wegen unanständigen Benehmens zum Arrest gebracht. Des-l. ein Frauenzimmer wegen Herumtreibens, und ein Lohgerber wegen der Krätze.

Ein Lehrling eines biesigen Stadtchirurgen ist wegen schlechter Behandlung von Seiten seines Lehrherrn und dessen Familie, an der Waisenbrücke in die Spree gesprungen, um sich zu ersäufen ist aber durch den Schleusen-Meister Käbisch gerettet.

Berliner Abendblätter.

43tes Blatt. Den 19ten November 1810.

In dem Oktoberheft des Journals: Die Zeiten, von
Voß, sind drei Briefe der Gräfin Piper, Schwester des
unglücklichen Reichsmarschalls, Grafen von Fersen, nebst
einer Abschrift des Verhörs, das über sie, auf der Festung Waxholm, angestellt worden ist, zur Wissenschaft
des Publikums gebracht worden. Da die grimmige Selbst-
rache, die sich das Volk an diesem, unglücklichen Herrn
erlaubt hat, nach den, darüber statt gehabten Untersuchungen, von allem Rechtsgrund entblößt ist, so glauben wir
dem menschenfreundlichen Zweck, welcher der Verbreitung
dieser Briefe zum Grunde lag, entgegen zu kommen,
wenn wir eine Uebersetzung des Zweiten *), nebst dem
Verhör, das ihm beigefügt ist, mittheilen. (Die Red.)

Brief der Gräfinn Piper, an eine Freundinn in Deutschland.

Festung Waxholm in Schweden d. 10. Aug. 1810.

Erst jetzt, meine theure und liebe Freundinn, kann
ich meine Geister in dem Maaße sammlen, als es nöthig ist, um Ihnen zu schreiben, und noch werden
meine Gedanken verworren und zerrissen sein, unter
der Einwirkung des Schreckens und des Entsetzens, in
welchem meine Seele befangen ist. Gleichwohl, so
schwer es mir wird, so bin ich es der standhaften Freundschaft, die Sie mir bewiesen haben, schuldig, Ihnen
einige Zeilen zu schreiben; es ist gut und zweckmäßig,
zur Wissenschaft aller Männer von Ehre zu bringen,
wie weit die Verwegenheit der abscheulichsten Lüge,
und der Grimm ihrer entsetzlichen Verfolgungen geht.
Seit jenes, gegen Gustav IV ausgeübten Gewaltschrit-
tes, waren die Gemüther überhaupt zur Rebellion geneigt: der Keim der Empörung bildete sich und gährte
in ihrem Innern. Bediente und Lakayen hatten geheime Zusammenkünfte; Brandbriefe gegen ihre Herrn
und gegen die Männer in Amt und Würden, gingen,
in Stockholm sowohl als in der Provinz, von Hand
zu Hand, und verriethen nur zu deutlich die allgemeine
Gährung. Darauf kömmt der Kronprinz an: sein
Anblick gefällt, er weiß sich geliebt zu machen. Und

*) Die Briefe sowohl, als das Verhör, sind in franz. Spr. abgefaßt.

in der That hatte er die angenehmsten und schätzens-
würdigsten Eigenschaften; tapfer als Soldat, einfach
und edelmüthig in seinen Sitten, voll von Güte und
Herablassung für alle Stände, schickte er sich in jeder
Rücksicht für dies Land; er ward nach seinem vollen
Verdienst darin gewürdigt. Diese Liebe zu ihm beschwich-
tigte oder schien wenigstens die Gemüther zu beschwichtigen; das Glück Schwedens schimmerte von Neuem empor, und bei der milden und gerechten Denkungsart dieses Herrn, hoffte jeder auf eine glückliche Regierung.
Sein Tod, ach! war das Zeichen des Hineinbrechens
aller Uebel über Schweden. Die Unzufriedenen, die
nichts als eine Gelegenheit wünschten, um die Revolution zu beginnen, ergriffen diesen Augenblick, um zu
ihrem Zweck zu gelangen. Ueberall streute man Gerüchte aus, des Prinzen Tod sei kein natürlicher,
das Gift habe seinem Leben ein Ende gemacht; unsere
Familie sei der Urheber dieses Verbrechens, noch mehrere große Familien seien darin verwickelt, mein Bruder aber und ich vorzüglich die Anstifter desselben.
Wir waren, leider! mein Bruder und ich, die Letzten, die von diesen abscheulichen Stadtgesprächen unterrichtet wurden; wir wußten nichts von den Verläumdungen, die in öffentlichen Blättern gegen uns
im Umlauf waren: im Schooß eines reinen Gewissens
und der Unschuld unsrer Herzen lebten wir in völliger
Ruhe und Sicherheit. Es schien uns unmöglich, daß
eine tadellose Aufführung seit den Tagen unserer frü-
hesten Jugend, daß ein gänzliches Hingeben, als Staatsmann sowohl als Bürger, an die geheiligten Grundsätze der Ehre meinem (jetzt so schwer verkannten) Brüder nicht den Schutz der öffentlichen Sicherheit und
Gerechtigkeit verbürgen sollten. Wir glaubten, er sowohl als ich, diese Gerüchte hätten keine andre Quelle,
als die Verhetzungen einzelner Uebelgesinnter, und
könnten, von allen Belegen entblößt, vernünftiger Weise
keinen Eindruck machen. Erst 6 Tage vor dem schrecklichen 20ten erfuhren wir die, gegen uns im Volk um-
laufenden, Schmähungen; und auch selbst dann noch
könnten wir uns nicht entschließen, eine bedeutende
Rücksicht darauf zu nehmen. Ueberdies, wenn man
sechs und funfzig tadellos durchlebte Jahre hinter sich
hat, so glaubt man nicht, so unerhört verkannt zu sein.
Indem ich mich nun völlig auf das Herz meines Bruders, auf seine Tugenden und seinen offenen und trefflichen Charakter stützte, war ich seinethalben ohne die
mindeste Besorgniß. Der Edelmuth und die Gerechtigkeit der schwedischen Nation war auch zu bekannt,

als daß es nur von fern möglich geschienen hätte,
die schwärzeste Verläumdung könne diesen Charakter
in der Schnelligkeit eines Augenblicks umwandeln. So
trennten wir uns nun den 20ten Morgens um 9 Uhr,
in der Sorglosigkeit eines ganz ungestörten Gewissens.
Der königl. Hof ging, wie Sie wissen, dem Leichenzug
des Kronprinzen entgegen Aber Sie kennen besser, als
ich, die entsetzlichen Umstände, die diesen Vorfall —
niemals hatte ich die Kraft sie anzuhören. — — Um
2 Uhr kam man, und sagte mir, daß dieser theure
Bruder, todt, ein Opfer der Volkswuth —
Mein Zustand, bei dieser Nachricht, erlaubte mir nie,
das Ausführliche darüber — Ich weiß nur, daß einige
Offiziere von der Garde, an der Spitze einer starken
Wache, mein Haus vor der Zerstörung und Plünderung sicherten, und mein unglückliches, dem Tode
gleichfalls geweihtes, Leben retteten. Ich beschwor sie,
die Papiere meines Bruders und die meinigen, unter
Siegel zu legen. — So verstrich der Tag, für mich
und meine im siebenten Monat schwangern Tochter.
Inzwischen zeigten mir zwei bewährte Freunde meines
Bruders an, daß für mich keine Sicherheit mehr in
diesem Hause sei und daß ich es noch vor der Nacht
verlassen müßte. Demnach entschloß ich mich, um
9 Uhr Abends, mit Gefahr meines Lebens zu diesem Schritt; man hüllte mich in die Kleider einer
Dienstmagd, und da ich nicht aus dem Lande fliehen wollte, so ertheilte man mir, auf meine Bitte,
einen Befehl für den Commandanten der hiesigen
Festung, um mich dahin zu retten, und von hier aus
meine und die Unschuld meines unglücklichen Bruders, an den Tag zu legen. Bis 7 Uhr Morgens
war ich in einem entsetzlichen Regen und Wind auf
dem Meere; erst nach 36 Stunden war es mir vergönnt, meine ganz durchnäßten Kleider zu wechseln.
Hier endlich fand ich Theilnahme und Wohlwollen
bei dem Commandanten und seinen Offizieren; ihre
Behandlung war voll von Achtung und Menschlichkeit,
und mein erster Schritt war sogleich, mich, wegen meines unglücklichen Bruders und meiner, an die öffentliche Gerechtigkeit zu wenden. O meine theure Freundinn! Ich habe nur die Hälfte meiner Leiden erzählt!
Wie schrecklich war dieser einsame Aufenthalt meinem
traurigen Herzen. Ich habe einen Monat ganz allein
mit meinem Kammermädchen zugebracht, die sich, am
Morgen nach meiner Ankunft, hier bei mir eingefunden
hatt; weder meine Kinder, noch sonst irgend jemand
sah ich; ich habe selbst gefordert, daß man mich mit

Briefen bis zu meinem Verhör verschonen möchte. — Uebrigens, theure Freundinn, bin ich, wie schon bemerkt, weder Gefangene, noch so behandelt, und es steht jedermann frei, mir zu schreiben. Ich bekomme in diesem Augenblick Ihr kleines Billet, und die Theilnahme, die Sie mir darin zu erkennen geben, rührt mich. Sehr schwach bin ich und krank am Fieber — ich habe ganz allein und ohne Hülfe meine Vertheidigungsschrift aufgesetzt, meine Sache spricht für sich selbst; doch fühle ich mich sehr ermüdet davon. Ach! Mein Leben ist durch die Rückerinnerung an das Schicksal meines lieben Bruders verbittert! —

Hier schicke ich Ihnen die Abschrift meines schrecklichen und unglaublichen Verhörs; es ist von mir ins Französische übersetzt worden. Ich hatte das Fieber und lag im Bett; der Kriegsrath, der mich verhörte, saß im Kreise um mein Bett herum.

Adieu! Den Ort, wohin ich mich wenden werde, weiß ich noch nicht; aber Sie sollen darüber Auskunft von mir erhalten.

(Das Verhör folgt.)

Politische Neuigkeit.

Die heutigen französischen Blätter bringen die für den ganzen Continent von Europa so wichtige Nachricht, von dem durch den Tod der Prinzessinn Amalie veranlaßten Rückfall des Königs von England in seine alte Krankheit. Allen Bülletins zufolge scheint der Anfall so heftig, als der im Jahr 1790. Se. Majestät haben die Prorogatur des Parlament in eigner Person nicht vollziehen können und sind überhaupt zu allen Geschäften völlig unfähig: wenn am 15ten November, dem Tage der Eröffnung des Parlaments, die Herstellung noch nicht erfolgt ist, so sieht man den fürchterlichsten Partheikämpfen, der Einsetzung einer Regentschaft, und, mit Hülfe der großen Crise, die das Genie Napoleons über Großbrittanien zusammen zu stehn gewußt hat, einer entscheidenden Wendung in den Schicksalen der Welt entgegen. Es ist keinem Zweifel unterworfen, daß England einer Revolution entgegen geht: die Emancipation der Irländischen Catholiken und die Parliamentsreform werden erfolgen, sobald der mächtige Damm verschwunden ist, welchen der Wille des Königs ihnen entgegen setzte: und daß alsdann ganz andere gesellschaftliche und politische Verhältnisse eintreten, daß, wenn die brittische Constitution umgestürzt ist, wenn die innere Haltung dieses Staates verschwunden sein wird, die Unfähigkeit Englands die Continental-Verhältnisse zu beurtheilen, zu regieren und darauf zu insuiren, an den Tag kommen wird, daß also Negociationen eintreten müssen; — alles dies wird jedem Unterrichteten einleuchten.

Polizeiliche Tages-Mittheilungen.

Den 18 Nov. ist unweit der Friedrichs Brücke ein männlicher Leichnam aus der Spree gezogen, der von den Schiffern für einen bekannten Backhofs-Arbeiter erkannt wurde.

Einem Bäcker ist für 1 Thlr. 4 Gr. zu leichtes Brod confiscirt.

Berliner Abendblätter.

44tes Blatt. Den 20ten November 1810.

Ueber die gegenwärtige Lage von Großbrittanien.

Es gehört ein hoher Grad von Verblendung dazu,
um die gegenwärtig verzweiflungsvolle Lage Englands
abläugnen zu wollen. Schon vor einigen Tagen hatte
die Aufhebung der Blokade des Sundes gezeigt, daß
bis zur künftigen Zurücknahme der Kaiserl. Französischen Dekrete, von dem Brittischen Handel in der Ostsee nun nicht weiter die Rede sein könne. Die reichsten Kauffahrtheyflotten kehren aus der Ostsee, zugleich
mit den Waarenvorräthen von Helgoland, unverrichteter Sache zurück. Alle diejenigen welche sich bis jetzt
noch mit den vermeintlichen Entschädigungen durch
den Spanisch = Portugiesischen Colonialhandel geschmei-
chelt haben, werden sich wohl überzeugen, daß Amerika ein elendes Surrogat für Europa sei. Daß die ersten Jahre freien Verkehrs mit jenen Colonien nach
langer Sperrung derselben, für England günstig ausfallen mußten, war natürlich: es waren Aequivalente
vorhanden, Metalle, Vorräthe; also ein Handel möglich. Indeß da keine Industrie diese Vorräthe lebendig erhalten oder ersetzen kann; da diese Colonien nur
vermittelst Aufwendung ihres Capitals einen momen-
tanen Handel treiben können, so möchten sie bald in
der Lage des Knaben sein, der seinen Groschen auf
dem Jahrmarkt nunmehr ausgegeben hatte und sich
mit dem Anschaun begnügen mußte.
  Was kann denn überhaupt den Continent von Europa im Welthandel entbehrlich machen, was kann England entschädigen für seinen Verlust? wenn zu allem
Handel nothwendig zwei Personen gehören, zwei
Handelsmächte die in verschiedenartiger Industrie einigermaßen gleichen Schritt halten müssen?
  Dazu nun die Krankheit des Königs und alle politischen Gräuel in ihrem Gefolge? — Wird Lord Wellesley dem Sturme trotzen, wie Pitt im Jahr 1790?
— Seine Talente glänzen im Cabinett, am Hofe, in den
diplomatischen Cirkeln; aber wird dort die Frage von
der Regentschaft entschieden werden? Wer wird diese
schreckliche Angelegenheit im Parliamente führen?
— Zwar ist diesmal kein Fox auf der Straße von Tu-

rin nach London, und seit der Prostitution Burdetts
ist von der Opposition des Pöbels weniger zu befürchten: aber leben denn Lord Grey und Lord Erskine
nicht mehr? Ist es zweifelhaft auf welcher Seite Lord
Grenville stehen wird? und wenn auch der gottselige
Lord Sidmouth mit seinem Bruder Hely und allen
den Seinigen sich fürs erste noch nicht entscheidet, so
ist doch die Coalition aller andern Opposizions-Par-
theien bei der Frage von der Regentschaft diesmal unvermeidlich. Wo sind die Lichter von England? wo ist
die parlamentarische Kraft, welche dem bevorstehenden
Sturme begegnen könnte? Lord Liverpool, der lernbe-
gierige, dogmatische, und Herr Perceval werden das
Steuer lenken, und der Marquis Wellesley wird das
Schiff commandiren sollen, vieleicht in demselben Augenblick, wo die Trümmer der Armee seines Bruders
in England ankommen werden.

Rechnen wir zu allem diesen noch den bedeutenden Umstand, daß alle unterrichteten Personen in England über die Lage von Europa und die innere Ver-
hältniße des Continents völlig im Dunkeln sind, daß
die Brittische Diplomatie, welche niemals die glänzende Seite von England gewesen, nunmehr gänzlich
ausgestorben ist, und daß der Brittische Charakter durch
die Ereigniße der letzten Jahre zu einer Erstarrung
und Einseitigkeit verdammt worden, zu der er von jeher sich schon allzu sehr hinneigte, und man wird einsehen, daß die Crisen von 1790 und 1797, wie schauder-
haft sie auch gewesen, doch mit der heurigen nicht zu
vergleichen sind.

Fragmente.

1. Das Hauptproblem des Financiers unsrer Zeit
ist: die Generalhypotheken wieder zu Ehren zu bringen.
Dieses kann nur dadurch geschehen, daß der Staat con-
solidirt und selbstständig gemacht werde. Dieser Zweck
ist nur durch ein festes Regierungssystem zu erreichen,
welches dessen innere Existenz — die äußere ist in einer
so unruhigen Zeit, wie die jetzige, nicht in des Staatsmannes Gewalt — für die Dauer sichert, Glück und
Wohlstand am allgemeinsten verbreitet. Diese Aufgabe ist wiederum nur durch eine weise und gerechte
Vertheilung der öffentlichen Lasten auf alle Stände zu
lösen. Diejenigen Stände, welche hiebei zu glücklicher
Zeit begünstigt waren, werden auf diese Begünstigung
zur Zeit der Noth und des Unglücks von selbst verzich-
ten. Dann erst wird sich der in jeden Menschen lie-

gende Keim des Gemeinsinns und der Vaterlandsliebe tüchtig entfalten, und, in so fern äußere Sicherheit nicht fehlt, der natürlich größere Credit der General-hypotheken wieder eintreten.

2. Wenn doch diese verfinsternden Apostel der Knechtschaft und des Feudalismus aus der Schule Burkes, diese Philosophen von keinem Ertrage, merken mochten, wie vergeblich sie gegen den besseren Zeitgeist ankämpfen, wie eitel ihr Bemühen ist, die Zeiten vor der Reformation zurückzuführen. Wenn sie doch einsehen mögten, daß nur rohe, reale, zählbare und handgreifliche Bedürfnisse ein Gegenstand der Staatswirthschaft sein können und sollen, und gerade aus dieser rohen Grundlage das höhere Leben einer Nation hervorgehen muß, so wie aus dem Gewirre von Rollen und Seilen hinter den Coulissen, der poetische Effect auf der Bühne hervorgeht; daß nur da die allgemeinste Rationalität entstehen kann, wo der größtmöglichste Theil der Nation durch Wohlstand und Eigenthum an die Erhaltung des Ganzen geknüpft ist. *a. w.*

Verhör der Gräfinn Piper.

Gehalten vor einem Kriegsgericht in der Festung Waxholm den 3ten August 1810.

Frage 1. Da das Verhör und die Untersuchungen, welche Statt haben werden, im Verfolg auf das eigne Begehren der Fr. Gräfinn von Piper, Statt finden, so ist vorauszusetzen, daß dieselbe von dem Verdacht, der auf sie gefallen ist, Kenntniß habe. Demnach bin ich beauftragt, die Fr. Gräfinn zu fragen, was sie darauf zu antworten hat, und ob sie eröffnen kann, aus welcher Quelle ein Verdacht dieser Art, seinen Ursprung nehmen mag?

Antwort. Ich habe nichts zu sagen, außer dies, daß die Gerüchte, in Bezug auf mich, gänzlich ohne Grund sind.

Fr. 2. Kennt die Fr. Gräfinn die Ursachen, die zu dem Verdacht gegen Sr. Ex. den Hrn. Reichsmarschall Veranlassung gegeben haben?

Antw. Dieser Verdacht ist auf gleiche Weise, völlig nichtig und grundlos.

Fr. 3. Weiß die Fr. Gr. irgend etwas das über die traurige Veranlassung, die diesen gerichtlichen Untersuchungen zum Grunde liegt, Licht verbreiten mag?

Antw. Nicht das mindeste.

Fr. 4. Wann hat die Fr. Gr. die Ehre gehabt, Sr. Königl. Hoheit den Kronprinzen zum Erstenmale zu sehn?

Antw. An der Abendtafel Ihrer Maj. der Königinn, ohngefähr 14 Tage nach der Ankunft Sr. Hoheit in Stockholm.

Fr. 5. War Sr. Ex. der Hr. Reichsmarschall gegenwärtig bei dieser Gelegenheit?

Antw. Ja.

Fr. 6. Hat Sr. Hoheit der Kronprinz jemals in dem Hause Fersen, oder abgesondert bei Sr. Ex. dem Hrn. Reichsm. einen Besuch abgestattet?

Antw. Niemals.

Fr. 7. Wann und wo hat die Fr. Gr. seit jenem Abendessen die Ehre gehabt, Sr. Königl. Hoheit wieder zu sehen?

Antw. Ebenfalls wieder nur bei einigen Abendessen an Ihrer Maj. der Königinn, Tafel.

Fr. 8. Hatte Sr. Hoheit vielleicht bei solchen Gelegenheiten, als Gewohnheit sich an die Tafel, und die Fr. Gr. die Ehre, sich an die Seite desselben zu setzen?

Antw. Sr. Hoheit setzten sich niemals bei Gelegenheiten dieser Art zur Tafel nieder; sie zogen sich ohne Ausnahme jedesmal sobald gedeckt war, in Ihre Behausung zurück.

Fr. 9. Ohne Zweifel haben sich Höchstdieselben bei Einer dieser Gelegenheiten, mit der Fr. Gr. unterhalten, und das Gespräch wird sich vielleicht in die Länge gezogen haben?

Antw. Einmal, als ich die Ehre hatte, Sr. Hoheit vorgestellt zu werden, ohngefähr 14 Tage nach ihrer Ankunft in Stockholm. Die Unterhaltung dauerte ohngefähr zwei Minuten.

Fr.: Was war der Gegenstand der Unterhaltung? War er von der Art, daß er Streit und Empfindlichkeit, auf einer oder der andern Seite, veranlaßte?

Antw. Keineswegs. Sr. Hoheit hatten bloß die Gnade mir zu sagen, daß sie mich im Theater, hinter dem Gitter einer Loge gesehen, und daß sie von meinem krankhaften Zustand, der mich verhinderte, den Hof-Festen beizuwohnen, unterrichtet wären.

Fr. 11. Hat die Fr. Gr. niemals irgend eine Abneigung gegen Sr. Hoheit empfunden, und war dieselbe in seiner Person, in seinen Eigenschaften, oder sonst in irgend etwas, das ihn persönlich angeht, gegründet?

Antw. Niemals.

Fr. 12. Hat die Fr. Gr. niemals ein Gefühl dieser Art bei Sr. Er. dem Hrn. Reichsmarschall, bemerkt?

Antw. Niemals.

Fr. 13. Hat jemals ein Vorfall statt gefunden, von welchem, nach der Einsicht der Fr. Gr. vielleicht das Publikum einen Grund hat vernehmen können, zu glauben, daß zwischen Sr. Hoheit und der Fr. oder Sr. Er. dem Hrn. Reichsm. ein Mißverständniß vorhanden gewesen?

Antw. Keineswegs.

Fr. 14. Hat die Fr. Gr. oder der Hr. Reichsm. je, durch eine Aeußerung dem Publiko Veranlassung gegeben, zu glauben, daß dieselben die Hochachtung und das Wohlwollen, daß Sr. Hoheit sich im ganzen Lande erworben hatten, nicht theilten?

Antw. Niemals! Keine Aeußerungen sind über unsere Lippen gekommen, als solche, die mit der allgemeinen Meinung über seine höchste Person übereinstimmten.

Fr. 15. Gab es vielleicht Zusammenkünfte, die das Publikum glauben machen konnten, daß eine Verschwörung gegen das Leben Sr. Hoheit im Werke sei?

Antw. Davon weiß ich nichts.

Fr. 16. Hat die Fr. Gr. Kenntniß genommen von dem, im Publiko verbreiteten Gerücht, daß ein Anschlag, Sr. Königl. Hoheit Gift, in Kaffee, Pasteten, in der Suppe, oder im Thee, beizubringen, entworfen worden sei?

Antw. Davon bin ich, durch das Gespräch der Stadt unterrichtet worden.

Fr. 17. Bei der entsetzlichen Behandlung, die Sr. Er. dem Hrn. Reichsm. widerfahren ist, kann es der Fr. Gr. nicht verschwiegen geblieben sein, welche Meinung über den plötzlichen Tod Sr. Königl. Hoheit, im Publiko im Umlauf ist. Die Fr. Gr. weiß besser, als ich es ausdrücken kann, daß vor den Augen Gottes die geheimsten Dinge entfaltet sind. Ich bin beauftragt, dieselbe zu beschwören, bei Gott und ihrem Gewissen anzugeben, ob sie von irgend einem, sei es auch noch so geringen, Umstand Kenntniß hat, der Licht über den unbegreiflichen Tod Sr. Königl. Hoheit werfen kann.

Antw. Ich kann nichts angeben, was darüber Licht verbreiten kann, denn ich bin, wie schon gesagt, ohne alle Kenntniß über dessen Ursach.

Berliner Abendblätter.

45tes Blatt. Den 21ten November 1810.

Vom Nationalcredit.
(Antwort auf Bl. 41.)

Laßt uns voraussetzen: daß die organische Gesetzgebung
eines bedeutenden Staates, wenn sie eine wahre Gesetzgebung d. h. consequent in allen ihren Theilen sein soll,
nur die Sache eines einzigen Kopfes sein könne, niemals mehrerer. Andere können zur Berathung oder zur
Ergänzung des Mangels an Sachkenntniß zugezogen
werden; aber den Plan des Ganzen muß ein Einziger entwerfen, sonst kann nie ein harmonisches Ganzes
entstehn. Wenn Phidias die Arme und Beine zu seinem Apoll bei andern Künstlern bestellt, und nachher
angesetzt hätte, was würde wohl entstanden sein?
Da es jetzt unmöglich ist, eine weite Strecke der
Zukunft ins Auge zu fassen, so sind wir genöthigt, zur
Regulirung unsrer Schuldenangelegenheiten uns an
dasjenige zu halten, was sich uns zunächst darbietet.
Da nun hat uns das große Grundgesetz aller Politik
einleuchten müssen: „Du kannst nur Einfluß auf die
Zukunft deines Volkes haben, wenn du den Erfolg einer Operation zu berechnen, und die Zufälligkeiten im
Geiste der Zeit von den wesentlichen und bleibenden
zu unterscheiden weißt. Respekt vor deinen Satzungen
kannst du von deinen Enkeln nur erlangen und erwarten, in so fern die Satzungen auf die ewigen
Gesetze der Natur gebaut sind. Alle Satzungen der
Vorfahren, die nicht auf dieses Gesetz gebauet sind,
sondern durch Eigennutz Einzelner, durch momentan-
ten Drang der Umstände, auf Unkosten der allgemeinen
Gerechtigkeit, gegründet wurden, sind nichts weniger
als respektabel. Sie alsdann noch respektiren wollen,
wenn die allgemeine Noth deren Aufhebung dringend
fordert, wenn die allgemeine Volksstimme sie begehrt,
wenn der Geist des Zeitalters schon deutlich ausgesprochen hat, doch sie sich selbst überlebt haben, würde
Mangel an kräftigen Willen verrathen; sie dann noch
respektiren wollen, wenn deren Beibehaltung nur durch
gehäufte und wieder gehäufte, die National-Eintracht
vollends zertrümmernde Ungerechtigkeiten, erhalten
werden kann, würde Ueberfluß an bösem Willen ver-

rathen. Es giebt Verfassungen, die sich nicht vollenden, nur aufheben und mit einem kräftigen Schlage vernichten lassen, weil sie gleich dem Unkraut unter dem Weitzen, aus jedem nicht vernichteten Saamenkorn wieder hervorwachsen, so wie ein Acker ohne Ausbrennen der Wurzeln schwerlich von Quecken gereinigt werden kann."

Wenn eine Nation, wie die Brittische, auf ewige Annuitäten borgt, so liegt dieses nicht sowohl in der Ueberzeugung daß die Regierung auch den Nachfolgern der Creditoren das ursprünglich gegebene Wort zu halten den Willen haben werde — denn diesen trauet eine jede Nation einer rechtlichen Regierung zu! sondern in der Ueberzeugung, daß sie auch die Macht dazu haben werde. Diese Macht beruhet einzig in der Lage dieser Insel, hinter dem sie von allen Seiten umschließenden und durch 600 Kriegsschiffen vertheidigten Bollwerk des Meeres. Nur eine Erdrevolution, die den Canal verschüttete, und eine Landcommunikation mit Frankreich eröffnete, und — mit dem Borgen auf ewige Annuitäten hätte es ein Ende. Trotz dem allgemein verbreiteten Wohlstande, trotz der Anhänglichkeit der Nation an ihre Verfassung, trotz dem Zutrauen derselben zu ihrer Regierung, wäre deren Credit durch diesen kleinen Zufall vernichtet! Der englische Credit würde alsdann weit unter den Credit eines jeden soliden Continentalstaates sinken, weil sein Reichthum nicht auf die solide Basis des Landbaues, sondern auf die weniger solide der Fabrikation und des Handels beruhet, und es zu seiner Subsistenz nothwendig ist, daß andre Staaten diese Fabrikate rc. kaufen, das Land also von diesen abhängig ist. — Nicht bloß innere, auch äußere Sicherheit gehört dazu, um den Nationalcredit auf eine feste Basis zu gründen. Aus beiden zusammen besteht die Selbständigkeit eines Staates, d h die Gewißheit, daß er nach Jahrhunderten und Jahrtausenden noch als unabhängiger Staat vorhanden sein wird. Welcher Staat des Cantinents hat wohl in unsern Tagen, wo die Zertrümmerung aller Reiche und Staaten so alltäglich ist, daß kein Zeitraum der neueren Geschichte etwas ähnliches darstellt, diese Selbstständigkeit?

Physiologie.
(Ueber die Empfindung nach dem Tode.)

Als Charlotte Corday guillotinirt wurde, nahm der Henker, wie bekannt, das Haupt, und gab ihm eine

Ohrfeige. Man wollte, bei dieser Gelegenheit, bemerkt haben, daß die Wangen des Mädchens erröthet wären, und ihr Auge, bevor es sich schloß, noch einmal unwillig auf den Elenden geblickt hatte, der ihr diese Schmach zufügte. Diese Sage gab Veranlassung bekanntlich zu vielen physiologischen Streitigkeiten zwischen denen, welchen darin ein Urtheil zustand: ob nämlich in dem bereits abgehauenen, vom Körper gänzlich getrennten Kopfe, Empfindung mit Bewußtsein vorhanden sein könne. Diejenigen, welche diese Frage verneinten, fanden mancherlei, dem Vorgeben nach auf Erfahrung sich stützenden, Widerstand. Ganz neuerdings hat der Professor Senff in Halle, im Beisein und mit Beistand mehrerer anderen einsichtsvollen Aerzte, an einem Dekollirten Versuche gemacht, welche ziemlich in letzter Instanz das Resultat geben, daß in dem also verletzten und völlig getrennten Kopfe keine Empfindung mit Bewußtsein wahrzunehmen ist.

Am 8. Oktober nämlich wurde der Mörder von zwei Schwestern enthauptet. Er war, was wohl hier von Gewicht ist, sehr ruhig vorher und gefaßt. Der Kopf war gerade in der Mitte des Halses abgehauen worden, und in weichen Sand gefallen. Noch ehe ihn der Experimentator mit seinen Gehülfen aufnahmen, bewegte sich zweimal die untere Kinnlade. Schnell wurde die Binde von den Augen gerissen, welche man weit offen, die Pupillen aber enger als gewöhnlich fand, auch drehten sich die Augäpfel etwas nach Außen hin. In das eine Ohr wurde stark der Name des Dekollirten gerufen, aber die Augen bewegten sich gar nicht, folglich auch nicht nach der Seite, wo gerufen wurde. Eine Stecknadel stach man tief in die Wange worauf man auch nicht das mindeste Zeichen von Gefühl bemerkte. Man spritzte flüchtiges Laugensalz (Liquor Ammonii Caustici) in die Nase, aber es erfolgte auch nicht die mindeste Gegenwirkung auf diesen so heftigen Reiz, kein Zucken; keine auch noch so wenig merkliche Veränderung in den Zügen des Gesichts. Die Zeit dieser Versuche vom Moment der Enthauptung an, betrug nur wenige Minuten. Mithin waren die Versuche, die noch ein augenblickliches Bewußtsein nach dem Tode, statuiren, trügerisch; oder dieselben Versuche geben, bei verschiedenen Köpfen, nicht dasselbe Resultat.   W.

———————

Die Redaction dieser Blätter macht sich ein Vergnügen daraus folgende zwei Erklärungen, die an

ße eingegangen sind, zur Wissenschaft des Publikums zu
bringen.

Antwort auf die Aufforderung im 40ten Stück der Abendblätter.

1. Der bekannte Rezensent der Opern in der Voßi-
schen Zeitung erklärt in Bezug auf die in diesen Blättern an ihn ergangene Aufforderung, daß er von der
Vossischen Zeitungsexpedition für die Rezensionen nach
Contract honorirt wird, und er die Eingangsgelder
bei Opern der Expedition berechnet, und weder von
der General Direction des Theaters, Geldsummen
nach Freibillets zu diesem Behuf erhalten hat, noch
erhält.
                                   J. C. F. R.

2. Ich erkläre hiermit, daß ich für meine Thea-
teranzeigen von der Voßisch. Zeitungsexped. Honorar
und die nöthigen Einlaßzettel erhalte; keineswegs aber,
als Recensent, mit der Theaterdirection in Verbindung
stehe, vielweniger von derselben durch Geldsummen und
Freibillets bestochen werde.

Der Redacteur des Theaterartikels in der Voß. Zeitung.

Bülletin der öffentlichen Blätter.

London d. 3. Nov.

Dem Doctor Madows, und mehreren andern Aerzten, welche
zu Sr. Maj. nach Windsor berufen, und die Nacht bei ihm zugebracht haben, werden folgende drei Fragen vorgelegt werden:
1) Werden Sr. Maj. durch Ihre Krankheit außer Stand gesetzt, Ihr
Parliament zu versammlen und den öffentl. Geschäften vorzustehn?
2) Ist Wahrscheinlichkeit zur Wiederherstellung Sr. Maj. von Ihrer
Krankheit vorhanden? Und (im Fall die Antwort bejahend ausfällt)
3) Gründen sich diese Wahrscheinlichkeit auf Symptome, die der
Krankheit Sr. Maj. besonders einen, oder auf die Erfahrung in ähnlichen Fällen überhaupt? — Wenn Sr. Maj. den 15. Nov. noch
nicht hergestellt sind, so wird der Präs. des Geh. Raths den Pairs
anzeigen, daß der König außer Stand sei, sein Parliament zu berufen, und daß das Recht der beiden Häuser eintrete, wegen Ersetzung der königl. Gewalt provisorische Maaßregeln zu ergreifen.
                                   (K. d. B.)

Paris d. 10 Nov.

Die Kronprinzessinn von Schweden ist mit dem Prinzen Oskar,
Ihren Sohn, am 9. d. von hier nach Stockholm abgereist.
                                   (J. d. l'Emp.)

Brüssel d. 11 Nov.

Um 6. d. ist die Kaiserinn Josephine zu Maimaison angekommen, von da sie nach Navarra reisen wird.   (Hamb. Z.)

Madrid d. 20 Okt.

Gen. Hugo, der seit einiger Zeit die Bewegungen des famö-
sen Partheigängers Empecinado beobachtet hatte, erreichte ihn am
17. d. bei Val de Saz. Empecinado und seine Bande wurden sogleich in die Flucht getrieben, und zerstreuten sich in die Gebirge
nachdem sie 240 Mann auf dem Platz gelassen hatten.

Berliner Abendblätter.

46tes Blatt. Den 22ten November 1810.

Erklärung. So gewiß der Unterzeichnete über Christian Jakob Kraus und über die Frage, ob es zweckmäßig oder unzweckmäßig war, die Grundsätze des Adam Smithschen Systems der preuß. Staatsverwaltung einzuverleiben, seine Parthei genommen hat, so ist der Gegenstand doch, von jeder Seite betrachtet, zu wichtig, als daß derselbe nicht dem wissenschaftlichen Gespräch, das nun in diesen Blättern darüber erhoben hat, freier Lauf lassen sollte. Demnach legt er dem Publikum, seines Antheils an dieser Sache gewiß, folgenden Aufsatz von der Hand eines höchst achtungswürdigen Staatsmannes aus Königsberg vor, der sich berufen gefühlt hat, die Sache seines Freundes, des verewigten Christian Jakob Kraus, gegen den Angriff (11tes Blatt) zu vertheidigen.

H. v. K.

Auch etwas über Christian Jakob Kraus auf eine andere Manier.

Hätte der Verfasser des Aufsatzes über C. J. Kraus in Nr. 11. des Berliner Abendblattes an Luthers: „Ein jeder kehre vor seiner Thür und lerne seine Lektion, so wird es wohl im Hause stehn‟, gedacht, vielleicht hätt er ihn gar nicht geschrieben, jetzt da die Leser durch das pro und contra seines Lobes und Tadels ein Urtheil über meinen vieljährigen Freund irre werden könnten, halt ich es für nöthig, thäten durch kleine Zurufe über einiges in diesem Petulant-süßen Aufsatze, aus der Abschätzungsschaukel wieder auf die sichere Erde zu helfen.

Herr Ps. nennt unsern Kraus einen langsamen, unfruchtbaren Kopf. Langsamkeit ist aber kein absoluter Fehler, wie die Vorschnelligkeit es ist. Scharfsinn und Bedachtsamkeit erlauben da, wo sie so innigst verbunden sind, wie sie es in Kr. Kopf waren, durchaus keine genialistische Geschwindigkeit, und lassen höchstens ein festina-lente zu. Das Studiren könnte man mit einer Jagdparthie vergleichen, auf der der vorsichtige Jäger nicht oft schießt, aber immer trist, der Eilfertige Schuß auf Schuß macht, und wenig in der Jagdtasche heimbringt. Was Kr. Unfruchtbarkeit betrift, so ist es wohl unbillig ihn selbiger zu zeihen, weil er nicht Bücher drucken ließ, sondern nur Beweise seiner intensiven Fruchtbarkeit in seinen Vorlesungen durch den feurigsten Eifer für das Fruchtbarmachen zu guten Werken ablegte. Die Physiokra-

[46]

ten rechnen den Landmann ausschließlich zur produktiven Klasse, und thut er mehr als sein Feld gut bearbeiten uud guten Samen ausstreuen?

Wenn Kr. Kunst des Periphrasirens, Läuterns, Rubricirens und Numerirens selbst mechanische Köpfe zum Verstehen seiner treflichen Vorträge und ihrer nachherigen Befolgung zu bringen vermochte, ist dadurch sein Verdienst um seine Wissenschaft nicht größer, als wenn er bloß honoratiores um sich versammelt und sie aus der mit eau de mille fleurs gefüllten Rednergießkanne überspritzt hätte, obgleich die wahre Fruchtbarkeit nur durch Regenwasser befördert wird? Oder wenn er die gewöhnliche Elemente reichlich subdividirt, und blanke Einfälle durch sophistische Dämpfe über Gebühr zu erheben gesucht hätte?

Kr. dachte viel selbst, laß die Alten und Neuen, benußte selbst Umgangsgespräche zum Vortheil seiner Lieblingswissenschaft, und vermochte eben dadurch den Werth des von Unberufnen commentirten und excerpirten Adam Smith in bessern Umlauf zu bringen, als es manchen Büchermachern und Vorlesern damit gelingen dürfte.

Ist es Recht wider einen Mann zu sprechen, von dem man selbst eingesteht, er habe die selten gewordne schulgerechte Form verstanden, und vielleicht durch ihre Zudringlichkeit sü heilsam auf andre gewirkt?

Müßte man nicht das in den Vorberichten über ihn gesagte durch ein stark vergrößerndes Glas ansehen, wenn man darin eine übertriebene Adoration wahrnehmen, und diese für eine Verkürzung seines wohl verdienten Ruhms erklären wollte? Man ließ ihm bloß Gerechtigkeit widerfahren, und die ihn kannten haben keinen Einspruch gethan.

Kr. Positivismus hatte einen guten Grund in seinem zwanzigjährigen Studio des Smith und in den vielen Erfahrungen über die Richtigkeit der Smithschen Grundsäße, hinderte ihn aber warlich nicht, oft größere und freiere Ansichten anzunehmen und auszusprechen, als die Smithschen Buchstaben darbieten, denn auch er wußte unleugbar, daß der Buchstabe manches in unsrer Gesetzgebung getödtet habe — ist aber durch nachfolgende Freykünstler schon viel getödtetes wieder lebendig gemacht, oder sind nicht die mehresten bloß bei Geistercitationen stehen geblieben, bei denen es einerlei ist, ob sie die alte Frau von Endor oder ein blutjunger Merlin treibt. Wer über Adam

Smith oder Adam Müller das Studiren der lehrreichen Zeit vergißt, für den sind Krause's Posthuma nicht gedruckt.

Als herzlicher Lehrer der Moral und des Naturrechtes vergaß er wahrlich nie, daß Wissenschaft des Rechts mit der Wissenschaft ächter Oekonomie unzertrennlich schwesterlich verbunden sein müsse, ob er gleich zu seiner Zeit noch nicht den casum verkümmerter Organisations Behandlungen so deutlich und ausführlich in terminis gehabt hatte, wie er neuern Virtuosen zu Diensten steht, und sie vor dem Zutrauen in die unbedingte Präcision ihrer im Fluge aufgegriffenen Principien warnen oder davon abhalten könnte.

Zur Antwort auf die vom Herrn *Ps.* aufgeworfne erste Schlußfrage diene die Versicherung, daß Kr. angeblich unproductiver und abhängiger Kopf zu der Lokalautorität gekommen, weil seine jungen Zuhörer unbefangene Jünglinge waren, denen seine unübertreffliche Lehrgabe Liebe und Zutrauen einflößte, und weil die ältern und Dienstmänner, die seine Vorlesungen besuchten, wenn sie das Buch ihrer Erfahrungen mit seinen Vorträgen verglichen, lauter gediegene Wahrheit darin fanden, und aus ihnen manche Behandlungsirrthümer erkannten.

Die 2te Frage beantworte ich mit einer andern: warum mußte die seit undenklicher Zeit von den Niederländern hochgetriebene und die seit 50 Jahren rühmlich bekannte beßre Wirthschaft der Engländer in dem den Niederlanden und England näher gelegenen Deutschland letzterm erst in viel spätern Jahren zu einem übertriebnen Ansehen gelangen? Der lange Winter den die Smithschen Saaten in der Erde Preussens zubrachten, hat vielleicht ihr beßres Gedeihen bey uns veranlaßt.

Ferne sey es von Krause's Landsleuten, ihm eine Gesetzgeberrolle aufdringen zu wollen, zu der er nicht geboren war, und die ihm auch gewiß nie in den Sinn kam, wie solches zum Theil seine fast übertriebene Abneigung gegen das Druckenlassen bezeugt, zu der aber die einen vorzüglichen Hang (pruritus) zu verrathen scheinen, die ihre Vorlesungen pfeilschnell zum Verleger tragen, und manches staatswirthschaftliche Räthsel schlecht oder gar nicht errathen hätten, hätten sie nicht mit dem Smith-Krauseschen Kalbe gepflüget.

An den Großherrn.

(Als er den Mufti absetzte.)

Recht hast du, Herr! Ein kleines Licht
Paßt auf den Kirchenleuchter nicht.

Anekdote.

Zwei berühmte Engl.sche Barer', der Eine aus Portsmouth gebürtig, der Andere aus Plymouth, die seit vielen Jahren von einander gehört hatten, ohne sich zu sehen, beschlossen, da sie in London zusammentrafen, zur Entscheidung der Frage, wem von ihnen der Siegerruhm gebühre, einen öffentlichen Wettkampf zu halten. Demnach stellten sich beide, im Angesicht des Volks, mit geballten Fäusten, im Garten einer Kneipe, gegeneinander; und als der Plymouther den Portsmouther, in wenig Augenblicken, dergestalt auf die Brust traf, daß er Blut spie, rief dieser, indem er sich den Mund abwischte: brav! — Als aber bald darauf, da sie sich wieder gestellt hatten, der Portsmouther den Plymouther, mit der Faust der geballten Rechten, dergestalt auf den Leib traf, daß dieser, indem er die Augen verkehrte, umfiel, rief der Letztere: das ist auch nicht übel — ! Worauf das Volk, das im Kreise herumstand, laut aufjauchzte, und während der Plymouther, der an den Gedärmen verletzt worden war, todt weggetragen ward, dem Portsmouther den Siegsruhm zuerkannte. — Der Portsmouther soll aber auch Tags darauf am Blutsturz gestorben sein.

Polizeiliche Tages-Mittheilungen.

Ein Schlächter hat seine Waage durch das Beihängen eines eisernen Hakens unrichtig gemacht, und ist deshalb ur Untersuchung gezogen.

Bei der Recherche der Tanzböden sind 3 Frauenzimmer als brod- und dienstlose Herumtreiberinnen, eine Mannsperson als Ruhestörer und 9 öffentliche Mädchen verhaftet.

Vorgestern Abend ist eine noch von Niemand erkannte Mannsperson zwischen den beiden Schleusenthören in die Spree gesprungen, und hat sich ersäuft. Obgleich er sehr bald wieder herausgezogen ward, so war doch alle ärztliche Hülfe zur Wiederbelebung desselben vergeblich.

Druckfehler im gestrigen Stück.

Pag. 176 Zeile 1 anstatt vollenden ließ: modificiren.

Berliner Abendblätter

47tes Blatt.   Den 23ten November 1810.

Folgender Brief eines redlichen Berliners,
das hiesige Theater betreffend, an einen
Freund im Ausland, ist uns von unbekannter
Hand zugesandt worden. Wir haben, in diesen Blättern, so manchen Beweis von Unpartheilichkeit gegeben; dergestalt, daß wir, der gegen uns gerichteten Persönlichkeiten, die darin befindlich sind, ungeachtet, keinen Anstand nehmen, ihn dem Publiko
vorzulegen.   (Die Redaction)

Schreiben eines redlichen Berliners, das hie-
sige Theater betreffend, an einen Freund
im Ausland.

Der Herr Theaterdirector Iffland, hat nach dem Geständniß eines großen Theils von Berlin, seit er an
der Spitze des hiesigen Theaters steht, die Gestalt und
das Ansehn desselben, auf eine merkwürdige und außerordentliche, jedem Freunde der Kunst gewiß höchst über-
raschende Art, umgewandelt und bestimmt; und wenn
wir ihn, wie uns die Würde und der Glanz seiner äußern Lage hoffen läßt, länger und unausgesetzt, in unserer Mitte behalten, so steht zu erwarten, daß er dem
Theater, (was ihm, zu besitzen, das erste Bedürfniß
ist,) vielleicht auf eine unwandelbare und nicht wieder
zu verwischende Art, einprägen werde: nämlich, einen
Charakter. Zwar sind nicht alle Kunstfreunde, und
besonders nicht die, die aus der neuesten Schule hervorgegangen sind, mit den Grundsätzen, nach denen
er verfährt, einverstanden; aber diejenigen, die er
sich aufgestellt hat, verfolgt er mit Energie, Sicherheit unerschütterlicher Consequenz: Eigenschaften, die
selbst fehlerhafte Maasregeln, heilsamer und ersprieß-

[47]

licher machen können, als gute, wenn dieselben ihnen fehlen.

Die Hauptursache, wodurch wir dies erreicht, liegt in dem glücklichen Verhältniß, in welchem wir seit mehreren Jahren schon, mit der Kritik stehen; mit der Kritik, dieser unschätzbaren und unzertrennlich schwesterlichen Begleiterinn jedes Theaters dem es darum zu thun ist, der Vollendung, auf dem kürzesten und raschesten Wege, entgegenzuschreiten. Männer, von eben soviel Einsicht als Unpartheilichkeit, haben in den offentlichen, vom Staat anerkannten Blättern, das Geschäft permanenter Theaterkritiken übernommen; und nur die schändlichste Verläumdung hat Gefälligkeiten, die die Direction, vielleicht aus persönlicher Freundschaft für sie hat, die Wendung geben können, als ob sie dadurch bestochen wären. Gleichheit, Uebereinstimmung und innerliche Congruenz der Ansichten, im Fache der Kunst, bstimmen dieselben, mit ganz uneigennützigem Eifer, durch Belehrung und Würdigung dessen, was sich auf der Bühne zeigt, in die Zwecke der Direction einzugreifen; und wenn ein pecuniaires Interesse (was zu läugnen gar keine Ursache ist) bei dem Geschäft, dem sie sich unterzogen haben, zum Grunde liegt, so ist es kein anderes, als das, was jedem Schriftsteller, der Manuscripte an seinen Buchhändler abliefert, statuirt ist. Demnach haben wir, seit mehreren Jahren schon, die glückliche, allerdings den Neid der Uebelgesinnten reizende, Erscheinung, daß dasjenige Organ, welches das größeste Publikum hat, auf Seiten des Theaters ist; dergestalt daß eine Stimme, die ihre Recensionen durchkreuzte und das Publikum irre zu führen bestimmt wäre, sich nur in untergeordnete und obscure Blätter verlieren und aus diesen in die fremden, ausländischen aufgenommen werden kann; und auch für die Unschädlichkeit solcher Intriguen ist, auf mancherlei Weise, bei uns gesorgt.

Und in der That, wenn eine Direktion das Feld

der Kritik so erschöpft hat, als man es von derjenigen deren wir uns jetzt erfreun, voraussetzen kann: wozu kann man fragen, das Raisonniren und Rezensiren, das doch niemals aus dem Standpunkt geschieht, der einmal, auf unabänderliche Weise, nach einer bestimmten Wahl des Besseren, angenommen ist, wozu, fragen wir, dergleichen, als nur die Eintracht, die zwischen Publikum und Direktion herrschen soll, zu stören, das Publikum gegen das Verfahren, das dieselbe beobachtet, argwöhnisch uud mißtrauisch zu machen, und demnach den ganzen Kunstgenuß, die Totalität der Wirkungen, ästhetischer sowohl als moralischer und philantropischer, die die Direktion beabsichtigt, auf die unzweckmäßigste und widerwärtigste Weise, zu nichte zu machen?

Excentrische Köpfe, Kraftgenies und poetische Revolutionairs aller Art machen sich, wir wissen es gar wohl, in witzigen und unwitzigen Aeußerungen, über diese sogenannte „Theaterheiligkeit" und den neuesten „Theaterpabst" sehr lustig; sie führen an, selbst die Kirche habe dulden müssen, daß man die Fackel der Untersuchung in ihr Allerheiligstes hineintrage; doch weit entfernt, uns durch Persiflagen dieser Art, deren unreine Quelle nur zu sehr am Tage liegt, irre machen zu lassen, so soll dies nur ein Grund mehr sein, die Thür unseres kleinen freundlichen Tempels (soviel es sein kann) vor ihrer unberufenen, zudringlichen und leichtfertigen Fackel zu verschließen. Zu einer Zeit, dünkt uns, da alles wankt, ist es um so nöthiger, daß irgend etwas fest stehe: und wenn es der Kirche, nach der sublimen Divination dieser Herren, (welches Gott verhüten wolle!) bestimmt wäre, im Strom der Zeiten unterzugehen, so wüßten wir nicht, was geschickter wäre, lan ihre Stelle gesetzt zu werden, als ein Nationaltheater, ein Institut, dem das Geschäft der Nationalbildung und Entwickelung und Entfaltung aller ihrer höhern und niedern Anlagen, Eigenthümlichkei-

ten und Tugenden, vorzugsweise vor allen andern Anstalten, übertragen ist.

Berlin, d. 20. Nov. 1810. µη.

N. S. Gestern sahen wir hier Pachter Feld-
kümmel; in Kurzem werden wir wieder Vetter
Kukkuk und vielleicht auch Rochus Pumpernik-
kel sehn.

―――――

Der Kreis.

Wo der Anfang sei? Geh doch, und frag' nach dem
Ende!
Hast du das Ende, dann ist dir auch der Anfang
gewiß.
W.

Bülletin der öffentlichen Blätter.

Se. Maj. der Kaiser haben dem Präsidenten des Senats, vermittelst eines Schreibens vom 12. Nov. die glückliche Schwangerschaft
Ihrer Maj. der Kaiserinn offiziel angezeigt. (L. d. B.)

Fontainebleau d. 11. Nov.

Durch ein Kaiserl. Fr. Dekret vom heutigen Dato, ist der Erz-
bischöfliche Pallast zu Paris dem Pabste eingeräumt worden. (Mon.)

Von Lissabon ber fehlen, des stürmischen Wetters wegen,
seit dem 15. Oct. alle Nachrichten. — Uebrigens enthalten die
Londner Nachrichten das letzte Bülletin über das Befinden S. M.
des Königs, welches also lautet:

Der König hat eine gute Nacht gehabt. Sr. Majestät befinden sich seit 24 Stunden besser. (Mon.)

Ein weitläuftiges Fragment einer Uebersetzung vom Tode
Abels, von Geßner, steht im Moniteur; durch Hrn Kabler, von der
Akademie zu Lyon.

Berliner Abendblätter.

4stes Blatt. Den 24ten November 1810.

Ps. zum Schluß über C. J. Kraus.

Die gerechte Würdigung der Verdienste des verstorbenen Christian Jakob Kraus im 11ten Blatte dieser Zeitschrift, hat viele gelegenheitliche Ergießungen redseliger Freundschaft veranlaßt. Wir bedauern aufrichtig, daß die nachgelassenen Schriften des Professors uns zu wenig Eigenthümliches dargeboten haben, als daß wir von seiner Persönlichkeit hätten absehen können, wenn wir den Fleck treffen wollten, den wir wirklich getroffen haben.

Eigentlich meinten wir aber die wissenschaftlichen Applikationen des Adam Smith und seiner Consorten, auf die Verwaltung von Staaten, die sich durch Kunst und innere Kraft erst isoliren sollen, und nicht durch Natur und innere Kräft bereits isolirt sind, wie der Brittische. Die äußeren Lebensbedingungen der besondern Staaten, welche Adam Smith auf seiner Insel eine Zeitlang übersehen durfte, müssen bei uns ein Gegenstand ewiger Wachsamkeit sein, die der Staatsgelehrte weder in der Gesetzgebung noch bei Fragen der Nationalökonomie je ungestraft versäumen wird. Wir brauchen unzählige künstliche Schranken um der Freiheit willen, weil die Eine, große, natürliche Schranke fehlt, unter deren tausendjährigem Schutz und Zwang sich ein majestätisches Gesetz, also eine männliche Freiheit, und in diesen letzten Tagen dann auch verführerische Systeme der Freiheit in England entwickelt hatten. Das alles sagen wir, nicht mit Klagen über ein Versäumniß der Natur gegen uns, sondern mit stolzer Anerkennung unseres viel größeren Berufs: aus eigner Kraft des Herzens, mit selbst erbauten Schranken des Besitzes, des Genusses, des Gewerbes sollen sich

dereinst die Staaten des Continents isoliren; sie sollen
wissen, was sie frei gemacht und was England bis jetzt
noch nicht weiß: sie sollen politische Freiheit lehren können, was der Brittische Staatsgelehrte heute noch
nicht kann, weil er vor Bäumen den Wald nicht sieht;
sie sollen an die Dauer der Freiheit glauben können,
was Burke, Pitt und Fox noch nicht konnten, weil die
brittische Freiheit nicht mit Bewußtsein erworben oder
befestigt war.

Aus diesen höheren Rücksichten haben wir es für
gut gefunden, der deutschen Seite des Adam Smith
in den Weg zu treten, auf eine Staatswirthschaft zu
dringen, welche äußere und innere Lokalität, Gerichtshöfe und Administration zugleich ins Auge faßte, und
die Hieroglyphen unsrer alten Continental-Einrichrun-
gen der leichtsinnigen und in gewissen natürlichen
Grundsätzen schwärmenden Jugend, wieder verständlich und ehrwürdig machte. Wir haben es unanständig gefunden, uns der ersten besten, über das Meer
herlaufenden Weisheit sogleich auf Diskretion zu ergeben, wenn wir auch nicht verschmähten, mit ihr zu
kapituliren.

Um nun der Zerstreuung und Harthörigkeit unserer
Zeitgenossen zu begegnen haben wir unsern kalten und
ruhigen Angrif diesmal persönlich und lokal eingerichtet,
nachdem wir unabhängig von Person und Zeit in größeren Werken uusre Ansicht selbst für eine unbefang-
nere Zukunft niedergelegt hatten. Dem Schatten des
rechtschaffenen Kraus haben wir nichts abzubitten, vielmehr haben wir sein Publikum um ein Beträchtliches
vergrößert.

Weil wir aber mit einem einzigen, ernsthaften
und auf sehr erhabene Dinge zielenden Worte, nebenher so vielerlei kleine Unwürdigkeiten und unziemliche
Persönlichkeiten eingefangen haben, so werden wir,
mit großer Resignation gegen uns, ehestens wieder
eine andre gelehrte Autorität einer solchen kurzen und
strengen Betrachtung unterziehn. In der größeren

Lebhaftigkeit des daraus erfolgenden Streits, und auf
der Folie der mit unterlaufenden Unwürdigkeiten, werden die heiligen Prinzipien der Gesetzgebung, der
Staatswirthschaft und der Freiheit heller einleuchten,
vor denen allezeit die Persönlichkeiten: Adam Smith,
und Kraus und △**, und der witzige Königsberger
und besonders *Ps.* in Schatten treten sollen.

———

An die Recensenten der Elemente der Staats-
kunst von Adam Müller.

Recensionen verfert'ge ich euch, wie der Weber die
  Strümpfe,
  Schwarz häut oder auch weiß, wie nur der Mei-
  ster verlangt.
Um das Maas nicht bin ich bekümmert, um Läng' und
  um Breite,
  Denn solch Strickwerk, es zieht doch sich nach jeg-
  lichem Fuß.
Freilich wer Strümpfe bedarf, sucht sich die passenden
  selber;
  Aber die Recension zieh ich gewaltsam euch an.
Und drum web' ich auch alles fein leicht und windig
  wie Spinnen,
  Denn wie selten es paßt, merkte sonst endlich
  das Volk.
Nimmer möcht ich, bei Gott, mich mit dem Ganzen
  befassen,
  Jag' ich dem Einzelnen nach, giebt sich das Ganze
  von selbst.
Ueber ein Buch erscheine mein Urtheil streng doch ge-
  recht auch!
  Sätze zerr' ich heraus, führe den klärsten Beweis.
Was der Verfasser will, und wie sein Wollen er-
  reicht ist,
  Geht mich nichts an, ich weiß: was mit ihm selbst
  ich gewollt.

Fühl' ich, beim Lesen des Buchs, "so hätt' ichs selber
geschrieben,"
Dann ist's trefflich, es wird Loo ihm und Ehre
genug.
Was mir am meisten verhaßt, ich will es ehrlich be-
kennen,
Unverständliches, Freund, ist mir ein schrecklicher
Gräul.

W.

Bülletin der öffentlichen Blätter.

London d. 7. Nov.
Gestern ist nachstehendes Bülletin bekannt gemacht worden:

Windsor d. 6. Nov.
Sr. Maj. haben die verwichene Nacht nur sehr
wenig geschlafen, und befinden sich diesen Morgen nicht besser. Reynolds, 2c.
Die traurige Krankheit Sr. Maj. scheint häufigen
Abwechselungen von Ru,e und Unruhe unterworfen
zu sein; ihr Puls variirte in zwei Tagen von 80 zu
120 Schlägen. Noch andern Nachrichten zufolge, soll
Sr. Maj. Zustand sehr bedenklich, und in London unruhige Auftritte vorgefallen sein, weil das Volk glaubt
man verberge ihm die Wahrheit. (L. d. B.)

Anzeige.

Den Verfasser eines Aufsatzes: Ueber die neueste Lage von Großbrittannien, der aus Rücksichten, die hier zu erörtern zu weitläufig wäre, nicht
aufgenommen werden kann, ersuchen wir ganz ergebenst, ein Schreiben für ihn in der Expedition der
Abendblätter (Jägerstraße, bei Hrn. Kralowsky) abzuholen. Dasselbe wird ihm auf Vorzeigung eines
Pettschafts mit einem Sokrateskopf ausgeliefert werden. (Die Redaction.)

Berliner Abendblätter.

49tes Blatt.   Den 26ten November 1810.

Theater.

Vier Tage hinter einander, es ist erfreulich dies zu sagen, war Feuer und Lust in den Schauspielern und in den Zuschauern. Leben erweckt Leben; der rechte Genuß des Schauspiels ist nur in der gleichen Lebendigkeit des Mittheilens und des Empfangens möglich, sonst bleibe man zu Hause und lese und langweile sich für sich allein.

Die Quälgeister haben in der Bearbeitung freilich auch nicht einmal den Titel vom Shakespear behalten, und das Genialische „Viel Lärmen um nichts" ist hier in viel Lärmen um etwas, das bei weitem nicht soviel werth als das nichts ist und manchmal recht eigentlich quält, verwandelt und verwässert. Aber eine einzige Darstellung, wie Madam Bethmann sie in der Rolle der Beatrice gab, stellte den ewigen Shakespear wieder vor aller Augen in seiner ganzen Herrlichkeit her, der Geist schwebte über dem Wasser und die modernisirtesten und trivialsten Worte wurden in ihrem Munde Musik und Poesie. Gewiß hat die Betrachtung, daß das Stück einmal so modernisirt ist, Herrn Iffland bewogen, auch seinen Dupverich darnach zu modernisiren, aber gerade diese Rolle verträgt es allenfalls, verlangt es vielleicht sogar, und ich wenigsten bekenne gern, daß ich nur schüchtern meine bewährte Meinung der prononcirten Wahl eines praktischen Künstlers von Herrn Ifflands Geist und Verstand gegenüber stelle. Genug, wie er die Rolle nahm, gab er sie mit der unendlichen komischen Kraft, die man an ihm zu bewundern nie müde wird und vergleichungsweise noch immer nicht genug würdigt. Der Raum dieses Blatts erlaubt es nur noch des lebhaften eleganten Spiels des Herrn Beschort und der Talente des Herrn Kern, des jüngern, so klein seine Rolle auch ist, zu erwähnen.

Die Musik der Schweizerfamilie hat gerührt, erfreut und entzückt. Wie wäre es auch möglich, daß soviel Wahrheit des musikalischen Ausdrucks diese Wirkungen auf unbefangene und nicht verbildete Gemüther verfehlen könnte? Ist es dennoch der Fall, so ist es freilich kein Wunder, denn vor allen andern scheint gegenwärtig das fast überbevölkerte Reich der Musik Gesetz- und Verfassungslos und eine nur immer weiter und weiter getriebene Virtuosität im Einzeln der Culminations-Punkt alles unbestimmten und immer mehr sich spaltenden Strebens zu sein. Man wache ja, daß der Götzendienst uns nicht ganz und gar das Göttliche entrücke. Herr Rebenstein als junger Schweizer interessirte durch Spiel und Gesang und Msle. Herbst leistete sehr viel, wenn auch nicht alles.

Ein kleines neues Stück von Kotzebue, das zugemauerte Fenster, das mit den beiden Klingsbergen zusammen gegeben wurde, wird sich durch Reize, die es selbst hat, leichten Gang und leichten Witz, noch mehr aber durch den köstlichen Reiz, den Herr Ifflands originelles und lebendiges Spiel ihm giebt, auf der Bühne erhalten Wie er die schwache Gutmüthigkeit, die an jeden Dinge eine erfreuliche Seite sieht, mit so einfachen Mitteln in Ton und Geberden charakterisirt, läßt sich freilich nicht beschreiben, aber noch weniger möcht' ich es den gewöhnlichen Schauspielern zur Nachahmung empfehlen, denn so etwas gelingt nur der freien Eingebung des Genies. Der bekannten beiden Klingsberge erwähnt man hier blos deswegen, weil der lang entbehrte Herr Unzelmann darin wieder erschien und auf eine Art empfangen wurde, die ihm sehr schmeichelhaft beweisen muß, daß das Publikum fühlt, wo ein Iffland ist, muß auch ein Unzelmann sein, neben einem reichen, allbewunderten Talent, das sich künstlerisch frei beherrscht und regelt, muß auch ein anders Talent, das kek und lustig über die Schranken herausgeht, die, ihm angelegt, nur Nüchtenheit hervorbringen würden, geliebt und geschätzt werden. Herr Unzelmanns Spielweise, wenn er so recht aufgelegt ist, macht es uns möglich, ohne Reflexion aus vollem Herzen lustig zu sein

Herrlich beschloß den Genuß dieser vier Vorstellungen die Jungfrau von Orleans, denn endlich sah man auf unserer Bühne die wunderbare, heilige, mächtige Jungfrau

Mit edlem Leib und den ernsten Blick
Herabsenkend auf der Erde kleiner Länder,
Da schien sie mir was hörers zu bedeuen,
Und dünkt mir's oft, sie stammt aus andern Zeiten.

Die jetzige Madam Schütz, die sie zuerst uns gab, erlag mit aller ihrer schönen Gestalt, ihrem Talent und ihrer Kunst nur zu oft den beschränkten Mitteln ihrer Stimme, oft einer trägen weinerlichen Gefühls- verschwemmung und fast noch öfter den gesuchten Künst- lichkeiten in einzelnen Stellungen, worin sie damals sich zu üben liebte. Madam Schröck, vielleicht zu sehr die Fehler ihrer Vorgängerin im Auge habend, ver- mied wohl jene aber verlor sich auf Kosten der Kraft in eine zu mädchenhafte Weichheit, und kurz, das anmu- thige Naturell, das uns alle gewöhnliche Mäd- chen so liebenswürdig machte, — vermogte es nicht sich in das Ungewöhnlichste, das Mädchen von Orleans, zu verwandeln. Mslle. Maaß, des Zaubers ihrer lieb- lichen Stimme sich ganz bewußt, sowie ihrer treflichen, von aller Ziererei entfernten, Declamation, hat sich von Rechtswegen immer auf die Wirkung beschränkt, die ein geschickter Vorleser hervorbringen kann. Die vorübergehenden beiden Gastspielerinnen, die zierliche, rhetorische Mslle. Jagemann und die monotone, affec- tirte Madame Hartwig gehören zur Vollständigkeit der Gallerie, an deren Ende jetzt Mslle. Beck so hervorra- gend sich gestellt hat. Glück darf man der deutschen Bühne wünschen, daß ihr endlich wieder ein Talent für das Erhabene, Große und Wunderbare aufblüht, und so unerwartet diese Erscheinung ist, so berechtigt ist man zu hoffen, daß sie auf unserer berlinischen Bühne, die vor andern Mittel und Beruf hat, die erhabenen tra- gischen und poetischen Werke ihrer vaterländischen Dichter würdig und immer würdiger auszustellen, nicht vorübergehend sein werden. Mslle. Beck hat in der Darstellung der Johanna so viel Kraft, Feuer, Innigkeit, richtige und feste Ergreifung der wichtigsten Momente, und durchweg, das wesentlichste der Rolle, den heiligen überweltlichen Sinn des wunderbaren Mädchens offenbart, daß man ungern einige Mängel rügt, die blos die Ausbildung ihrer Diction im allge- meinen betreffen. Dahin gehört, daß sie oft zu schroff und grell aus tiefen Tonen in hohe überspringt, statt sie leise abzustufen, wodurch die Melodie der Stimme leidet. Doch dies ist es, was gelernt und gelehrt wer- den kann — das höhere, was sie besitzt, geben nur die Götter.   Fr. Sch.

Bülletin der öffentlichen Blätter.

London den 5ten Nov.

Sr. Maj. Krankheit ist im Ganzen nicht so heftig als im Jahr 1788, obschon sie, Ihres hohen Alters wegen, diesmal gefährlicher ist. Auch Ihre Maj. die Königinn und die Prinzessinn Maria liegen, von Kummer und Betrübniß angegriffen, krank darnieder. (Mon.)

Ein engl. Officier, Nahmens Edward, hat auf van Van Diemens Land, wo er, zu seinem Vergnügen ans Land ging, eine französische Inschrift in einem Baum, und dicht dabei eine in die Erde gegrabene Flasche, mit mehreren versiegelten Briefschaften gefunden. Da die Adressen an französischen Herren und Damen die unter der vormaligen Regierung bekannt waren, lautet, so glaubt man: Lá Peyrouse sei der Schreiber dieser Briefe und Hr. Edward hat dieselben breits, durch seinen Vater in London, zur Beförderung an ihre Adresse, dem Grafen Liverpool zustellen lassen. (L. d. B.)

Fecamy den 12ten Nov.

Ein Franzose, der am 10. dieses aus London abgereist ist, bringt die Nachricht mit, daß im Augenblick seiner Abreise, ein Adjutant des Gen. Wellington die Nachricht überbracht, daß die englische Armee von Portugal zurückkäme. (Mon.)

Wien, den 14. Nov.

Briefe aus Constantinopel bringen die Nachricht mit, daß der Schach von Persien mit Rußland einen schnellen Frieden geschlossen habe. Auch die Türkei, heißt es, werde sich nun wahrscheinlich bald zum Frieden bequemen. (Liste d Börsenh.)

London den 10ten Nov.

Im Fall Sr. Maj. Krankheit von Dauer sein sollte, so wird wahrscheinlich die Motion des Hr Powys. im Jahre 1789, nach welcher Sr. Hoheit dem Prinzen von Wallis damals die Regentschaft übertragen werden sollte, angenommen werden. (Mon.)

Polizeiliche Tages-Mittheilungen.

Bei einem Bäcker in der Prenzlauer Straße hat heute früh ein Schornstein gebrannt, ist aber sogleich gelöscht.

Der Kutscher eines hiesigen Kaufmanns hat am Mühlendamm einen Menschen übergefahren und ist alsdann davon gejagt. Der Uebergefahrne ist wenig beschädigt, der Kutscher hiernächst aber zum Arrest gebracht.

Berliner Abendblätter.

50tes Blatt.   Den 27ten November 1810.

Literarische Notiz.

Schon früher ist in diesen Blättern von dem, seit
dem 1sten Juli d. J. bei Hrn. Perthes in Hamburg erscheinenden, Vaterländischen Museum
die Rede gewesen. Das so eben erschienene 5te Heft
dieser vortrefflichen Zeitschrift enthält unter andern
höchst merkwürdigen Aufsätzen eine von Herrn Hof-
Sekretair Friedrich Schlegel in Wien abgehaltene
Vorlesung über die Natur und die Folgen der Kreuz-
züge, die wir unsern Lesern nicht genug empfehlen
können. — Ueberhaupt verdient diese liberale, wir
mögten sagen, großmüthige Unternehmung, bei der,
wie es die Natur der Sache zeigt, keine Art gemeiner Spekulation obgewaltet hat, die Unterstü-
zung aller Gutgesinnten. Die alte Richtung des
deutschen Sinnes nach Gründlichkeit des Denkens
und Forschens, findet sich in dieser Zeitschrift wieder,
und alle bedeutende Köpfe unsrer Nation werden
sich anschließen. So sehr dieses Vaterländische Museum einerseits strebt die äußeren Verhältnisse von
Deutschland, wie es sich gebührt, unberührt zu lassen, so wird sie doch andrerseits alle inneren
Staats-Angelegenheiten, Finanzen, Polizei, Gesetzgebung, öffentliche Erziehung und Cultus, einer
ernsten Betrachtung unterziehn, und jedermann wird
einer unbefangenen Erörterung dessen was in den
verschiedenen deutschen Staaten in jenen großen
Rücksichten verändert oder verbessert worden, mit
großem Interesse entgegensehn.

Theater.

Gestern sollte die Schweizerfamilie, vom Hrn.
Kapellm. Weigl wiederholt werden. Ein heftiges und
ziemlich allgemeines Klatschen aber, bei der Erscheinung

Mslle. Herbst, welches durch den Umstand, daß man, bevor sie noch einen Laut von sich gegeben hatte, da capo rief, sehr zweideutig ward — machte das Herablassen der Gardine nothwendig; Hr. Berger erschien und erklärte, daß man ein anderes Stück aufführen würde.

Ob nun dem Publiko (wenn anders ein Theil desselben so heißen kann) das Stück mißfiel; ob es mit der Mslle. Herbst, für welche die Rolle der Emeline nicht ganz geeignet schien, unzufrieden war; oder welch eine andre Ursach, bei diesen Bewegungen, zum Grunde liegen mogte — lassen wir dahin gestellt sein. Das Angenehme der Musik war, wie man hört, bei der ersten Darstellung, ziemlich allgemein empfunden worden; und auch Mslle. Herbst hatte die Aufgabe mit mehr Geschicklichkeit gelöst, als man, nach den Bedingungen ihrer musikalischen und mimischen Natur, hätte erwarten sollen.

Uebrigens ward das Publikum, durch die Aufführder beiden Stücke: die Geschwister von Göthe und des Singspiels: der Schatzgräber gut genug entschädigt. In dem ersten hat Mslle. Schönfeld recht wacker, und Hr. Gern, in dem andern, wie gewöhnlich, als Meister gespielt.

rz.

Anekdote.

Der Czar Jwan Basilowitz, mir dem Beinamen der Tyrann, ließ einem fremden Gesandten, der, nach der damaligen Europäischen Etikette, mit bedecktem Haupte vor ihm erschien, den Hut auf den Kopf nageln. Diese Grausamkeit vermogte nicht den Botschafter der Königin Elisabeth von England, Sir Jeremias Bowes abzuschrecken. Er hatte die Kühnheit, den Hut auf dem Kopfe, vor dem Czaar zu erscheinen. Dieser fragte ihn, ob er nicht von der Strafe gehört hätte, die einem andern Gesandten widerfahren wäre, welcher sich eine solche Freiheit herausgenommen? „Ja, Herr, erwiderte Bowes, aber ich bin der Botschafter der Königin von England, die nie, vor irgend einem Fürsten in der Welt, anders, wie mit bedecktem Haupte erschienen ist. Ich bin ihr Repräsentant, und wenn mir die geringste Beleidigung widerfährt, so wird sie mich zu rächen wissen." „Das ist ein braver Mann, sagte der Czaar, indem er sich zu

seinen Hofleuten wandte, der für die Ehre seiner Mo-
narchin zu handeln und zu reden versteht wer von
Euch hätte das nämliche für mich gethan?"

Hierauf wurde der Bothschafter der Favorit des
Czars. Diese Gunst zog ihm den Neid des Avis zu
Einer der Großen, der zuweilen den vertrauten Ton
mit dem Monarchen annehmen durfte, beredte ihn,
die Geschicklichkeit des Bothschafters auf die Probe zustellen. Man sagte nämlich, daß er ein sehr geschickter Reuter wäre. Nun wurde ihm, um den Beweis
davon zu führen, ein ungebändigtes sehr wildes Pferd
vor dem Czar zu reiten gegeben, und man hofte, daß
Bowes zum wenigsten mit einer derben Lähmung das
Kunststück bezahlen würde. Indessen widerfuhr der
neidischen Eifersucht der Verdruß, sich betrogen zu sehn.
Der brave Engländer bändigte nicht nur das Pferd,
sondern er jagte es dermaßen zusammen, daß es kraft-
los wieder heimgeführt wurde, und wenige Tage nachher crevirte Dieses Abentheuer vermehrte den Credit des Bothschafters bei dem Czar, der ihm jederzeit
nachher die ausgezeichnetsten Beweise seiner Huld
widerfahren ließ.

(Barrows Sammlung von Reisebeschreibungen
nach der französischen Uebersetzung von Targe. 1766.)

Schönheit.

Jeglichem Sinn offenbart in mancher Gestalt sich die
Schönheit;
Wohl ihm, welchem sie mehr außer den Sinnen sich
zeigt.

Austausch.

Wie sich Thorheit leicht verräth in äußrer Gebärde,
Solche Gebärde führt innere Thorheit herbei.

W.

Bülletin der öffentlichen Blätter.

Paris den 16ten Nov.

Vermöge eines Kaiserl. Franz. Dekrets vom
12ten d. ist das Walliser=Land, 1) um der
Straße über den Simplon mehr Sicherheit zu geben,

2) weil die Regierung ihre Verpflichtun,en, in Hinsicht auf den Bau derselben, nicht nachgekommen ist,
3) um überhaupt der Anarchie, die dies Land drückt,
ein Ende zu machen, — mit dem Französischen Reiche
vereinigt und ihm der Namen: Departement des
Simplon, gegeben werden. (L. d. B.)

Die Englische Convoy, 600 Segel stark, unter dem
Admiral Saumarez, ist durch einen fürchterlichen
Sturm in der Ostsee zerstreut worden. Mehr als 200
Schiffe sind gescheitert, und viele andere, deren Zahl
man noch nicht kennt, genöthigt worden, in die dänischen oder preussischen Häfen einzulaufen, wo man sie
confiscirt hat. (L. d. B.)

Polizeiliche Tages-Mittheilungen.

Ein Kaufmann ist gestern Abend bei Verlassung
des Schauspielhauses in dessen Nähe mit zwei Töch-
ten und zwei Enkeln unter einen Wagen gerathen, dessen Führer wahrscheinlich die Leine errissen war, indem die Pferde mehrmals einen sehr engen Kreis beschrieben und zuletzt mit dem Vorderwagen weiter gegangen sind. Auch soll der Kutscher herabgefallen sein.

Bei der ärztlichen Untersuchung hat sich ergeben,
daß der Kaufmann vier Rippen mehrmals zerbrochen
und außerdem eine starke Kontusion am Hinterkopfe,
eine geringere aber am linken Schenkel erhalten hat.
Eine seiner Töchter hat eine leichte Kontusion an der
Hüfte und ein 14jähriger Knabe einen Stoß vor den
Magen erlitten, die beiden übrigen Personen blieben
ganz unbeschädigt.

Nach dem Gutachten des Arztes ist zwar keine der
Verletzungen des Kaufmanns absolut letal, sie können
aber zusammen genommen, da derselbe ein bejahrter
Mann ist, leicht den Tod herbeiführen. Die Folgen
der Beschädigung des Knaben, sind noch nicht ausgemittelt, scheinen jedoch von keiner Bedeutung zu sein.

Wegen Ausforschung des Kutschers, welche bei dem
dringenden Bedürfniß der Hülfsleistung für die Beschädigten nicht zur Stelle geschehen konnte, sind die
nöthigen Einleitungen bereits getroffen.

Berliner Abendblätter.

51tes Blatt.   Den 28ten November 1810.

Ueber den Geist der neueren preussischen Gesetzgebung.

Ein Fragment aus einer noch ungedruckten grösseren Abhandlung.

Der Statistiker bestimmt die Rangordnung der Staaten nach ihrer Grundmacht d. h. nach ihrem Flächeninhalt und nach ihrer Bevölkerung; und im Allgemeinen ist dieses sehr richtig. Es giebt aber noch eine Rücksicht, die sich nicht so auf dem Papiere berechnen läßt, aber dennoch bei der Balance einen bedeutenden Ausschlag giebt: die Vaterlandsliebe. Man könnte sie das Princip der intensiven Macht der Staaten nennen. Bloße Bevölkerung ohne diese Rücksicht: das Princip der extensiven Macht.

Die intensive Macht eines Staates verhält sich zur extensiven, wie der innere Handel zum auswärtigen, d. h. sie ist richtiger und reeller. Eine bloße Vergrößerung des Flächeninhalts und der Volksmenge ist ein sehr zweideutiges Mittel, die Macht eines Staates zu vermehren; ja öfters wird dadurch das Gegentheil bewirkt. Ich darf diese Behauptung wohl nicht näher beweisen, da die unglücklichen Ereignisse unserer Tage noch in Jedermanns Andenken sind. Was hat wohl die Besitznehmung der polnischen Provinzen, ohnerachtet aller Wohlthaten der mildesten Regierung, zur Vermehrung der Macht der preussischen Monarchie beigetragen?

Also — nicht in der Volksmenge allein besteht die Macht der Staaten, sondern in dem Grade der Anhänglichkeit dieser Volksmenge an ihre Verfassung und an die Person ihrer Beherrscher. Wir finden in der Geschichte Beispiele genug, daß Staaten, die, bloß nach statistischen Grundsätzen geschätzt, sehr ohnmächtig schienen, ihren an Volksmenge und Flächeninhalt unendlich überlegenen Feinden siegreich widerstanden. Die kleine Republik Athen schlug das zahllose Heer des Perserkönigs aufs Haupt, welches er selbst das Unüberwindliche nannte. Noch vor wenigen Jahrhunderten scheiterte die furchtbare mit Stahl bedeckte Macht des deutschen Kaisers, an den Heroismus eines Häufleins

[51]

nackter Schweizer. Solche anscheinend wunderbare
Ereignisse werden durch die größere intensive Macht
dieser kleinen Staaten zu natürlichen.

Es giebt also Mittel, die Macht der Staaten ohne
Vergrößerung des Gebiets und der Volksmenge zu erhoben. Es giebt Mittel, diejenigen Kräfte, welche ein
Staat durch Verkleinerung seines Gebiets und seiner
Volksmenge verlohren hat, in seinem Inneren zu ersetzen. Diese Mittel, viel sicherer als auswärtige Er-
oberungen, liegen in der Gewalt einer jeden Regierung, und gedeihen am besten im tiefsten Frieden.
Sie darf nur die intensive Macht erhöhen, d. h. die
Einwohner mehr als bisher an ihr Interesse knüpfen,
und ihnen ihre Verfassung werth machen. Dieses geschieht durch Wegräumung alles desjenigen, welches
die Anhänglichkeit an diese Verfassung und die Person des Regenten schwächen, und die so natürliche Liebe zu dem vaterländischen Boden verringern kann.

Dieses war die große Aufgabe der preußischen
Regierung nach dem Tilsiter Frieden. Mit bedächtiger Weisheit hat sie angefangen sie zu lösen, und fährt
nun damit fort.

Der preußische Staat hat durch diesen Frieden
die Hälfte seiner extensiven Macht verloren.

Die verlohrnen □ Meilen und Seelen konnte die
Regierung freilich nicht ersetzen, wohl aber durch Eröffnung aller Wege, die zu einem allgemeinen Wohlstande führen können, durch Wegräumung der bisherigen
Hindernisse der Industrie und Vaterlandsliebe, die
intensive Macht der Gesellschaft erhöhen, und die Zahl
der activen Staatsbürger vermehren. Denn gerade
die zahlreichste Classe war bisher nicht zu den Staats-
mitgliedern zu rechnen, weil sie kein Interesse an Auf-
rechthaltung einer Verfassung haben konnten, von der
sie theils aus Mangel an Aufklärung kaum einen Begriff hatten, und die theils in Hinsicht ihrer so stief-
mütterlich war, als daß deren Umsturz ihnen hätte
ein großes Uebel scheinen können.

Nun aber ist, durch das General-Edict vom 27ten
Oct. 1810 welches das Edict vom 9ten Oct. 1808 über
die Aufhebung der Erbunterthänigkeit, so wie die Mi-
litairverfassung, und die neue Städte-Ordnung, ergänzt, dem Preußischen Staat die frohe Aussicht geworden, das, was er an äußerer Macht verlor, in seinem Inneren wiederzufinden. Noch sieht das Werk
des erhabenen Gesetzgebers, der unter uns aufgetreten
ist, nur unvollkommen vor den Augen der Welt da;

gleichwohl werden wir bereits auf das Fundament,
auf welchem es ruht, und auch vielleicht schon auf den
Zusammenhang mehrerer Theile, im Laufe dieser
Blätter erläuternde Blicke werfen können.

lh.

Nachricht von einem deutschen Seehelden.

In unsrer Zeit, wo zu dem Kampfe gegen England
in Hamburg und Bremen deutsche Matrosen gewor-
ben werden, wird es vielleicht willkommen seyn, ausgezeichnete Charakterzüge älterer deutscher Seemänner
zu sammeln. Wir beginnen die Reihe mit dem Hamburger Kapitain Carpfanger, welcher das Convoy-
schiff Leopoldus 1 mehrere Jahre und in einer rühmlichen Action gegen Kaper, die einige Grönlandsfahrer
seiner Convoy von der Flotte trennen wollten, glück-
reich geführt hatte. Aber im J 1683, erzählt Happel
in seinen Denkwürdigkeiten der Welt, Hamburg 1687,
111 Thl. S. 629, da dieses Schiff kaum 12 Jahre alt,
in der Bey vor Cadiz lag, kam am 10. Okt. Abends
um 8 Uhr ein Feuer an einem Orte des Schiffes aus,
der gemeiniglich die Hölle genannt wird, freilich
eine rechte Feuerhölle für dieses schöne Schiff. Man
löschte zwar und that alles, was in solchen Fällen nöthig, aber es wollte nicht helfen, daher riethen einige
ein Loch im Grunde des Schiffs zu machen, daß es, ins
Wasser gesenkt, sich selber löschen möchte, während die
Mannschaft sich davon rettete. Der Kapitän aber sprach:
Das Schiff ist mir anvertraut, ich muß es retten, oder
mein Leben dabei zusetzen. — Kein anderes Schiff wagte
sich aber von der großen Zahl, die dort vor Anker la
gen, zur Rettung herbei, aus Besorgniß, das Feuer
mögte schon der Pulverkammer zu nahe seyn und sie
mit beschädigen, wie denn auch die Kanonen von der
großen Hitze sich selber löseten und gleichsam erbärm-
lich schrieen. Endlich sprangen die meisten Menschen
davon und der Kapitain selber sandte seinen Sohn und
seinen Vetter ans Land, er selbst aber, ob ihn gleich
der Sohn auf den Knieen kindlich darum anflehte,
wollte das Schiff nicht verlassen; also ist bald nachher,
nachdem das Feuer die Pulverkammer erreicht hatte,
das gute Schiff um 1 Uhr in der Nacht, mit allem,
was sich darauf befand, in die Luft gesprengt worden. Nebst dem Capitain Carpfanger haben ihr Leben gelassen: 42 Bootsleute und 22 Soldaten, die

Uebrigen, 156 an der Zahl, haben sich gerettet. Des Kapitäns Leichnam ward am Thau eines Englischen Schiffes gefunden, wo er hinaegeschleudert worden; er wurde begleitet von einigen zwanzig Schaluppen, beym Flaggen aller englischen, holländischen und hamburgischen Schiffe, unter Lösung von mehr als dreihundert Kanonen, nach der Insel Cadiz, an den Platz geführt, wo man die Evangelischen zu begraben pflegte, und dort, mit allgemeiner Bewunderung seines Heldenmuthes, christmäßig bestattet.

L. A. v. A.

Miscellen.

Aus Italien.

Zu Siena ist vor Kurzen ein für die Litteratur und Kunst gleich interessanter Fund gemacht worden. Hr. Antonio Piccolomini Bellanti nämlich, der sich längst mit Sammlung alter Medaillen und Mahlereien beschäftigte, hat das Bildniß der unsterblichen Laura, der Geliebten Petrarka's aufgefunden, welches, auf Verlangen dieses Dichters, sein Zeitgenosse, der Mahler Simone di Memmo mahlte. Es ist so schön erhalten, daß man davon auch nicht die geringsten Spuren seines Alters wahrnimmt. Die Aebekt selbst gehört zu den vortrefflichsten des berühmten Künstlers. Man erkennt Laura, ihr Alter, ihren Charakter, ihr Kostüm, ihren Schmuck, ganz wie der göttliche Sänger sie zu schildern pflegte.   (Misc. d. n. Welt.)

Anzeige.

Die sogenannte unpartheiische Gesellschaft, die kürzlich ein Schreiben, die Beschwerden der Bäcker betreffend, an uns erlassen hat, hat sich eine Antwort darauf, unter Vorzeigung einer ähnlichen Handschrift, in der Expedition der Abendblätter (Jägerstraße Nr. 25) abzuholen.

(Die Redaction.)

Berliner Abendblätter.

Die Heilung.

In den Zeiten des höchsten Glanzes der altfranzösischen Hofhaltung unter Ludwig-XIV, lebte ein Edelmann, der Marquis de Saint Meran, der die Anmuth, Geistesgewandheit und sittliche Verderbniß der damaligen vornehmen Welt im höchsten Grade in sich vereinigte. Unter andern unzählbaren Liebesabentheuern hatte er auch eines, mit der Frau eines Procuratoren, die es ihm gelang, dem Manne sowohl, als dessen Familie und ihrer eignen gänzlich abzuwenden, so daß sie deren Schmach ward, deren Juwel sie gewesen war, und in blinder Leidenschaft das Hotel ihres Verführers bezog. Er hatte zwar nie so viel bei einer Liebesgeschichte empfunden, als bei dieser, ja, es regten sich bisweilen Gefühle in ihm, die man einen Abglanz von Religion und Herzlichkeit hätte nennen mögen, aber endlich trieb ihn dennoch, wenn nicht die Lust am Wechsel, doch die Mode des Wechsels von seinem schönen Opfer wieder fort, und er suchte nun dieses durch die ausgesuchtesten und verfeinertsten Grundsätze seiner Weltweisheit zu beruhigen. Aber das war nichts für ein solches Herz. Es schwoll in Leiden, die ihm keine Geisteswendung zu mildern vermochte, so gewaltsam auf, daß es den einstmals lichtklaren und lichtschnellen Verstand verwirrte, und der Marquis, nicht bösartig genug, die arme Verrückte ihrem Jammer und dem Hohn der Menschen zu überlassen, sie auf ein entferntes Gut in der Provence schickte, mit dem Befehl, ihrer gut und anständig zu pflegen. Dort aber stieg was früher stille Melancholie gewesen war, zu den gewaltsamsten phrenetischen Ausbrüchen, mit

deren Berichten man jedoch die frohen Stunden des
Marquis zu unterbrechen sorgsam vermied. Diesem
fällt es endlich einmal ein, die provenzalische Besitz-
zung zu besuchen. Er kommt unvermuthet an, eine
flüchtige Frage nach dem Befinden der Kranken wird
eben so flüchtig beantwortet, und nun geht es zu einer Jagdparthie in die nahen Berge hinaus. Man
hatte sich aber wohl gehütet, dem Marquis zu sagen,
daß eben heute die Unglückliche in unbezwinglicher
Wuth aus ihrer Verwahrung gebrochen sei, und man
sich noch immer vergeblich abmühe, sie wieder ein-
zufangen. Wie mußte nun dem Leichtsinnigen zu
Muthe werden, als er auf schroffem Fußgestade an einer der einsamsten Stellen des Gebirges, weit getrennt von alle seinem Gefolge, im eiligen Umwen-
den um eine Ecke des Felsens, der furchtbaren Flüchtigen grad in die Arme rennt, die ihn faßt mit alle
der unwiderstehlichen Kraft des Wahnsinns, mit ihren,
aus den Kreisen gewichenen blitzenden Augenstern, gerad in sein Antlitz hineinstarrt, während ihr reiches,
nun so gräßliches, schwarzes Haar, wie ein Mantel von
Rabenfittigen, über ihr hinweht, und die dennoch nicht
so entstellt ist, daß er nicht auf den ersten Blick die
einst so geliebte Gestalt, die von ihm selber zur Furie
umgezauberte Gestalt, hätte erkennen sollen. — Da
wirrte auch um ihm der Wahnsinn seine grause Schlingen, oder vielmehr der Blödsinn, denn der plötzliche Gei-
stesschlag zerrüttete ihn dergestalt, das er besinnungs-
los in den Abgrund hinunter taumeln wollte. Aber
die arme Manon lud ihn, plötzlich still geworden, auf
ihren Rücken, und trug ihn sorgsam nach der Gegend
des Schlosses zurück. Man kann sich das Entsetzen
der Bedienten denken, als sie ihrem Herren auf diese
Weise und in der Gewalt der furchtbaren Kranken
begegneten. Aber bald erstaunten sie noch mehr, die
Rollen hier vollkommen gewechselt zu finden. Manon
war die verständige, sittige Retterin und Pflegerin
des blödsinnigen Marquis geworden, und ließ fürder-

bin nicht Tag nicht Nacht auch nur auf eine Stunde
von ihm. Bald gaben die herbeigerufnen Aerzte jede
Hoffnung zu seiner Heilung auf, nicht aber Manon.
Diese pflegte mit unerhörter Geduld und mit einer
Fähigkeit, welche man für Inspiration zu halten ver=
sucht war, den armen verwilderten Funken in ihres
Geliebten Haupt, und lange Jahre nachher, schon
als sich beider Locken bleichten, genoß sie des unaus=
sprechlichen Glückes, den ihr über Alles theuren Geist
wieder zu seiner ehemaligen Blüthe und Kraft herauf=
erzogen zu haben. Da gab der Marquis seiner Hel=
ferin am Altare die Hand, und in dieser Entfernung
der Hauptstadt wußten alle Theilhaber des Festes von
keinen anderen Gefühlen, als denen der tiefsten Ehr=
furcht und der andächtigsten Freude.

M. F.

Berichtigung.

Auf wiederholtes und dringendes Verlangen des
Verfassers der Aufsätze über C. F. Kraus (S. 19tes
und 34tes Abendblatt) nehmen wir noch folgendes
Fragment einer an uns eingelaufenen Erklärung auf:

„Den Beruf des Herr A. v. A. für einen Freund,
in die Schranken zu treten, erkennen wir willig und
ehrend an. Ja wir sind ihm Dank schuldig, uns auf=
merksam gemacht zu haben, wie man unsere Worte
auslegen könnte.

Wem könnte es aber je einfallen, daß der Ver=
fasser jenes als Feuerbrand bezeichneten Werks, mit
dem Verfasser des unter diesem Titel erschienenen
Journals je in Vergleichung oder in irgend eine Ge=
meinschaft gesetzt werden sollte? Selbst die Schriften
werden nicht verglichen, sondern stehen in directem Ge=
gensatz, weshalb eben die Anspielung auf den wasser=
reichen mit dem Umschlag und Titel contrastirenden
Inhalt jenes Journals gemacht wurde. Das Werk ha=
ben wir einen Feuerbrand genannt, weil es mit Feuer
geschrieben ist, in demselben Sinne, wie man die
Schriften Luthers, Voltaires, Burkes und jedes Man=
nes der für eine abweichende Meinung mit Kraft auf=
ritt, Feuerbrände nennen könnte.“ —

Der Rest dieser Erklärung betrifft nicht mehr die
Sache, sondern Persönlichkeiten; und da er mithin
das Misverständniß, statt es aufzulösen, nur vermehren würde: so schließen wir den ganzen Streit, den
der Aufsatz C. F. Kraus (11tes Blatt) veranlaßt, mit
dieser Berichtigung ab. (Die Red.)

Miscellen.

Aus Kassel.

Die Aufführung der Oper Cendrillon lockte viel
Neugierige herbei. Das Stück war in Paris 42 Mal
hintereinander gegeben worden: und so glaubte man
in Kassel an eine ähnliche Wirkung. Aber das deutsche Publikum scheint zu einer solchen Beständigkeit
nicht geschickt: weder die Musik ist von ausgezeichnetem
Gehalt, noch auch wird das Auge durch Dekorationen
bestochen. Fast sollte man glauben, daß die Oper Cendrillon ihr ganzes Glück der Demoiselle Alexandrine
St. Aubin verdankt, welche als Cendrillon alle Stimmen für sich gewann, und dem mittelmäßigen Stück
einen rauschenden Beifall erwarb.
(Journ. d. L. u. d. Mod.)

Polizeiliche Tages-Mittheilungen.

Vorgestern Abend brach im Hause eines Viktua-
lienhändlers in einem Schornstein Feuer aus, welches
aber sogleich gelöscht wurde.
Zweien Schlächtern und einem Seifensieder sind
Waageschaalen in Beschlag genommen, welche durch
Anhängen von Blei und eisernen Haken unrichtig gemacht waren.

Berichtigung.

In dem Theaterartikel des 49ten Blatts haben sich,
außer mehrern kleinern, zwei erhebliche, zum Theil
Widersinn hervorbringende, Druckfehler eingeschlichen.
Seite 1 Zeile 25 statt bewahrte ließ: abweichende
Seite 3 Zeile 28 statt poetische ließ: romantische.

Berliner Abendblätter.

53tes Blatt: Den 30ten November 1810.

Bemerkungen über das erste Fragment eines Zuschauers am Tage.

(m. f. das 29te Stück des Abendblatts.)

Nur evidente Sätze, von deren unmittelbaren Anschauung der Beweis an und für sich unzertrennlich ist, haben das Recht als Grundsätze aufzutreten und sich des Beweises zu überheben. Bloße Behauptungen hingegen, weit öfter Resultate eigner Meinung als besonnener Erfahrung und wahren Forschungs Geistes, dürfen es nicht versuchen dem Menschen in der, zugleich so leichten, und so schweren Lebenskunst, Unterricht ertheilen zu wollen. Diese vorläufige Bemerkung sei mir über die bei den Fragmenten eines Zuschauers am Tage gewählte Form gestattet, bevor ich den Inhalt eines derselven mit der Bescheidenheit zu bestreiten wage, auf die des Herrn Verfassers überall durchleuchtende reine Absicht, gerechten Anspruch machen darf.

Die Speculation, so wie sie eben in der gegenwärtigen Zeit, als in sie gehörend, Gestalt gewonnen, wird in jenem Fragment als etwas dem wahren und eigentlichen Leben durchaus nachtheiliges angegeben. Obgleich einige Ausdrücke dahin zu deuten scheinen, als hielte man sie nur dem Grade nach für tadelnswerth, so berechtigen dagegen andere wieder hinlänglich dazu, sie für, auch ihrem Wesen nach, angegriffen zu halten, und es ziemt ihr daher sich oegen die Vorwürfe beider Art, in so fern es der zum verstattet, zu rechtfertigen.

Völliges Gleichgewicht in einer innigen organischen Wechselwirkung zwischen dem innern und äußern Leben und die Identität desselben, ist die Tendenz jeder in der wahren Richtung unternommenen Speculation und charakterisirt, wie Sie auch unter sich etwa scheinbar abweichen mögen, die bedeutendsten Systeme der neuesten Forscher. Der Ausspruch, diese Tendenz nicht darinn wahrgenommen zu haben, würde eine völlig oberflächliche Ansicht des Gegenstandes be-

[53]

weisen, dessen Beurtheilung doch nothwendigerweise gründliche Prüfung vorausgehn mußte.

Es kann also die Meinung des Verfassers nur dahin gehen, überhaupt jede Richtung des Menschen auf sein inneres Seyn zu tadeln, und wir müssen daher diesem Tadel dadurch begegnen, daß wir nur überhaupt einen Blick auf das eigentliche Verhältniß des innern Wesens zur That werfen.

So wie überhaupt jedes, so hat auch das menschliche Leben ein unvertilgbares Bestreben sich darzustellen. Zu einer jeden Darstellung aber (durch deren Conflict doch allein dasjenige gebildet wird, welches wir äußres Leben nennen) ist der Künstler, der Stoff, und das vermittelnde Werkzeug erforderlich. Den Stoff beut die Welt, zum Werkzeug muß der Mensch sich selbst zu bilden verstehn. Die Kenntniß des Stoffs an und für sich kann ihm daher nimmer gnügen, noch wird er denselben dadurch zu modifiziren vermögen, sondern er bedarf dazu durchaus eben so der Kenntniß des Werkzeuges, mittelst dessen er darauf wirken will. Je mehr er dieses, dem ganzen Umfang seiner Gebrauchs-Fähigkeit nach, erkannt hat, desto allgemeiner und sicherer wird er den innern Gedanken zu Tage zu fördern wissen. Denn so wie der Mensch nur in dem Grade seine Meinung auszudrücken vermag, als er in den Geist der Sprache eingedrungen ist, eben so wird er eigenthümliche (nicht bloß nachgeahmte und sich dadurch selbst vernichtende) große Handlungen, nur aus einem erforschten und geprüften Sinn zu vollbringen im Stande sein. Eine nur durch äußeres Bedürfniß hervorgebrachte Sprache, würde auch niemals den Kreis desselben überschreiten, und ohne geschichtliches Daseyn, die Menschheit alsdann gleich den Thieren nichts anders sein als eine Summe unter sich unzusammenhängender Geschlechter.

Gegen den Grad der Verbreitung des allgemeinen Forschungsgeistes kann unmöglich des Verfassers Absicht ernsthaft gerichtet sein, denn indem er sich dem Beruf als Schriftsteller zu erscheinen hingab, hat er gewiß die Unbesiegbarkeit, jener sich mit strenger Nothwendigkeit aus dem Daseyn organisch entwickelnden Kraft zu tief empfunden, um an die Möglichkeit ihrer Beschränkung und an ihre Sperrbarkeit zu glauben. Da die Natur unfähig ist, still zu stehn, so heißt, in welcher Richtung es auch geschehn möge, sie aufhalten, auch zugleich ihre Vernichtung wollen, welche eben so wenig eintreten, als sie selbst sich irgend eine willkührliche Richtung von der schwachen Hand des Menschen gefallen lassen wird. Was übrigens der Art nach wahrhaft löblich, oder wahrhaft tadelnswerth ist, muß es auch überall und in allen Potenzen bleiben.

(Beschluß folgt.)

Berichtigung.

In den Theaterartikeln der Spenerschen und Vossischen Zeitungen scheint man die Behauptung aufzustellen als wenn Mslle. Beck die Rolle der Jungfrau von Orleans mit Hülfe der Mad. Schütz einstudirt und ganz nach ihrer Anleitung und ihrem Vorbild ausgeführt habe. Dies ist aber gar nicht der Fall. Mslle. Beck hat hier zum erstenmal diese Rolle gespielt und erst hier einstudirt und wenn ein so junges Talent hier und da eines Fingerzeigs zur richtigen Einsicht in die Rolle bedurfte, so kann man wohl errathen, wer diese Fingerzeige gegeben hat. So wahr es übrigens sein mag, daß Mslle. Beck in manchen Stellen an Mad. Schütz erinnert, so unbegreiflich ist es doch, wie man ihre von Anfang bis zu Ende freie und lebendige Darstellung, sowie die ganze Beschaffenheit, den Umfang ihrer Töne, und den Gebrauch, den sie davon macht — ähnlich mit der so ungleichen, bald kräftigen, bald matten, hier mächtig ergreifenden, dort wahrhaft widrig werdenden Spielweise der Mad. Schütz finden kann.

Anekdote.

Ein Kapuziner begleitete einen Schwaben bei sehr regnigtem Wetter zum Galgen. Der Verurtheilte klagte unterwegs mehrmal zu Gott, daß er, bei so schlechtem und unfreundlichem Wetter, einen so sauren Gang thun müsse. Der Kapuziner wollte ihn christlich trösten und sagte: du Lump, was klagst du viel, du brauchst doch bloß hinzugehen, ich aber muß, bei diesem Wetter, wieder zurück, denselben Weg. — Wer es empfunden hat, wie öde Einem, auch selbst an einem schönen Tage, der Rückweg vom Richtplatz wird, der wird den Ausspruch des Kapuziners nicht so dumm finden.

Bülletin der öffentlichen Blätter.

London den 10ten Nov.

Wie man versichert, ist es im Werk, Lord Syd-
moth (Hr. Addington) und seine Freunde, wieder ins
Ministerium zu bringen. Demselben soll, im geheimen
Rath, die Stelle des Lord Camden zugedacht sein.
(L. d. B.)

Hauptq. Xeres den 27ten Oct.

Eine Haubitzgranate, die aus den englischen Schiffen in die Werke von Cadiz geworfen ward, hat den
Div. General, Chef der Artillerie der Armee, Hr.
Senarmont, und mit ihm zugleich den Obersten De-
gennes, General-Director des Artillerie-Parks, und
den Cap. Binondelle, beide ausgezeichnete Officiere, zu
Boden geworfen und getödtet. Das Herz des Hrn. Generals wird einbalsamirt und nach Frankreich gebracht werden.
(Mon.)

Venedig den 3ten Nov.

Der hiesige Schiffahrts-Magistrat hat, wegen einer, in Spanien sich verbreiteten, ansteckenden Krankheit, äußerst geschärfte Verordnungen wegen der Contu-
maz für alle Spanischen Häfen erlassen. (L. d. B.)

Preßburg den 16ten Nov.

Nach einer 5—6 wöchentlichen Belagerung hat
sich die Türkische Besatzung von Widdin, unter Pascha Molkaulga dem russ. Gen. Graf Kamenskoy, mit
Capitul. ergeben.
(L. d. B.)

Copenhagen, d. 21. Nov.

Nach officiellen Nachrichten aus Schweden, Stockholm, den 18ten d. ist der Krieg an England erklärt
worden.
(L. d. B.)

London, d. 14. Nov.

Bei der Armee von Portugal war bis zum 1sten
Nov. durchaus nichts vorgefallen. Die Franzosen und
Engländer hatten noch ihre alte Stellung. Der Kö-
nig von England befindet sich in fortdauernder Bes-
serung. Der ehemalige König Gustav Adolph war zu
Yarmouth angekommen.
(L. d. B.)

Ruß. Gränze, d. 15. Nov.

Es verbreitet sich das Gerücht, daß der Friede
zwischen Rußland und der Türkei zu Stande gekommen, und der Graf Italinsky bereits zu seinem Ge-
sandschaftsposten nach Constantinopel abgereist sei.
(L. d. B.)

Berliner Abendblätter.

54tes Blatt. Den 1ten Dezember 1810.

Bemerkungen über das erste Fragment eines Zuschauers am Tage.

(M. f. das 29te Stück des Abendblatts.)
(Beschluß.)

Nicht bestimmt genug drückt sich der Verfasser über das aus, was er unter den einfachen Hebeln versteht. Zielt er damit auf die rohen physischen Triebe, welche unkultivirte Völker bewegen, so hat er allerdings im gewissen Sinne recht, sie einfach zu nennen; begreift er hingegen darunter die Begriffe, welche zuweilen gebildete Nationen in Bewegung setzen, wie es wohl eigentlich seine Absicht sein durfte, so beweisen ja eben ihre gegenwärtige Zersetzung und Auflösung den Mangel der Einfachheit. Der einzig wahre, unvergängliche Hebel der Menschheit ist die Religion und zwar die allgemeine tief empfundene und ewig gegründete, in welche verschiedene Farben sie sich auch brechen möge, wenn sie das Licht der Welt erblickt. Für jedes andere Prinzip ist die Erfüllung seiner ganzen Forderung, mithin die Aufhebung desselben möglich, nur jenes über Zeit und Raum erhabene giebt ein lebendiges Streben, und unerschütterliche Streiter in allen Gebieten. Nur aus dem dürfen wir mit Zuversicht die Wiedererscheinung sichtbarer Kraft erwarten, und die angeklagten Systeme, weit entfernt sorgliche Bekümmerniß zu erregen, sind vielmehr eine tröstliche und hoffnungsreiche Erscheinung, in so fern in allen eine tief religiöse Tendenz unverkennbar ist. Wer dies nicht zugeben wollte, dem ließe sich faktisch erweisen, daß der Gegenstand seiner Beurtheilung ihm völlig fremd geblieben sei.

Um übrigens noch mit einigen Wörten der Gleichnisse des Verfassers zu gedenken, so haben wir zuerst, bisher wirklich nie eine Klage über das Unglück gehört, sich im Felde eines fein gerittenen Pferdes bedienen zu müssen, vielmehr verdankten viele dieser Eigenschaft dort Sieg oder Rettung, wo andere aus dem entgegengesetzten Grunde erlagen. Eben so wenig haben wir Pferde in eben dem Grade zur Reise und

Arbeit tauglich gefunden, als sie ungeschickt wa=
ren. — So schadet auch gewiß die gründliche Kennt=
niß des organischen Zusammenhangs des menschlichen
Körpers niemand, wenigstens ist es uns nie gelungen
Personen am ängstlichen und besorgten Gange anzu=
sehn, daß sie eben Anatomie studirten, und mehrere
nach dem von dem Herrn Verfasser gegeben Fingerzeig,
seitdem von uns an dergleichen Personen gerichtete
Fragen sind immer verneinend beantwortet worden,
so daß wir uns der Meinung fast nicht erwehren kön=
nen, daß wir ohne Anatomie doch mehr Hinkende
sehn würden.

Allein halbwahre Kenntniß ist hier allerdings eben
so schädlich als bei dem ersten Beispiel Verzärtelung,
jedoch beide, weit entfernt das gründliche Rudium
des innern Lebens zu charakterisiren, streiten vielmehr
unmittelbar dagegen, und wenn daher der Verfasser
die Halbheit und Weichlichkeit eines großen Theils
seiner Zeitgenossen bekämpfen will, so streiten wir für
ein und dieselben Sache. Nur ist die Speculation da=
von keineswegs der Grund, sondern nur ein Gebiet
worinnen diese Krankheit des Zeitalters eben so gut
erscheinet als in jedem andern. Leider sieht jetzt der
angehende Forscher häufig auf der kaum begonnenen
Laufbahn stehn, und richtet den Blick nicht auf sich,
um das Unendliche zu finden, sondern um sich als sei=
nen Götzen anzubeten. Dem also verkehrten Blicke
verbirgt sich der Geist des Lebens mit seiner schönen
Zukunft, es erscheint ihm nur die Nachahmung, ge=
waltsam will er der neuen Zeit die Vergangenheit auf=
drängen, das Mittelalter soll den Deutschen durchaus
wiederkehren; alles zehrt daran, bis sein schöner ro=
mantischer Geist unter ihren Händen erlischt und sie
nur noch Asche und Gebeine ans Licht bringen.

Wer hingegen voll Demuth sein Ideal nie aus den
Augen verlor, wer sich der Fülle von Lebenskraft in
seiner Brust bewußt ist, welche das Unendliche dem
Menschen verlieh, der steht mit stolzer Zuversicht auf
ewigem Boden, und weit entfernt an ein wirkliches
Verschwinden des Lebens zu glauben, sobald sein ewi=
ger Wechsel eine neue Gestalt annimmt, verweis't er
seine Mitbrüder nicht auf kalte Grundsätze, sondern
ruft ihnen vielmehr liebend zu: Trachtet am ersten
nach dem Reiche Gottes, so wird euch alles übrige
von selbst anheim fallen! —

W.

Vermischte Nachrichten.

Ein bewundernswürdiger Meister im Abrichten der Thiere reiset in diesem Augenblick in Deutschland umher. Derselbe zeigt drei Kanarienvögel welche durch ihre Gelehrsamkeit die Welt in Erstaunen setzen: in Dresden, wo er sich jetzt aufhält, wurden zwei Alphabete großer auf Pappdeckel geklebter Buchstaben vor einem der jungen Gelehrten ausgebreitet, woraus er zur Freude und Genugthuung aller Anwesenden jedes geforderte Wort deutscher oder französischer Sprache zusammensetzte, auch sogar bei dem geforderten Namen Helene sehr zierlich, wegen des dritten ermangelnden e's, seine Verlegenheit ausdrückte, sich aber kurz resolvirte, das erste e zurücknahm und es am Ende hinzufügte. Was am meisten die Anwesenden erfreute und das günstigste Licht auf die Methode seines Brodherrn warf, war das gesunde Ansehn des Scholaren, und das ächt kindliche Betragen desselben außer den Studierstunden, wo er trotz dem ordinairsten und unkultivirtesten Canarienvögel an Hanfkörnern und Zuckerstückchen knusperte oder daran den Schnabel wetzte. Es ist Hoffnung, daß der Meister in Kurzem auch nach Berlin kommen, und dem Publiko die Resultate seiner naturhistorischen Bemühungen vorlegen werde.

———

Eine außerordentliche Erscheinung anderer Art ist bekanntlich, in Hinsicht der frühen Entwickelung der Talente, der junge Witte, von dem man schon öfters in den öffentlichen Blättern gelesen hat. Derselbe befindet sich gegenwärtig in Göttingen, wo er unter der Leitung seines Vaters, des Hrn. Doctor Karl Witte, seine wissenschaftliche Bildung fortsetzt. Von diesem, dem Vater, wird (S. Hamb. Z. Nr. 188) folgendes bekannt gemacht:

Da ich rc. jetzt mit den Meinigen in Göttingen wohne, und sich hier mit der reizenden Natur eine sehr reinliche und gesunde Stadt, so wie die Gelegenheit in allem Unterricht erhalten zu können, verbindet; so bin ich von jetzt an bereit, den früheren Wünschen mehrerer Eltern und Vormünder zu entsprechen und einen oder zwei (jedoch nicht mehr!) Zöglinge zu mir zu nehmen. Sie sollen meine und meiner Gattin Kinder und mein s Sohnes Brüder sein, weil ich kein Institut, sondern eine Familien-Erziehung beabsichtige. Natürlich erwarte ich, daß die mir anzuvertrauenden Kinder bis jetzt noch physisch, intellectuell und moralisch vollkommen gesund seyen, weshalb ich sie gern so jung als die Eltern sich nur von ihnen trennen können, (nach dem Ideale: vom Arme der Mutter!) zu haben wünsche. Ich werde nicht mehr dafür nehmen, als in den besseren Instituten bezahlt wird, trotz dem, daß man bei einer großen Anzahl eher etwas nachlassen kann. Das Nähere darüber können Eltern und Vormünder in postfreien Briefen mit mir verabreden. Bei übrigens gleichen Umständen erhalten die zwei zuerst angetragnen Zöglinge den Vorzug.

NB. Wegen des Logis 2c. wünsche ich sehr bald, wenigstens noch vor Weihnachten, benachrichtiget zu sein. Redactionen politischer und gelehrter Zeitungen und Flugblätter werden ersucht, diese Ankündigung wohlwollend mit aufzunehmen.

Göttingen, den 29sten Oktober 1810.

Bülletin der öffentlichen Blätter.

London den 14ten Nov.

Lord Wellington war am 1sten Nov. in seiner festen Stellung noch nicht angegriffen. Auch hielt er seinerseits nicht für rathsam, den Feind anzugreifen. Wenn sich aber Massena entschließt, unsre Linien anzugreifen, welche von 500 Kan. gedeckt sind, so hat die ganze Armee die Hoffnung eines guten Erfolgs. (Mon.)

Almeida den 30ten Oct.

Der General Drouet führt das 9te Armeecorps, zur Unterstützung Massenas herbei. Die Tête davon ist schon zu Almeida angekommen, und wird den 4ten und 5ten über die Coa gehn. Man weiß noch nicht, ob er sich mit seinen Corps, welches 30000 Mann stark ist, nach Oporto oder nach Coimbra wenden werde.

(L. d. B.)

Aus Oestreich, d. 10. Nov.

So eben bekömmt man die zuverlässige Nachricht, daß der ehemalige König von Holland eilends nach Paris zurückberufen worden sei. (Frkf. St. Ristr.)

Erste literarische Beilage

zu den

Berliner Abendblättern.

Interessante neue Schriften aus allen Fächern, welche bei J. E. Hitzig, hinter der katholischen Kirche Nr. 3. zu haben sind.

Karl Friedrich Burdach, Physiologie. 8. 2 thl. 18 gr.

F. F. Facius, Alessio. Ein Roman. 22 gr.

W. D. Fuhrmann, Handbuch der classischen Literatur. Zum Gebrauch der Schullehrer und aller Freunde der classischen Literatur. Vierter und letzter Band. Auch mit dem Titel: Handbuch der classischen Literatur der Römer. Zweiter Band. 8. 3 thl. 12 gr.

F. Gründler Gedanken über eine Grundreform der Protestantischen Kirchen = und Schulverfassung im Allgemeinen, besonders aber in der Preußischen Monarchie. 8. 14 gr.

C. G. Heinrich Handbuch der Sächsischen Geschichte. 8. 1 thl. 8 gr.

Wilhelm Kuhns Handbuch der deutschen Sprache, mit Aufgaben zur häuslichen Beschäftigung. Zum besondern Gebrauch für Töchter = und Elementarschulen entworfen. 8. 14 gr.

J. F. E. Loz, Ideen über öffentliche Arbeitshäuser und ihre zweckmäßige Organisation. 8. 1 thl. 16 gr.

Dr. Martin Luthers kleiner Katechismus nach dem Bedürfniß unserer Zeiten. 8. 6 gr.

J. C. F. Meister, Ueber den Eid nach reinen Vernunftbegriffen. Eine von den hohen Curatoren des Stolpeschen Legats auf der weltberühmten Universität Leyden gekrönte Preisschrift, nach dem lateinischen Originale in freier deutscher Bearbeitung für das liebe deutsche Vaterland. 4. 18 gr.

)(

Desselben Vorerkenntnisse und Institutionen des positiven Privatrechts. 8.　　　　　　　　1 thl. 21 gr.

Desselben, Ueber mehrere schwierige Stellen im Persius und Horaz. 8.　　　　　　　　8 gr.

Friedrich Rochlitz, Denkmale glücklicher Stunden. Erster Theil. Mit Kupfern. 8.　　　　　　2 thl.

Sapphus Lesbiae Carmina et fragmenta. Recensuit, Commentario illustravit, Schemata musica adjecit et Indices confecit Henr. Frid. Magnus Volger, Paedagogii Regii Ilfeldensis Collaborator. 8.　　1 thl.

Karl Heinrich Sintenis Ciceronische Anthologie, oder Sammlung interessanter Stellen aus den Schriften des Cicero. Zwei Theile. 8.　　　　1 thl. 18 gr.

von Woltmann Geist der neuen Preußischen Staatsorganisation. 8. broch.　　　　　　　　20 gr.

Musikalien.

Es kann doch schon immer so bleiben, als Antwort auf das Lied: Es kann schon nicht immer so bleiben; in Musik gesetzt von C. F. H. Schmidt.　　　　　　　　　　4 Gr.

———

Auch sind daselbst alle Taschenbücher für 1811, worunter sich besonders das Taschenbuch für denkende Frauen à 12 gr., zu einem Weihnachts Geschenk für Damen empfiehlt und die Neuigkeiten von der Leipziger Michaelmesse in allen Fächern zu finden. Katalogen, wissenschaftlich geordnet, werden in einigen Tagen an Bücherliebhaber gratis ausgegeben werden.

———

Neues höchst wichtiges Journal.

Vaterländisches Museum. 1s—6s Heft oder July – Dezember 1810. 8. Geheftet in saubere von Runge gezeichnete, und von Gubitz in Holz geschnittene, Umschläge. Hamburg bei Perthes, und für Berlin zu haben bei Hitzig.　　　　3 thl. 8 gr.

Berliner Abendblätter.

55tes Blatt.　Den 3ten December 1810.

Gewerbfreiheit.

So wie die Pflanze im freien heimischen Boden, lustiger, kräftiger, üppiger wächst, und sich vollendeter als im Treibhause entfaltet, so die Gewerbe, wenn man ihr Gedeihen ganz dem Wetteifer des Talents und des Fleißes überläßt.

Der Zeitgeist ist der Gartenkünstelei so wie der Staatskünstelei gleich ungünstig.

Durch diesen Wettstreit wird der natürliche Anspruch des Fleißes und des Talents gesichert. Das schlechte und mittelmäßige geht unter, so wie in einem dicht bestandenen Walde die kräftigsten Bäume über die anderen hervorwachsen, und Krüppel und Schwächlinge ersticken. Dieses ist das ewige Gesetz der Natur, nicht bloß bei Pflanzen und Gewerben, sondern bei allem was ein thierisches oder Pflanzenleben hat. In dieses Gesetz durch Zwangsvorschriften eingreifen, heißt die Mittelmäßigkeit verewigen.

Das Publikum, welches der Gewerbe bedarf, wird sich bei diesem Wetteifer wahrscheinlich nicht übel befinden, und preiswürdigere Arbeit für wohlfeilere Preise erhalten, besonders wenn die reicheren Classen anfangen werden, sich nicht auf bürgerliche Gewerbe zu legen, und sie fabrikmäßiger zu betreiben.

Aber — abgesehen von den mannichfachen Vortheilen der Gewerbfreiheit, die man in Adam Smith, Kraus ꝛc. nachlesen kann, ist deren Gewährung eine Handlung der Gerechtigkeit gleichsam eine restitutio in integrum, und ein bedeutender Schritt zur Wiedererlangung der Nationalität. Es ist ein natürliches Menschenrecht, auf beliebige Art seinen Unterhalt zu gewinnen. Das wesentliche des Bürgerrechts besteht gerade in der Berechtigung zum Betriebe städtischer Gewerbe, ohne weitere Einschränkung, als welche die auf öffentliche Sicherheit abzweckenden Polizei-Vorschriften festsetzen.

Den Mißbrauch einer solchen Gewerbfreiheit beugen die Polizei Anordnungen vor. Auch ist Mißbrauch der Freiheit ein Produkt der Beschränkung. Wer keinen Zwang kennt, dem fällt es selten ein, von seiner Freiheit Mißbrauch zu machen. Jünglinge, die im elterlichen Hause am beschränktesten waren, überlassen sich nachher gewöhnlich den gröbsten Ausschweifungen.

Verlangt man Achtung für das Gesetz, so mache man deren wenige, aber — nothwendige. Welche nothwendig sind, ist auch dem gemeinsten Verstande einleuchtend. Ein Kamschadale begreift, daß der Diebstahl verboten sein muß; aber gerade der verständigste Tischler begreift am wenigsten, warum er nicht auch Stühle ꝛc. machen soll.

Das Gesetz ist das große innere Band einer Nation. Es umschlingt dasselbe in weiteren immer enger werdenden Kreisen, die in einem lichten Punkte, in dem Monarchen sich endigen. In einer religiösen Verehrung für dasselbe muß jedes Mitglied der Gesellschaft mit dem Anderen übereinstimmen, so verschieden auch sonst die Meinungen und Ansichten sein mögen. Wer diese Verehrung nicht theilt, paßt in den Gesellschaftsbund nicht, und muß ausgestoßen werden. In dem festen und allgemeinen Willen, dieses Gesetz aufrecht zu erhalten, oder mit ihm unterzugehen, besteht die Nationalität oder die Vaterlandsliebe.

Also diese wird in einem solchen Staat am herrlichsten gedeihen, wo die Freiheit der Mitglieder nicht weiter beschränkt ist, als es die Nothwendigkeit und die gleiche Berechtigung des anderen erfordert, und wo die Gesetze immer mehr den Stempel der Willkührlichkeit ablegen.

Ein solcher Staat wird allmählich seine Nachbarn an Wohlstand und Kraft überragen, und diese Güter an sich ziehen, so wie Freihäfen den Welthandel — wenn der Zugang in ihnen frei ist. Die in Nordamerica proclamirte Glaubensfreiheit bevölkerte die neue Welt auf Unkosten der alten. So wie im 15ten Jahrhundert der Durst nach Gold den Höfen von ganz Europa und alles was Neigung oder Dürftigkeit zu kühnen Abendtheuern anregte, nach dem neuentdeckten Westindien hinlockte, so werden einem solchen wie eine Insel in der Wüste dastehendem Staate, rechtliche und wohlhabende Bürger aus schlechter regierten Staaten zuströmen, und sein Gebiet wird der Sammelplatz des Talents und der Zufriedenheit werden.

Aus diesen Gründen ist die in Preussen proclamirte Gewerbsfreiheit ein sehr wesentlicher Schritt, um diesem Staate, das was er verloren zu ersetzen.

lh.

───────────

Fragmente.

1.

Billig sollte jedes Frauenzimmer wissen, warum sie **Damen** heissen und daß dieses ehedem ein Name der **Gottheit** gewesen ist. Er stammt von den Römischen Worte, „Dominus" (Herr) ab, ein Titel, den sogar der erste Kaiser Augustus Tiberius für sich zu hoch hielte und den zuerst **Cakligula** sich beilegte. Von dem Worte Dominus ist das altfranzösische Dam, Dame entstanden, welches man Anfangs auch nur Gott und den Königen beilegte. Herr Gott hieß damals in Französischen Dame diex oder Dam el diex. Nachher nahmen auch geringere Leute diesen Titel an und endlich hat sich das schöne Geschlecht desselben bemeistert und ihn für sich allein behalten. Vielleicht ist dies der einzige Frauentitel, den jemals die Gottheit geführt hat.

2.

Sollte man sich wohl vorstellen, daß der Name,
Esel, ein Ehrenname sei, den manche große Leute
geführt haben? der Kalif Merven erhielt den Zunamen „der Esel" weil die Esel in Mesopotamien eine ungemeine Unerschrockenheit in den Schlachten zeigten. Man sagte daher gemeiniglich von ihm: der me-
sopotamische Esel weiß nicht einmal, was im Kriege das Fliehen sei.

Fr. Sch.

Bülletin der öffentlichen Blätter.

Gibraltar den 24ten Oct.

Eine hier, unter Lord Blancy ausgerüstete Expedition, um Mallaga vom Feinde zu befreien, ist gänzlich mißglückt. Lord Blancy selbst, mit 400 Engl. sind
in feindliche Gefangenschaft gerathen.   (L. d. B.)

Lausanne den 17ten Nov.

Die Pestartige Krankheit, wahrscheinlich das gelbe
Fieber, in Spanien, herrscht zu Carthagena und Ma-
laga, und hat sich längs der ganzen spanischen Küste,
bis Cadaquie verbreitet. Dieselbe herrscht auch bereits im Königreich Neapel: zu Brindisi soll die Mannschaft eines ganzen Schiffs an dieser Krankheit umgekommen sein. Demnach ist in der Schweiz die Qua-
rantänen auf alle aus Neapel kommende Waaren ge-
legt werden.   (B. d. B.)

Paris den 22ten Nov.

Der Brigade Gen. Foy ist heute, aus dem Hauptquartier des Prinzen von Eslingen (Mar. Massena)
hier angekommen. Derselbe hat, an der Spitze von
200 Pferden, ganz Portugal durchschnitten, und wie-
derspricht gänzlich den falschen Berichten, welche die
Engländer, unter tausend Gestalten, zu verbreiten bemüht sind.   (Mon.)

Berliner Abendblätter.

56tes Blatt.   Den 4ten Dezember 1810.

Geographische Nachricht von der Insel Helgoland.

In den öffentlichen Blättern las man vor einiger
Zeit, daß auf der, an der Mündung dreier Flüsse zugleich, nämlich der Weser, Elbe und Eyder, liegenden
und mithin den Unterschleifshandel, zwischen England
und dem Kontinent, bis zu den letzten Kaiserlich-
Französsischen Dekreten, äusserst begünstigenden Insel Helgoland, für 20 Mill Pfund Sterl. Werth,
an Kolonial-Waaren und Engl. Fabrikaten aufge-
häuft wäre. Wenn man erwägt, wie groß die Menschenmasse sein muß, die ein Gewerbe, von so beträch-
lichem, man mögte sagen ungeheurem Umfange, auf
diesen Platz zusammenzieht: so wird eine Nachricht,
über die geographische und physikalische Beschaffenheit
dieser Insel sehr interessant, die kürzlich in den Ge-
meinnützigen Unterhaltungs-Blättern gestanden hat:
ein Journal, das überhaupt, wegen der Abwechslung
an lehrreichen und ergötzenden Aufsätzen, und des
ganzen Geistes, ernst und heiter, der darin herrscht,
den Titel eines Volksblatts (ein beneidenswürdiger
Titel!) mehr als irgend ein andres Journal, das sich
darum bewirbt, verdient. Nach diesem Blatt (St. 43)
beträgt der Umfang des thonartigen Felsens, worauf
dies kleine, Bedrängnissen aller Art seinen Ursprung
dankende Etablissement ruht, nicht mehr als ⅛ Meile;
und auf der, dem zufolge nicht mehr als ⅟₁₆ Quadratmeile
betragenden Oberfläche, fanden, schon vor Ausbruch
des Krieges, weder die Häuser, 400 an der Zahl, die
darauf befindlich waren, noch die Familien 430 an der
Zahl, die sie bewohnten, gehörigen Platz. Schon

Büsching giebt die Menschenmenge zu 1700 Seelen an; eine ungeheure Bevölkerung, die die beträchlich=sten in England und in den Niederlanden, von 4500 Seelen auf 1 Quadratmeile, um ein Drittel über=steigt. Dabei ist der hohe und steile, an drei Seiten vom Meere bespülte Felsen, worauf der Flecken gebaut ist, wegen seiner mürben, zwischen den Fingern zerreib=lichen Substanz, durch die Witterung vom Gipfel zum Fuß zerspalten und zerrissen; dergestalt, daß, aus Furcht vor den Erdfällen und Zerbrockelungen, die sehr häufig eintreten, bereits mehrere, auf dem äußersten Rand schwebende Häuser haben, abgebrochen werden müssen, und bei einem derselben, vor mehreren Jah=ren, wirklich der Flügel des Konigl. Wachthauses, schon herabgestürzt ist. Die Besorgniß, den Fel=sen ganz sich auflösen und zusammenfallen zu sehen, hat den Rath schon längst die Nothwendigkeit einer Abdachung empfinden lassen; aber der beschränkte Raum, den sein Gipfel darbietet, und der im umge=kehrten Verhältniß damit stehende, ungeheure jähr=liche Wachsthum der Bevölkerung, verzögern die Aus=führung dieses Entschlusses von Jahr zu Jahr. Die Einrichtung der Häuser kleiner und compendiöser zu machen, oder sie dichter an einander zu rücken, oder die Straßen, die dadurch gebildet werden, zu veren=gen, ist unmöglich; denn die ein Stock hohen Häuser enthalten nicht mehr, als ein Zimmer, eine Kammer, eine Küche und eine Speisekammer, und die Straßen sind schon, ihrer ersten Anlage nach, so eng, daß kein Fuhrwerk sie passiren, und höchstens nur eine Leiche hindurch getragen werden kann. Gegen Südost be=findet sich zwar noch ein kleines dünenartiges Vorland oder Unterland, auf dessen höchstem Punkt dicht an der Felswand noch 50 Häuser angestellt sind; aber die Fluth, so oft sie eintritt, überschwemmt diese Düne, und bei Stürmen und Ungewittern droht der Wachs=thum derselben, die Häuser, die darauf befindlich sind, gänzlich hinwegzuspülen. Erwägt man hierbei, daß

der Felsen ganz unfruchtbar ist; daß auf dem Vor=
oder Unterland, zwischen den Häusern, der einzige
süße trinkbare Quell entspringt; daß man sich im
Flecken selbst, mit bloßem Regenwasser behelfen, und
an heißen Sommertagen, über eine Treppe von 191
Stusen herabsteigen muß, um daraus zu schöpfen;
daß nur einige Johannisbeersträucher, ein wenig Ger=
ste (400 Tonnen nach Büsching) und Weide für's Vieh,
auf der Oberfläche des Felsens wachsen; daß innerhalb
des hohen, vor Stürmen einigermaßen gesicherten,
Hofes des Predigerhauses der einzige Baum befindlich
ist ein Maulbeerbaum); daß demnach, vom Ursprung
dieses Etablissements an, alle Bedürfnisse, auch die er=
sten und dringendsten, aus den, sechs und zehn Mei=
len fernen Häfen des festen Landes, geholt werden muß=
ten; daß durch den Krieg und die unerbittliche Sper=
rung des Continents der Insel diese Zufuhr gänzlich
abgeschnitten ist; daß mithin, bis auf Fleisch, Butter,
Bier, Salz und Brod, Alles, mit unverhältnißmäßig
mühevollen Anstrengungen, aus den Häfen von Eng=
land herübergeschafft werden muß: so gehört dieser, um
einen Werth von 20 Mill. Pfund Sterling, spielende,
continuirliche, an Leben und Bewegung alle Messen
des Continents übertreffende Handel der auf dieser
öden, nackten, von der Natur gänzlich vernachläßig=
ten Felsscholle, in Mitten des Meers, sein Waarenla=
ger aufgeschlagen hat, (nun aber wahrscheinlich Ban=
kerott machen wird) gewiß zu den außerordentlichsten
und merkwürdigsten Erscheinungen der Zeit.

hk.

Gut und Schlecht.

Wohl, wir haben gelernt, was Gut ist und auch was
Schlecht ist!
Gut ist immer das Wort, schlecht nur ist immer die
That.

W.

Bülletin der öffentlichen Blätter.

London den 16ten Nov.

Unsere Blätter enthalten vielfältige Bemerkungen über die Ursache der Unthätigkeit, in der Massena verharrt. Einige glauben, die in seinem Rücken manövrirende Division Lo son sei bestimmt, seinen Rückzug vorzubereiten; andere, sie sei detaschirt worden, um ihm Communicationen, der Lebensmittel wegen, zu eröffnen. (Mon.)

Windsor den 17ten Nov.

Sr. Maj. haben eine unruhige Nacht gehabt und mehr Fieber, als seit zwei Tagen.

Privatbriefe, die den 18ten aus Windsor angelangt sind, melden, daß seit obenstehendem Bülletin, nichts weiter über den Gesundheitszustand Sr. Maj. bekannt gemacht worden ist. (Mon.)

Polizeiliche Tages-Mittheilungen.

Ein brodloser Handlungsdiener ist gestern Abend um 11½ Uhr vor einem Hause in der Leipziger Straße in seinem Blute gefunden und bald darauf verschieden. In seiner rechten Lende hat er im dicken Fleische eine dreieckige Wunde, die seiner Aussage nach durch einen Fall verursacht worden sein soll, welches indessen höchst unwahrscheinlich ist. Ein Amtchirurgus hat ihn kurz vor seinem Tode verbunden, und es werden jetzt über den Verlauf der Sache Nachforschungen angestellt.

Berliner Abendblätter.

57tes Blatt. Den 5ten Dezember 1810.

Das Grab der Väter.

Einem jungen Bauersmann in Norwegen soll einmal
folgende Geschichte begegnet sein. Er liebte ein schönes
Mädchen, die einzige Tochter eines reichen Nachbarn,
und ward von ihr geliebt, aber die Armuth des Wer-
bers machte alle Hofnung auf nähere Verbindung zu
nichte. Denn der Brautvater wollte seine Tochter
nur einem solchen geben, der schuldenfreien Hof und
Heerde aufzuweisen habe, und weil der arme junge
Mensch weit davon entfernt war, half es ihm zu
nichts; daß er von einem der uralten Heldenväter
Landes abstammte, ob zwar Niemand einen Zweifel an
dieser rühmlichen Geschlechtstafel hegte. Seiner Ahnen
Erster und Größter sollte auch in einem Hügel begraben sein, den alle Landleute unfern der Küste zu
zeigen wußten. Auf diesen Hügel pflegte sich denn
der betrübte Jüngling oftmals in seinem Leide zu se-
zen, und dem begrabnen Altvordern vorzuklagen, wie
schlecht es ihm gehe, ohne daß der Bewohner des
Hügels auf diesen kleinen Jammer Rücksicht zu nehmen schien. Meist hatten auch die zwei Liebenden
ihre verstohlnen Zusammenkünfte dort, und so geschah
es, daß einstmals der Vater des Mädchens den einzig
gangbaren steilen Pfad zum Hügel von ohngefähr
herauf gegangen kam, indeß die beiden oben saßen.
Eine tödtliche Angst befiel die Jungfrau, ihr Liebhaber faßte sie in seine starken Arme, und versuchte,
von der andern Seite das Gestein herabzuklimmen.
Da standen sie aber plötzlich, auf glattem Rasen am
schroffen Hange, fest, sie hörten schon die Tritte des
Vaters über sich, der sie auf diese Weise unfehlbar erblicken mußte, schon fühlten sich beide von Angst und

[57]

Schwindel versucht, die jähe Tiefe und den Stand-
kreis hinab zu stürzen, — da gewahrten sie nahe bei
sich einer kleinen Oefnung, und schlüpften hinein, und
schlüpften immer tiefer in die Dunkelheit, immer noch
voll Angst vor dem Bemerktwerden, bis endlich das
Mädchen erschrocken aufschrie: „mein Gott, wir sind
ja in einem Grabe!" — Da sahe auch der junge
Normann erst um sich, und bemerkte, daß sie in einer
länglichen Kammer von gemauerten Steinen standen,
wo sich inmitten etwas erhub, wie ein großer Sarg.
Jemehr aber die Finsterniß vor den sich gewohnenden
Augen abnahm, je deutlicher konnte man auch sehn,
daß die Masse in der Mitte kein Sarg war, sondern
ein uralter Nachen, wie man sie mit Seehelden an
den nordischen Küsten vor Zeiten einzugraben pflegte.
Auf dem Nachen saß, dicht am Steuer, in aufrechter
Stellung, eine hohe Gestalt, die sie erst für ein ge-
schnitztes Bild ansahen. Als aber der junge Mensch,
dreist geworden, hinaufstieg, nahm er wahr, daß es
eine Rüstung von riesenmäßiger Größe sei. Der
Helm war geschlossen, in den rechten Panzerhandschuh
war ein gewaltiges bloßes Schwerdt mit dem goldnen
Griffe hineingeklemmt. Die Braut rief wohl ihrem
Liebhaber ängstlich zu, herab zu kommen, aber in einer
seltsam wachsenden Zuversicht riß er das Schwerdt
aus der beerzten Hand. Da rasselten die mürben
Knochen, auf denen die Waffen sich noch erhielten, zusammen, der Harnisch schlug auf den Boden des Na-
chens lang hin, der entsetzte Jüngling den Bord hinunter zu den Füßen seiner Braut. Beide flüchteten,
uneingedenk jeder andere Gefahr, aus der Höle,
den Hügel mit Anstrengung aller Kräfte wieder hinauf, und oben wurden sie erst gewahr, daß ein ungeheurer Regenguß wüthete, welcher den Vater von da
vertrieben hatte, und zugleich mit solcher Gewalt,
Steine und Sand nach der schaurigen Oefnung hin-
abzuwälzen begann, daß solche vor ihren Augen ver-
schüttet ward, und man auch nachher nie wieder hat

da hinein finden können. Der junge Mensch aber hatte das Schwerdt seines Ahnen mit heraus gebracht. Er ließ mit der Zeit den goldnen Griff einschmelzen, und ward so reich davon, daß ihm der Brautvater seine Geliebte ohne Bedenken antrauen ließ. Mit der ungeheuren Klinge aber wußten sie nichts bessers anzufangen, als daß sie Wirthschafts und andere Geräthschaften, so viel sich thun ließ, daraus schmieden ließen.

M. F.

Andeutungen.

Der Menschenverstand hat sich besonders in den letzten zehn bis funfzehn Jahren, als Opponent der Philosophie und Poesie, so häufig mit seinem Gesundheitsgefühle gebrüstet, daß man schon deshalb in Versuchung gerathen sollte, ihm einige Schwäche zuzutrauen. Bescheidene Schriftsteller haben von jeher in den meisten Fällen, den Ausdruck: „Gemeiner Menschenverstand" vorgezogen.

Man hat ein Buch vom Professor Pölitz in Wittenberg, in welchen gelehrt wird, wie man die deutschen Dichter, statarisch oder cursorisch auf Schulen lesen soll. Unter den Anmerkungen, mit denen der Herausgeber die einzelnen Gedichte begleitet, scheint mir folgende die anziehendste. Sie steht bei den Versen aus Schillers Spaziergang:

„Jene Linien dort, die des Landmanns Eigenthum schützen,
  In die Furche der Flur hat sie Demeter gewirkt,"

und erklärt, Demetrios sei ein berühmter Philosoph und Mathematiker aus Alexandrien gewesen, der sich um die Theorie der geraden und krummen Linien sehr verdient gemacht habe.

N.

Der Jüngling an das Mädchen.

Charade.

Zwei kurze Laute sage mir;
Doch einzeln nicht, — so spricht ein Thier!
Zusammen sprich sie hübsch geschwind:
Du liebst mich doch, mein süßes Kind.

(Die Auflösung im folgenden Blatt.)

Bülletin der öffentlichen Blätter.

Der Herausgeber der Schweizerischen Nachrichten, ist wegen Einrückung eines Artikels von Belenz, den Canton Tessin betreffend (der ihm untersagt war) in Gefangenschaft gesetzt worden.   (Schw. Nachr.)

Das gelbe Fieber wüthet sehr stark auf Cuba. Mehrere Schiffe, von Havannah kommend, haben den größten Theil ihrer Equipage verloren.   (ibid.)

Kopenhagen den 27. Nov.

Die Königl. Quarantaine-Direction hat, wegen der auf mehreren Punkten des Erdkreises herrschenden, ansteckenden Krankheiten, die strengsten Maasregeln ergriffen. Aus der deshalb erlassenen Verordnung geht hervor, daß die in Otranto und Brindisi ausgebrochene Kontagion eine beulenartige (eine Pest) sei; die in den spanischen Seestädten Mallaga und Karthagena herrschende hingegen scheint das gelbe Fieber zu sein.   (Hamb. Zeit.)

Petersburg den 14. Nov.

Gestern ist hier durch einen Courier von der Moldauischen Armee die Nachricht eingegangen, daß die tapfern russischen Truppen die Festung Nicopolis erobert haben.   (ibid.)

Druckfehler.

Pag. 217 Zeile 7 anstatt Höfen lies Hefen.

Berliner Abendblätter.

58tes Blatt. Den 6ten Dezember 1810.

Des Journals für Kunst, Kunstsachen, Künsteleien und Moden 2ter Jahrgang 1ter Band, enthält unter mehreren andern interessanten Aufsätzen, eine Anzeige über eine veränderte Einrichtung der Klaviatur de Tasteninstrumente, von einem der scharfsinnigsten Mathematiker jetziger Zeit, Hr. Dr. K. Chr. F. Krause in Dresden. Da diese Erfindung ohne Zweifel, wegen ihrer in die Augen fallenden Zweckmäßigkeit, einen Abschnitt, sowohl in der Klavier-Spiel- als Klavier-Baukunst, bilden wird: so wollen wir nicht unterlassen, zu ihrer Verbreitung das, was in unserm Kreise liegt, hiermit beizutragen.

Ueber eine wesentliche Verbesserung der Klaviatur der Tasteninstrumente.

Die verbesserte Klaviatur, berichtet Hr. Dr. Krause, enthält die sogenannten Semitonia nicht als Obertasten; sondern alle Tasten bilden eine ununterbrochene Fläche und sind vollkommen gleich breit; dennoch ist die Breite einer jeden noch um etwas größer, als ein Finger, und es läßt sich daher diese Klaviatur, da sie nicht weitgriffiger ist, eben so bequem, als die alte, spielen. Musiker und Instrumentenmacher, denen ich meinen Einfall mittheilte, zweifelten an dessen Ausführbarkeit; nachdem mir aber der hiesige geschickte Instrumentenmacher, Herr Rosenkranz, eine solche Klaviatur zu einem schon vorräthigen Instrumente gebaut hat, lehrt mich seit einigen Tagen der eigne Gebrauch, was diese Einrichtung leistet. Ich will ihre Vortheile kurz anzeigen, um Alle, welche Zeit sparen, und ein runderes Spiel auch durch die Klaviatur befördert wissen wollen, zur Nachahmung einzuladen.

Bei dieser einfachen Klaviatur ist

1) Der Anschlag aller Töne gleich stark.

2) Es spielt sich in allen Tonarten gleich leicht, und zwar wenigstens eben so leicht, als auf der gewöhnlichen Klaviatur aus c dur.

3) Der Unterschied der Entfernung ganzer und halber Töne wird schon durch die verschiedene Lage der Finger dem Gedächtnisse eingeprägt und eingeübt.

4) Alle weichen Tonarten spielen sich eben so leicht, als die harten.

5) Das Transponiren einer Tonart in die andere, selbst prima vista, hat nicht die geringste Schwierigkeit, und fordert keine besondere Uebung.

6) Alle sogenannte Manieren oder Verzierungen der Melodie werden in allen Tonarten gleich leicht und rund hervorgebracht.

7) Sehr vieles wird, und in zwar jeder Tonart, spielbar, was zuvor wegen der Applikatur und der hindernden Obertasten gar nicht möglich, oder doch äußerst schwer zu execuriren war.

8) Die Applikatur wird unendlich einfacher und sicherer.

Wie zeitkostend und wie lästig ist dem Genie die mechanische Uebung! Wer wird eine bloß mechanische Fertigkeit mit der ganzen Zeit lieber, als mit dem zehnten Theile erwerben wollen? — Man kennt wohl keinen Virtuosen, der aus allen Tonarten Alles gleich leicht und rund spielen und in allen Tonarten gleich gut Noten lesen könnte. Diese lernt aber ein jeder von selbst, der sich dieser einfachen Klaviatur bedient.

Alles, was Zeit spart und dem Genie einen weitern Wirkungskreis eröffnet, verdient Aufmerksamkeit, es sey an sich selbst so geringfügig, als es wolle. Das aufkeimende Genie des Virtuosen wird mit dieser einfachen Klaviatur Jahre sparen, und die Komponisten werden alle Tonarten gleich behandeln und einer gleichguten Execution ihrer Werke auf dem Tasteninstrumente sicher seyn können, in welcher Tonart sie auch gesetzt sein mögen. — In wenig Monaten wird ein geübter Spieler auf dieser Klaviatur völlig eingewohnen, und dadurch errungen haben, was ihm Jahre nicht gewährt hatten: — gleichfertiges Spiel in allen Tonarten.

Noch bemerke ich, daß durch diese Vereinfachung der Klaviatur ihre Vervollkommnung noch nicht beendigt ist. So werde ich mir, zum Beispiel, auf meinem Instrumente eine Vorrichtung anbringen lassen, wodurch ich mit demselben Finger, ohne die geringste Dehnung und Anstrengung, von jedem Tone seine Oktave, entweder allein oder mit ihm zugleich, anschlagen kann. Dadurch wird man spielen lernen, als wenn man mehr als zwei Hände hätte; man wird mit der einen Hand unisono in drei Oktaven spielen, Dezimen wie Terzien greifen, und auch weiter langen können, reals auf der Haf.

Auch steht die Verbesserung der Klaviatur mit noch viel wichtigern Dingen in Beziehung. Sollte unsere Melodie und Harmonie mit Zwischentönen bereichert werden, woran ich nicht zweifle; so würden sie sich bei dieser Klaviatur auf eine höchst einfache Art anbringen lassen. Sodann stimmt auch die Einrichtung derselben mit der nothwendigen Verbesserung unsrer musikalischen Zeichensprache, besonders der Noten-Tabulatur zusammen, worüber ich bald etwas mitzutheilen hoffe.

Anekdote.

Als man den Diogenes fragte, wo er nach seinem Tode begraben sein wolle? antwortete er: „mitten auf das Feld." Was, versetzte jemand, willst du von den Vögeln und wilden Thieren gefressen werden? „So lege man meinen Stab neben mich," antwortete er, „damit ich sie wegjagen könne." Wegjagen! rief der Andere; wenn du todt bist, hast du ja keine Empfindung! „Nun denn, was liegt mir daran," erwiderte er, "ob mich die Vögel fressen oder nicht?" —

Helgoländisches Gottesgericht.

Die Helgoländer haben eine sonderbare Art, ihre Streitigkeiten in zweifelhaften Fällen, zu entscheiden; und wie die Partheyen, bei anderen Völkerschaften, zu den Waffen greifen, und das Blut entscheiden lassen, so werfen sie ihre Lootseuzeichen (Medaillen von Messing, mit einer Nummer, die einem jeden von ihnen zugehört) in einen Huth, und lassen durch einen Schiedsrichter, Eine derselben herausziehn. Der Eigenthümer der Nummer bekommt alsdann Recht.

Miscellen.

Herr Robertson hat am 28sten Okt. vor einer unzähligen Menge Volks, seine 37ste Luftreise, im Baumgarten zu Bubenitsch bei Prag gehalten. Er erhob sich gegen Nordost, über den Moldaustrom hinweg, zu solcher Höhe, daß kein menschliches Auge im Stande war, den Ballon am Horizont mehr wahrzunehmen, oder zu erkennen. (Oester. Beob.)

Im Torgauischen Amte in Sachsen, hat sich eine Art von Rindviehseuche (die Löserdürre) gezeigt, weshalb von mehrern Seiten der Verkehr mit Vieh in jener Gegend untersagt worden ist. (Hall. Wochenbl.)

Auflösung der im vorigen Stück enthaltenen Charade.

Das Wort: Ja.

Von der Ueberlegung.

(Eine Paradoxe.)

Man rühmt den Nutzen der Ueberlegung in alle
Himmel; besonders der kaltblütigen und langwieri=
gen, vor der That.   Wenn ich ein Spanier, ein
Italiener oder ein Franzose wäre; so mögte es da=
mit sein Bewenden haben.   Da ich aber ein
Deutscher bin, so denke ich meinem Sohn einst, be=
sonders wenn er sich zum Soldaten bestimmen soll=
te, folgende Rede zu halten.

„Die Ueberlegung, wisse, findet ihren Zeitpunkt
weit schicklicher nach, als vor der That.   Wenn
sie vorher, oder in dem Augenblick der Entscheidung
selbst, ins Spiel tritt: so scheint sie nur die zum
Handeln nöthige Kraft, die aus dem herrlichen Ge=
fühl quillt, zu verwirren, zu hemmen und zu unter=
drücken; dagegen sich nachher, wenn die Handlung
abgethan ist, der Gebrauch von ihr machen läßt,
zu welchem sie dem Menschen eigentlich gegeben ist,
nämlich sich dessen, was in dem Verfahren fehler=
haft und gebrechlich war, bewußt zu werden, und
das Gefühl für andere künftige Fälle zu reguliren.
Das Leben selbst ist ein Kampf mit dem Schick=
sal; und es verhält sich auch mit dem Handeln wie
mit dem Ringen.   Der Athlet kann, in dem Au=
genblick, da er seinen Gegner umfaßt hält, schlecht=
hin nach keiner anderen Rücksicht, als nach bloßen
augenblicklichen Eingebungen verfahren; und derje=

nige, der berechnen wollte, welche Muskeln er anstrengen, und welche Glieder er in Bewegung sezzen soll, um zu überwinden, würde unfehlbar den Kürzeren ziehen, und unterliegen. Aber nachher, wenn er gesiegt hat oder am Boden liegt, mag es zweckmäßig und an seinem Ort sein, zu überlegen, durch welchen Druck er seinen Gegner niederwarf, oder welch ein Bein er ihm hätte stellen sollen, um sich aufrecht zu erhalten. Wer das Leben nicht, wie ein solcher Ringer, umfaßt hält, und tausendgliedrig, nach allen Windungen des Kampfs, nach allen Widerständen, Drücken, Ausweichungen und Reactionen, empfindet und spürt: der wird, was er will, in keinem Gespräch, durchsetzen; vielweniger in einer Schlacht.‟

.

Anekdote.

Ein Herr von D... in Moskau, ein sehr reicher Gutsbesitzer, zeichnete sich durch eine Menge Bisarretten aus.

Eine seiner Töchter verheirathete sich wider seinen Willen. Sie erhielt also auch nicht die geringste Ausstattung, und er verbot ihr und ihrem Gemahl, ihm iemals vor Augen zu kommen.

Als die junge Frau von einem Sohn entbunden worden war, wagte sie es, in Begleitung ihres Gatten zu ihrem entzürnten Vater zu fahren, in der Hoffnung, daß nun sein Zorn abgekühlt sein, und der Anblick eines Enkels sein Herz zur Versöhnung erweichen würde.

Das junge Ehepaar überraschte ihn und die Tochter legte ihm den Erstgebohrnen in den Arm. Er schien verlegen, doch bald faßte er sich, nahm seine Tochter und seinen Schwiegersohn höflich auf, bewirthete beide aufs Beste, sprach aber kein Wort über ihre Verbindung, noch über eine Ausstattung.

Als die jungen Leute wieder wegfuhren, fanden sie ein frisch geschlachtetes Schwein in ihrem Wagen.

Der Mann, der sich höchst beleidigt hielt, wollte es be auswerfen lassen, seine Gattin beruhigte ihn indessen, und brachte es endlich dahin, diese Laune des Schwiegervaters zu dulden und kein Aufsehn zu machen.

Als sie zu Hause gekommen waren, sollten die Bedienten das Schwein forttragen, keiner aber vermogte es aufzuheben. Man untersuchte es näher und fand es mit einigen tausend Goldstücken angefüllt. — Diese Geschichte ist sinnreicher, als mancher glaubt.

(Gem. Unterh. Blätter.)

Miscellen.

Die Aufmerksamkeit aller Staatskundigen ist in diesem Augenblick auf das innere Schicksal der Oestreichischen Monarchie gerichtet: die Banknoten, welche am 24ten Nov. schon 880 standen fallen mehr und mehr und ihre völlige Werthlosigkeit ist mit Sicherheit vorauszusehn, wenn nicht alle großen Eigenthümer der Monarchie ins Mittel treten. Der diesjährige Mißcredit der Papiere hatte drei Hauptveranlaßungen

1) die Stipulationen des Wiener Friedens und den Verlust von Triest; dann vorzüglich

2) den 5ten §. des ersten Kaiserl. Königl. Finanzpatents, der zwar noch nicht ausgeführt, aber doch auch noch nicht feierlich zurückgenommen worden; endlich

3) den Kaiserl. Französischen Colonial-Tarif und die Maasregeln in dessen Gefolge das Wiener Papier auf seinen vorzüglichsten ausländischen Märkten, in Augsburg, Strasburg, Frankfurt, Livorno rc. außer Cours gesetzt worden ist.

Unbegreiflich hat es längst scheinen müssen, warum man nicht aus den Getreide-, Fleisch- und anderen Consumtions-Artikel-Preisen auf den vorzüglichsten

Plätzen im innern Umfange der Monarchie, einen innern Cours zu berechnen bedacht gewesen ist, wäre es auch nur um der furchtbaren Augsburger Zahl ein tröstliches Gegengewicht und der öffentlichen Meinung der Nation eine bessere Richtung zu geben. — Da nun einmal die Schicksale aller Familien im Umfange der Monarchie an das Schicksal der Bankzettel gebunden sind, so sieht man einer schleunigen Vereinigung aller großen Geld und Güterbesitzer entgegen, die sich, nach Art der Brittischen Handlungshäuser im J. 1797 verpflichten müßten die Bankzettel in allen Fällen zu einem mittleren Course etwa zu 300 anzunehmen, wo alsdann die projectirten Einlösungsscheine leicht in Cours gesetzt werden könnten und die Monarchie zu ihrer innern Consolidation den bedeutendsten Schritt gemacht haben würde. Präliminarbedingung ist indeß die feierliche Zurücknahme des erwähnten 5ten §§.

A. M.

Bülletin der öffentlichen Blätter.

Der König von Schweden Gustav Adolph hat vorläufig in der Gegend von Colchester bleiben und nicht nach London kommen dürfen. Herr Pierrepoint (vormaliger Gesandter in Schweden) besorgt seine Angelegenheiten. (Mon.)

Bis zum 21ter November war das Fieber des Königs von England, weder im Zu- noch im Abnehmen. (Mon.)

Laut Nachrichten vom 25 Nov. aus Stockholm sollte nunmehr das feierliche Leichenbegängniß de Grafen Axel Fersen vor sich gehn. (L. d. B.)

Berliner Abendblätter.

Cotes Blatt. Den 8ten December 1810.

Eine Legende nach Hans Sachs.

Der Welt Lauf.

Der Herr und Petrus oft, in ihrer Liebe beide,
Begegneten im Streite sich,
Wenn von der Menschen Heil die Rede war;
Und dieser nannte zwar die Gnade Gottes groß,
Doch wär' er Herr der Welt, meint' er,
Würd' er sich ihrer mehr erbarmen.
Da trat, zu einer Zeit, als längst, in beider Herzen,
Der Streit vergessen schien, und just,
Um welcher Ursach weiß ich nicht,
Der Himmel oben auch voll Wolken hieng,
Der Sanctus mitgestimmt, den Heiland an, und sprach:
„Herr, laß, auf eine Handvoll Zeit,
Mich, aus dem Himmelreich, auf Erden niederfahren,
Daß ich des Unmuths, der mich griff,
Vergess' und mich einmal, von Sorgen frei, ergöte,
Weil es jetzt grad' vor Fastnacht ist.'
Der Herr, des Streits noch sinnig eingedenk,
Spricht: „Gut; acht Tag' geb' ich dir Zeit,
Der Feier, die mir dort beginnt, dich beizumischen;
Jedoch, sobald das Fest vorbei,
Kommst' du mir zu gesetzten Stunde wieder.
Acht volle Tage doch, zwei Wochen schon, und mehr,
Ein abgezählter Mond vergeht,
Bevor der Sanct zum Himmel wiederkehrt·
„Ei, Petre," spricht der Herr, „wo weiltest du so
                                                lange?
Gefiel's auch nieden dir so wohl?"

Der Sanctus, mit noch schwerem Kopfe, spricht:
„Ach, Herr! Das war ein Jubel unten —!
Der Himmel selbst beseeliget nicht besser.
Die Erndte, reich, du weißt, wie keine je gewesen,
Gab alles was das Herz nur wünscht,
Getraide, weiß und süß, Most, sag' ich dir, wie Honig,
Fleisch fett, dem Speck gleich, von der Brust des
Rindes;
Kurz, von der Erde jeglichem Erzeugniß
Zum Brechen alle Tafeln voll.
Da ließ ich's, schier, zu wohl mir sein,
Und hätte bald des Himmels gar vergessen."
Der Herr erwiedert: „Gut! Doch Petre sag mir an,
Bei soviel Seegen, den ich ausgeschüttet,
Hat man auch dankbar mein gedacht?
Sahst du die Kirchen auch von Menschen voll?" —
Der Sanct, bestürzt hierauf, nachdem er sich besonnen,
„O Herr," spricht er, „bei meiner Liebe,
Den ganzen Fastmond durch, wo ich mich hingewen-
det,
Nicht deinen Namen hört' ich nennen.
Ein einz'ger Mann saß murmelnd in der Kirche:
Der aber war ein Wucherer,
Und hatte Korn, im Herbst erstanden,
Für Mäus' und Ratzen hungrig aufgeschüttet." —
„Wohlan denn," spricht der Herr, und läßt die Rede
fallen,
„Petre, so geh; und künft'ges Jahr
Kannst du die Fastnacht wiederum besuchen"
Doch diesmal war das Fest des Herrn kaum einge-
läutet,
Da kömmt der Sanctus schleichend schon zurück.
Der Herr begegnet ihm am Himmelsthor und ruft:
„Ei, Petre! Sieh! Warum so traurig?
Hat's dir auf Erden denn danieden nicht gefallen?"
„Ach, Herr," versetzt der Sanct, „seit ich sie nicht
gesehn,
Hat sich die Erde ganz verändert.

Da ist's kurzweilig nicht mehr, wie vordem,
Rings sieht das Auge nichts, als Noth uud Jammer.
Die Erndte, ascheweiß versengt auf allen Feldern,
Gab für den Hunger nicht, um Brod zu backen,
Viel wen'ger Kuchen, für die Lust, und Stritzeln.
Und weil der Herbstwind früh der Berge Hang durch-
reist,
War auch an Wein und Most nicht zu gedenken.
Da dacht ich: was auch sollst du hier?
Und kehrt' ins Himmelreich nur wieder heim.'' —
,,So!'' spricht der Herr. ,,Fürwahr! Das thut mir leid!
Doch, sag mir an: gedacht' man mein?''
,,Herr, ob man dein gedacht? — Die Wahrheit dir zu
sagen,
Als ich durch eine Hauptstadt kam,
Fand ich, zur Zeit der Mitternacht,
Vom Altarkerzenglanz, durch die Portäle strahlend,
Dir alle Märkt' und Straßen hell;
Die Glöckner zogen, daß die Stränge rissen;
Hoch an den Säulen hiengen Knaben,
Und hielten ihre Mützen in der Hand.
Kein Mensch, versichr' ich dich, im Weichbild rings zu
sehn,
Als Einer nur, der eine Schaar
Lastträger keuchend von dem Hafen führte:
Der aber war ein Wucherer,
Und häufte Korn auf lächelnd, fern erkauft,
Um von des Landes Hunger sich zu mästen.''
,,Nun denn, o Petre,'' spricht der Herr,
,,Erschaust du jetzo doch den Lauf der Welt!
Jetzt siehst du doch was du jüngsthin nicht glauben
wolltest,
Daß Güter nicht das Gut des Menschen sind;
Daß mir ihr Heil am Herzen liegt wie dir:
Und daß ich, wenn ich sie mit Noth zu weilen plage,
Mich, meiner Liebe Treu und meiner Sendung,
Nur ihrer höh'ren Noth erbarme.

Bülletin der öffentlichen Blätter.

Nach einem Artikel des Moniteur aus London vom 19ten Nov, war in der Gegend von Lissabon bis zum 10ten Nov. nichts von Bedeutung vorgefallen. Die Unterhaltung der ungeheuren in die Gegend von Lissabon zusammengedrückten Menschenmasse war mit den größten Schwierigkeiten verknüpft. (Mon.)

Durch ein Kaiserl. Franz Dekret von 18. Nov. ist die Angabe aller der, aus den (nach dem neulichen Dekrete über Buchdruckereien und Buchhandlungen) aufgehobenen Druckereien verbleibenden Vorrathe von Pressen, Schriften rc. im ganzen Umfange des Reichs verordnet. Die Präfecten werden die desfalsigen Deklarationen empfangen, und über die weitere Bestimmung jener Utensilien wird von Paris aus entschieden werden. (Mon.)

Polizeiliche Tages-Mittheilungen.

Die Obduktion des am 3ten d. M. Abends 11¼ Uhr in seinem Blute gefundenen und bald darauf verstorbenen Handlungsdieners hat ergeben, daß derselbe nicht durch die Hand eines andern getödtet worden sein kann. Er befand sich an diesem Abend bei einem Freunde in der Leipziger Strße. Beim Fortgehen konnte man den Hausschlüssel nicht sogleich finden und des Abrathens nicht achtend, stieg der Handlungsdiener aus einem Fenster des untersten Stockwerks hinaus. Hierbei ist er ohne Zweifel auf einen spitzen langen eisernen Stachel von denen sich mehrere unter dem Fenster auf einem eisernen Bügel zur Verhütung der Verunreinigung des Hauses befinden, mit dem Schenkel gefallen und bei dem Versuche sich los zu machen, ist die innere Zerstörung erfolgt, welche ihm die Verblutung zugezogen hat.

Berliner Abendblätter.

61tes Blatt.   Den 10ten Dezember 1810.

Ueber Schwärmerei.

Ein großer Theil unsrer Zeitgenossen ist vor nichts
in der geistigen Welt so bange, als vor Schwärmerei, und wenn man den Gegenstand aus dem rechten Gesichtspunkt ins Auge faßt, mit vollem Recht.
Schwärmen ist schon in der bürglich sittigen Existenz
etwas Unwürdiges, Auflösendes, und also wahrhaft
Abscheuliches; Schwärmen mit dem Geiste ist um
so viel abscheulicher, als Seele höher steht, wie
Leib. Was ist denn das viel beklagte, viel gescholt-
ne Verderbniß unsrer Tage anders, als Schwärmerei? Umhergaukeln mit Sinnen, Worten und
Gedanken, nirgend daheim sein, als im unruhigen,
ungeregelten Schwarme, sich niederlassen, wo es so
ungefähr aussieht oder duftet, wie Blumen oder
würzige Kräuter, und wieder aufgewebt werden von
dem ersten besten Windstoße, — das ist das innre
Weh, welches uns verzehrt, und gegen welches auch
die Bessern unter uns so gar viel in sich selbst, —
leider oft sieglos! — zu kämpfen haben.

   Gewöhnlich aber braucht man Schwärmerei
in einem ganz andern, ja meist gerade entgegengesetzten Sinne. Festhalten an der Idee, — sie über
das Sichtbare, mit Händen zu fassende, stellen,
glauben, weil wir den Bürgen des Glaubens in
unserm eignen Herzen finden, — Gott lieben und
Christum — das heißt heut' zu Tage Schwärmerei. Es hat es schon Jemand mit tiefen Schmerzen vernommen, daß von sonst wackren, unbeschol-

[61]

nen Menschen, wenn man ihnen das Lesen der Bibel empfahl, gemeint ward, das führe ja gerade zur Schwärmerei. — Wohin auch das Nichtlesen der Bibel führe und geführt habe, wollen wir hier nicht weiter berühren. Aber nur das laßt uns fragen: kann Schwärmerei heißen, was dem Leben eine unbedingte feste, über Freud und Leid hinauswirkende Richtung giebt, den Menschen zum Kampf gegen seinen innern Widersacher weckt und stählt, und folgerecht Früchte trägt, welche zu erreichen die sogenannte Aufklärung doch auch nach ihrer Weise ringt und strebt? — Nennt es doch lieber Irrthum, Ihr anders meinenden Brüder, wenn es Euch so vorkömmt und Ihr es über Euer Herz bringen könnt, aber begeht nicht die grund- und bodenlose Schwärmerei, es Schwärmerei zu heißen.   M. F.

───────

Fragmente.

1.

Es giebt gewisse Irrthümer, die mehr Aufwand von Geist kosten, als die Wahrheit selbst. Tycho hat, und mit Recht, seinen ganzen Ruhm einem Irrthum zu verdanken, und wenn Keppler uns nicht das Weltgebäude erklärt hätte, er würde berühmt geworden sein, bloß wegen des Wahns, in dem er stand und wegen der scharfsinnigen Gründe, womit er ihn unterstützte, nämlich, daß sich der Mond nicht um seine Are drehe.

2.

Man könnte die Menschen in zwei Klassen abtheilen; in solche, die sich auf eine Metapher und 2) in solche, die sich auf eine Formel verstehn. Deren, die sich auf beides verstehn, sind zu wenige, sie machen keine Klasse aus.

───────

Anekdote.

Als der König von England das erste Mal (Nov,
1788) von der unglücklichen Krankheit befallen war,
woran er jetzt abermals leidet, trug sich zu London
im Theater von DruryLane ein rührender Auftritt
zu. Edwin, ein beliebter Schauspieler, stellt in einem
Nachspiele einen guten ehrlichen Landmann vor, der
mit jemanden trinkt. Er bringt dem andern Schauspieler die Gesundheit zu: „Gott schenke dem Könige
„bessere Gesundheit und ein langes Leben!" Der Einfall begeistert die Zuschauer. Wie Edwin das wahrnimmt, setzt er hinzu: Ja, es ist mein ganzer Ernst,
und wenn das Orchester noch beisammen wäre, so
sollte es mir das Lied: God Save the King, dazu spielen. — Das ganze Haus ruft sofort: Musik! Musik!
Die Mitglieder des Orchesters hatten das Haus bereits
verlassen. Edwin stimmt mit einigen andern Schauspielern das Lied an, und muß es unter tobendem Beifall mehrere Male wiederholen. Fast jedermann im
Hause stimmte mit ein.

Eigentliches Leben.

Widerstrebend besteht und zeigt allein sich das Leben:
Ohne Todesgefahr röhtet das Leben sich selbst.

W.

Bülletin der öffentlichen Blätter.

Paris den 29ten Nov.

Der heutige Moniteur enthält Notizen über
das, was in Portugal vorgegangen ist. Man
sieht daraus, daß die Kaiserlich Französische Armee in dem Gefecht bei Busaco, in dessen Folge
sie siegreich nach Lissabon vorrückte, den General

Simon verloren hat. Durch ein Misverständniß fiel Anfangs October das Hospital zu Coimbra, mit 14 bis 1500 Kranken, einem elenden Haufen portugiesischer Milizen in die Hände. Am 12ten October ward der Gen. St. Croy bei Villa franca von einer Kugel, aus den Englischen Canonierschaluppen, in zwei Stücken gerissen. Uebrigens herrschen die Engländer zu Lissabon durch Schrecken. Lord Wellington hat bei Todesstrafe allen Bewohnern der Orte, denen sich die französischen Truppen nähern befohlen, dieselben zu räumen, Alles, was sie können mit sich zu nehmen, und das Uebrige ins Wasser zu werfen oder zu verbrennen.

Aus Italien, d. 22. Nov.

Die in Calabrien ausgebrochene Kontagion ist durch ein, mit Wein beladenes, spanisches Schiff dahin gebracht worden. Sie fängt mit einem heftigen Kopfweh an, begleitet von Gliederschmerzen und Wahnsinn; wobei sich eine Beule hinter den Ohren bildet, bei deren Reife, etwa in 24 Stunden, der Kranke stirbt.

(C. d. B.)

Bei J. E. Hißig hinter der katholischen Kirche Nr. 3. ist angekommen:

Der Todesbund. Ein Roman. Halle, 1811. 8.

1 Rthlr.

Der Verfasser hat sich nicht genannt, aber es kann dem Publikum die feste Zusicherung gegeben werden, daß er zu den ersten Schriftstellern Deutschlands gehört, wie dies das Buch selbst auch am besten documentiren wird.

Berliner Abendblätter.

62tes Blatt. Den 11ten December 1810.

Autorität und Würde des Parlaments in England.

Da wir wahrscheinlich bald von dem Ausgange des Prozesses hören werden, welchen Sir Francis Burdett wegen seine Verhaftung, die das Unterhaus in Folge einer dessen Würde beeinträchtigenden Druckschrift, übes ihn verhängt hatte, am 20ten Nov. d. J. vor einem der obern Englischen Gerichtshöfe gegen den Sprecher des Unterhauses, und gegen den Grafen von Moira, als Gouverneur des Towers, wo er gefangen saß, anhängig machen wollte: so bringen wir hier folgenden parlamentarischen Vorgang in England aus einer früheren Zeit bei, der unsre Ideen darüber einigermaßen vorbereitend berichtigen kann.

Im Jahre 1788 wurde Sir Elias Impey, der gewißermaßen in den berühmten Hastingsschen Prozeß mit verwickelt war, von der Opposition des Engl. Unterhauses wegen vieler vermeintlichen, und vielleicht zum Theil wirklichen, Vergehungen, deren er sich als Oberrichter in Indien schuldig gemacht haben soll, in Anspruch genommen, und vor den Schranken des Unterhauses selbst verhört. Es ist eine, theils im positiven Rechte, theils in einer billigen und humanen Observanz gegründete Sitte in England, daß bei allen, vorzüglich Criminal-Pro-

zessen, während des Ganges derselben die öffent=
lichen Blätter sich aller Urtheile enthalten, welche
in England, wo das schuldig oder unschuldig,
in allen Fällen von einer Jury von wenigsten 12
Personen gesprochen wird, durch Einfluß auf die
Meinung derselben leicht einen schrecklichen Einfluß
gewinnen können. In dem Falle des Sir Elias
Impey hatte jedoch, wahrscheinlich die Partheisucht,
obige goldene Regel vergessen, und dies bewog ein
Mitglied der Ministerialparthei, Herrn Grenville,
im Unterhause den Antrag zu machen, daß man
gegen den Verfasser und Drucker einer Schrift in
obiger Angelegenheit, welche er als eine Schmäh=
schrift gegen das Unterhaus, und als einen gröb=
lichen Misbrauch der Preßfreiheit bezeichnete, eine
gerichtliche Untersuchung verhängen sollte.

Herr For erklärte: Er selbst habe vielleicht
von allen Parlamentsgliedern am mehrsten durch
Schmähschriften gelitten, und doch immer geschwie=
gen. Es sei unter der Würde des Hauses,
eine ihm zugefügte Beleidigung durch
einen niederen Gerichtshof untersuchen
zu lassen. Der hohe Rath der Nation habe, wie
er glaube, noch Einsicht genug, durch eigne
Resolutionen die Kühnheit desjenigen zu be=
strafen, der seine Ehre angreife, aber auch Recht=
schaffenheit genug, um sich genau in den Schran=
ken des Rechts und der Billigkeit zu halten. Den=
noch ging Herrn Grenvilles Antrag für eine ge=
richtliche Untersuchung, von dem Minister Pitt
und der Parthei desselben unterstützt, mit 109 Stim=
men gegen 37 durch. Ein Beweis, daß der Mi=
nister seiner Sache bei der unbestechlichen Englischen

Justiz, sicher war. Bei verschiedenem Gange der Partheyen im gegenwärtigen Falle, dürfte gleichwohl wahrscheinlich das Resultat das nähmliche sein.

Anekdote.

Ein mecklenburgischer Landmann, Namens Jonas, war seiner Leibesstärke wegen, im ganzen Lande bekannt

Ein Thüringer, der in die Gegend gerieth, und von jenem mit Ruhm sprechen hörte, nahms sichs vor sich mit ihm zu versuchen.

Als der Thüringer vor das Haus kam, sah er vom Pferde über die Mauer hinweg auf dem Hofe einen Mann Holz spalten und fragte diesen: ob hier der starke Jonas wohne? erhielt aber keine Antwort.

So stieg er vom Pferde, öffnete die Pforte, führte das Pferd herein, und band es an die Mauer.

Hier eröffnete der Thüringer seine Absicht, sich mit dem starken Jonas zu messen.

Jonas ergriff den Thüringer, warf ihn sofort über die Mauer zurück, und nahm seine Arbeit wieder vor.

Nach einer halben Stunde rief der Thüringer, jenseits der Mauer: Jonas! — Nun was giebts? antwortete dieser.

Lieber Jonas, sagte der Thüringer: sei so gut und schmeiß mir einmal auch mein Pferd wieder herüber! 3.

Richtschnur.

Wisse, stets wird recht dein Handeln sein in dem Leben,

Wuchert des Handelns Kern nicht in dein Leben hinein. W.

Bülletin der öffentlichen Blätter.

Paris den 30ten Nov.

Der heutige Moniteur enthält folgende Bemerkungen über das Betragen der Engländer in Portugal:

Die Armee von Portugal hat bei Eroberung dieses Königreichs Schwierigkeiten gefunden, die aus der Natur der Sache selbst herrühren, und das nothwendige Resultat eines unthätigen, tief durchdachten Defensionsplan sind, der ohne Ausnahme mit einer besondern, bisher unerhörten Barbarei ausgeführt wird.

Der Weg von Almeida nach Lissabon ward, durch den Rückzug der Engländer, zu einer solchen Wüste, daß die, ehemals dem Minister Louvois so sehr vorgeworfene Verheerung der Pfalz, mit der Verheerung von Portugal durch dessen Alliirte, in keinen Vergleich zu setzen ist.

Uebrigens ist die Lage der Engländer allarmirend. Sie sind höchstens 30000 Mann stark. Ihnen zur Seite stehen 40000 mißver nügte portugiesische Soldaten; hinter ihnen 100000 Flüchtlinge in Verzweiflung und die ungeheure Bevölkerung von Lissabon.

Die franz. Armee ist in guter Stimmung. Sie hat Zutrauen zu ihrem Anführer, und keine Desertion bei den Nationalen. — Die Armee hat wenig fremde Bataillons.

London den 22ten Nov.

Gestern Morgen stattete der Marquis von Wellesley Sr Maj dem Könige von Schweden in Clarendonhouse-bondstreet einen Besuch ab. Nach einer langen Unterredung führte der edle Lord Sr. Maj. in den Wagen, und begab sich mit ihnen ins Bureau der auswärtigen Angelegenheiten, und von da in die Admiralität. Sr. Maj. hielten bei dem Marquis ein Diner, welcher sie an der äußern Thür seines Hauses empfangen und in seinen Salon geführt hatte.

(Mon.)

Polizeiliche Tages-Mittheilungen.

In einem Hause in der Niederlagsstraße hat vorgestern um 2 Uhr ein Schornstein gebrannt, das Feuer ist jedoch sogleich gelöscht und kein Feuerlärm gemacht worden.

Ueber das Marionettentheater.

Als ich den Winter 1801 in M . . . zubrachte,
traf ich daselbst eines Abends, in einem öffentlichen
Garten, den Hrn. C. an, der seit Kurzem, in dieser Stadt, als erster Tänzer der Oper, angestellt
war, und bei dem Publico außerordentliches Glück
machte.

Ich sagte ihm, daß ich erstaunt gewesen wäre,
ihn schon mehrere Mal in einem Marionetten-
theater zu finden, das auf dem Markte zusammen-
gezimmert worden war, und den Pöbel, durch kleine
dramatische Burlesken, mit Gesang und Tanz durch-
webt, belustigte.

Er versicherte mir, daß ihm die Pantomimik
dieser Puppen viel Vergnügen machte, und ließ
nicht undeutlich merken, daß ein Tänzer, der sich ausbilden wolle, mancherlei von ihnen lernen könne.

Da diese Aeußerung mir, durch die Art, wie
er sie vorbrachte, mehr, als ein bloßer Einfall schien,
so ließ ich mich bei ihm nieder, um ihn über die
Gründe, auf die er eine so sonderbare Behauptung
stützen könne, näher zu vernehmen.

Er fragte mich, ob ich nicht, in der That,
einige Bewegungen der Puppen, besonders der kleineren, im Tanz sehr graziös gefunden hatte.

Diesen Umstand konnt' ich nicht läugnen. Eine
Gruppe von vier Bauern, die nach einem raschen
Tact die Ronde tanzte, hätte von Tenier nicht hüb-
scher gemahlt werden können.

[63]

Ich erkundigte mich nach dem Mechanismus dieser Figuren, und wie es möglich wäre, die einzelnen Glieder derselben und ihre Puncte, ohne Myriaden von Fäden an den Fingern zu haben, so zu regieren, als es der Rhythmus der Bewegungen, oder der Tanz, erfordere?

Er antwortete, daß ich mir nicht vorstellen müsse, als ob jedes Glied einzeln, während der verschiedenen Momente des Tanzes, von dem Maschinisten gestellt und gezogen würde.

Jede Bewegung, sagte er, hätte einen Schwerpunct; es wäre genug, diesen, in dem Innern der Figur, zu regieren; die Glieder, welche nichts als Pendel wären, folgten, ohne irgend ein Zuthun, auf eine mechanische Weise von selbst.

Er setzte hinzu, daß diese Bewegung sehr einfach wäre; daß jedesmal, wenn der Schwerpunct in einer graden Linie bewegt wird, die Glieder schon Courven beschrieben; und daß oft, auf eine bloß zufällige Weise erschüttert, das Ganze schon in eine Art von rhythmische Bewegung käme, die dem Tanz ähnlich wäre.

Diese Bemerkung schien mir zuerst einiges Licht über das Vergnügen zu werfen, das er in dem Theater der Marionetten zu finden vorgegeben hatte. Inzwischen ahndete ich bei Weitem die Folgerungen noch nicht, die er späterhin daraus ziehen würde.

Ich fragte ihn, ob er glaubte, daß der Maschinist, der diese Puppen regierte, selbst ein Tänzer sein, oder wenigstens einen Begriff vom Schönen im Tanz haben müsse?

Er erwiederte, daß wenn ein Geschäft, von seiner mechanischen Seite, leicht sei, daraus noch nicht folge, daß es ganz ohne Empfindung betrieben werden könne.

Die Linie, die der Schwerpunct zu beschreiben hat, wäre zwar sehr einfach, und, wie er glaube, in den meisten Fällen, gerad. In Fällen, wo sie krumm sei, scheine das Gesetz ihrer Krümmung wenigstens von der ersten oder höchstens zweiten Ordnung; und auch in diesem letzten Fall nur elyptisch, welche Form der Bewegung den Spitzen desmenschlichen Körpers (wegen der Gelenke) überhaupt die natürliche sei, und also dem Maschinisten keine große Kunst koste, zu verzeichnen.

Dagegen wäre diese Linie wieder, von einer andern Seite, etwas sehr Geheimnißvolles. Denn sie wäre nichts anders, als der Weg der Seele des Tänzers; und er zweifle, daß sie anders gefunden werden könne, als dadurch, daß sich der Maschinist in den Schwerpunct der Marionette versetzt, d. h. mit andern Worten, tanzt.

Ich erwiderte, daß man mir das Geschäfft desselben als etwas ziemlich Geistloses vorgestellt hätte: etwa was das Drehen einer Kurbel sei, die eine Leyer spielt.

Keineswegs, antwortete er. Vielmehr verhalten sich die Bewegungen seiner Finger zur Bewegung der daran befestigten Puppen ziemlich künstlich, etwa wie Zahlen zu ihren Logarithmen oder die Asymptote zur Hyperbel.

Inzwischen glaube er, daß auch dieser letzte Bruch von Geist, von dem er gesprochen, aus den Marionetten entfernt werden, daß ihr Tanz gänzlich ins Reich mechanischer Kräfte hinübergespielt, und vermittelst einer Kurbel, so wie ich es mir gedacht, hervorgebracht werden könne.

(Die Fortsetzung folgt.)

Litterarische Bemerkung.

Die Leser und Käufer der Grundsätze der rationellen Landwirthschaft von Thär, eines so theuren und dabei vom Publicum so auffallend begünstigten Buchs, hat es billig befremden müssen, daß man die, bei der Lektüre des eben erschienenen dritten Theils unentbehrlichen, und, bei einem so großen Gewinnst, als dieses Buch abwirft, wenig kostspieligen Kupferabbildungen der Ackerwerkzeuge, nicht dem Buche hinzugefügt, sondern, es für gut gefunden hat, die Anschaffung des abgesondert erschienenen Thärschen Kupferwerks, den Lesern zur Pflicht zu machen   Dürfte wohl ein Autor wie dieser, der doch der Dauer seiner Arbeiten gewiß zu sein scheint, gleich bei ihrer ersten Erscheinung so ängstlich auf den Gewinn, der ihm gebührt und nicht entgehen kann, gerichtet sein? —

v. S.

Bülletin der öffentlichen Blätter.

Symptome des gelben Fiebers haben sich zwar an der Südküste von Spanien, zumal in dem Hospital von Carthagena gezeigt, jedoch ist zweien Tagesbefehlen der Herzöge von Bellune und Dalmatien zu olge, der Verdacht, als sei diese Krankheit von Ceuta und Oran herübergekommen völlig ungegründet, und ist das am 24ten Sept verordnete Embargo der Afrikanischen Schiffe aufgehoben worden.   (L. d. B.)

Der Canal zwischen Emden und Aurich, der von Seiten der Französischen Regierung projektirt worden, wird die Holländischen Canäle mit der Elbe, also Frankreich mit der Ostsee in eine innländische Communication setzen, also den Handel und dem Krieg eine ganz neue Straße eröfnen.   (L. d. B.)

Berliner Abendblätter.

64tes Blatt. Den 13ten Dezember 1810.

Ueber das Marionettentheater.
(Fortsetzung.)

Ich äußerte meine Verwunderung zu sehen, welcher Aufmerksamkeit er dieß, für den Haufen erfundene, Spielart einer schönen Kunst würdige. Nicht bloß, daß er sie einer höheren Entwickelung für fähig halte: er scheine sich sogar selbst damit zu beschäfftigen.

Er lächelte, und sagte, er getraue sich zu behaupten, daß wenn ihm ein Mechanikus, nach den Forderungen, die er an ihn zu machen dächte, eine Marionette bauen wollte, er vermittelst derselben einen Tanz darstellen würde, den weder er, noch irgend ein anderer geschickter Tänzer seiner Zeit, Vestris selbst nicht ausgenommen, zu erreichen im Stande wäre.

Haben Sie, fragte er, da ich den Blick schweigend zur Erde schlug: haben Sie von jenen mechanischen Beinen gehört, welche englische Künstler für Unglückliche verfertigen, die ihre Schenkel verloren haben?

Ich sagte, nein: dergleichen wäre mir nie vor Augen gekommen.

Es thut mir leid, erwiederte er; denn wenn ich Ihnen sage, daß diese Unglücklichen damit tanzen, so fürchte ich fast, Sie werden es mir nicht glauben. — Was sag ich, tanzen? Der Kreis ihrer Bewegungen ist zwar beschränkt; doch diejenigen, die ihnen zu Gebote stehen, vollziehen sich mit ei-

[64].

ner Ruhe, Leichtigkeit und Anmuth, die jedes den=
kende Gemüth in Erstaunen setzen.

Ich äußerte, scherzend, daß er ja, auf diese
Weise, seinen Mann gefunden habe. Denn derje=
nige Künstler, der einen so merkwürdigen Schenkel
zu bauen im Stande sei, würde ihm unzweifelhaft
auch eine ganze Marionette, seinen Forderungen
gemäß, zusammensetzen können.

Wie, fragte ich, da er seiner seits ein wenig
betreten zur Erde sah: wie sind denn diese Forde=
rungen, die Sie an die Kunstfertigkeit desselben zu
machen gedenken, bestellt?

Nichts antwortete er, was sich nicht auch schon
hier fände; Ebenmaaß, Beweglichkeit, Leichtig=
keit — nur Alles in einem höheren Grade; und
besonders eine naturgemäßere Anordnung der
Schwerpuncte.

Und der Vortheil, den diese Puppe vor leben=
digen Tänzern voraus haben würde?

Der Vortheil? Zuvörderst ein negativer, mein
vortrefflicher Freund, nähmlich dieser, daß sie sich
niemals zierte. — Denn Ziererei erscheint, wie
Sie wissen, wenn sich die Seele (vis motrix) in
irgend einem andern Puncte befindet, als in dem
Schwerpunct der Bewegung. Da der Maschinist
nun schlechthin, vermittelst des Drathes oder Fadens,
keinen andern, Punct in seiner Gewalt hat, als
diesen: so sind alle übrigen Glieder, was sie sein
sollen, todt, reine Pendel, und folgen dem bloßen
Gesetz der Schwere; eine vortreffliche Eigenschaft,
die man vergebens bei dem größesten Theil unsrer
Tänzer sucht.

Sehen Sie nur die P... an, fuhr er fort,
wenn sie die Daphne spielt, und sich, verfolgt vom
Apoll, nach ihm umsieht; die Seele sitzt ihr in den

Wirbeln des Kreuzes; sie beugt sich, als ob sie brechen wollte, wie eine Najade aus der Schule Ber-
nins. Sehen Sie den jungen F... an, wenn er,
als Paris, unter den drei Göttinnen steht, und der
Venus den Apfel überreicht: die Seele sitzt ihm gar
(es ist ein Schrecken, es zu sehen) im Ellenbogen.

Solche Mißgriffe, setzte er abbrechend hinzu,
sind unvermeidlich, seitdem wir von dem Baum der
Erkenntniß gegessen haben Doch das Paradies ist
verriegelt und der Cherub hinter uns; wir müssen
die Reise um die Welt machen, und sehen, ob es
vielleicht von hinten irgendwo wieder offen ist.

Ich lachte. — Allerdings, dachte ich, kann der
Geist nicht irren, da, wo keiner vorhanden ist.
Doch ich bemerkte, daß er noch mehr auf dem Her-
zen hatte, und bat ihn, fortzufahren.

Zudem, sprach er, haben diese Puppen den
Vortheil, daß sie antigrav sind. Von der Träg-
heit der Materie, dieser dem Tanze entgegenstre-
bendsten aller Eigenschaften, wissen sie nichts: weil
die Kraft, die sie in die Lüfte erhebt, größer ist,
als jene, die sie an der Erde fesselt. Was würde
unsre gute G... darum geben, wenn sie sechzig
Pfund leichter wäre, oder ein Gewicht von dieser
Größe ihr bei ihren entrechats und pirouetten,
zu Hülfe käme? Die Puppen brauchen den Boden nur, wie die Elfen, um ihn zu streifen, und
den Schwung der Glieder, durch die augenblickliche
Hemmung neu zu beleben; wir brauchen ihn, um darauf zu ruhen, und uns von der Anstrengung des
Tanzes zu erholen: ein Moment, der offenbar selber kein Tanz ist, und mit dem sich weiter nichts
anfangen läßt, als ihn möglichst verschwinden zu
machen.

(Die Fortsetzung folgt.)

Austern und Butterbrodte, die an den Bäumen wachsen.

Wer gern frische Austern mit Zitronensaft, und zwar umsonst, einschlürfen möchte, der wird von dem muthigen Begründer brandenburgischer Kolonieen an der afrikanischen Küste, dem Herrn v. Groben (Orientalische Reisebeschreibung. Marienwerder 1694. S. 30) gereizt, bei jetziger theurer Austernzeit, dort hin zu schiff n, wo die unzähligen Austern im Flusse Serra Liona sich oft an die Aeste der Zitronenbäume anlegen, die von den Wipfeln herunter ins Wasser niederhängen; weswegen es leicht seyn muß, ein Dutzend Austern mit der zugehörigen Zitrone von einem Zweige zu schneiden. Eine feurige Rebe möchte sich dazu recht schicklich um den Baumstamm schlingen, auf daß mit der Zeit auch ein Gläschen Wein nicht fehlen könnte; verständige Leute können dann im Schatten behaglich ihre Ruhe finden, während die Affen immer frische Austernzweige aus dem Wasser holen und die Gläser mit Wein füllen. — Das nenne ich ein schönes Bild der Resignation. Wer geringere Anforderungen an das Leben und an die Geselligkeit macht, und gewohnt ist, Abends auf ein Butterbrodt eingeladen zu werden, dem wird es wohl anstehn, nach Amerika zu gehn, um sich dort zwischen einem Brodtbaume und einem Butterbaume anzubauen. — Das nenne ich ein gutes häusliches Leben, — wobei kein Mensch vor seinem Tode nothig hat, zu denen Erdfressern (wer kennt sie nicht aus Humboldt's Nachricht) überzugehen.

L. A. v. A.

Bülletin der öffentlichen Blätter.

Aus Frankreich den 25. Nov.

Da das System Frankreichs und die mit sämmtlichen Continentalstaaten bestehenden Verhältnisse, die lange Dauer des Friedens im Osten und Norden von Europa verbürgen: so marschiren neuerlich beträchtliche Kolonnen, der bisher im innern Frankreich und in Oberitalien zurückgebliebenen Truppen nach Spanien und Portugal, um den dortigen Krieg einmal zu beendigen. (Magdeb. Zeit.)

Ueber das Marionettentheater.

(Fortsetzung.)

Ich sagte, daß, so geschickt er auch die Sache seiner Paradoxe führe, er mich doch nimmermehr glauben machen würde, daß in einem mechanischen Gliedermann mehr Anmuth enthalten sein könne, als
in dem Bau des menschlichen Körpers.

Er versetzte, daß es dem Menschen schlechthin
unmöglich wäre, den Gliedermann darin auch nur
zu erreichen. Nur ein Gott könne sich, auf diesem Felde, mit der Materie messen; und hier sei
der Punct, wo die beiden Enden der ringförmigen
Welt in einander griffen.

Ich erstaunte immer mehr, und wußte nicht,
was ich zu so sonderbaren Behauptungen sagen
sollte.

Es scheine, versetzte er, indem er eine Prise
Taback nahm, daß ich das dritte Capitel vom ersten Buch Moses nicht mit Aufmerksamkeit gelesen; und wer diese erste Periode aller menschlichen
Bildung nicht kennt, mit dem könne man nicht
füglich über die folgenden, um wie viel weniger
über die letzte, sprechen.

Ich sagte, daß ich gar wohl wüßte, welche
Unordnungen, in der natürlichen Grazie des Menschen, das Bewußtsein anrichtet. Ein junger Mann
von meiner Bekanntschaft hätte, durch eine bloße
Bemerkung, gleichsam vor meinen Augen, seine Unschuld verloren, und das Paradies derselben, trotz

[65]

aller erfinnlichen Bemühungen, nachher niemals
wieder gefunden. — Doch, welche Folgerungen,
setzte ich hinzu, können Sie daraus ziehen?

Er fragte mich, welch einen Vorfall ich meine?

Ich badete mich, erzählte ich, vor etwa drei
Jahren, mit einem jungen Mann, über dessen Bildung damals eine wunderbare Anmuth verbreitet
war. Er mogte ohngefähr in seinem sechszehnten
Jahre stehn, und nur ganz von fern ließen sich,
von der Gunst der Frauen herbeigerufen, die ersten
Spuren von Eitelkeit erblicken. Es traf sich, daß
wir grade kurz zuvor in Paris den Jüngling gesehen hatten, der sich einen Splitter aus dem Fuße
zieht; der Abguß der Statue ist bekannt und befindet sich in den meisten deutschen Sammlungen.
Ein Blick, den er in dem Augenblick, da er den
Fuß auf den Schemel setzte, um ihn abzutrocknen,
in einen großen Spiegel warf, erinnerte ihn daran;
er lächelte und sagte mir, welch' eine Entdeckung
er gemacht habe. In der That hatte ich, in eben
diesem Augenblick, dieselbe gemacht; doch sei es, um
die Sicherheit der Grazie, die ihm beiwohnte, zu
prüfen, sei es, um seiner Eitelkeit ein wenig heilsam zu begegnen: ich lachte und erwiederte — er
fähe wohl Geister! Er erröthete. und hob den Fuß
zum zweitenmal, um es mir zu zeigen; doch der
Versuch, wie sich leicht hätte voraussehn lassen, miß-
glückte. Er hob verwirrt den Fuß zum dritten und
vierten, er hob ihn wohl noch zehnmal: umsonst!
er war außer Stand, dieselbe Bewegung wieder
hervorzubringen — was sag' ich? die Bewegungen,
die er machte, hatten ein so komisches Element, daß
ich Mühe hatte, das Gelächter zurückzuhalten: —

Von diesem Tage, gleichsam von diesem Augenblick an, ging eine unbegreifliche Veränderung

mit dem jungen Menschen vor. Er fieng an, Tage lang vor dem Siegel zu stehen; und immer ein Reiz nach dem anderen verließ ihn. Eine unsichtbare und unbegreifliche Gewalt schien sich, wie ein eisernes Netz um das freie Spiel seiner Gebährden zu legen, und als ein Jahr verflossen war, war keine Spur mehr von der Lieblichkeit in ihm zu entdecken, die die Augen der Menschen sonst, die ihn umringten, ergötzt hatte. Noch jetzt lebt jemand, der ein Zeuge jenes sonderbaren und unglücklichen Vorfalls war, und ihn, Wort für Wort, wie ich ihn erzählt, bestätigen könnte. —

(Beschluß folgt.)

Fragmente.

1.

Die Herzhaftigkeit, alles herauszusagen, was einem einfällt, hat schon so manchem den Ruhm erworben, daß er die artigsten Einfälle habe. Aber das Sinnreiche und das Unsinnige haben die Aehnlichkeit unter sich, daß beides einem andern nicht so leicht eingefallen wäre; und daher wird oft eins für das andere genommen.

2.

Soll dich die Welt für einen weisen Mann halten, so geh tiefsinnig einher, sprich nichts, oder nur mit geheimnißvoller Dunkelheit, um andre zu verkleinern, sage niemals dein Urtheil, sondern lächle nur, und habe keine Freude. **Fr. Sch.**

Bülletin der öffentlichen Blätter.

London den 27ten Nov.

Von Lord Wellington sind Depeschen, datirt Porto-Negro, den 10. Nov. angekommen. Nach denselben ist seit dem 3. nichts von Wichtigkeit vorgefallen. Am 5. wollte sich der Feind der zu Villa Velha befindlichen Tajobrücke bemächtigen; fand sie aber zerstört und kehrte nach Formosa zurück.

Privatbriefe aus Lissabon melden, daß man glaube, Massena werde, während des Winters, der sich einstellt, keine Bewegung vornehmen; wenigstens wenn wir ihn nicht zurücktreiben. Es scheint, daß er Werke anlegen lasse, um sich im Nothfall zu vertheidigen. Seine Position ist sehr stark.

Die merkwürdigste Nachricht, die man im Lager Lord Wellingtons hatte, war die Gefangennehmung Mascarachas, der als Courier an Napoleon gesandt war. Dieser Mensch war Adjutant bei Junot; man verhaftete ihn zu Bobadele und fand seine Depeschen in seinen Stiefeln. (Mon.)

Lissabon, den 14. Nov.

Nach Briefen vom 8. herrscht die Seuche auch zu Cadix. Sie rafft daselbst täglich 50 Menschen weg. (Mon.)

Paris den 2ten Dec.

Das Befinden des Königs von England ist fortdaurend bedenklich. Nach neueren Nachrichten soll das Parlament nicht wieder ajournirt sein; man spricht stark von einer Regentschaft. (L. d. B.)

Hamburg den 11ten Dec.

Bei der Armee in Portugal war bis zum 14ten Nov. nichts Neues vorgefallen. (L. d. B.)

Bei J. E. Hitzig hinter der katholischen Kirche Nr. 3. ist eben angekommen:

Halle und Jerusalem. Studenten spiel und Pilgerabentheuer, von Ludwig Achim von Arnim. Mit einer schönen Titel = Vignette. 8. Heidelberg, bei Mohr und Zimmer 1 thl. 16 gr.

Ueber das Marionettentheater.

(Beschluß.)

Bei dieser Gelegenheit, sagte Herr C . . . freundlich, muß ich Ihnen eine andere Geschichte erzählen,
von der Sie leicht begreifen werden, wie sie hierher gehört.

Ich befand mich, auf meiner Reise nach Rußland, auf einem Landgut des Hrn. v. G . . . eines Liefländischen Edelmanns, dessen Söhne sich
eben damals stark im Fechten übten. Besonders
der Aeltere, der eben von der Universität zurückgekommen war, machte den Virtuosen, und bot mir,
da ich eines Morgens anf seinem Zimmer war, ein
Rappier an. Wir fochten; doch es traf sich, daß
ich ihm überlegen war; Leidenschaft kam dazu, ihn
zu verwirren; fast jeder Stoß, den ich führte, traf,
und sein Rappier flog zuletzt in den Winkel. Halb
scherzend, halb empfindlich, sagte er, indem er das
Rappier aufhob, daß er seinen Meister gefunden
habe: doch alles auf der Welt finde den seinen, und
fortan wolle er mich zu dem meinigen führen.
Die Brüder lachten laut auf, und riefen: Fort!
fort! In den Holzstall herab! und damit nahmen
sie mich bei der Hand und führten mich zu einem
Bären, den Hr. v. G., ihr Vater, auf dem Hofe
aufziehen ließ.

Der Bär stand, als ich erstaunt vor ihn trat,
auf den Hinterfüßen, mit dem Rücken an einem
Pfahl gelehnt, an welchem er angeschlossen war,

[66]

die rechte Taze schlagfertig erhoben, und sah mir
ins Auge: das war seine Fechterpositur. Ich wuß=
te nicht, ob ich träumte, da ich mich einem solchen
Gegner gegenüber sah; doch stoßen Sie! stoßen
Sie! sagte Hr. v. G ... und versuchen Sie, ob
Sie ihm Eins beibringen können! Ich fiel, da
ich mich ein wenig von meinem Erstaunen erholt
hatte, mit dem Rappier auf ihn aus; der Bär
machte eine ganz kurze Bewegung mit der Taze
und parirte den Stoß. Ich versuchte ihn durch
Finten zu verführen; der Bär rührte sich nicht.
Ich fiel wieder, mit einer augenblicklichen Gewand=
heit, auf ihn aus, eines Menschen Brust würde
ich ohnfehlbar getroffen haben: der Bär machte eine
ganz kurze Bewegung mit der Taze und parirte
den Stoß. Jetzt war ich fast in dem Fall des jun=
gen Hr. von G ... Der Ernst des Bären kam
hinzu, mir die Fassung zu rauben, Stöße und
Finten wechselten sich, mir triefte der Schweiß: um=
sonst! Nicht bloß, daß der Bär, wie der erste
Fechter der Welt, alle meine Stöße parirte; auf
Finten (was ihm kein Fechter der Welt nachmacht)
gieng er gar nicht einmal ein: Aug' in Auge, als
ob er meine Seele darin lesen könnte, stand er,
die Taze schlagfertig erhoben, und wenn meine
Stöße nicht ernsthaft gemeint waren, so rührte er
sich nicht.

Glauben Sie diese Geschichte?

Vollkommen! rief ich, mit freudigem Beifall;
jedwedem Fremden, so wahrscheinlich ist sie: um
wie viel mehr Ihnen!

Nun, mein vortrefflicher Freund, sagte Herr
C..., so sind Sie im Besitz von Allem, was nö=
thig ist, um mich zu begreifen. Wir sehen, daß in
dem Maaße, als, in der organischen Welt, die Re=

flexion dunkler und schwächer wird, die Grazie darin immer strahlender und herrschender hervor- tritt. — Doch so, wie sich der Durchschnitt zweier Linien, auf der einen Seite eines Puncts, nach dem Durchgang durch das Unendliche, plötzlich wieder auf der andern Seite einfindet, oder das Bild des Hohlspiegels, nachdem es sich in das Unendliche entfernt hat, plötzlich wieder dicht vor uns tritt: so findet sich auch, wenn die Erkenntniß gleichsam durch ein Unendliches gegangen ist, die Grazie wie- der ein; so, daß sie, zu gleicher Zeit, in demjeni- gen menschlichen Körperbau am Reinsten erscheint, der entweder gar keins, oder ein unendliches Be- wußtsein hat, d. h. in dem Gliedermann, oder in dem Gott.

Mithin, sagte ich ein wenig zerstreut, müßten wir wieder von dem Baum der Erkenntniß essen, um in den Stand der Unschuld zurückzufallen?

Allerdings, antwortete er; das ist das letzte Capitel von der Geschichte der Welt.

H. v. K.

———

Aus einem Schreiben aus Potsdam vom 12. d. M.

Es befremdet uns zwar nicht, denn wir sind es zu gewohnt, wenn wir den edlen König in unsrer Mitte persönlich Segen verbreiten sehen; aber es ist doch auch für Andre, welche dies schöne väterliche Wirken nicht vor eignen Augen haben, erhebend und erfreulich, aus dem Vielen, was man mittheilen könnte, auch nur einen besonderen Zug hiervon zu er- fahren. So besuchte Sr. Majestät in der vorigen Woche das hiesige große Waisenhaus, besah und prüfte alles, und um den Kindern eine Freude zu machen (und welche hätte zweckmäßiger für diesen Augenblick sein können?) wurde befohlen, von einem nahgelegenen Schiffe eine ganze Fuhre Aepfel herbei zu schaffen, und sie sogleich unter die Kinder zu vertheilen. Ihr guten Kinder, während ihr vergnügt eure Aepfel in Händen hieltet, gab euch euer erhabner Erhalter mehr. Eine sehr beträchtliche Summe in Golde ließ Er dem Institut senden, um es zu etwanigen bessern Einrichtungen zu verwenden, denn für das Nothwendige ist ja schon gesorgt. Auch hatte, während der Essenszeit im Waisenhause, Sr. Majestät befohlen, man solle ihnen von der Suppe schicken, welche die Kinder eben verzehrten; solche wurde durch denselben Knaben überbracht, welcher früher schon eine Anrede an Ihro Majestäten gehalten hatte. Der edle Monarch befragte nach manchem den Knaben, worüber derselbe ordentliche Auskunft gab; zum fernern Fleiß und zur Tugend ermahnt und beschenkt, wurde der Glückliche entlassen. — Und wohl uns, daß wir solche Züge von unserm geliebten Könige, den Gott lange dem Volk erhalten möge, im Herzen bewahren können.

W.

Polizeiliche Tages-Mittheilungen.

In dem Hause eines Bäckermeisters entzündete sich heute Morgen um drei Uhr der Schornstein, und es entstand hierauf Feuerlärm. Durch die getroffnen zweckmäßigen Anstalten wurde das Feuer, nachdem eine Spritze herbeigeeilt war, sogleich gelöscht.

Berliner Abendblätter.

67tes Blatt. Den 17ten Dezember 1810.

Schreiben aus Berlin.

Sie haben bey Ihrer letzten Anwesenheit in
Berlin einen allgemein verbreiteten Antheil an den
öffentlichen Angelegenheiten wahrgenommen, der
sich vor dem Kriege nur schwach und an wenigen
Stellen äußerte. Auch ist dies eine der schönsten
Früchte unsers Unglücks, zumal wenn die inländischen Angelegenheiten und die Veränderungen in
der Gesetzgebung, den Gegenstand dieses Antheils
ausmachen, und nicht gerade die Verhältnisse, die
am wenigsten abzuändern sind, am emsigsten be-
schwatzt werden.

Wie aber jenes solidere Interesse durch die
neuerlich emanirten Verordnungen gesteigert worden
ist, müßten Sie Selbst sehn, um es zu glauben.
Wie könnte sich ein solches Interesse anders äußern
als im Streit und in der Lebhaftigkeit des pro
und contra? — Fragen Sie mich um die Resultate dieses Streites, so werde ich Ihnen nur antworten können: die Persönlichkeit des Staatsmanns,
den der König an die Spitze der Angelegenheiten
gestellt hat, hat das Vertrauen der Nation, und
in einem ziemlich reichen Wirkungskreise habe ich
noch niemand gefunden, der nicht zuletzt um den
Preis, diesen Staatsmann erhalten zu sehn, jedes
Privatopfer geringgeachtet hätte.

Was kann auch Vertrauen erwecken, wie jene
Resignation über das persönliche, angebohrne und

lang angewöhnte Interesse seines Standes, jene
freie und rücksichtslose Hingebung eigner Erfahrungen und Meinungen an das Vaterland, welches in
einem so kritischen Moment nur durch außerordentliche Maasregeln, nur durch ganz neue Einrichtungen, welche nicht sowohl die Erfahrung als vielmehr ein reiner und göttlicher Wille bewähren muß,
gründlich zu retten ist.

Es war die erste Bedingung der Rettung, einen Mann zu finden, der die zerstreuten Richtungen der Gemüther wieder sammelte, der die Leiden
der Nation vollständig mitempfinden, und zugleich
durch seine wohlthuende Gegenwart jenen königlichen Schmerz besänftigen konnte, über den die Nation alle ihre eigne Leiden vergessen hatte. — Diese
Bedingung war erfüllt, durch eine glückliche Schik-
kung schon vorher, ehe das traurigste Bedürfniß
eintrat.

Also, theuerster Freund, wenn Sie von Ver-
schiedenheit der Meinungen bei uns hören, so setzen
Sie zuversichtlich voraus, daß über die Vereinigung
der Administrationszweige in e i n e Hand, und zwar
in diese bestimmte Hand, nur e i n e Stimme des
Beifalls und des Seegens ist.

Wir leben in einer räsonnirenden Zeit: jeder
von uns ist der bisherigen Leiden theilhaftig gewesen, und nach Maasgabe seines kleineren oder größeren Gesichtskreises hat er sich selbst eine Heilme-
thode für den Staat ausgedacht; dies ist der Maas-
stab seines Urtheils; und mit solchem engen und un-
richtigen Maasstabe mißt dann die Eigenliebe noch
oft sehr voreilig eine Gesetzgebung, die doch nur
theilweise erst sichtbar ist. Zuletzt aber, wenn das
wirklich gemeinwesentliche angeordnet ist und in seinem ganzen Umfange dasteht, balancirt eines dieser

kleinen Urtheile das andre, eine Eigenliebe die andre, und ein höherer Antheil an Vaterland und König ist aller kleinen Feindseligkeiten unausbleibliche Frucht. Erwarten Sie auch von mir nach Publikation der gesammten Gesetze ein bescheidenes Urtheil, das gelten möge, wenn es aus der Tiefe kommt, oder sich an andern besseren Urtheilen zerschleifen möge.

Indeß werden Sie manches hören von den Beschwerden eines Standes, der zunächst herbeigerufen werden muß, wenn das Vaterland große Opfer verlangt. Eben weil man das Gemüth des Staatskanzlers und seine persönliche Resignation kennt und verehrt, so glaubt man, es gäbe nur eine einzige Stelle, wo er zu weit gehn könne, nehmlich in der Strenge gegen die angeborne und angewöhnte Denkungsart dieses Standes, weil er selbst zu ihm gehört und eine besondre Zierde desselben ist.

Wer sich zuerst dem Allgemeinen aufopferte, war der erste Adliche: die Gesetze haben einen der Stände des Staats besonders mit Mitteln ausgerüstet, und für alle kommenden Geschlechter ausgerüstet, um zu den großen Opfern, die das Gemeinwesen in alle Zukunft verlangen wird fähig, nahe und bereit zu seyn. Die Gesetze haben ganze Gütermassen über allen Wechsel menschlicher Sinnesart erhoben, an die Erbfolge geknüpft — damit der Staat in der Stunde der Noth besonders hülfreiche Freunde hat. Wird der Mann, der dieses erkennt und empfindet, wie wenige, vergessen, daß auch die Zukunft solcher Opfer bedarf? —

Glauben Sie in dem Winkel der Monarchie, iu welchem Sie leben, nicht, daß solche Urtheile hier im Mittelpuncte die Oberhand hätten. Erwarten wir ruhig die Vollendung des großen Werks, und glauben wir zuversichtlich an den großen Staatsmann, der vor allen andern, die an der Verwaltung dieses Landes Theil genommen, uns bis jetzt niemals getäuscht hat. —

Lange lebe der König!

l. v. p.

Bülletin der öffentlichen Blätter.

Am 27sten Nov. war in Petersburg der Wechsel-Cours 7 a 6¾ Schilling Banko. Dieser unglaublich niedrige Stand des Wechselcours erinnert an die gleiche Lage der Dinge in Oestrich. Auf gleiche Weise wie dort, hat die Petersburger Kaufmannschaft aus ihrer Mitte eine Committee zu Untersuchung der Ursachen niedergesetzt. Der Finanzminister hat diese Maasregel in Vorschlag gebracht, und Sr. Majestät der Kaiser haben sie bestätigt. (Hamb. Corr.)

In Wien erhalten die Truppen wegen des niedrigen Standes der Bankzettel vierfache Löhnung. (ibid)

Sr. Päbstl. Heiligkeit haben am 12ten Nov. die Tochter des Generals Cäsar Berthier ehelich eingesegnet. (L. d. B.)

Das Begräbniß des Reichsmarschall Fersen ist in Stokholm am 4. Dec. mit größtem Gepränge unter dem Donner von 80 Kanonenschüßen vollzogen worden. (Hamb. Corr.)

In dem Mayländer officiellen Blatt werden aus Rizza die fürchterlichen Fortschritte der Pest (nicht des gelben Fiebers) an der Südküste von Spanien beschrieben. (ibid.)

Auf dem bevorstehenden Landtage in Sachsen werden Veränderungen von der größten Wichtigkeit proponirt werden. Es wird eine Territoraleintheilung nach Präfecturen statt haben, und der Co le Napoleon mit einigen Modificationen wird eingeführt werden. (H. neue Zeitung.)

Bei J. E. Hitzia hinter der katholischen Kirche Nr. 3 ist zu haben: Die eben erschienene erste Abtheilung des neunten Bandes von Shakespears dramatischen Werken, übersetzt von A. W. Schlegel. 8. Enthaltend Richard den Dritten Schreibpapier 1 thl. Velinpap. sauber broch. 1. thl. 12 gr
Desgleichen: Shakespears von Schlegel noch unübersetzte dramatische Werke übersetzt von mehreren Verfassern. Ersten bis dritten Bandes, 16 Hefte. 8. (Die Fortsetzung des obigen) 4 thl.

Berliner Abendblätter.

68tes Blatt. Den 18ten December 1810.

Weihnachtsausstellung.

Eine der interessantesten Kunstausstellungen für
das bevorstehende Weihnachtsfest, werth, daß man
sie besuche und auch wohl, daß man etwas darin
kaufe, ist vielleicht die Waarenausstellung der, zum
Besten der verschämten Armen beiderlei, doch vorzüglich weiblichen Geschlechts errichteten Kunst- und
Industrie-Handlung, von Mad. Henriette Werk-
meister Oberwallstraße No. 7. Es hat etwas
Rührendes, daß man nicht beschreiben kann, wenn
man in diese Zimmer tritt; Schaam, Armuth und
Fleiß haben hier, in durchwachten Nächten, beim
Schein der Lampe, die Wände mit Allem was
prächtig oder zierlich oder nützlich sein mag, für die
Bedürfnisse der Begüterten, ausgeschmückt. Es ist,
als sähe man die vielen tausend kleinen niedlichen
Hände sich regen, die hier, vielleicht aus kindlicher
Liebe, eines alten Vaters oder einer kranken Mutter wegen, oder aus eigner herben dringenden Noth,
geschäfftigt waren: und man mögte ein Reicher
sein, um das ganze Putzlager, mit allen Thränen,
die darauf gefallen sein mögen, zu kaufen, und an
die Verfertigerinnen, denen die Sachen doch wohl
am Besten stehen würden, zurückzuschenken.

Zu den vorzüglichsten Sachen gehören:

1) Ein Korb mit Blumen, in Chenille gestickt,
mit einer Einfassung; etwa als Caminschirm zu gebrauchen. Die Stickerei ist, auf taftnem Grund,
eine Art von bas relief; ein Büschel Rosen tritt,

fast einen Zoll breit, so voll und frisch, das man meint, er duftet, aus dem Taftgrunde hervor. Zu wünschen bleibt, daß auch die anderen Blumen und Blätter, die aus dem Korb vorstrebend, darin verwebt sind, verhältnißig hervorträten, das würde das Bild eines ganz lebendigen Blumenstraußes geben. Eine edle Dame hat dies Kunst und Prachtwerk bereits für 15 Louid'or erkauft; und nur auf die Bitte der Vorsteherinn befindet es sich noch hier, um die Ausstellung, während des Weihnachtsfestes, als das wahre Kleinod derselben, zu schmücken.

2) Eine Garnitur geklöpfelter Uhrbänder. Die Medaillen an dem Ende der Bänder, stellen, in Seide gewirkt, Köpfe, Thiere und Blumen dar; so fein und zierlich, daß man sie für eine Art von Miniatür Mosaik halten mögte.

3) Ein, in Wolle, angeblich ohne Zeichnung gestickter, Fußteppich. Ein ganzer Frühling voll Rosen schüttet sich, in der lieblichsten Unordnung, darauf aus; und auch die Arabeskeneinfassung ist zierlich und geschmackvoll.

4) Ein Rosenstrauß, auf englischem Manschester gemahlt, mit einer Einfassung von Winden, gleichfalls als Caminschirm zu gebrauchen.

5) Ein ganz prächtiges Taufzeug.

Vieler Kleider, unter welchen ein gesticktes Musselinkleid oben an, Tücher, Hauben, eine immer schöner als die andere, Strick Geld- und Tabacks-Beutel, in allen Provinzen des Reichs zusammengearbeitet, das Ganze mehr den 10000 Thl. an Werth, nicht zu erwähnen. — Wir laden die jungen Damen der Stadt, die Begüterten so wohl als die Unbegüterten ein, diese Anstalt zu besuchen, und glauben verbürgen zu können, daß sie diesen Gang weder in dem einen noch in dem andern Fall, umsonst thun werden.

hk.

Anekdote.

Ehe der jetzige Englische Staatssecretär für die auswärtigen Angelegenheiten, Marquis von Wellesley, zu seiner Pairswürde im Englischen Oberhause erhoben war, und vor der Zeit da er den Posten eines General = Gouverneurs der Brittischen Besitzungen in Ostindien bekleidete, saß er als Representant im Unterhause unter dem Namen von Lord Mornington. Hier beträgt sich einst ein anders Mitglied des Hauses, der Baronet James Johnson, im Rausche sehr unanständig gegen ihn. Etliche Tage nachher muß der Uebertreter der Gesetze des Hauses dem Lord Mornington vor demselben förmliche Abbitte thun. Eigentlich hätte der Baronet nach der Strenge, mit der man im Parlamente, wie in ganz England überhaupt, auf den gebührenden Anstand hält, knien sollen. Doch das wird ihm erlassen. Lord Mornington äußert bloß: ,,Bey der Verfassung in welcher der Baronet zu der Zeit gewesen, da er sich vergangen, habe keine seiner ausgestoßenen Reden etwas Beleidigendes enthalten können.'' —

Der Vorfall war durch eine bloße Kleinigkeit veranlaßt worden. Der schon etwas berauschte Baronet hatte seinen Sitz im Unterhause verlassen, um in einem benachbarten Caffeehause noch mehr zu trinken. Bey seiner Zurückkunft findet er den vorher inne gehabten Sitz nicht mehr leer; und fing deswegen jenes schreckliche den Lord beleidigende Toben an das er nachher so empfindlich büßen mußte.

Bülletin der öffentlichen Blätter.

Copenhagen den 11ten Dec.

In einem Stück Brennholz, welches ein Matrose im Belt ans Land getrieben fand, zeigte sich, als derselbe es spalten wollte, ein Englischer Freibrief, lautend auf Schiffer Hoymann Wath. Wahrscheinlich verunglückte dieses Schiff im Sturm. Man sieht inzwischen daraus, wie erfinderisch die Feinde sind.

(C. d. B.)

Von dem Dichter Ohlenschläger ist zum Gedächtniß des Tages, an welchem, nach dem Raube der Dänischen Flotte, das erste Dänische Linienschiff wieder vom Stapel gelassen ward, ein schönes Gedicht erschienen.

(ibid.)

Smyrna, den 26. Oct.

Die Secte der Wahabis wird von Neuem für die Religion und den Thron der Pforte gefährlich. Palästina ist jetzt der Kriegsschauplatz der Wahabis. Sie haben daselbst eine zahlreiche Armee, sind bis Damascus vorgedrungen, und die gegen sie aufgebrochenen Paschas von Belgrad und andere, haben, ihnen gegenüber, keinen leichten Stand. (ibid.)

Polizeiliche Tages-Mittheilungen.

Gestern Abend um 10 Uhr brach bei einem Kaufmann in der Münzstraße No. 21. im zweiten Stockwerk Feuer aus, indem die Eisenröhre von einem neugesetzten Windofen welche dicht an zwei Balken in den obersten Kammin gerührt ist, diese entzündet hatte Die halbe Decke und eine Holzwand war bereits angebrannt, das Feuer wurde aber mit Hülfe der herbeigeeilten 2 Spritzen sogleich gelöscht. Um 1 Uhr entstand ein Feuerlärm, welcher von dem vorigen herrührte, aber weiter nicht gegründet war.

Die wichtigen Mémoires sur le premier Partage de la Pologne etc. von denen in öffentlichen Blättern so mannigfaltig die Rede ist, sind bei J. E. Hitzig hinter der katholischen Kirche Nr. 3. für 1 thl. zu haben.

Berliner Abendblätter.

69tes Blatt.   Den 19ten December 1810.

Andenken eines trefflichen Deutschen Mannes und tiefsinnigen Künstlers.

Otto Runge, Mahler in Hamburg, starb im November an einer Brustkrankheit, deren Beschwerden er viele Monate lang mit christlicher Ergebenheit ertragen hatte, so unendlich viel seine Angehörigen und Freunde mit ihm verloren haben, so tauschen sie dennoch gern den Hoffnungslosen Schmerz, den herrlichen Menschen hülflos leiden zu sehn, mit den ruhigeren Trähnen um seinen Tod, und gönnen ihn dem Himmel, der ihn mit t essinniger Kunst gesegnet hatte, mehr, als dem Leben, in welchem ihn die Trefflichsten und Unschuldigsten erkannten, und liebten. Seine vier Simbolischen Blätter, die Tagszeiten in Umrißen darstellend, sind denkenden Kunstfreunden sich ewig neu erklärend, und unbefangenen Liebhabern von bedeutender Lieblichkeit und Wahrheit; Görres hat sie in den Heidelberger Jahrbüchern mit dem Wiederschein seiner eignen Begeisterung zu beleuchten versucht. Sie waren, so viel mir bekannt, zu Gemählden bestimmt, und mit erfunden, seine früheren Ansichten von dem Farben zu beurkunden, die er später verändert und in seinem einfachen geistvollen Werke über die Farbenkugel (Hamburg bei Perthes) mit den Ideen seines Freundes Steffens begleitet der Welt vor Augen gelegt. Außer diesen Arbeiten sind mir als von ihm erschienen nur noch bekannt, seine Umschläge zu dem Hamburger Theatralischen Almanach 1810, dem Bekerschen Almanach 1811, und dem Vaterländischen Museum, wie auch seine Vignetten zu Tiecks Minneliedern. Wie sehr auch solchen Verzierungen gewöhn-

lich mit hergebrachten willkührlich zusammengefädelten
Sinnbildlichkeiten genug gethan zu werden pflegt, so
hat Runge doch zuerst gezeigt daß die Arabeske eine Hie-
roglyphe ist, und ihre Verknüpfung eine eben so tiefsinnige Bildersprache der stummen mahlenden Poesie,
als das Werk der Poesie selbst eine gesprochene sein
soll, und von Allem, dessen Rand er mit seiner kunst-
reichen Hand geschmückt hat, kann gesagt werden, es
versteht sich am Rande, sollte es sich im Innern selbst
gleich nicht immer verstehen; ja ich mögte alles, was
ich von ihm gesehen, gelesen, was er mir selbst schriftlich ausgesprochen, was mir Freunde von ihm gesagt,
was ich von ihm glaubte, hoffte und liebte, alles dies
mögte ich eine solche, deutende, in anspruchloser Zierlichkeit tiefsinnige Randzeichnung in seiner Gesinnung, um das eigentliche Wesen der Kunst, die uns
verlohren ist, und die er in sich abgespiegelt fand, nennen. Ich erwähne noch als erschienen von ihm, seine
von Gubitz geschnittene Stempel zu den vier Königen
Damen und Buben für eine Hamburger Kartenfabrik.
Ich habe nie etwas Fantastischeres, Geistreicheres gesehen, als den weisen, begeisterten, romantisch königlichen Ausdruck dieser Königsköpfe, die bisarre galante,
reitzende Koketterie der Damenbilder, und die Abend-
theuerliche, kecke, treue und glücksritterliche Haltung
der Buben, und doch schienen es nur Karten, doch
waren es nur leichte lose Zeichen eines spielenden
Glücks; denn das Kunstwerk ist wie die Natur, die
ohne aufzufallen sich selbst bedeutet, das heißt, Alles,
und so waren Runges Arbeiten auch. Göthe, der
stille thätige Heger und Pfleger alles Trefflichen, das
er durch sich selbst immer dargestellt, hat unsern Runge
und seine Werke immer gelebt, und seiner Achtung
für ihn durch den Abdruck eines Schreibens des Künstlers über die Farben in seiner Farbenlehre ein ewiges
Monument gesetzet. Sein Andenken selbst in aller
Würde zu erhalten geziemet, der besseren Nachwelt,

insofern sie sich mit seinen wenigen öffentlich gewordenen Arbeiten verstehend berührt, und auch dies Wenige ist hiezu genug, wenn Gott sie nicht verläßt. — Den Tag nach seinem Tode ward ihm ein Kind zum Leben gebohren, und so hat selbst die Natur, die ihn liebte, seinen Verlust auf die rührendste Weise feiern wollen, möge dies Kind, nie auf Erden etwas vermissen, als seinen Vater! Besseres vermag ich ihm und dem Leben nicht zu wünschen, da er gestorben. —

Du Herrlicher! den kaum die Zeit erkannt,
Der wie ein schuldlos Kind
Begeistert fromm die treue keusche Hand
Nach Gottes Flamme streckte,
Der für das Eitle blind
Ohn umzuschaun zur Wiege alter Kunst
Durch neuer Lüge Götzentempel drang,
Und stillanschaund die Göttliche erweckte.
Sie lächelte und nannte dich den Ihren,
Der ihr die irrdschen Kränze so bedeutend schlang
Und wollte dich, mit ihr zu triumphiren
Zum seelgen Born von allem Lichte führen.

Wer dich geliebt, verstand den schönen Traum,
Den du im Himmel träumtest, dessen Schatten
Auf unsrer dunklen Erde lichten Saum
Weissagend niederfiel. —
Dein Künstlerwerk, es schien ein zierlich Spiel,
Es rankte blumig auf und betend vor der Sonne
Setzt fromme Kindlein du in süßer Kelche Wonne;
Doch wie im Frühlingstaumel fromm ein Herz
Das Siegsgepräng des ewgen Gottes ließt,
Wie in des Lebens ernstem Blumenscherz
Dem Schauenden die Tiefe sich erschließt,
So steht, die Schwester dieser Sündentrunknen Zeit,
Vor deinen Bildern glaubend, hoffend, liebend, die
Beschaulichkeit.

O trauert nicht um seinen frühen Tod!
Er lebte nicht, er war ein Morgenroth,
Das in der Zeiten trauriger Verwirrung
Zu früh uns guter Tage Hoffnung bot,
Wer dieser Blüthe Früchte konnte ahnen,
Der mußte tief bewußt der eigenen Verirrung,
Der eignen Armuth sich beschämend mahnen;
So mußt auch ich, wenn ich sein Werk durchdachte,
Das wie ein Gottentzückter selig lachte,
Zu mir, bewegt in ernster Demuth sagen:
Wie sollen die Vollendung wir ertragen?
Und auf dem Babylon rings sah ich ragen,
Die Kreuze frech, den Helden dran zu schlagen.

O trauert nicht um seinen frühen Tod!
Er lebte nicht, er war ein Abendroth,
Verspätet aus verlornen Paradiesen
Ließ täuschend es in unser Nächte Noth
Die Ahndungsreichen Schimmer fließen.

Und wer an seinem Grabe eine Nacht
In Thränen harrt, bis daß der Tag erwacht,
Den seines Lebens Morgenstern verhieß,
Der wird, ist er ein Kind, den Morgen kaum erleben,
Ist er ein frommer Mann, mit ihm, der uns verließ,
Im Tode nur zum neuen Tage schweben.

Die Zeit, sie ist die Nacht, in der wir weinen,
Der Vorzeit Traum, er ist's, den wir verloren,
Der Nachwelt, wird der Tag ihr einst erscheinen,
Lebt unser Freund auf ewig — mir ist er geboren.

                                    Clemens Brentano.

Berliner Abendblätter.

70tes Blatt. Den 20ten Dezember 1810.

Wenn man den Zweck der, in dem Edict vom 28ten Oct. d. J., dem Lande auferlegten Luxus-steuern bedenkt —: wenn man erwägt, daß sie nicht ausgeschrieben worden sind, um die Hofhaltung eines ausgelassenen Fürsten oder die Tafel seines Günstlings, oder den Putz und die Haushaltung seiner Mätressen ꝛc. zu bestreiten; wenn man erwägt, daß sie, im festen Vertrauen auf den Edelmuth und den Gemeinsinn der Nation, als eine Art von patriotischem Beitrag, in Augenblicken dringender fast hülfloser Noth, zur Rettung des Staats, erfordert worden sind: so wird ein Brief sehr merkwürdig, der uns, von unbekannter Hand, mit der Bemerkung, daß er gefunden worden, zugestellt worden ist. Wir theilen ihn ohne Abänderung unsern Lesern mit.

Bruderherz!

Was klagst du doch über die, in dem Edict vom 28ten Oct. d. J. ausgeschriebenen, neuesten Luxussteuern? Die Absicht und die Meinung, in der sie ausgeschrieben sind, lasse ich dahin gestellt sein; sie ist eine Sache für sich. Die Auslegung aber kömmt dem Publico zu; und je öfter ich es überlese, je mehr überzeuge ich mich, daß es dich und mich gar nicht trifft.

Es ist wahr, ich halte 2 Kammerdiener und 5 Bediente; Haushofmeister, Kutscher, Koch und Kunstgärtner mit eingerechnet, beläuft sich meine Livree auf 12 Köpfe. Aber meinst du deshalb (denn

[70]

der Satz im Edict pro Mann beträgt 20 Thl.) daß
ich 240 Thl. an die Luxus-Steuer-Casse entrichten
würde? Mit nichten! Mein Gärtner ist, wie du
weißt, eigentlich mein Vice-Verwalter, der Koch,
den ich bei mir habe, ursprünglich der Bäcker
des Orts; beide sind nur nebenher Gärtner und
Koch; der Kutscher, der Jäger auch, der Friseur
nebst Kammerdiener, und zwei Bediente sind, so
wahr ich lebe, bloße Knechte; Menschen, die zu meinem Hofgesinde gehören, und die ich, wenn es Noth
thut, auf dem Feld oder im Wald brauche. Da
nun das Edict (§. II. 10. a) sagt, daß Leute, die
nur nebenher dienen, mehr nicht, als die Hälfte des
Satzes und Knechte gar nichts zahlen: so bleibt
für mich nur der Haushofmeister und zwei Bedienten als steuerpflichtig übrig: macht (à 10 Thl.)
30 Reichsthaler, oder drunter.

Eben so, siehst du mit den Hunden. In meinen Ställen, die Wahrheit zu sagen, befinden sich
zwei auserlesene Koppeln; Doggen, die eine, ächt-
englische, 17 an der Zahl; die andere besteht aus
30 Jagdkleppern; Hühnerhunde, Teckel und dergleichen rechne ich nicht. Aber meinst du, das Edict
sähe deshalb mich an mit 1 Thl. pro Hund? Mit
nichten! Diese Koppeln gehören meinem Jäger;
und da das Edict (§. II. 10. b.) Hunde die eines Gewerbes wegen gehalten werden, von der Steuer
ausnimmt: so bleibt für mich nur, als steuerverfal-
len, ein Pudel von der norwegischen Race, ein Mops
und der Schooshund meiner Frau: macht (à Hund
1 Thl.) 3 Thl. mehr nicht.

Ein Gleiches gilt von den Pferden! — Zwar,
wenn es Markt ist, fährt meine Frau mit den
vier hollsteinschen Rappen nach der Stadt; das

schwarze Silbergeschirr steht den zwei jungen Apfel-
schimmeln nicht übel und der Fuchs und Braune
gehn gut, wenn ich sie reite. Aber meinst du,
daß dies darum, durch die Bank, Reit= und
Kutschpferde wären, die ich, mit 15 Thl. pro Stück,
zu versteuern hätte? Mit nichten! Die Pferde,
das weiß jedermann, brauch' ich im Frühjahr und
bei der Erndte; und da das Edict (§. II. 10. c.)
von Gebrauchspferden nicht spricht: so prallt die
Forderungen auch hieher von mir ab und ich zahle
nichts.

Endlich, was die Wagen betrifft! — Zwar die
zwei englischen Batarden, die ich kürzlich gekauft,
werde ich, ob ich sie gleich in Kreisgeschäften zuweilen brauche, mit 8 Thl. pro Stück, versteuern müssen. Aber den Halbwagen und die drei in Federn
hängenden Korbwagen mit Verdeck? Mit nichten!
Den Halbwagen, an dem ich kürzlich die Achse zerbrach, verbrenn' ich oder verkauf' ich; und von den
Korbwagen beweis' ich, daß ich vergangenes Jahr
Heu und Strauchwrrk damit eingefahren, und die 2
Fahrzeuge mithin Acker= und Lastwagen sind. Mithin geht der Kelch der Luxussteuer auch hier an
mir vorüber; und es bleibt, außer den Batarden,
nur noch eine zweirädrige Jagdcalesche übrig, die
ich mir 5 Thl. (denn mehr beträgt es nicht) (§ II.
10. d.) zu versteuern habe.

Lebe wohl!

———

Gäbe es der begüterten Staatsbürger, welche
so denken, mehrere: so wäre es allerdings besser,
weder die Luxus= noch irgend eine andere Steuer
wäre ausgeschrieben worden. Denn ob ein Staat,
der aus solchen Bürgern zusammengesetzt ist, besteht,
oder ob er, von den Stürmen der Zeit, in alle Lüfte
verweht wird: das gilt völlig gleichviel. Glücklicherweise aber fehlt es an wackern, der Aufopferung

fähigen Leuten, die den Drang des Augenblicks und die Zweckmäßigkeit der Luxussteuer begreifen, im Lande nicht; und da obiger Brief nur die Verirrung einer einzelnen, isolirten Schlechtigkeit sein kann: so wollen wir, zur Rechtfertigung der besagten Maasregel, folgende Antwort darauf versuchen.

Mein Herr! Wenn die Landesbehörde, welche die Steuer ausschrieb, streng gegen Sie sein wollte, so nähme Sie dieselben, vermittelst eines eigenen Spezialbefehls, von der Steuer aus. Sie ließe Ihren Namen da, wo er wahrscheinlich früh oder spät noch einmal zu lesen sein wird, anschlagen, und setzte darunter: dieser ist von der Steuer frei. Da jedoch Huld und Güte, seit undenklichen Zeiten, die Eigenschaft aller unserer Landesregierungen gewesen ist: so wird, meine ich, die ganze Maasregel, die sie in Bezug auf Ihre Genossenschaft, (falls Sie dergleichen haben) ergreifen dürfte, diese sein, daß sie durch Vergrößerung des Beamten Personale, die Controlle der Luxussteuer und der Verpflichtung sie zu bezahlen, schärft. Alsdann werden, wie sich von selbst versteht, die Kosten, die dieser neue erhöhte Etat veranlaßt, auf die Steuer geschlagen werden; und statt pro Bedienten 10 Thl. und pro Pferd oder Hund 15 Thl. oder 1 Thl. werdet dieselben pro Bedienten vielleicht 12 Thl. und pro Pferd oder Hund 16 Thl. und 3 Thl. zu bezahlen haben.

Der ich die Ehre habe zu sein
Dero
Anonymus.

Bülletin der öffentlichen Blätter.

Andreas Pearse, Arbeiter in einer Decken-Fabrik in Bristol, heirathete am 20 Januar 1801 Hanna Taylor, und mit derselben zeugte er binnen sechs Jahren vierzehn Kinder. Drei Sohne wurden ihm am 1. Okt. 1801 geboren; zwei Sohne am 3 Okt. 1802; ein Knabe und ein Mädchen am 16. Juli 1803; zwei Knaven am 13. Mai 1804; ein Knabe und ein Mädchen am 14. Jan. 1806; und endlich ein Knabe am 16. Nov. 1807. (Arch. für Geogr.)

Zweite literarische Beilage

zu den

Berliner Abendblättern.

———————•———————

Interessante neue Schriften aus allen Fächern, welche bei J. E. Hitzig, hinter der katholischen Kirche Nr. 3. zu haben sind.

Karl Friedrich Burdach, Physiologie. 8. 2 thl. 18 gr.

F. F. Facius, Aleßio. Ein Roman. 22 gr

W. D. Fuhrmann, Handbuch der classischen Literatur. Zum Gebrauch der Schullehrer und aller Freunde der classischen Literatur. Vierter und letzter Band. Auch mit dem Titel: Handbuch der classischen Literatur der Römer. Zweiter Band 8.
3 thl. 12 gr.

F. Gründler Gedanken über eine Grundreform der Protestantischen Kirchen = und Schulverfassung im Allgemeinen, besonders aber in der Preußischen Monarchie. 8. 14 gr.

C. G. Heinrich Handbuch der Sächsischen Geschichte. 8. 1 thl. 8 gr.

Wilhelm Kühns Handbuch der deutschen Sprache, mit Aufgaben zur häuslichen Beschäftigung Zum besondern Gebrauch für Töchter = und Elementarschulen ntworfen. 8. 14 gr.

J. F. E. Loz, Ideen über öffentliche Arbeitshäuser und ihre zweckmäßige Organisation. 8. 1 thl. 16 gr.

Dr. Martin Luthers kleiner Katechismus nach dem Bedürfniß unserer Zeiten. 8. 6 gr.

J. C. F. Meister, Ueber den Eid nach reinen Vernunftbegriffen. Eine von den hohen Curatoren des Stolpeschen Legats auf der weltberühmten Universität Leyden gekrönte Preisschrift, nach dem lateini-Originale in freier deutscher Bearbeitung für das liebe deutsche Vaterland. 4. 18 gr.

Desselben Vorerkenntnisse und Institutionen des positiven Privatrechts. 8.   1 thl 21 gr.

Desselben, Ueber mehrere schwierige Stellen im Persius und Horaz. 8.   8 gr.

Friedrich Rochlig, Denkmale glücklicher Stunden. Erster Theil. Mit Kupfern. 8.   2 thl.

Sapphus Lesbiae Carmina et fragmenta. Recensuit, Commentario illustravit, Schemata musica adjecit et Indices confecit Henr. Frid. Magnus Volger, Paedagogii Regii Ilfeldensis Collaborator. 8.   1 thl.

Karl Heinrich Sintenis Ciceronische Anthologie, oder Sammlung interessanter Stellen aus den Schriften des Cicero. Zwei Theile. 8.   1 thl. 18 gr.

von Woltmann Geist der neuen Preußischen Staatsorganisation. 8. broch.   20 gr.

Musikalien.

Es kann doch schon immer so bleiben, als Antwort auf das Lied: Es kann schon nicht immer so bleiben; in Musik gesetzt von C. F. H. Schmidt.   4 Gr.

─────────

Verzeichniß

der

vom July bis December 1810 wirklich erschienenen Bücher aus allen Fächern,

mit

einem wissenschaftlichen Repertorio

wird bei mir an meine Kunden und sonst an bekannte Bücherfreunde gratis ausgegeben.

Berlin d. 20. December 1810.

J. E. Hitzig,
hinter der katholischen Kirche Nr. 3.

─────────

Berliner Abendblätter.

71tes Blatt. Den 21ten December 1810.

Betrachtungen eines Greises über die Weihnachtsbescheerungen.

In meines Vaters Hause hatte die Weihnachtsbescheerung noch einen Reiz, den ich in diesen leichtfertigen Zeiten überall vermisse. Die Geschenke welche jedes von uns Kindern erhielt, waren nicht zu verachten: sie waren von der Mutter so fein und passend ausgedacht, daß keine Wünsche unerfüllt blieben. Aber die Hauptsache war, etwas das nicht geschenkt, womit weder gespielt noch was nützlich verbraucht wurde: ein bloßes Schaustück, das man uns nur einmal jährlich den Weihnachtsabend sehen ließ, und das dann in die Polterkammer, in den großen eichnen Schrank mit den gewundenen Füßen, wieder verschwand. —

Erwartet nichts besonderes! es war die Geburt Christi, ein großes zierliches Schnitzwerk, mit allem Beywesen der sonderbaren Geschichte, den Thieren an der Krippe, den Hirten mit ihren Schafen, den Engeln in der Luft, den drei magischen Königen, und vor allem mit dem Sterne über der Hütte, der mit einem Glanze strahlte, daß die Lichter auf den Geschenktischen trüb und freudenlos schienen. Hinter der herrlichen Vorstellung war an den Rollen der Fenstervorhänge befestigt eine große Tapete, die, mit goldnen und silbernen Sternen besät, oben und unten und nach allen Seiten das Schaustück umgab, und in die sich zuletzt der trunkne Blick der Kinder verlor, wie nachher nie wieder im Anblick des Himmels selbst.

Noch heut ist es die reizendste Erinnrung für mich, wie, in späteren Jahren, da ich schon hinter die Coulissen sehn durfte und bei dem herrlichen Bau für die jüngern Geschwister selbst angestellt war, an den Vorabenden des lustigsten Tages, wenn die Kinder schon schlafen gegangen waren, nun der blaue Vorhang hervorgezogen und für das bevorstehende Fest mit frischgeschnitzten goldnen und silbernen Sternen beklebt wurde.

Das große Schaustück stand an der Fenster= wand in der Mitte, da wo an Werkeltagen der Spiegel hing, wiederstrahlend von Gold, Grün und Weiß, und dreimal heller erleuchtet als die kleinen Tische die an den beiden Wänden, links mit den Geschenken für das Hausgesind und rechts mit denen für die Kinder, umherstanden. — Wenn wir von der unvergleichlichen Lust an dem himmli= schen Bilde zurückkehrten zu der irdischen, hand= greiflichen und schmackhaften Lust unsrer Tische, so schien uns die Welt zu gehören, und wenn auch, wie in den schlimmen Zeiten des Krieges, die ganze Bescherung nur in Aepfeln, Nüssen und einigem Bakwerk bestand, und wir in unsern Erwartungen noch so ungemessen gewesen waren.

Fühlt ihr wohl die große Weisheit der Väter in solchem Doppelgeschenk eines unerreichbaren, das immer in demselben Glanze wiederkehrte, und eines andern handgreiflichen vor allerlei Brauchbarkeiten und Genießbarkeiten? — Fühlt ihr wohl, was ihr verloren habt, seitdem diese Bilderschrift heiliger Vorgänge, hervorgegangen aus dem Drange der Gemüther, denen das Wort und der Buchstabe des

Ewigdenkwürdigen nicht genügte, als Aberglaube
verfolgt worden. Nichts hat meine Seele aufge=
klärt und erhoben, wie dieser Weihnachts=Aber=
glaube. — Nachher ist die Freude immer trockner
geworden.

Meiner Kinder Kinder haben nicht einmal:
Christmarkt, Christ=geschenke sagen dürfen, und dar=
über habe ich mir selbst das dürre liebesleere Wort:
Weihnachten — angewöhnt. — — Arme Kinder!
Ihr werdet den Vorwitz und die Vermessenheit
eurer Eltern büssen in der Kälte eures Herzens,
da wo es sich entzünden müßte, für Gott, also für
Vaterland und König, die heiligen Wesen die nur
empfindet, wer Gott im Herzen trägt.

Jetzt zeigen sich reich aufgestapelt die Tische,
und Lichter und außerdem die irdischen Geber,
Vater und Mutter, sonst nichts! und jeden neuen
Weihnachten ist es ganz anders und eleganter: die
Neigungen wechseln, die Begierden tödten sich im
albernen Wettlauf: nichts bleibt, nichts kehrt wie=
der; es giebt keinen Geber aller Geber, kein Ge=
schenk aller Geschenke, und kein Bild, das nicht
mit dem irdischen, handgreiflichen Glücke und mit
dem Leben verlösche.

Bülletin der öffentlichen Blätter.

London den 3ten Dec.
Lord Liverpool hat eine Depesche von Lord Wel=
lington empfangen, folgenden auszugweisen Inhalts:
Cartaxo den 21ten Nov.
In der Nacht vom 14ten hat sich der Feind aus
der Stellung, die er seit einem Monat inne hatte, zu=
rückgezogen. Er hat die Straße von Alenquer nach
Alcoentre und Villanova genommen, und seinen
Rückzug, den folgenden Tag, bis Santarem fortgesetzt.

Die alliirte Armee hat sich den 15ten Morgens in Bewegung gesetzt, um dem Feinde zu folgen. Die Avantgarde derselben ist noch denselben Tage nach Alenquer und die Cavallerie den 16ten nach Alcoentre und den 17ten nach Cattaro gekommen.

Am 17 hat Gen. Fane gemeldet, daß der Feind eine zweite Brücke über die Zezere construirt habe, indem seine erste von den Gewässern hinweggenommen und unbrauchbar gemacht worden sei.

Ew Herrlichkeit Aufmerksamkeit empfehle ich die Obersten Fletscher und andere Offiziers, die mir in der Position, in welcher ich die Fortschritte des Feindes aufgehalten und die er sich ausser Stand gefunden hat, anzugreifen, die größten und wesentlichsten Dienste geleistet haben.   (Mon.)

Büreau der Admiralität d. 4. Dez.

Admiral Barkelan der im Tajo commandirt, hat am 16. eine Brigade von 500 Matrosen und 500 Seesoldaten formirt, um die von dem Feinde verlassenen Verschanzungen in Besitz zu nehmen — Der Admiral, der mit der bewaffneten Flotille den Tajo hinaufgesegelt ist, meldet, daß der Feind bei Santarem eine starke Position genommen habe. Dem gemäß hat die alliirte Armee sich auf eine Lieue von dort concentrirt; die Division des Gen. Fane soll inzwischen schon zu Abrantes angekommen sein.   (Mon.)

Polizeiliche Tages-Mittheilungen.

Gestern früh 7¼ Uhr hat sich ein in Schlafstelle liegender brodtloser Buchhalter, auf dem Apartement mit einem Terzerol am Kopfe tödlich verwundet; der herbei gerufene Arzt hat erklärt, daß der Unglückliche höchstens noch einige Stunden leben könne.

Ein vorzüglich schönes Weihnachts - Geschenk zur Zimmer-Verzierung für den gebildeten Theil des Publikums

sind Göthe, Schiller, Herder und Wieland, vier saubere Gips - Medaillons, geformt nach Gerhard von Kügelgen in Dresden, von Posch. Sie kosten mit Glas und eleganten gebeizten Rahmen bei J. E. Hitzig hinter der katholischen Kirche No. 3. alle vier, 5 Thl. Courant; einzeln, das Stück 1 Thl. 8 Gr.

Berliner Abendblätter.

72tes Blatt. Den 22ten Dezember 1810.

Am Sonnabende vor Weihnachten des vorigen Jahres, also — dem Tage nach — heute vor einem Jahre, war es, als das Königliche Paar, welches nach Gottes Willen irrdischer Weise jetzo getrennt ist, zusammen in seine getreue Stadt Berlin wieder einzog.

Es ist erlaubt und natürlich, jenes festlichen Tages, den selbst der Himmel damals, nach vielen trüben Wochen, mit seiner ersten schönsten Heitre schmückte, sich heute betrachtungsvoll zu erinnern.

Ein leichter Reif der Nacht hatte die Straßen der Stadt wie mit Blüthen überstreut; von allen Thürmen wehten weiße Friedensfahnen; erwartungsvoll, eilig und geputzt wie zum Sonntage, zog jeder in der Frühe aus seinem Hause; ungeduldig strömten viele tausende hinaus auf den Heerwege; bedächtiger wählten sich die meisten ihre Plätze in der Stadt. Bald waren alle Straßen leer, nur auf dem Wege, welchen die Erwarteten kommen sollten, stand zu beiden Seiten dicht gedrängt die Menge und über ihnen schauten aus allen Fenstern frohe Gesichter. Aber kein Getümmel, kein Lärm; allenthalben Ruhe, Ordnung und erwartungsvolle Stille. Endlich ward der freudenreiche Donner des Geschützes gehört und das Geläute der Glocken, welches die Kommenden verkündigte; dann Trompetenschall von weitem und Jubelgeschrei, das immer näher sich heranwälzte. Nun war es gewiß und wirklich und entschieden: Sie kamen, Sie waren schon in diesen Mauren. Die ersten Reiter wurden schon erblickt; sie nahten; sie zogen vorüber; noch ein Augenblick — und jetzt — Er selbst, der König! Er war wieder da, ganz nahe, grüßend, freundlich und bald nach Ihm auch Sie, die Herrliche, die nicht mehr ist. Wer hielt da den lauten, langen, jauchzenden Ruf der Freude zurück? Ueber wessen Lippen drangte sich nicht der stürmende Jubel des Willkommens? Wessen Herz zitterte nicht von Dank, Hoffnung Wunsch, Freude, Gebet, Vorsetz und Entschluß? Alles war vergessen, vergangen, ausgelitten; an der Schwelle einer goldnen Zukunft stand der schöne Augenblick.

Vieles ist in Erfüllung gegangen, was damals gehofft wurde. Zutrauen im Aeußern und Innern sind zurückgekehrt; Gewerbe, Handel und Wandel haben neues Leben gewonnen; der kleinliche Verdruß des Augenblicks über unvermeidliche Schicksale hat sich mehr und mehr in besonnene Betrachtung aufgelöst; ein erhoher Antheil an den vaterländischen Dingen hat sich vielfältig bewährt; Verdienste sind belohnt, Parteien vereint, getreue, bewährte, uneigennützige Männer in den Mittelpunct der Verwaltung gehoben die Hoffnung auf eine bessere Verfassung ist erregt und ein immer festeres Band zwischen der Nation und ihrem Könige geknüpft worden.

Aber viel sehr viel, das Beste und Herrlichste, was wir besaßen, haben wir auch verlieren müssen. Auch dieses schmerzlichen Verlustes muß heute gedacht werden, mit neuer, tiefer, inniger Trauer, aber zugleich mit dem ewigen Troste, den das nahe seegensreiche Fest Desienigen gewährt, der nur in die Welt kam, um zu sterben, durch dessen Tod kein Tod mehr furchtbar ist und mit des heiligen Namen auf der erblassenden Lippe Sie heilig entschlafen ist, um welche wir trauern.

Gott erhalte den König!

L. B.

Ankündigung.

Durch höhere Unterstützungen werden die zur Erhebung und Belebung des Antheils an den vaterländischen Angelegenheiten unternommenen und mit dem Beifall des Publikums auf unerwartete Weise beehrten

Berliner Abendblätter

in zwei Punkten, vom 1sten Januar 1811 an, folgende wesentliche Ausdehnung erhalten; nämlich:

1) Werden dieselben in wöchentlichen Darstellungen, specielle Mittheilungen über alle, das Gemeinwohl und die öffentliche Sicherheit betreffende interessante Ereignisse, in dem ganzen Umfange der Monarchie, enthalten.

2) Wird das Bülletin der öffentlichen Blätter ausführlicher, als es bisher geschehen ist, einen Auszug der wichtigsten, neu angekommenen, officiellen Nachrichten des Auslandes communiciren, und in so fern, da das Blatt täglich erscheint und der Abgang der Posten zu se ner täglichen Versendung benutzt werden kann, eine Art von Vorläufer der Zeitungen werden.

Alles Uebrige bleibt, wie es ist. Die Veränderungen der vaterländischen Gesetzgebung, zuvörderst der nächste und würdigste Gegenstand der allgemeinen Theilnahme, werden, nach wie vor, mit unbefangenem patriotischen Geiste gewürdigt, die bedeutendsten Erscheinungen der Literatur angezeigt und das Theater, in einem periodisch wiederkehrenden Artikel, einer kurzen und gründlichen Kritik unterzogen werden. Das Ganze wird, wie bisher, zunächst von der Liebe für Vaterland und König, und, in weiterer Beziehung, vom Eifer für alles Gute in allen Ständen und Wirkungskreisen, durchdrungen sein. —

Redaktion der Berliner Abendblätter

Unterzeichnete Buchhandlung hat den Verlag die=
ser Berliner Abendblätter, von Neujahr 1811
an, übernommen, und wird sie mit eben der Pünkt=
lichkeit erscheinen lassen, mit der seit drei Jahren
der vom Publikum so gütig aufgenommene Freimü=
thige bei ihr erschienen ist. Der Preis dieser Blät=
ter, die nicht blos für den ganzen Preußischen Staat
sondern auch für das Ausland von bedeutendem Inte=
resse sein werden, beträgt in Berlin vierteljährig
18 Groschen Courant; wer dieselben aber durch die
Postämter und Buchhandlungen bezieht, zahlt viertel=
jährig 1 Thaler, und, bei sehr weiter Entfer=
nung, 1 Thaler 3 Groschen. Postämter, welche mehr
aufschlagen, ziehen sich den Vorwurf der Unbilligkeit
zu. — Die Zeitungs Expeditionen und Postämter
wenden sich gefälligst an das hochlöbl. Hof=Post Amt
zu Berlin, so wie auch an die löbl. Zeitungs Ex=
peditionen zu Leipzig und Bremen Die
Buchhandlungen machen ihre Bestellungen bei uns,
und diejenigen, welche den Freimüthigen von uns
beziehen, können die Abendblätter in demselben
Pakete mit erhalten; sie sollen also wochentlich zwei=
mal nach Leipzig und Hamburg versandt werden.
Nur können keine Exemplare Commisio verschickt
werden; und verlangte Exemplare nimmt die unter=
zeichnete Handlung durchaus nicht zurück. Berlin,
den 17ten December 1810

Das Kunst= und Industrie=Comtoir
von Berlin.

Bülletin der öffentlichen Blätter.

Paris d. 12. Dezemb.
Unsere Blätter enthalten folgendes aus Bajonne
vom 6. Dezember:

„Ein aus Castelbranco angelangter Offizier be=
richtet, daß der Gen. Gardanne am 16. Nov mit
seiner Division zu Belmonte, auf dem Wege von
Guarda nach Abrantes war, um sich mit dem Prin=
zen von Eßling zu vereinigen. Der Gen Drouet,
mit seinem Armeekorps, war am 24 Nov drei Mär=
sche von Castelbranco; seine Communikation mit dem
Prinzen von Eßling war zu Stande gebracht."

(L. d. B)

An das Publikum.

Mit dem heutigen 72sten Stücke schließt ver-
sprochenermaßen das erste Abonnements-Quartal
der Abendblätter. (S. die Anzeige vom 1ten October hinter dem 1sten Stücke.) Es wird also in
diesem Jahre, wenigstens bei mir, kein Stück mehr
davon erscheinen und auch für das nächstfolgende
hat das Kunst- und Industrie-Comtoir hieselbst (Vergl. dessen Anzeige im Freimüthigen,
vom Donnerstag, den 20sten d. M.) den Verlag
übernommen. An jenes hat man sich also mit Bestellungen in Hinsicht der Fortsetzung zu wenden.
Ich habe gar keinen Antheil mehr an der Expedition des Blattes, so wie ich ihn an dessen Redaction nie gehabt. was ich hiedurch ausdrücklich
bemerke.

Berlin, den 22ten December 1810.

Julius Eduard Hitzig.

Berliner Abendblätter.

73tes Blatt.   Den 24ten December 1810.

Polizeiliche Tages-Mittheilungen.

Ein hiesiger Eigenthümer hat sich am 20sten früh
um 9 Uhr mit einem Barbiermesser den Hals abgeschnitten.   Er ist 20 Monate hindurch krank gewesen,
und wahrscheinlich haben ihn heftige Schmerzen zu
dem Entschluß gebracht, sich zu entleiben.

Bülletin der öffentlichen Blätter.

Wien, den 12ten Dec.
Der hiesige berühmte Buchdrucker und Buchhändler Jos. Vinc. Degen ist von Sr. Maj. dem Kaiser
von Oestreich, unter dem Namen eines Edlen von El-
senau, in den Adelstand des östreichischen Kaiserreichs
erhoben worden.
Es verbreitet sich von Neuem das   Gerücht von
einer Einlieferung der silbernen Geräthschaften, Löffel
ic. so wie auch des Goldes, zum Behuf der Finanzen.
(L. d. B.)

Von der spanischen Gränze, d. 28. Nov.
Gen. Drouet und mehrere andere Corps sind auf dem
Marsch nach Castelbranco, wahrscheinlich um auf das
linke Ufer des Tajo überzusetzen, wo scheine französische
Armee bildet. Man scheint den Entschluß gefaßt zu haben, von dieser Seite her gegen Lissabon zu operiren
und sich allenfalls selbst des Ausflusses des Tajo zu bemächtigen.   Vermuthlich übernimmt Gen. Mortier den
Oberbefehl über diese Armee, der jedoch, sowie alle anderen fr. Befehlshaber in Portugall, unter Marschall
Massena stehen wird.   Die Engländer und Portugiesen haben in der Provinz Alentejo keinen Widerstand
entgegen zu setzen, da sie alle ihre disponiblen Streit-
massen auf dem rechten Ufer concentrirt haben.
(L. d. B.)

[73]

Madras, den 24ten März.

Aus Travancore meldet man folgende tragische Begebenheit: Am 2ten März war des Nachts in dasiger Gegend ein Erdbeben. In einem benachbarten Bergschloß stürzten einige Häuser ein. Zugleich brach eine Feuersbrunst aus. Diese verbreitete ein so großes Schrecken unter den Bewohnern, daß viele Leute sich auf's Feld flüchteten. Unter den Fliehenden befanden sich auch einige Frauenzimmer, die sich in dem ersten Schrecken halb nackend aus dem Harem des Rahjah geflüchtet hatten. Gerührt über ihre Lage, nahmen die Einwohner sie auf und führten sie am folgenden Tage nach dem Schlosse zurück. Kaum waren die daselbst wieder angekommen, so befahl ihr eifersüchtiger Tyrann, acht derselben enthaupten zu lassen, unter dem Vorwande, daß sie sich den Blicken der Männer ausgesetzt hätten. Fünf von ihren Führern wurden die Augen ausgestochen, weil sie ihre Blicke auf die unglücklichen Schönen geworfen hatten.   (Mon.)

Zu Genf fiel ein 13jähriges Mädchen von den Stadtwällen, 30 Fuß hoch, herab in den Graben voll Schlamm, und blieb darin, bis fast am Halse, bei 24 Stunden, stecken, weil man ihr Geschrei nicht hörte. Zufällig entdeckten sie junge Leute, die dahin auf die Entenjagd kamen. _____   (Corr. f. Deutschl.)

Schreiben aus Berlin.

Gestern früh um 4 Uhr wurde der Leichnam Ihrer Majestät der verewigten Königinn, ganz in der Stille, aus dem hiesigen Dom, wo derselbe bisher gestanden, in die, zu diesem Zweck erbaute, Kapelle nach Charlottenburg gebracht. Der Sarg, auf welchem sich, wie an dem Tage der feierlichen Beisetzung, die Krone befand, wurde, von einigen königlichen Hausofficianten, durch eine Reihe von Garde du Corps, die in dem Dom aufgestellt war, auf den, vor dem Domportal haltenden und mit acht Pferden bespannten, Leichenwagen gebracht. Se. Excellenz, der Herr Gouverneur, Graf v. Kalkreuth, die Kammerherren Ihrer Majestät der verewigten Königinn, und einige andere Herren, waren bei dieser Feierlichkeit gegenwärtig. Von hier aus ging der Zug, in einer finsteren, und gegen das Ende regnigten Nacht, unter Bedeckung einer Compagnie königlicher Fußgarde, durch die Linden, für deren Erleuchtung von Neuem, auf beiden Seiten, gesorgt worden war, nach dem Brandenburger Thor; mehrere königliche Stallbediente mit Fackeln ritten nebenher. Der Zug kam, bei Anbruch des Tages, in Charlottenburg an, wo die hohe Leiche beigesetzt wurde, und der Probst Herr Ribbeck, in Gegenwart Sr. Maj. des Königs, der mit den Prinzen, seinen erlauchten Söhnen, von Potsdam herübergekommen war, zur Einweihung der Ihrer Maj. der verewigten Königin zum Begräbnißort dienenden Kapelle, eine passende Rede hielt. Das Schauspiel war an diesem Tage in Berlin geschlossen, und der ganze Hof, so wie mehrere Andere, denen das Andenken an die beste Landesmutter noch im Herzen lebte, gingen schwarz. — Dem Publiko werden, wie es heißt, Tage bestimmt werden, an welchen ihm erlaubt sein wird, jene, die theuren Reste der königlichen Frau enthaltende, Kapelle zu Charlottenburg zu besuchen.

Anfrage.

Es ist unverkennbar, daß die französische Gemeinde hiesiger Residenz ein Geist der Frömmigkeit und der Gottesdienstlichkeit auszeichnet, den wir den deutschen Gemeinden wohl wünschen möchten. — Daher zeigt sich auch in den wohlthätigen Anstalten der französischen Colonie, und überhaupt in allen Gemeindeangelegenheiten, ein musterhafter Wetteifer der Größten und Geringsten für alles Fördernde und Gute. — Und so hat es nicht fehlen können, daß einerseits das Bedürfniß dieser Gemeinde nach ausgezeichneten Kanzelrednern immer befriedigt worden, und daß andrerseits viele und distinguirte Glieder der deutschen Gemeinden sich in Rücksicht auf den Sonntäglichen Gottesdienst an die französische angeschlossen haben.

Bei dieser Gelegenheit möchten wir fragen, warum in den sonntäglichen Kirchenlisten im Berliner Intelligenzblatte, die in den französischen Kirchen predigenden nicht mehr wie vormals angezeigt werden, da doch in den Verzeichnissen der Aufgebotenen desselben Blattes die französischen Gemeinden nicht übergangen werden. Mehrere freiwillige Glieder dieser Gemeinde, die den Nachfolger des Herrn Staatsrath Ancillon, dieses vortrefflichen Kanzelredners, zu hören wünschten, haben nur mit Mühe erfahren können, daß er am ersten Weihnachtsfeiertage Vormittags in der Werderschen Kirche predigen wird.

Anzeige.

Da der vorige Herr Verleger der Berliner Abendblätter nicht die Schicklichkeit gegen das Publikum beobachtet hat, die Blätter bis zum Schlusse des Jahres zu liefern: so haben wir uns für verpflichtet gehalten, diese Schuld abzutragen, und liefern deshalb die fehlenden Blätter, den 24sten, 27, 28, 29 und 31. Jeder, wer, der Auslieferungsliste zufolge, bei Herrn Hitzig pränumerirt hat, erhält diese Blätter gratis. Vom ersten Januar 1811 fängt das neue Abonnement an, das, wie bisher, vierteljährlich 18 gute Groschen beträgt. Das einzelne Stück kostet 8 Pfennige gutes Geld. Die Blätter werden regelmäßig in unserm Büreau, Leipziger- und Charlottenstraßen-Ecke, Nro. 36., Punkt 5 Uhr des Abends, ausgegeben. Dienstboten, und wer sonst zur Abholung geschickt wird, brauchen in Zukunft keinen Augenblick länger zu warten, als zur Empfangnahme der Blätter nöthig ist. Berlin, den 22sten Dec. 1810.
Kunst- und Industrie-Comptoir.

Berichtigung.

Hr. Buchhändler J. E. Hitzig hat (S. Beil. zum 72ten Stück dieser Blätter) erklärt, daß er an der Redaction der Berliner Abendblätter keinen Theil genommen. Diesem Umstande sehen wir uns genöthigt zu widersprechen. Sowohl die Ankündigung der Abendblätter Anfang Octobers, incl. der an den Linden und Straßenecken angeschlagenen Affichen, als auch mehrere, unter dem Strich befindliche, buchhändlerische Anzeigen, im Blatte selbst, rühren von seiner Hand her.
(Die Red.)

Berliner Abendblätter.

74tes Blatt.   Den 27ten December 1810.

Miszellen.

Wenn ein Waizenkorn jährlich 50 Körner giebt, so beträgt die Ernte im zweiten Jahre 2500; im dritten 125,000; im sechsten 15,625,000,000; und im zwölften Jahre 244,140,625,000,000,000,000 Körner. Nun hält ein Malter ungefähr 20,478,240 Körner; also macht die 12jährige Ernte von einem Waizenkorn 11,921,953,497,910 Malter aus. Nach dieser Rechnung könnte ein Waizenkorn, nach drei Jahren, mehr als 520 Personen auf eine Mahlzeit speisen, wobei dennoch so viele Kleyen abfielen, daß davon 8 Schweine einen Tag gefüttert werden könnten. (Corr. f. Deutschl.)

Bei Gelegenheit der Jubelfeier in der Waisenhauskirche.

Die Jubelfeier des ehrwürdigen und gelehrten vierundachtzigjährigen Predigers Schmidt *) nach glücklicher und thätiger Amtsführung, während eines halben Jahrhunderts, wurde am vorletzten Sonntage von dem, im vorigen Jahre ausgebrannten, durch milde Beiträge wieder auferbauten Thurme der Waisenhauskirche, durch den ersten Klang der neugegossenen Glocken verkündet. Die Versammlung war zahlreicher, als die kleine Kirche fassen konnte, man denke sich, wie viele Bürger einen nahen Beruf zu dieser Feier fühlten, da über dreitausend Kinder aus dieser Anstalt unter' der christlichen Belehrung und Segnung des Jubelgreises zu allen Arten bürgerlicher Nahrung übergegangen sind. — Die Singeakademie verherrlichte diese andächtige Stunde durch wohlgewählte Chöre; wir hatten sie oft in ihrem Saale und im Opernsaale bewundert, doch ungeachtet der Stim-

---

*) Dieser große Literatus, der insbesondre eine der herrlichsten Sammlungen von Kirchengesängen besitzt, übte vor einigen Jahren den nachahmungswerthen Patriotismus, der königlichen Bibliothek alle Bücher seiner Bibliothek, die ihr fehlten, zu schenken.

mendämpfung in der kleinen Kirche voll Menschenge-
dränge, fühlten wir nie so lebhaft das Herrliche dieses Instituts, und die Möglichkeit, durch dasselbe den
verschollenen Kirchengesang wieder zu beleben. Wir
wünschen, daß es den Mitgliedern dieser freien musikalischen Verbindung gefallen möchte, statt den in dem
beschränkten Saale der Akademie immer nur wenigen
zugänglichen öffentlichen Singeabenden, eine der
Hauptkirchen unserer Stadt zu wählen, um als Einleitung und in Verbindung mit dem großen Vormit-
tagsgottesdienste, ihrer Kunst den würdigsten Zweck
und allen ihren Glaubensgenossen wenigstens alle vierzehn Tage eine Stunde der Erhebung zu gewähren:
ja wir möchten diesen Vorschlag, der uns wie eine
Eingebung dieses Festes vor der Seele geblieben, dem
würdigen Vorsteher dieser Anstalt recht ernstlich zur
Prüfung empfehlen. Wie herrlich könnten wir leben,
wenn unsere Zeit, während sie fast zu arm wird, neue
Kirchen zu bauen, und die älteren zu schmücken, das
Kunstgeschick der Menschen hinlänglich entwickelte, um
durch ihr unmittelbares Zusammenwirken die Erbauung der Seele zu schaffen. H. P. Ribbeck, indem er
auf den zwiefachen Gegenstand der Jubelfeier, auf
die Erhaltung der Kirche und Ihres Predigers aufmerksam machte, gedachte mit Rührung jener Armuth
unsrer Tage, die auf Erbauung zerstörter Gotteshäu-
ser nur wenig zu wenden erlaubt: er erwähnte, wie
eine der Hauptkirchen unsrer Stadt wahrscheinlich
noch lange, vielleicht für immer untergegangen sey.
Eine Bemerkung drängte sich uns hierbei auf. Ungeachtet wir den Wiederaufbau dieser verbrannten Pe-
trikirche wünschen, und den Bau einer großen Kirche
als Denkmahl und Begräbnißort der unvergeßlichen
Königin rühmen würden, so nothwendig scheint es
uns, alles für den öffentlichen Gottesdienst zu Errich-
tende, aus dem freien Willen des Volkes hervorgehen zu lassen; die heiligsten Kirchen sind das Werk
milder Stiftungen und freiwilliger Beiträge, und die
St. Peterskirche in Rom hat mit aller ihrer Herrlichkeit der Kirche nie vergütet, was durch die dazu ein-
gerichtete, der Gesinnung der Zeit widerwärtige Ab-
laßkrämerei in der allgemeinsten Schwankung und
Trennung der christlichen Kirche für Schaden gestiftet worden. Dagegen wie erhebend und wie anges-

nehm bezüglich auf diese kleine, fast ländliche Waisen, hauskirche ist die Erzählung des Myrenius von dem kleinen baufälligen Kirchlein des Augustinerklosters zu Wittenberg, wo Luther seine ersten Predigten zur Abschaffung der Kirchenmißbräuche gehalten. Wir können uns nicht enthalten, sie bei dieser Veranlassung ausführlich mitzutheilen.

„In Wittenberg war das Augustinerkloster neu angefangen zu bauen, die Fundamenta der Kirche waren außgelegt, aber nur der Erde gleich gebracht. Mitten in denselben Fundamentis stand ein alt Kapellen, von Holz gebauet und mit Laimen beklaibt. Das war sehr baufällig, war gestützet auf allen Seiten. Es war bei 30 Schuhe lang und zwanzig breit, hat ein klein alt rostig Chor, darauf ein 20 Menschen mit Noth stehen konnten. An der Wand gegen Mittag war ein Predigtstuhl von alten Bretern, die ungehobelt, ein Predigtstühligen, anderthalb Ellen hoch von der Erden. In Summa: Es hatte allenthalben das Ansehen, wie die Mahler den Stall mahlen zu Bethlehem, darin Christus geboren war. In dieser armen, elenden, jämmerlichen Kapelle hat Gott zu diesen letzten Zeiten sein liebes heiliges Evangelium, und das liebe Kindlein Jesus lassen neugeboren werden. Es war kein Münster, Stift noch großes Gotteshaus auf Erden, deren viele tausend waren, das Gott hiezu erwählt hatte, sondern dies arme unansehnliche Kapellichen. Aus diesem ist das heilige Grab, welches ist die heilige Schrift, durch Herzog Friedrichen, wieder genommen werden, oder wie die alte Prophezeihung lautet. Und da er einen Schild an den Baum hängt, ist er wieder grün worden. Anno 1508. In dieser Kirche predigte Doktor Luther gegen den Ablaß und über die Freiheit der Predigt, und ward in Kurzem diese Kirche zu enge und ward Doktor Martini befohlen, in der Pfarre zu Wittenberg zu predigen.“

L. A. v. A.

___

Stiftung einer fortlaufenden jährlichen Feier zum Gedächtniß der verewigten Königin von Preußen.

Einer so eben im Druck erschienenen, von Sr. Majestät dem Könige selbst genehmigten, erhebenden

Ankündigung eines in der Residenz Potsdam zu er-
richtenden Denkmals, zum Andenken Ihro Maj. der
verewigten Königin, durch den Hofprediger Hrn. Eylert,
von dem früher in diesen Blättern schon die Rede
war, zufolge, will derselbe auf Subscription eine Sammlung der in den Monaten April, Mai und Juni d. J.
in Gegenwart beider Majestäten und des Königlichen
Hofes in der Hofkirche gehaltenen religiösen Vorträge
herausgeben; und den Ertrag als Kapital zu einem
ganz im Geiste der Verewigten angeordneten Zweck,
zur jährlichen Ausstattung einer tugendhaften aber
unbemittelten Braut, in der Art verwenden, daß ihr
am Tage der Verheirathung die jährlichen Interessen
dieses Kapitals als eine freundliche bedeutungsvolle
Ausstattung gereicht werden sollen. Es ist hier noch
zu bemerken, daß die Hochselige an eben dem Tage,
wo sie mit Begeisterung und Fülle von Liebe und
Ernst über die Beförderung des ehelichen und
häuslichen Glückes sprach, überzeugt, daß in diesem der Grund und Anfang jeder wahren Verbesserung liege, und daß nur aus tugendhaften Ehen eine
gute und edle Generation hervorgehen könne, in
dem Augenblick als sie den schönen Wunsch äußerte,
in dieser wichtigen Beziehung wirksam und der Nation nützlich werden zu können, den Hofprediger Eylert aufforderte, jene Predigten drucken zu lassen, mit
der huldvollen Erlaubniß, sie ihr zu dediciren.

Welche erhabene, sinnvolle Beziehung in diesem
Denkmaal liegt, dessen Grundstein der biedere Mann
nun legt, und zu dessen Ausführung er Allen einen
Zutritt eröffnet, welchen das Andenken ihrer Königin
theuer ist, also der ganzen Nation, dies bedarf weder
besonders ausgeführt, noch durch schöne Worte ge-
priesen zu werden. Es genügt, um alles auszusprechen, daß Se. M. der König, in der erbetenen Genehmigung dieser Stiftung, Selbst solche ein würdi-
ges Denkmaal nennt und ergänzen will, was
fehlt; weshalb am Schluß des Subscriptionstermins
Ihm das Namens- und Beitrags-Verzeichniß einge-
reicht werden soll.

Wer wird nicht eilen, an einem solchen Denkmaal
Antheil zu nehmen!

W.

Berliner Abendblätter.

75tes Blatt.   Den 28ten December 1810.

Bülletin der öffentlichen Blätter.

Paris, den 18ten Dec.

Zufolge eines Dekrets Sr. Maj. des Kaisers und Königs soll für die Departements der Ober=Ems, der Weser=Mündungen und der Elb=Mündungen eine Regierungs=Commission organisirt werden, die am 1sten Jan. 1811 in Kraft tritt.

Diese Commission soll bestehen, aus dem Marschall, Prinzen v. Eckmühl, der die Stelle als General=Gouverneur und Präsident bekleidet, und zwei Staatsräthen, deren Einer mit den Functionen des Innern und der Finanzen, der Andere mit der Organisation der Tribunäle beauftragt ist.

Alle Acten der Regierungs=Commission sollen von dem Gen. Gouverneur unterzeichnet, in seinem Namen und Befehl zur Ausführung gebracht werden; alles was sich auf das Commando der Truppen und auf die hohe Polizei bezieht, ausschließlich für ihn gehören und der Gen. Gouverneur nur dem Kriegs= Minister dafür verantwortlich sein.

Es sollen vorbereitende Maßregeln zur Einführung des Code Napoleon, des Code de Commerce, so wie aller anderen franz. Gesetzbücher, getroffen werden.   (L. d. B.

Vom Mayn, 17ten Dec.

Wie verlautet, werden nächstens die Angelegenheiten des Rheinbundes eine nähere Bestimmung erhalten; der Herr Graf Otto ist, wie man vernimmt, zum Kanzler des Rheinbundes ernannt. (L. d. B.)

Erinnerungen aus der Krankheitsgeschichte des Königs von England.

Der König von England, dessen Uebel im Jahr 1788 beinahe um die nemliche Jahreszeit, wie im jetzigen, angefangen hatte, war Ende Februars des folgen=

den Jahres wieder hergestellt. Die allgemeine Freude in England war gränzenlos. Dr. Willis, der Arzt, der den König behandelt hatte, wurde wie ein andrer Aeskulap mit beynahe göttlichen Ehrenbezeugungen belohnt. Auf einer Reise nach Lincolnshire läutete man in den Orten, wo er durchreisete, die Glokken, spannte die Pferde von dem Wagen, um ihn zu ziehen, u. s. w. Die reichern Engländer ließen die ärmern an der allgemeinen Freude dadurch Theil nehmen, daß man sie allenthalben speisete. Der König selbst ließ 200 Arbeiter, deren Arbeiten in den Gärten von Kew, (einem der Königl. Lustschlösser,) während der Krankheit eingestellet gewesen waren, speisen, und ihnen den ganzen Arbeitslohn auszahlen, als wenn sie gearbeitet hätten.

Der Prinz von Wallis hatte während der sehr kritischen Periode der Krankheit, da gewissermaßen um sein Regenten-Panier die beiden großen politischen Partheyen in wilden Stürmen kämpften, durch sein Betragen die Achtung beider erworben. Wie einer der Königlichen Leibärzte, Dr. Warren, ihm die Wiederherstellung des Königs beinahe in dem nemlichen Augenblicke verkündigte, da eine Deputation von beiden Häusern des damaligen Irländischen Parlaments ihm die uneingeschränkte Regierung über Irland, (die er natürlich ablehnte,) antrug, antwortete der Prinz dem Dr. Warren mit einem Händedrucke und voll Freude: „Für diese Nachricht danke ich Ihnen aufrichtigst. Sie ist für mich die angenehmste, die ich je in meinem Leben gehört habe."

Am 18ten März war eine allgemeine Erleuchtung in London. Die Königin und die Prinzessinnen fuhren durch die Straßen und soupirten hernach — eine in England sehr seltene Auszeichnung, — bei dem alten Lord Bathurst, dem nun verstorbenen Vater eines der jetzigen Englischen Minister. Erst zwischen 1 und 2 Uhr kehrten sie zurück. Der König war nicht allein aufgeblieben, um sie zu erwarten, sondern er ging an den Wagen hinab, um der Königin beim Aussteigen zu helfen. Ein seltenes Beispiel von Liebe, Achtung, Aufmerksamkeit, nach einer Ehe von 26 Jahren mit 15 lebenden und einigen früh verstorbenen Kindern. — Allenthalben, nur nicht in Berlin, würde man hinzusetzen: am seltensten auf Thronen.

Der 23te April, das Fest des heiligen Georgs, welches alljährlich von einer ehrwürdigen Gesellschaft, die über den ganzen Erdboden verbreitet ist, gefeiert wird, war dasmal festgesetzt, um das allgemeine Dankfest für die Wiederherstellung des Königs im ganzen Brittischen Reiche zu feiern. Der König selbst fuhr in feierlicher Prozession nach der prächtigen Cathedral-Kirche von St. Paul, welche nachher am Abend mit 60,000 Lampen erleuchtet wurde. Die Begierde, den königlichen Zug zu sehen, war so groß, daß einem Hauseigenthümer in der Nachbarschaft der St. Paulskirche 300 Pf. Sterl. angeboten wurden, um es für Zuschauer einzuräumen, eine Summe, die der Eigenthümer ausschlug. In der Kirche selbst wurden die entferntesten Plätze mit 5 Guineen bezahlt. 10,000 besonders für diese Gelegenheit geschlagene Medaillen wurden unter das Bolk ausgestreuet. Da man ein Paar Tage vor der Prozession besorgte, daß durch eine Menge temporärer Gerüste für Zuschauer, welche bereits errichtet waren, Unglücksfälle entstehen mögten, so beschäftigten sich sofort beide Parlamentshäuser mit diesem Gegenstande, verhörten die berühmtesten Baumeister, ernannte eine Comittée für den Zweck heilsamer Anordnungen, und alle Gerüste wurden sofort niedergerissen. Altes Häuser wieder, die der Steinkohlendampf geschwärzt hatte, wurden mit freundlichen Farben aufgefrischt. Am Tage der Feierlichkeit selbst war das rührendste der Anblick von 8000 neugekleideten Armenkindern auf 2 Amphitheatern in der weiten St. Paulskirche, die bei dem Anblicke des Monarchen sich verbeugten und den 100sten Psalm sangen. — Es läßt sich zu dem Gemählde schwerlich etwas hinzusetzen, als ein Wort des Königs selbst. Man rieth ihm, ehe er nach der Kirche fuhr, sich in dem kühlen Gebäude warm zu halten. Seine Antwort war; Mir ist niemals kalt in einer Kirche.   †

W a r n u n g.

Im Selbstverlage des ungenannten Verfassers (Letzte Straße Nro. 22.) ist ein — wie der Titel besagt — „Allgemeines (Industrie) Adreßbuch für Berlin auf d. J. 1811 erschienen. Gegen diese Einschal tung haben wir zu bemerken, eben daß die Hauptsache eingeschaltet sei, nnd nur ein: Industrie- oder allenfalls: Allgem. Industrie-, keinesweges aber ein Allgemeines Adreßbuch hierzu suchen ist. Um so mehr haben wir die Anzeige desselben in Nro. 155 der Spenerschen Zeitung zu rügen, die das hier wesentliche: Industrie wegläßt, und ohne Weiteres ein Allgemeines Adreßbuch ankündigt; wodurch man, wie dem Einsender begegnet ist —, verleitet werden könnte, einen unnützen Kauf zu machen, in so fern man die Wohnungen der Königl. Officianten und anderer öffentlichen Beamten, die ohne Zweifel in ein Allgemeines Adreßbuch gehören, zu erfahren beabsichtigte. — Hiermit haben wir das Verdienstliche der Unternehmung eines bloßen Industrie-Adreßbuches anerkennen, das Zweckmäßige der Einrichtung und den Werth der Ausführung des Vorliegenden dahin gestellt seyn lassen, und nur gegen die Industrie dieses Industrie-Adreßbuches warnen wollen.

Miszellen.

Bei Hirchenhain biß am 30. August eine tolle Katze einen Knaben, eine Frau und einige Kühe. Der Knabe starb, trotz aller Mittel, und die Kühe wurden todt geschlagen. Die Frau befindet sich gesund.

Oeffentliche Blätter erzählen, daß in Dürrenstein bei Krems, in einem finstern Kerker, eine 12 Ellen lange Schlange gefangen wurde, nachdem sie vorher einen Mann und ein Kalb gefressen hatte. Diese Geschichte ist wahrscheinlich ein Seitenstück zu den fabelhaften Menschenfresser-Ratzen in Torgau.

Anzeige.

Im Kunst- und Industrie-Comptoir, (Leipziger- und Charlottenstraßen-Ecke Nro. 36) ist erschienen:

Variations faciles p. 1, Pianof. sur la Marche de la Tragédie: Die Weihe der Kraft, par Wilh. Schneider. Oe. 14. Pr. 12 Gr.

Berliner Abendblätter.

76tes Blatt.   Den 29ten December 1810.

Polizeiliche Tages-Mittheilungen.

Gestern Morgen gegen 9 Uhr kam hinter dem Königlichen Stalle in der breiten Straße ein bekleideter
männlicher Leichnam, welcher noch nicht in Verwesung übergegangen ist, angeschwommen. Er wurde
sogleich herausgezogen

Am 26sten Abends um 8 Uhr ist ein Handschuh-
macher-Lehrbursche hinter der Königl. Bäckerei bei
der Kommunikations-Brücke ins Wasser gefallen, jedoch von einem Schlosserlehrlinge und einem hinzuge-
kommenen Soldaten sogleich gerettet worden.

Bülletin der öffentlichen Blätter.

London, d. 13ten Dec.

Ein zu Portsmouth angekommenes amerikanisches
Schiff hat Nachrichten aus Lissabon mitgebracht. Es
scheint, daß in der Stellung der Armee von Massena
keine wichtige Veränderung vorgegangen ist, außer
daß sich seine Arriergarde weiter hinter den Zezere
bis nach Punhete zurückgezogen und daselbst ihre
Stellung genommen hat.

Ueberhaupt scheinen alle Operationen des Feld-
zugs auf ein bis zwei Monate suspendirt zu sein. Die
von Massena eingenommene Position ist so stark und
fest, daß Lord Wellington selbst sie für unangreifbar
erklärt. Der franz. General wird daselbst warten,
bis ein stärkerer Frost die Ankunft seiner Artillerie
und seiner Verstärkungen verstattet; alsdann kann
man erwarten, daß der Feldzug von Neuem im Februar eröffnet werde. Dies wird aber wahrscheinlich, von seiner Seite, mit einer solchen Vermehrung
der Macht geschehen, daß jede Hoffnung, Lissabon zu
vertheidigen und die Halbinsel zu befreien, verloren
sein dürfte.

(L. d. B.)

[76]

Paris, d. 19ten Dec.

Nach einer Depesche des Gen. Capitains von Isle de France an den Minister der Marine und Colonien, sind, in den dasigen Gewässern, von dem Cap. Duperré, zwei englische Fregatten, la Magicienne und le Syrius in Brand gesteckt, und zwei andere, die Nereide und Jphigenia, nebst den beiden Compagnieschiffen, Ceylan und Windham, genommen worden. Dabei sind mehrere Engländer getödtet, und ein großer Theil des 24ten Regts, welches nach Ostindien bestimmt war, kriegsgefangen gemacht worden.

(L. d. B.)

Mailand, d. 9ten Dec.

Am Abend des heutigen Tages verfügte sich Se. Excellenz der Hr. Herzog von Lodi, Siegelbewahrer und Kanzler der Krone, so wie auch Großwürdeträger des Königl. Ordens der eisernen Krone, auf die Einladung Sr. Kais. Hoheit, des Vicekönigs, in dem nämlichen Augenblick in den Pallast, in welchem Ihr. K. Hoh die Viceköniginn ihre Niederkunft erwartete. Die Prinzessinn ward auch, in seiner und der Gegenwart mehrerer anderer Kronbeamten und Hofdamen kurz darauf entbunden, das Kind Sr. Exc. dem Hrn. Kanzler Siegelbewahrer präsentirt, und ein Verbal-Prozeß, über die Geburt und die Anerkennung des männlichen Geschlechts desselben, aufgesetzt.

(Corr. f. Deutschl.)

Ueber die Aufhebung des laßbäuerlichen Verhältnisses.

Wenn in dem Edikt vom 27sten Oct. die Aufhebung des laßbäuerlichen Verhältnisses angedeutet, und demjenigen Theil der Unterthanen, der sich bisher keines Eigenthums seiner Besitzungen erfreute, die Ertheilung desselben angekündigt wird; so folgt, trotz der augenscheinlichen Wohlthätigkeit dieser Maasregel und der heilsamen Wirkungen, die sich davon ohne Zweifel für jede Art ländlicher Industrie ergeben werden, doch nicht, daß dieselbe plötzlich und mit Einem Schlage werde ins Leben gerufen werden.

Jede Beschränkung der Freiheit hat die nothwendige Folge, daß der Beschränkte dadurch in eine Art von Unmündigkeit tritt. Wer seine Kräfte nicht gebrauchen darf, verliert das Vermögen, sie zu gebrauchen, und zwar, wenn es geistige Kräfte sind, noch rascher und sicherer, als wenn die Beschränkung sich auf bloß körperliche Kräfte erstreckt. Wenn nun die Schranken, die diese Kräfte hemmten, niederfallen: entsteht dadurch auch plötzlich wiederum, wie durch den Schlag einer Zauberruthe, das Talent, davon die zweckmäßigste Anwendung zu machen? Keinesweges! Vielmehr durch die lange Dauer einer solchen Beschränkung kann der Mensch so zurückkommen, daß er gänzlich die Fähigkeit dazu einbüßt, und sich durch Aufhebung des Zwanges weit unglücklicher fühlt, als durch den Zwang selbst. Auch der Leibeigene wird ohne Zweifel anfangs stutzen, wenn er nicht, wie bisher, zur Zeit der Noth, bei seinem Herrn Unterstützung findet, und, wenn er dienstfrei wird, die Zeit, welche er bisher im Frohndienst beschäftigt war, nun zur Erwerbung seines eignen Unterhalts anwenden soll. Kurz, wird ein Mensch, dem so lange der Gebrauch gewisser Kräfte untersagt war, in deren freien Gebrauch wieder eingesetzt, so muß er erst lernen, von dieser Freiheit Gebrauch zu machen, so wie ein Blindgebohrner, der durch die wohlthätige Hand des Arztes sein Gesicht wieder erhielt, allmählich sehen lernen muß.

Diese Betrachtungen sind ohne Zweifel von der Regierung in Erwägung gezogen worden und wir führen sie hier nur an, um der Ungeduld derjenigen zu begegnen, welche die Publication der Edicte über diesen Gegenstand nicht erwarten können.

Literatur.

Das so eben erschienene Halle und Jerusalem, Studentenspiel und Pilgerabentheuer von L. A. v. Arnim wird in der Folge dieser Blätter zugleich mit dem Roman desselben Dichters: Armuth, Reichthum, Schuld und Buße der Gräfinn Dolores, einer näheren Betrachtung unterzogen werden. Vorläufig begnügen wir uns, auf die großartige und durchaus eigenthümliche Natur jenes dramatischen Gedichtes aufmerksam zu machen. Erfüllt wie wir von dem er-

sten Eindruck sind, fehlt uns noch der Maaßstab des
Urtheils, der unter den übrigen Alltäglichkeiten der
dermaligen deutschen Poesie leicht abhanden kommt.

Wenn hier oder dort uns eine Wendung des wunderbaren Gedichtes befremdete, so sind wir doch nicht
Barbaren genug, um irgend eine angewöhnte, unserm
Ohr längst eingesungene poetische Weise für die Regel alles Gesanges zu halten Der Dichter hat mehr
auszusprechen, als das besondere uns in engen Schulen anempfundene Gute und Schöne. Alles Vortreffliche
führt etwas Befremdendes mit sich, am meisten in
Zeiten, wo die Wunder der Poesie der großen Mehrzahl der Menschen auf Erden fremd geworden sind.

rs.

Anekdote.

Killigrew, der Kammerherr und Hofnarr bei
König Karl II. war, reis'te einst in seinen eigenen
Geschäften nach Paris. Man hatte dem König Ludwig XIV. viel von dem Witze dieses Engländers gesagt und Killigrew, der dies erfahren hatte, sprach
bei Hofe kein Wort. Der König sagte deshalb zum
Herzog von ... daß er an Killigrew gar nicht den
witzigen Kopf finde, den man ihm so vorgerühmt
habe. Auch das erfuhr Killigrew wieder, und als
ihn der König in der Bildergallerie herumfährte, und
ihm ein Bildniß des Heilandes wies, fragte er ihn,
wer dies wäre? Ich weiß es nicht, erwiderte Killigrew. „Nun! wenn Sie es nicht wissen, so will ich
es Ihnen sagen; es ist der Heiland am Kreuz, rechts
ist der Papst und links soll ich sein.“ — Ich danke
Ew. Maj. für diese Nachricht, sagte Killigrew; ich
habe immer gehört, daß unser Heiland zwischen zwei
Schächern gekreuzigt worden sei, aber ich habe bis
jetzt noch nicht erfahren können, wer sie gewesen sind.

††

Neue Musikalien.

Der Sänger. Ballade von A. Kuhn, in Musik gesetzt von
A. Harder. (Mit einem sehr schönen Kupfer von L.
Wolf und Meyer.) Pr. 1 thl. 8 gr.
Zehn l ichte Variationen f. Guit. über das beliebte Tyro-
lerlied von A. Harder. Pr. 6 gr.
Zu finden im Kunst- und Industr. Compt. Leipzi-
ger u. Charlottenstraßen-Ecke, Nro. 36.

Berliner Abendblätter.

77tes Blatt. Den 31ten December 1810.

Bülletin der öffentlichen Blätter.

Rio Janeiro, den 8ten Oct.

In dem Gouvernement von Buenos-Ayres sind wichtige Veränderungen vorgefallen. - Die neue Regierung hat den Vicekönig Cisneros gefangen nehmen und nach Europa senden lassen. Die alten Spanier sind der Junta von Buenos-Ayres zuwider, aber nicht zahlreich genug, um etwas gegen sie unternehmen zu können.

Die Stadt Cordova, in welcher sich Don Santojago Liniers befand, widersetzte sich gleichwohl der Junta. Bald darauf wurde die Stadt durch ein von der Junta abgesandtes Truppenkorps berennt, und zur Unterwerfung gezwungen. Liniers, und einige seiner Anhänger, flüchteten ins Innere, wurden aber verfolgt, gefangen genommen, und sämmtlich füsilirt.

Kaum war die Nachricht von dieser tragischen Begebenheit nach Monte-Video gekommen, als die Regierung dieser Stadt ihrer Seits wieder die Belagerung von Buenos-Ayres anfangen ließ. Man sieht den Folgen aller dieser anarchischen Bewegungen mit Ungeduld und Betrübniß entgegen. Die englischen, spanischen und portugiesischer Eskadern unterstützen die Stadt Monte-Video in der Belagerung von Buenos-Ayres.   (L. d. B.)

Preßburg, den 28ten Nov.

Nach Briefen aus der Wallachei ist der Reis-Effendi, der wegen Friedensunterhandlungen daselbst angekommen war, unverrichteter Sache wieder aus dem Russ. Hauptquartier nach Constantinopel zurückgekehrt.   (L. d. B.)

Ueber die in Oestreich erschienene neue Censurverordnung.

Dem vergleichenden Beobachter der Zeitbegebenheiten wird eine in Oestreich neu erschienene Censurverordnung merkwürdig sein, die mit dem 1sten Nov. 1810 in Wirksamkeit treten soll. Sie ist von der Polizei und Censur-Hofstelle in Wien, an deren Spitze jetzt der Frhr. v. Hagen steht, vorgeschlagen, und von Sr. K. K. Majestät, mit einigen Modificationen, genehmigt worden. Nach einer, im Eingang befindlichen Erklärung, ist die Absicht des Kaisers: „Lese- und Schreibefreiheit in dem Maaß zu begünstigen, daß einerseits kein Strahl nützlichen Lichtes verhindert werde, in die Monarchie einzudringen andrerseits aber auch alles Aergerniß und alle Verführung der Schwachen und Unmündigen vermieden werde. Aus diesem allgemeinen Grundsatz sind folgende Special-verfügungen abgeleitet. 1) Wissenschaftliche Werke von Werth müssen nachsichtig behandelt werden. 2) Werke, die über die verschiedenen Zweige der inneren Verwaltung erscheinen, sollen nicht unterdrückt werden, auch wenn die Ansichten ihrer Vf. von jenen der öffentlichen Staatsverwaltung abweichen; wofern nur sonst die Bescheidenheit nicht verletzt und keine Persönlichkeiten eingemischt werden. 3) Strenger soll die Censur bei Volksschriften überhaupt sein, besonders bei Romanen, bei Producten des Witzes und bei Werken der Dichtkunst. Anerkannte deutsche und andere Klassiker aber, und also auch die, welche künftig die Ehre erlangen, zu diesen gerechnet zu werden, sollen gleichfalls mit Milde und Nachsicht behandelt werden. 4) Kein Nachdruck hat Statt, ohne Erlaubniß eben gedachter Censur-Hofstelle. 5) Die Erlaubniß zum Kaufen absolut verbotener Bücher ertheilt die Polizeihofstelle, und wird dieselbe Gelehrten und Geschäftsmännern auf keine Art erschweren. — Ueberhaupt wird in dieser Verordnung der großen Wahrheit gehuldigt: daß die vorzüglichste Macht des Staats in der höheren Bildung seiner Bürger liege.

Was die Nachdrucke verschiedener deutscher Schriften, welche zur Zeit der französischen Besetzung von Wien statt hatten, anbetrifft, so ist im Aug. 1810 folgendes darüber enschieden worden: 1) Wielands und Göthes sämmtliche Werke sind erlaubt. Die einzelnen Werke beider, die vorher nur gegen Erlaubnißzettel gekauft werden durften, dürfen nur verkauft, aber nicht angekündigt werden. 2) Schillers sämmtliche Werke, wie sie Anton Doll gesammelt herausge-

geben, find erlaubt. Das Theater von Schiller ist
auch einzeln erlaubt, darf aber nicht mehr nachge=
druckt werden. Werke von Schiller, die man vorher nur
gegen Erlaubnißzettel erhielt, find freigegeben zum
Verkauf, jedoch ohne öffentliche Ankündigung. 3) Fol=
gende Nachdrücke find geduldet, aber der Nachdruck
derselben soll künftig nicht mehr statt haben: der
Nachdruck der Gedichte von Seume, des Gei=
sersehers von Schiller, Veit Webers Sa=
gen der Vorzeit, Huberts heimlichen Ge=
richts ꝛc. 4) Folgende Nachdrücke find geduldet, für
künftig aber nicht zu wiederholen, und auch nicht, au=
ßer in Meßkatalogen, anzukündigen: Koßebues
jüngste Kinder meiner Laune, Pfeffels
poetische Versuche, mehrere Werke von Kramer,
Langbeins Schwänke, Wielands Dschini=
stan, Klingers philosophische Romane ꝛc.
5) Folgende Nachdrücke find nur gegen Meldung des
Namens der Käufer abzulassen: Kramers Hasper
a Spada, Rousseaus Julie oder die neue He=
loise und Koßebues kleine gesammelte Schriften.
6) Folgende Nachdrücke endlich find in Beschlag ge=
nommen und ganz verboten: Thümmels Reisen in
die mittäglichen Provinzen von Frankreich und Oeu=
vres choisies do Voltaire 1—9r Band, deutsch und
französisch, wori die Contes und Romans enthalten
find.

(Allg. Lit. Z.)

Duplik

(auf Hrn. Hißigs Replik in lezten Stück der Berliner Zeitungen.)

Wenn Hr. Buchhändler J. E. Hißig doch, der
Wahrheit zu Ehren, gestehen wollte, daß er Unrecht
hatte, die Lieferung der Abendblätter bei dem 72sten
Stück abzubrechen: die unterzeichnete Buchhandlung
fordert ja die Kosten der für ihn bis zum 1sten Jan.
1811 nachgelieferten Blätter nicht zurück. Der Vier=
teljahrgang, den er versprach, besteht nicht aus 12
Wochen, woraus er $12 \times 6 = 72$ Blätter heraus=
rechnet, sondern aus 13 Wochen und 1 Tag, welches

79, oder wenigstens, nach Abzug der beiden Stücke für die Weihnachtsfeiertage, 77 Blätter beträgt. Würde er, wenn der Verlag der Abendblätter bei ihm geblieben wäre, das Abonnement für den nächstfolgenden Vierteljahrgang, statt am 1sten Januar, wie es sich gehört, am 24sten December eingezogen und denselben den 16ten März (wiederum 8 Tage zu früh) geschlossen haben? Erklärungen, wie die von ihm im letzten Stück der Berliner Zeitungen erlassene, geben Stoff zu Randglossen, und kosten ja eben das Geld, um dessen Ersparniß es ihm, bei seiner Maasregel, zu thun war. — Uebrigens besagen ja auch seine Quittungen über das Abonnements-Geld deutlich genug: daß er das erste Quartal (nicht 72 Blätter) bezahlt erhalten habe.

Kunst- und Industrie-Comptoir zu Berlin.

Seufzer eines Ehemanns.

Seit uns des Priesters Hand
Am Traualtar verband,
Hat meine Frau — was bin ich doch geplagt! —
Nie wieder Ja gesagt.

Miscellen.

Fallstaff bemerkt, in der Schenke von Eastcheap, daß er nicht bloß selbst witzig, sondern auch Schuld sei, daß andere Leute (auf seine Kosten) witzig wären. Mancher Simpel, den ich hier nicht nennen mag, stellt diesen Satz auf den Kopf. Denn er ist nicht bloß selbst albern, sondern auch Schuld daran, daß andere Leute, seinem Gesicht und seinen Reden gegenüber) albern werden.

ß.

Anzeige.

Das erste Blatt des neuen Jahrganges wird (wegen des morgenden Festes) Mittwoch d. 2. Jan. ausgegeben.

1811.   Nro. 1.

Berliner Abendblätter.

Berlin, den 2ten Januar 1811.

Polizeiliche Tages-Mittheilungen.

Am 29sten Abends 7 Uhr hat ein Hausknecht vor seines Herrn Hause das Unglück gehabt, von einer Kutsche übergefahren zu werden. Durch schnelles Fahren hat sich der Führer der Equipage, worauf sich auch noch Bediente befanden, der nähern Ausmittelung entzogen.

Gestern Morgen verließ eine Scheuerfrau ihre Wohnung, im allgemeinen Militair-Lazareth, um an ihr Geschäft zu gehen, und ihre beiden Kinder von respekt. 8 Jahren und 3 Wochen, blieben darin zurück. Das ältere von ihnen ergriff nicht lange nachher eine brennende Lampe, in der Absicht, Etwas zu suchen, und bei dieser Gelegenheit fiel eine Schnuppe auf die Bettgardine, welche anfing zu schwälen. Das Kind versuchte, sie zu löschen, kam damit aber nicht zu Stande und lief daher zu einer Bekannten im Lazarethgebäude, um Hülfe zu suchen. Während der Zeit war auch die Mutter zurückkommen, und es wurde nun jeder weitere Schade verhütet. Das Bette ist indeß sehr beschädigt, und der dabei erwachsene Verlust für die Besitzerinn, um so empfindlicher, da sie arm ist.

Bülletin der öffentlichen Blätter.

Aus Schweden, den 5. Dec.

Man sieht zu Stockholm jetzt einen Brief Sr. Maj. des Königs vom 24. Nov. an die Gräfinn Piper, worin Se. Maj. dieser Dame ihr Beileid über das ihr und ihrem Bruder, dem Graf. Axel von Fersen, unschuldig wiederfahrne Unglück bezeuget. Dieser Brief schließt folgendermaßen:" Da Ihre Unschuld also in gesetzlicher Ordnung an den Tag gelegt, da der Stempel

des Verbrechens, welchen die Bosheit und Gesetzlosig-
keit an Ihres Bruders Namen zu heften gesucht hat,
um eine abscheuliche Mordthat zu bemänteln und zu
rechtfertigen, vertilgt ist, so eile ich, Ihnen meine auf-
richtige Theilnahme an dem harten Schicksal und den
Leiden, welche durch Ihres Bruders Tod Ihr Loos
geworden, zu erkennen zu geben." — In der Antwort
zeigt die Gräfinn Piper an, daß sie beschlossen habe,
ihre Tage fern von dem Ort, der sie an ihre schrecklichen Leiden erinnern würde, auf dem Lande zuzubringen.
(Corr. f. Deutschl.)

Petersburg, d. 12ten Dec.
Unsere Zeitungen enthalten folgendes merkwürdige
Factum, als ein Beispiel der Besonnenheit und des
Muths eines Russischen Seemanns:
„Der Bürger Jerasimov, aus Kola im Russischen
Capland, ward im Monat Juli als Capitain eines
Kauffarteischiffes, dem Archangelschen Handelshause
Alexei Popovs Söhne gehörig, mit einer Ladung
Roggen von Archangel nach Norwegen abgefertigt.
Am 19ten August, unfern der Höhe des Nordkaps,
gerieth er in die Nähe eines Englischen bewaffneten
dreimastigen Schiffs, welches auf ihn zusegelte, und
eine Schaluppe mit einem Officier und fünf Mann auf
sein Schiff sandte, welche gleich nach ihrer Ankunft
auf dem Russischen Schiffe dasselbe als gute Prise be-
handelten, sich mancherlei Sachen zueigneten und Geld
forderten. Jerasimov wagte es nicht, sich zu wider-
setzen, da außer dem genannten Schiffe noch eine Englische Fregatte sich in der Nähe befand. Auf seinem
Schiffe, von welchem vier Matrosen weggenommen
waren, blieb ein Englischer Officier mit sieben Englischen Matrosen. Er mußte nun den Englischen Schiffen folgen. Am 23. Aug. trennte ihn ein Sturm von
denselben. Jerasimov faßte nun mit seinen Gefährten
den Entschluß, sich seines Schiffes wieder zu bemächtigen. Am 30. Aug. um 5 Uhr des Morgens, als der
Engl. Officier nebst sechs Matrosen in der Cajüte
schlief, und nur einer der Englischen Matrosen auf
dem Verdeck Wache hielt, stürzte Jerasimov nebst seinen Gefährten den wachthabenden Matrosen ins Meer,
und vernagelte die Thüre der Cajüte, in welcher der
Engl. Officier mit seinen sechs Matrosen schlief. Nachdem diese erwacht waren, tobten sie auf alle mögliche

Weise; allein vergeblich. Nach drei Tagen baten sie um Lebensmittel, die Jerasimov ihnen auch reichte, und darauf mit seinen Gefangenen grade nach der Dänischen Festung Wardhuus seegelte, wo er dieselben dem Commandanten übergab, sich von ihm ein Attest über den Vorfall ertheilen ließ, den Leck seines Schiffes ausbessern ließ, und damit nach Kola zurückseegelte.

(L. d. B.)

Aus Portugal.

Es scheint, daß sich an der Gränze Portugals eine zweite Armee bildet, an Stärke beinahe der ersten gleich, um die Operationen des Prinzen v. Eßling zu unterstützen.

(Corr. f. Deutschl.)

Paris, den 21ten Dec.

Das Journal de l'Empire enthält folgendes:

Aus dem Hauptquartier vor Tortosa, den 28ten Nov.

Die Valencier, unter dem Befehl des Gen Baßecourt, haben am 26ten das von einer Division des 3t. Corps besetzte Lager von Val de Ccnar angegriffen; sie wurden in Schußweite empfangen, und in völlige Flucht geschlagen. Wir haben ihnen 3000 Gefangene abgenommen: mehr als 800 Mann sind ertrunken. Auch der Gen. Klopisky hat ihnen zu Alventosa eine Compagnie reitende Artillerie und sechs Kanonen abgenommen. Diesem Angriff vom 26t. waren schon einige andre entferntere Affairen vorangegangen, wo unsere Truppen stets den Sieg davon trugen. Unter den Gefangenen befindet sich der Brigadier Garcias Navaro.

(L. d. B.)

Ein Satz aus der höheren Kritik.

An ***

Es gehört mehr Genie dazu, ein mittelmäßiges Kunstwerk zu würdigen, als ein vortreffliches. Schönheit und Wahrheit leuchten der menschlichen Natur in der allerersten Instanz ein; und so wie die erhabonsten Sätze am Leichtesten zu verstehen sind (nur das Minutiöse ist schwer zu begreifen); so gefällt das Schöne leicht; nur das Mangelhafte und Manierirte genießt sich mit Mühe. In einem trefflichen Kunstwerk ist das Schöne so rein enthalten, daß es jedem gesunden Auffaffungsvermögen, als solchem, in die Sinne springt; im Mittelmäßigen hingegen ist es mit soviel Zufälligem oder wohl gar Widersprechendem vermischt, daß ein weit schärferer Urtheil, eine zartere Empfindung, und eine geübtere Imagination, kurz mehr Genie dazu gehört, um es davon zu säubern. Daher sind auch über vorzügliche Werke die Meinungen niemals getheilt (die Trennung, die die Leidenschaft hineinbringt, erwäge ich hier nicht:) nur über solche, die es nicht ganz sind, streitet und zankt man sich. Wie rührend ist die Erfindung in manchem Gedicht: nur durch Sprache, Bilder und Wendungen so entstellt, daß man oft unfehlbares Sensorium haben muß, um es zu entdecken. Alles dies ist so wahr, daß der Gedanke zu unsern vollkommensten Kunstwerken (z. B. eines großen Theils der Shakespearschen) bei der Lektüre schlechter, der Vergessenheit ganz übergebener Broschüren und Charteken entstanden ist. Wer also Schiller und Göthe lobt, der giebt mir dadurch noch gar nicht, wie er glaubt, den Beweis eines vorzüglichen und außerordentlichen Schönheitssinnes; wer aber mit Gellert und Kronegk die und da zufrieden ist, der läßt mich, wenn er nur sonst in einer Rede Recht hat, vermuthen, daß er Verstand und Empfindungen, und zwar beide in einem seltenen Grade besitzt.

r y.

Miscellen.

Zu Montesquieu's Zeiten waren die Frisuren so hoch, daß es, wie er witzig bemerkt, aussah, als ob die Gesichter in der Mitte der menschlichen Gestalt ständen; bald nachher wurden die Hacken so hoch, daß es aussah, als ob die Füße diesen sonderbaren Platz einnähmen. Auf eine ähnliche Art wären, mit Montesquieu zu reden, vor einer Handvoll Jahren, die Taillen so dünn, daß es aussah, als ob die Frauen gar keine Leiber hätten; jetzt im Gegentheil sind die Arme so dick, daß es aussieht, als ob sie deren drei hätten.

1811.   No. 2.

Berliner Abendblätter.

Berlin, den 3ten Januar 1811.

Bülletin der öffentlichen Blätter.

Halberstadt, den 22 Dec.

Jeden Tag fast wird man auf die gefährlichen Wirkungen des Kohlendampfs, aber vergebens, aufmerksam gemacht. Unsere Stadt liefert ein neues Beispiel von der Sorglosigkeit des Volks in dieser Hinsicht. Die Frau eines Arbeiters wurde vor einigen
Tagen todt gefunden. Die Unglückliche lag in ihrem
Zimmer auf dem Rücken, und hielt ihr Kind noch
in den Armen. Es ist wahrscheinlich, daß, als die ersten Symptomen des Erstickens sich äußerten, sie noch
einen Versuch zur Rettung gemacht habe, wozu ihr
aber die Kräfte bereits versagten.

(Westph. Mon.)

Sonderbare Geschichte, die sich, zu meiner Zeit, in Italien zutrug.

Am Hofe der Prinzessinn von St. C... zu Neapel,
befand sich, im Jahr 1788, als Gesellschafterinn oder
eigentlich als Sängerinn eine junge Römerinn, Ra-
mens Franzeska R..., Tochter eines armen invali-
den Seeofficiers, ein schönes und geistreiches Mädchen, das die Prinzessinn von St. C..., wegen eines
Dienstes, den ihr der Vater geleistet, von früher Jugend an, zu sich genommen und in ihrem Hause erzogen hatte. Auf einer Reise, welche die Prinzessinn
in die Bäder zu Messina, und von hieraus, von der
Witterung und dem Gefühl einer erneuerten Gesundheit aufgemuntert, auf den Gipfel des Aetna machte,
hatte das junge, unerfahrne Mädchen das Unglück,
von einem Cavalier, dem Vicomte von P..., einem

alten Bekannten aus Paris, der sich dem Zuge an-
schloß, auf das Abscheulichste und Unverantwortlichste
betrogen zu werden; dergestalt, daß ihr, wenige Monden darauf, bei ihrer Rückkehr nach Neapel, nichts
übrig blieb, als sich der Prinzessinn, ihrer zweiten
Mutter, zu Füßen zu werfen, und ihr unter Thränen
den Zustand, in dem sie sich befand, zu entdecken. Die
Prinzessinn, welche die junge Sünderinn sehr liebte,
machte ihr zwar wegen der Schande, die sie über
ihren Hof gebracht hatte, die heftigsten Vorwürfe;
doch da sie ewige Besserung und klösterliche Einge-
zogenheit und Enthaltsamkeit, für ihr ganzes künftiges
Leben, angelobte, und der Gedanke, das Haus ihrer
Gönnerinn und Wohlthäterinn verlassen zu müssen,
ihr gänzlich unerträglich war, so wandte sich das men-
schenfreundliche, zur Verzeihung ohnehin in solchen
Fällen geneigte Gemüth der Prinzessinn: sie hob die
Unglückliche vom Boden auf, und die Frage war nur,
wie man der Schmach, die über sie hereinzubrechen
drohte, vorbeugen könne? In Fällen dieser Art fehlt
es den Frauen, wie bekannt, niemals an Witz und der
erforderlichen Erfindung; und wenige Tage verflossen:
so ersann die Prinzessinn selbst zur Ehrenrettung ihrer Freundinn folgenden kleinen Roman.

Zuvörderst erhielt sie Abends, in ihrem Hotel, da
sie beim Spiel saß, vor den Augen mehrerer, zu einem Souper eingeladenen Gäste einen Brief: sie er-
bricht und überließt ihn, und indem sie sich zur Signora Franzeska wendet: „Signora,‟ spricht sie, „Graf
Scharfeneck, der junge Deutsche, der Sie vor zwei
Jahren in Rom gesehen, hält aus Venedig, wo er
den Winter zubringt, um Ihre Hand an. — Da!‟
setzt sie hinzu, indem sie wieder zu den Karten greift,
„lesen Sie selbst: es ist ein edler und würdiger Cavalier, vor dessen Antrag Sie sich nicht zu schämen
brauchen.‟ Signora Franzeska steht erröthend auf;
sie empfängt den Brief, überfliegt ihn, und, indem sie
die Hand der Prinzessinn küßt: „Gnädigste,‟ spricht
sie: „da der Graf in diesem Schreiben erklärt, daß
er Italien zu seinem Vaterlande machen kann, so nehme ich ihn, von Ihrer Hand, als meinen Gatten
an!‟ — Hierauf geht das Schreiben unter Glückwünschungen von Hand zu Hand; jedermann erkun-
digt sich nach der Person des Freiers, den niemand

kennt, und Signora Franzeska gilt, von diesem Augenblick an, für die Braut des Grafen Scharfeneck.
Drauf, an dem zur Ankunft des Bräutigams bestimmten Tage, an welchem nach seinem Wunsche auch sogleich die Hochzeit sein soll, fährt ein Reisewagen mit
vier Pferden vor: es ist der Graf Scharfeneck! Die
ganze Gesellschaft, die, zur Feier dieses Tages, in dem
Zimmer der Prinzessinn versammelt war, eilt voll
Neugierde an die Fenster, man sieht ihn, jung und
schön wie ein junger Gott, aussteigen — inzwischen
verbreitet sich sogleich, durch einen vorangeschickten
Kammerdiener, das Gerücht, daß der Graf krank sei,
und in einem Nebenzimmer habe abtreten müssen.
Auf diese unangenehme Meldung wendet sich die Prinzessinn betreten zur Braut; und beide begeben sich
nach einem kurzen Gespräch, in das Zimmer des Grafen, wohin ihnen nach Verlauf von etwa einer Stunde
der Priester folgt. Inzwischen wird die Gesellschaft
durch den Hauscavalier der Prinzessinn zur Tafel geladen; es verbreitet sich, während sie auf das Kostbarste und Ausgesuchteste bewirthet wird, durch diesen
die Nachricht, daß der junge Graf, als ein ächter,
deutscher Herr, weniger krank, als vielmehr nur ein
Sonderling sei, der die Gesellschaft bei Festlichkeiten
dieser Art nicht liebe; bis spät, um 11 Uhr in der
Nacht, die Prinzessinn, Signora Franzeska an der
Hand, auftritt, und den versammelten Gästen mit der
Aeußerung, daß die Trauung bereits vollzogen sei, die
Frau Gräfinn von Scharfeneck vorstellt. Man erhebt
sich, man erstaunt und freut sich, man jubelt und fragt:
doch Alles, was man von der Prinzessinn und der
Gräfinn erfährt, ist, daß der Graf wohl auf sei; daß
er sich auch in Kurzem sämmtlichen Herrschaften, die
hier die Güte gehabt, sich zu versammeln, zeigen
würde; daß dringende Geschäfte jedoch ihn nöthigten, mit der Frühe des nächsten Morgens nach Venedig, wo ihm ein Onkel gestorben sei und er eine Erbschaft zu erheben habe, zurückzukehren. Hierauf, unter wiederholten Glückwünschungen und Umarmungen
der Braut, entfernt sich die Gesellschaft; und mit dem
Anbruch des Tages fährt, im Angesicht der ganzen
Dienerschaft, der Graf in seinem Reisewagen mit
vier Pferden wieder ab. — Sechs Wochen darauf
erhalten die Prinzessinn und die Gräfinn, in einem

schwarz versiegelten Briefe, die Nachricht, daß der Graf Scharfeneck in dem Hafen von Venedig ertrunken sei. Es heißt, daß er, nach einem scharfen Ritt, die Unbesonnenheit begangen, sich zu baden; daß ihn der Schlag auf der Stelle gerührt, und sein Körper noch bis diesen Augenblick im Meere nicht gefunden sei. — Alles, was zu dem Hause der Prinzessinn gehört, versammelt sich, auf diese schreckliche Post, zur Theilnahme und Condolation; die Prinzessinn zeigt den unseeligen Brief, die Gräfinn, die ohne Bewußtsein in ihren Armen liegt, jammert und ist untröstlich —; hat jedoch nach einigen Tagen Kraft genug, nach Venedig abzureisen, um die ihr dort zugefallene Erbschaft in Besitz zu nehmen. — Kurz, nach Verfluß von ungefähr neun Monaten (denn so lange dauerte der Prozeß) kehrt sie zurück; und zeigt einen allerliebsten kleinen Grafen Scharfeneck, mit welchem sie der Himmel daselbst gesegnet hatte Ein Deutscher, der eine große genealogische Kenntniß seines Vaterlands hatte, entdeckte das Geheimniß, das dieser Intrigue zum Grunde lag, und schickte dem jungen Grafen, in einer zierlichen Handzeichnung, sein Wappen zu, welches die Ecke einer Bank darstellte, unter welcher ein Kind lag. Die Dame hielt sich gleichwohl, unter dem Namen einer Gräfinn Scharfeneck, noch mehrere Jahre in Neapel auf; bis der Vicomte von P . . ., im Jahr 1793, zum zweitenmale nach Italien kam, und sich, auf Veranlassung der Prinzessinn, entschloß, sie zu heirathen. — Im Jahr 1802 kehrten beide nach Frankreich zurück.   mz.

Miscellen.

Pariser Moden. Als vor einiger Zeit von den Falbeln die Rede war, erinnerte man sich der Zeiten Ludwigs des 14ten. Die eleganten Damen lächelten und dachten an die Portraits ihrer Großmütter, die mit Falbeln und mit einem Reifrock geschmückt, gegangen waren. Und jetzt trägt eine modische Dame eine Falbel an ihrem Oberrocke, eine Falbel an ihren Rocke, eine Falbel an ihrem Unterrocke, kurz, sie hat Falbeln bis auf's Hemde, und die Lächerlichkeiten der Vergangenheit sind die Thorheit der Gegenwart geworden.

1811.   Nro. 3.

Berliner Abendblätter.

Berlin, den 4ten Januar 1811.

Bülletin der öffentlichen Blätter.

Paris, den 22sten December.

Der heutige Moniteur enthält Folgendes:

Se. Majestät hatten verordnet, daß der Bestand
der Cassen, die unter der Verwaltung von neun ausdrücklich bezeichneten besondern Einnehmern stehen,
nachgesehen werden solle. Inspektoren des Schatzes
wurden beauftragt, sich in die Communen, wo die
Verification gemacht werden sollte, zu begeben. Es
wurde ihnen die Instruktion ertheilt, den Saldo aufzunehmen, und in Cassa zu behalten, sich die Budjets
vorlegen zu lassen, keine andre Ausgaben zu gestatten,
als die durch die Budjets authorisirt sind, die Einnehmer für alle Vorschüsse und Zahlungen, die sie
ohne Authorisation gemacht haben, in Debet zu stellen, von ihnen die Belege aber, Rechnungen, Register
und zum Rechnungswesen gehörige Noten zu fordern.

Unter neun in Untersuchung gezogenen Cassen-
Verwaltern wurde nur die Rechnung eines einzigen
(des von Soissons) in Regel befunden; das Rechnungswesen eines andern (des von Mainz) war in
ungemeiner Unordnung; zwei andere (von Obernay
und Bernard Willer, und von Zabern) befanden sich
in wirklichem Defect. Ueberhaupt waren in den ve-
rificirten Rechnungen, mit Ausnahme der von Soissons,
unregelmäßige Ausgaben und Vorschüsse. Die Unre-
gelmäßigkeiten bestanden in geleisteten Zahlungen für
Ausgaben, die nicht in den Budjets begriffen waren,
oder für Summen, die, obgleich in den Budjets begriffen, noch nicht zahlbar waren. Die Ursache mehrerer anderer war die Gefälligkeit und unbedachtsame
Willfährigkeit der Cassen-Verwalter, um die sie, unter Versprechen einer spätern Ausgleichung, ersucht

worden waren; eine Willfährigkeit, die bei Caffen-Verwaltern immer verwerflich ist, welche, selbst wenn sie auch an sich nicht strafbar sind, doch nicht von der Strenge der Vorschriften abweichen dürfen, ohne ihre Pflicht zu verletzen und ganz nahe daran zu seyn, treulos zu werden.

In Folge eines Decrets vom 18ten dieses, ist daher von Sr. Majestät die Absetzung folgender Beamten verordnet: Eisenberg, Einnehmer der Stadt Mainz; Hattermann, Einnehmer von Obernay und Bernard Willer und Treyeus, Einnehmer von Zabern.

Die Belege der andern Rechnungen sind dem Staatsrath übergeben worden; um die Mißbräuche zu verificiren, die in diesem Theil des Dienstes obgewaltet haben könnten.

———

Paris, den 23sten Dec.

Der heutige Moniteur enthält Nachrichten von der Armee aus Spanien, wovon Folgendes das Wesentliche ist:

Belagerung von Cadix. Die zu St. Lucar de Barameda gebaute Flottille, 14 Kanonier-Schaluppen und 17 Penischen stark, hatte Befehl empfangen, sich mit der Division des Hafens von Santa-Maria zu vereigen; die Engländer versuchten vergebens, diese Operation zu verhindern, die in der Nacht vom 31. Octbr. auf den 1. Novbr. vom Capitän Sairieur ausgeführt ward. Die Flottille zu Santa-Maria besteht nunmehr aus 30 Kanonenböten, 8 Bombarden und 50 Penischen. Der Bau einer andern Division ist zu Rota und eine dritte in den Canälen von Chiclam angefangen. In den Nächten vom 13. und 14. haben sich 30 Fahrzeuge von der Flottille zu Santa-Maria nach Trocadero und Puerto Real begeben. Die Operationen der Belagerung von Cadix, heißt es in jenen Nachrichten, werden mit der größten Thätigkeit betrieben. Die Armee lebt in Ueberfluß und hat keine Kranke. Man hat die gegründeteste Hoffnung, Cadix in Kurzem in unserer Gewalt zu sehen.

———

Neujahrswunsch
eines Feuerwerkers an seinen Hauptmann,
aus dem siebenjährigen Kriege.

Hochwohlgeborner Herr,
Hochzuehrender, Hochgebietender, Vester und
Strenger Herr Hauptmann!

Sintemal und alldieweil und gleichwie, wenn die
ungestüme Wasserfluth und deren schäumende Wellen
einer ganzen Stadt Untergang und Verwüstung drohen, und dann der zitternde Bürger mit Rettungs-
werkzeugen herzu eilet und rennt, um wo möglich den
rauschenden, brausenden und erzürnten Fluthen Einhalt zu thun: so und nicht anders eile ich Ew. Hochwohlgeboren bei dem jetzigen Jahreswechsel von der
Unverbesserlichkeit meiner, Ihnen gewidmeten Ergebenheit bereitwilligst und dienstbeflissentlichst zu versichern und zu überzeugen und dabei meinem Hoch-
geehrten Herrn Hauptmann ein ganzes Arsenal voll
aller zur Glückseligkeit des menschlichen Lebens erforderlichen Bedürfnisse anzuwünschen. — Es müsse
meinem Hochgeehrtesten Herrn Hauptmann weder an
Pulver der edlen Gesundheit, noch an den Kugeln eines immerwährenden Vergnügens, weder an Bomben
der Zufriedenheit, weder an Carcassen der Gemüthsruhe,
noch an der Lunte eines langen Lebens ermangeln. Es
müssen die Feinde unsrer Ruhe, die Pandurenmäßigen
Sorgen, sich nimmer der Citadelle Ihres Herzens nä-
herß; ja, es müsse ihnen gelingen, die Trancheen ihrer
Kränkungen vor der Redoute Ihrer Lustempfindungen
zu öffnen. Das Glacis Ihres Wohlergehns sei bis in
das späteste Alter mit den Pallisaden des Seegens
verwahrt, und die Sturmleitern des Kummers müssen
vergebens an das Ravelin Ihrer Freude gelegt werden. Es müssen Ew. Hochwohlgeboren alle, bei dem
beschwerlichen Marsch dieses Lebens vorkommende,
Defiléen ohne Verlust und Schaden passiren, und
fehle es zu keiner Zeit, weder der Cavallerie Ihrer
Wünsche, noch der Infanterie Ihrer Hoffnungen, noch
der reitenden Artillerie Ihrer Projecte an dem Proviant und den Munitionen eines glücklichen Erfolgs.
Uebrigens ermangle ich auch nicht, das Gewehr meiner mit scharfen Patronen geladenen Dankbarkeit zu
der Salve Ihres gütigen Wohlwollens loszuschießen,
und mit ganzen Pelotons der Erkenntlichkeit durch zu

chargiren. Ich verabscheue die Handgriffe der Falsch=
heit, ich mache den Pfanndeckel der Verstellung ab,
und dringe mit aufgepflanztem Bajonet meiner erge=
bensten Bitte in das Bataillon Quarré Ihrer Freund=
schaft ein, um dieselbe zu forciren, daß sie mir den
Wahlplatz Ihrer Gewogenheit überlassen müsse, wo ich
mich zu mainteniren suchen werde, bis die unvermeid=
liche Mine des Todes ihren Effect thut, und mich,
nicht in die Luft sprengen, wohl aber in die dunkle
Casematte des Grabes einquartiren wird. Bis dahin
verharre ich meines

Hochzuehrenden Herrn Hauptmanns
respektmäßiger Diener N. N.

Antwort und Berichtigung.

Welche auch die Absichten seyn mögen, wodurch die
Einsendung der in dem Abendblatt vom 24sten dieses ent=
haltenen Anfrage, und der sie begleitenden Bemer=
kungen, veranlaßt worden ist, so glaubt das fran=
zösische Konsistorium dem Publikum die Anzeige schul=
dig zu seyn:

Daß das Verzeichniß der in den französischen
Kirchen zu haltenden Vorträge niemals, we=
der in das Intelligenz=, noch in sonst ein anderes
öffentliches Blatt eingerückt worden ist, und zwar
aus dem ganz einfachen Grunde, weil dadurch der
zur Armenkasse fließende Ertrag der hiezu beson=
ders gedruckten Listen vermindert werden würde,

und daß ein jeder auf eine sehr leichte und be=
queme Art erfahren kann, wie, sowohl des Sonn=
tags, als auch an den Wochentagen, der Gottes=
dienst in sämmtlichen französischen Kirchen gehalten
werden wird; indem, gegen die geringe jährliche
Bezahlung von 16 Groschen, zum Besten der Ar=
men, ihm alle Freitage die vollständige Liste ins
Haus gebracht wird.

Da überdieß, wer diese kleine Ausgabe scheuen
sollte, bei jedem Küster, ein gleiches unentgeldlich ver=
nehmen kann, so läßt sich nicht wohl einsehen, wie es
hat schwierig seyn können, in Erfahrung zu bringen,
wer am Weihnachtstage, oder an einem andern Sonn=
oder Festtag, in dieser oder jener Kirche hat predigen
sollen. Berlin, den 31sten Dezemb. 1810.

Berliner Abendblätter.

Berlin, den 5ten Januar 1811.

Bülletin der öffentlichen Blätter.

Commercy, den 12ten Decbr.

Eine schon etwas bejahrte Wittwe zu Joinville, im
Meuse-Departement, klagte seit zwei Jahren beständig über Uebelkeiten, Herzklopfen, Krämpfe und
Ekel vor allen Nahrungsmitteln. Man schrieb diese
Umstände einer Verletzung der Eingeweide zu, wobei
man jedoch nicht verkannte, daß der Ursprung und
die Hartnäckigkeit des Uebels von einem im Magen
befindlichen fremdartigen Körper herrühren müsse.
Endlich spie die unglückliche Frau nach dem schmerz-
haftesten zweimonatlichen Bomiren, in Gegenwart
einer Menge hülfeleistender Menschen, eine lebendige
Eidere aus

Die über den unerwarteten Anblick des Thieres
bestürzten Menschen, ergriffen und zertraten dasselbe.
Dieses Amphibium hatte einen sehr dünnen und langen Körper, eine hellgraue Farbe, die auf dem Rük-
ken kastanienbraun und unter dem Bauche gelb schät-
tirte, 4 kleine Beine, und an jedem Fuß 5 mit Nä-
geln versehene Klauen; einen dreieckigen, nach vorne
etwas abgestumpften und gekrümmten Kopf, einen
kurzen und an dem Ende fadenförmigen Schwanz.
Die Feuchtigkeit, die dieses Thier, nachdem es gestorben war, von sich gab, glich dem Eiter.

Leider dachte keiner der Anwesenden daran, diese
Eidere aufzubewahren, noch auf die Krisen, die dieser
Erpktoration vorangingen und folgten, zu achten.
Die Leidende starb zu Ende des vergangenen Octobers,
ohne daß man weiß, ob ihr Ende der Beherbergung
dieses lästigen Gastes zuzuschreiben sei.

Die beschriebene Eidere ist die sogenannte Mauer-
Eidere (lacerta vulgaris) und es ist wahrscheinlich,

daß sie der unglücklichen Frau während des Schlafs in den Mund geschlüpft sei.

(Archiv f. Lit. K. u. Pol.)

Stockholm, den 21sten Decbr.

Der Russische Oberst Czernischeff und der Feld=jäger Blumenthal sind von Petersburg hier ange=kommen.

Hamburg, den 1sten Jan.

Unterm 30sten December erschien hier folgendes Publicandum:

„Da, in Gemäßheit der Verfügung des Herrn Generals Compans, den 31sten December alle öffent=liche Cassen in Empfang genommen und versiegelt werden sollen, so macht Ein Hochedler Rath nicht al=lein dieses öffentlich bekannt, sondern bringt zugleich die dabei erfolgte Anzeige zur Wissenschaft aller hie=sigen Bürger und Einwohner: daß die Maßregel den Zustand des öffentlichen Guts und der Handlung kei=nesweges ändere, daß sie vielmehr eine nothwendige Folge der Vereinigung unsrer Stadt und des Gebiets mit dem Französischen Reiche sei, und daß folglich alle und jede Behörde und Einwohner dieser guten Stadt daraus keine Besorgnisse schöpfen dürfen, da sowol das öffentliche, als Privat=Gut unverletzt er=halten werden wird.

Gegeben in Unsrer Rathsversammlung. Hamburg, den 30sten December 1810.

Brief eines Dichters an einen anderen.

Mein theurer Freund!

Jüngsthin, als ich Dich bei der Lektüre meiner Gedichte fand, verbreitetest Du Dich, mit außerordent=licher Beredsamkeit, und unter beifälligen Rückblicken über die Schule, nach der ich mich, wie Du voraus=zusetzen beliebst, gebildet habe; rühmtest Du mir auf eine Art, die mich zu beschämen geschickt war, bald die Zweckmäßigkeit des dabei zum Grunde liegenden Metrums, bald den Rhythmus, bald den Reiz des Wohlklangs und bald die Reinheit und Richtigkeit des Ausdrucks und der Sprache überhaupt. Erlaube mir, Dir zu sagen, daß Dein Gemüth hier auf Vor=

zügen verweilt, die ihren größesten Werth dadurch bewiesen haben würden, daß Du sie gar nicht bemerkt hättest. Wenn ich beim Dichten in meinen Busen fassen, meinen Gedanken ergreifen, und mit Händen, ohne weitere Zuthat, in den Deinigen legen könnte: so wäre, die Wahrheit zu gestehn, die ganze innere Forderung meiner Seele erfüllt. Und auch Dir, Freund, dünkt mich, bliebe nichts zu wünschen übrig: dem Durstigen kommt es, als solchem, auf die Schaale nicht an, sondern auf die Früchte, die man ihm darin bringt. Nur weil der Gedanke, um zu erscheinen, wie jene flüchtigen, undarstellbaren, chemischen Stoffe, mit etwas Gröberem, Körperlichen, verbunden sein muß: nur darum bediene ich mich, wenn ich mich Dir mittheilen will, und nur darum bedarfst Du, um mich zu verstehen, der Rede, Sprache, des Rhythmus, Wohlklangs u. s. w. und so reizend diese Dinge auch, in sofern sie den Geist einhüllen, sein mögen, so sind sie doch an und für sich, aus diesem höheren Gesichtspunkt betrachtet, nichts, als ein wahrer, obschon natürlicher und nothwendiger Uebelstand; und die Kunst kann, in Bezug auf sie, auf nichts gehen, als sie möglichst v e r s c h w i n d e n zu machen. Ich bemühe mich aus meinen besten Kräften, dem Ausdruck Klarheit, dem Versbau Bedeutung, dem Klang der Worte Anmuth und Leben zu geben: aber bloß, damit diese Dinge gar nicht, vielmehr einzig und allein der Gedanke, den sie einschliessen, erscheine. Denn das ist die Eigenschaft aller ächten Form, daß der Geist augenblicklich und unmittelbar daraus hervortritt, während die mangelhafte ihn, wie ein schlechter Spiegel, gebunden hält, und uns an nichts erinnert, als an sich selbst. Wenn Du mir daher, in dem Moment der ersten Empfängniß, die Form meiner kleinen, anspruchslosen Dichterwerke lobst: so erweckst Du in mir, auf natürlichem Wege, die Besorgniß, daß darin ganz falsche rhythmische und prosodische Reize enthalten sind, und daß Dein Gemüth, durch den Wortklang oder den Versbau, ganz und gar von dem, worauf es mir eigentlich ankam, abgezogen worden ist. Denn warum solltest Du sonst dem Geist, den ich in die Schranken zu rufen bemüht war, nicht Rede stehen, und grade wie im Gespräch, ohne auf das Kleid meines Gedankens zu achten, ihm selbst, mit Deinem Geiste, entgegentreten? Aber diese

Unempfindlichkeit gegen das Wesen und den Kern der Poesie, bei der, bis zur Krankheit, ausgebildeten Reizbarkeit für das Zufällige und die Form, klebt Deinem Gemüth überhaupt, meine ich, von der Schule an, aus welcher Du stammst; ohne Zweifel gegen die Absicht dieser Schule, welche selbst geistreicher war, als irgend eine, die je unter uns auftrat, obschon nicht ganz, bei dem paradoxen Muthwillen ihrer Lehrart, ohne ihre Schuld. Auch bei der Lectüre von ganz andern Dichterwerken, als der meinigen, bemerke ich, daß Dein Auge, (um es Dir mit einem Sprichwort zu sagen) den Wald vor seinen Bäumen nicht sieht. Wie nichtig oft, wenn wir den Shakespear zur Hand nehmen, sind die Interessen, auf welchen Du mit Deinem Gefühl verweilst, in Vergleich mit den großen, erhabenen, weltbürgerlichen, die vielleicht nach der Absicht dieses herrlichen Dichters in Deinem Herzen anklingen sollten! Was kümmert mich, auf den Schlachtfeldern von Agincourt, der Witz der Wortspiele, die darauf gewechselt werden; und wenn Ophelia vom Hamlet sagt: „welch ein edler Geist ward hier zerstört!" — oder Macduf vom Macbeth: „er keine Kinder!" — Was liegt an Jamben, Reimen, Assonanzen und dergleichen Vorzügen, für welche dein Ohr stets, als gäbe es gar keine andere, gespitzt ist? — Lebe wohl!

N y.

Kalender-Betrachtung.

den 10ten März 1810.

Im vorigen Jahre waren keine sichtbaren Sonnen- oder Mond-Finsternisse; also seit ungewöhnlich langer Zeit die erste fällt auf den Geburtstag unsrer unvergeßlichen Königinn. Der Mond, der an diesem Tage das Zeichen der Jungfrau verläßt, wird in der sechsten Morgenstunde (die auch ihre Todesstunde war) verfinstert, und geht in der Verfinsterung unter. — Uebrigens ist es Sonntag.

1811.   No. 5.

Berliner Abendblätter.

Berlin, den 7ten Januar 1811.

Bülletin der öffentlichen Blätter.

Copenhagen, den 29. Decbr.

Zufolge Nachrichten aus Schweden, sollen die Engländer acht Schwedische Schiffe aus einem Hafen in der Nähe von Marstrand herausgeschnitten haben. Auch haben selbige sogleich nach erfolgter Kriegserklärung von Seiten Schwedens die Insel Widervön vor Thorckow in Holland, (einem ansehnlichen Fischerort auf einer kleinen Halbinsel, 5½ Meilen nördlich von Helsingborg) besetzt, um die Küstenfahrt zu hindern.   L. d. B.

Aus Paris.

Der Dr. Gay zu Paris, welcher sich einen gewissen Ruf durch seine Schriften gegen den Aderlaß gemacht hat, greift in einer neuen Broschüre einen seiner heftigsten Gegner, den Dr. Gasteller an, beklagt sich über die Kommission der Drzennalpreise, daß sie von seiner Abhandlung über das Aderlassen gar keine Meldung gethan hat, und behauptet mit allen möglichen Beweisen, er habe eine wahre Entdeckung gemacht. Um nun aber seinen Gegner ganz zu vernichten, hat Dr. Gay eines der sonderbarsten Mittel erdacht, die je in den Kopf eines Arztes gerathen sind. Er bittet die Regierung, ihm und seinem Gegner ein Hospital mit 5 oder 600 Kranken ein Jahr lang zu übergeben; in dem einen soll Dr. Gasteller nach Herzenslust aderlaßen; im andern hingegen wird Dr. Gay nichts als Brechmittel verordnen, und nicht einen Tropfen Blut vergießen. Am Ende des Jahres sollen beide Aerzte ihre Todtenzettel aufweisen, und wer von beiden die wenigsten hat, soll als Sieger ausgerufen werden. Einen so vernünftigen Vorschlag wird die Regierung gewiß baldigst billigen und ausführen!   (Morgenblatt.)

Mord aus Liebe.

Man hat vor einiger Zeit in den öffentlichen
Blättern gelesen, daß ein Paar Liebende sich gegen=
seitig aus Verzweiflung in einem Augenblicke getödtet
hatten. Ein ganz gleicher Vorfall ereignete sich im
Jahre 1770 zu Lyon. Die Erzählung desselben findet
sich in dem Journal Encyclopédique von diesem
Jahre. Ein italienischer Fechtmeister, Namens Fai=
doni, heißt es daselbst, hatte sich bei seinen Uebungen
einen solchen Schaden zugefugt, daß die Wundärzte,
welche ihn zu behandeln hatten, erklärten, er müsse
bald daran sterben, weshalb er sich immer auf seinen
Tod vorbereiten möchte. Der Unglückliche liebte
seit einiger Zeit mit der heftigsten Leidenschaft ein
Mädchen, von dem er wieder geliebt wurde. Beide
Liebende geriethen durch diese Erklärung der Wund=
ärzte Anfangs in die heftigste Verzweiflung. Der ei=
fersüchtige Italiener konnte sich nicht entschließen, seine
Geliebte in der Welt zurück zu lassen, und diese be=
theuerte, sie würde ihn nicht zu überleben vermögen.
Auf diese Versicherung gestützt, brütete von nun an
Faldoni über dem schrecklichsten Gedanken; allein ehe
er ihn ausführte, wollte er die Wahrheit der Gesin=
nung seiner Geliebten auf die Probe stellen. In ei=
nem Augenblicke der Zärtlichkeit und des Schmerzes
ließ er sie mehrmals wiederholen, daß ihr ohne ihn
das Leben ganz gleichgültig, ja verhaßt sei. Hierauf
zog er ein Fläschchen aus der Tasche und sagte: das
ist Gift! und sogleich verschlang er es. Außer sich
vor Schmerz, entriß ihm seine Geliebte den Rest, und
schluckte ihn begierig hinunter. Allein nun gestand er
ihr, daß er bloß ihre Liebe und ihren Muth habe auf
die Probe stellen wollen. Mit schmerzlicher Freude
theilte er einem Freunde den gemachten Versuch mit.
Dieser nahm ihm seine Waffen weg, und bemühte sich,
ihn von den düstern Ideen, die ihn quälten, zu be=
freien. Der Kranke stellte sich beruhigt, und äußerte,
gegen die Meinung der Aerzte die Hoffnung, seinen
Unglücksfall zu überleben, indem er vorgab, es habe
ihm ein Wundarzt in einer entfernten Stadt verspro=
chen, ihm das Leben zu erhalten. Unter diesem Vor=
wande trat er die Reise an. Einige Tage darauf
bat das Mädchen ihre Aeltern, sie möchten ihr erlau=

ben, in ihrem Landhause zu Ivigny an den Ufern der
Rhone, 2 Stunden von Lyon, der Landluft auf einige
Zeit zu genießen. Der Italiäner begab sich sogleich,
mit 2 Pistolen versehen, dahin. Das Mädchen schrieb
nun an ihre Aeltern einen Brief, worin sie auf ewig
von ihnen Abschied nahm. Nachdem sie hierauf alle
Bedienten entfernt hatten, verschlossen sich die Liebenden in die Hauskapelle. Hier setzten sie sich am Fuße
des Altars nieder, und schlangen mit dem linken Arme ein
Band um sich. Jedes hielt ein Pistol auf das Herz
des andern, und mit Einer Bewegung gingen beide
Pistolen los und durchbohrten die Brust von beiden
mit Einem Male. Die Mutter war indessen, um den
unglücklichen Plan zu vereiteln, sogleich, in der größten Eile von Lyon abgereist, allein sie fand nur die
entseelten Körper fest an einander geschlossen. Ihre
Tochter hatte die Augen mit einem Tuche verbunden,
Faldoni aber sein Gesicht mit seiner Redingote verhüllt. Der Liebhaber war 30, und seine Geliebte
20 Jahr alt.

Der neuere (glücklichere) Werther.

Zu L...e in Frankreich war ein junger Kauf-
mannsdiener, Charles C..., der die Frau seines
Principals, eines reichen aber bejahrten Kaufmanns,
Namens D..., heimlich liebte. Tugendhaft und
rechtschaffen, wie er die Frau kannte, machte er nicht
den mindesten Versuch, ihre Gegenliebe zu erhalten:
um so weniger, da er durch manche Bande der Dankbarkeit und Ehrfurcht an seinen Prinzipal geknüpft
war. Die Frau, welche mit seinem Zustande, der seiner Gesundheit nachtheilig zu werden drohte, Mitleiden hatte, forderte ihren Mann, unter mancherlei
Vorwand auf, ihn aus dem Hause zu entfernen: der
Mann schob eine Reise, zu welcher er ihn bestimmt
hatte, von Tage zu Tage auf, und erklärte endlich
ganz und gar, daß er ihn in seinem Comptoir nicht
entbehren könne. Einst machte Herr D..., mit seiner Frau, eine Reise zu einem Freunde, auf's Land;
er ließ den jungen C..., um die Geschäfte der Handlung zu führen, im Hause zurück. Abends, da schon
Alles schläft, macht sich der junge Mann, von welchen
Empfindungen getrieben, weiß ich nicht, auf, um noch

einen Spaziergang durch den Garten zu machen. Er kömmt bei dem Schlafzimmer der theuern Frau vorbei, er steht still, er legt die Hand an die Klinke, er öffnet das Zimmer: das Herz schwillt ihm bei dem Anblick des Bettes, in welchem sie zu ruhen pflegt, empor, und kurz, er begeht, nach manchen Kämpfen mit sich selbst, die Thorheit, weil es doch niemand sieht, und zieht sich aus und legt sich hinein. Nachts, da er schon mehrere Stunden, sanft und ruhig, geschlafen, kommt, aus irgend einem besonderen Grunde, der, hier anzugeben, gleichgültig ist, das Ehepaar unerwartet nach Hause zurück; und da der alte Herr mit seiner Frau ins Schlafzimmer tritt, finden sie den jungen C..., der sich, von dem Geräusch, das sie verursachen, aufgeschreckt, halb im Bette, erhebt. Schaam und Verwirrung, bei diesem Anblick, ergreifen ihn; und während das Ehepaar betroffen umkehrt, und wieder in das Nebenzimmer, aus dem sie gekommen waren, verschwindet, steht er auf, und zieht sich an: er schleicht, seines Lebens müde, in sein Zimmer, schreibt einen kurzen Brief, in welchem er den Vorfall erklärt, an die Frau, und schießt sich mit einem Pistol, das an der Wand hängt, in die Brust. Hier scheint die Geschichte seines Lebens aus; und gleichwohl (sonderbar genug) fängt sie hier erst allererst an. Denn statt ihn, den Jüngling, auf den er gemünzt war, zu tödten, zog der Schuß dem alten Herrn, der in dem Nebenzimmer befindlich war, den Schlagfluß zu: Herr D... verschied wenige Stunden darauf, ohne daß die Kunst aller Aerzte, die man herbeigerufen, im Stande gewesen wäre, ihn zu retten. Fünf Tage nachher, da Herr D... schon längst begraben war, erwachte der junge C..., dem der Schuß, aber nicht lebensgefährlich, durch die Lunge gegangen war: und wer beschreibt wohl — wie soll ich sagen, seinen Schmerz oder seine Freude? als er erfuhr, was vorgefallen war und sich in den Armen der lieben Frau befand, um derentwillen er sich den Tod hatte geben wollen! Nach Verlauf eines Jahres heirathete ihn die Frau; und beide lebten noch im Jahr 1801, wo ihre Familie bereits, wie ein Bekannter erzählt, aus 15 Kindern bestand.

Berliner Abendblätter.

Berlin, den 8ten Januar 1811.

Bülletin der öffentlichen Blätter.

London, den 18. December.

Das Packetboot von Lissabon hat die Briefe von
daher bis zum 2. dieses mitgebracht. Die Portugiesischen Zeitungen liefern Berichte von den Operationen während 10 Tagen, die indeß nichts Wichtiges
enthalten. Eine Depesche des Lord Wellington an
die Regentschaft vom 25. November theilt derselben
das Resultat der Demonstration mit, welche die alliirten Truppen gegen die rechte Flanke der feindlichen
Position zu Santarem machten. Diese Demonstration
schien so ernsthaft, daß die Franzosen einen großen
Theil der Truppen wieder an sich zogen, welche sie
auf das linke Ufer des Zezere geschickt hatten. Indeß
fiel nichts Wichtiges vor. Nachdem sich unsre Piquets
zurückgezogen hatten, bezog auch der Feind wieder
seine Position zu Santarem.

Nach einem Schreiben aus Lissabon scheint es,
daß Drouet mit 22000 Mann seine Vereinigung mit
Massena bewerkstelligt hat. Die Zahl dieser Macht
ist unstreitig übertrieben; die Sache aber ist indeß
sicher. Am 27. kam die erste Division am Zezere an.

Ein Schreiben aus Silveira vom 16. November
meldet einen wichtigen Vortheil, den eine feindliche,
wahrscheinlich zum Corps des Generals Gardanne
gehörende, Parthei erhalten habe.

Beim Abgange des Packetboots von Lissabon,
ging das Gerücht, daß 6000 Franzosen Leyria von
neuem besetzt hätten.

General Mortier hatte sich am 5. November von
Sevilla nach Estremadura auf den Marsch begeben.

Einige Briefe von Lissabon enthalten eine wichtige Nachricht. Sie versichern nämlich, daß Lord
Wellington auf den 1. December einen Kriegsrath

zusammen berufen hätte, um zu entscheiden, ob es besser wäre, Massena anzugreifen oder die Armee wieder in die alte Position von Toires Vedras zurückzuziehen.

(L. d. B.)

Brixen, 26. Dec.

In der verflossenen Nacht verspürte man hier ein ziemlich starkes Erdbeben. Die meisten Personen wurden dadurch aus dem Schlafe aufgeweckt, und in manchen Häusern war dasselbe so fühlbar, daß die Hausgeräthe von ihren Stellen verrückt wurden. Diese Erderschütterung trifft also mit dem gewaltigen Sturme zusammen, der in Schwaben, Franken, am Rheine, in Frankreich 2c. verspürt wurde. Reisende, die von Ulm herkommen, erzählen, daß, längs der Landstraße, in den Dörfern die meisten Strohdächer abgedeckt worden seien; die Ziegel = und Plattendächer haben sehr gelitten. Die schönsten Obstbäume sind durch die Gewalt des Sturms abgesprengt worden. Auch in Franken 2c. geschah dies hin und wieder.

Oesterreich.

Der Offizier, welcher wegen Ausgabe falscher Banknoten arretirt ist, nahm 3 Tage keine Speisen zu sich; man band ihn, flößte ihm Nahrung ein und gab ihm nährende Klystiere. Seine Mutter that dem Kaiser einen Fußfall; dieser antwortete aber, er könne den Lauf der Gerechtigkeit nicht hemmen. Da sie auf dem Rückweg im Burghof großen Lärmen machte, in der Wuth von Grausamkeit sprach, und viel Volk sich um sie versammelte, so wurde sie arretirt und der Polizei übergeben. Seine Geliebte hat ihren Verstand verloren.

Paris, den 25. December.

Da Se. Kaiserl. Majestät verordnet haben, daß hundert junge Croaten unentgeltlich in der Kaiserl. Schule der Künste und Handwerke zu Chalons sur Marne sollen unterrichtet und erhalten werden, so sind bereits 67 derselben angekommen. Obgleich sie eine Reise von 350 Meilen gemacht, so haben sie doch bloß Einen Kranken zu Lyon zurückgelassen. Als die jungen Croaten am 18. dieses zu Chalons ankamen, wurden sie von einer zahlreichen Abtheilung von Zöglingen dieser Schule, die ihren neuen Cameraden entgegen gegangen waren, empfangen. Herr von Roches-foucault Liancourt, General-Inspektor der Schule, war bei ihrer Ankunft zu Chalons. Hundert andre junge Croaten kommen nach der Kaiserl. Militär-Schule zu la Fleche.

Der General Sarrazin, der bekanntlich vor einiger Zeit von der Armee bei Boulogne desertirte, ist durch einen Kriegsrath der 16. Militär Division zu Lille in contumaciam zum Tode verurtheilt und für ehrlos erklärt worden, so daß er aufhört, Mitglied der Ehren-Legion zu seyn. (L. d. B.)

Beispiel einer unerhörten Mordbrennerei.

Als vor einiger Zeit die Gegend von Berlin von jener berüchtigten Mordbrennerbande heimgesucht ward, war jedem Gemüthe, das Ehrfurcht vor göttlicher und menschlicher Ordnung hat, die entsetzliche Barbarei dieser Gräuel unbegreiflich; und doch war es noch wenigstens nur, um zu stehlen. Was wird man nun zu einem Rechtsfall sagen, der im Jahr 1808 bei dem Kriminalgericht zu Rouen Statt hatte? Daselbst ward die Todesstrafe, der Mordbrennerei wegen, über einen Mann verhängt, der bis in sein 60stes Jahr für einen rechtschaffenen Mann gegolten und der Achtung aller seiner Mitbürger genossen hatte. Johann Mauconduit, Bauer zu Hattenville, war sein Name. Von bloßem Vergnügen an Mordbrennerei geleitet, hatte er, seit längerer Zeit, hie und da Gebäude in Brand gesteckt, ohne daß es jemand einfiel, ihn deshalb als den Thäter anzusehn. Er hatte eine eigene Maschine erfunden, die sich vermittelst einer Batterie entzündete, und warf sie auf die Häuser, denen er den Brand zugedacht hatte. Innerhalb 8 Monaten hatte er nicht weniger als zehnmal dieses Verbrechen begangen, und zuletzt seine eigene Wohnung in Brand gesteckt: er wußte wohl, daß der Besitzer des Grundstücks verpflichtet war, ihm eine

neue zu bauen. Aber da fand man in einem seiner
Schränke dergleichen Zündmaschinen, wie man schon
öfters, in Fällen, wo sie nicht losgebrannt waren,
auf den Dächern der Häuser gefunden hatte; und so
klärten sich eine Menge anderer Zeugnisse gegen ihn
auf, so, daß er sich endlich zu alle den Feuersbrün=
sten als Urheber angeben mußte, welche in seiner
Nachbarschaft vorgefallen waren.

Merkwürdige Prophezeihung.

In dem Werk: Paris, Versailles et les Provin=
ces au 18me siecle, par un ancien officier aux gar=
des françaises, 2 Vol. in 8. 1809. wird die Erzäh=
lung einer sonderbar eingetroffenen Vorherverkün=
digung mit zuviel historischen Angaben belegt, als daß
sie nicht einiger Erwägung werth wäre. Herr von
Apchon war in seiner früheren Jugend Maltheserrit=
ter, und von seiner Familie zum Seedienst bestimmt.
Als er in dem Collegium zu Lyon war, wurde er ei=
nem spanischen Jesuiten vorgestellt, der, unter seinen
Mitbrüdern, für einen Wahrsager galt. Dieser, als
er ihn ins Auge faßte, sagte ihm, auf eine sonderbare
Weise, daß er einst Eine der Stützen der Kirche, und
der dritte Bischof von Dijon werden würde. Man
verstand den Jesuiten um so weniger, da es damals
in Dijon keinen Bischof gab, und Herr von Apchon
ward, von diesem Augenblick an, von seinen Mitschü=
lern spottweise der Bischof genannt: einen Zu=
namen, den er auch nachher als Seekadet beibehielt.
Zehn Jahre darauf ward Herr von Apchon Bischof
von Dijon, und nachheriger Erzbischof von Auch. —
Diese Begebenheit bestätigen alle Zeitgenossen; und
der ehrwürdige Prälat selbst hat sie, durch sein gan=
zes Leben, erzählt.

1811.   No. 7.

Berliner Abendblätter.

Berlin, den 9ten Januar 1811.

Bülletin der öffentlichen Blätter.

Großbritannien.

Da so häufig der Stocks-Börse und Stocks Mäklers erwähnt wird, so wollen wir hievon eine kurze
Uebersicht geben. „Die Käufer der Stocks heißen
Bären. Man will dadurch zu erkennen geben, daß
ihre Bemühungen dahin gehen, die Fonds auf einen
niedrigen Preis herabzubringen, um sie sich alsdann
für einen wohlfeileren Preis zu verschaffen. Die
Verkäufer hingegen werden Bulls genannt, wodurch man ihre Bemühungen andeuten will, die Stocks
hinauf zu treiben. Gewöhnlich glaubt man, daß der
Stockshandel nichts wie Mysterien enthalte; die nur
den Augen der Eingeweihten entdeckt werden, allein
er ist nichts anders, als der Marktplatz, wo die Na-
zionalpfänder, die Interessen tragen, gekauft und wieder verkauft werden. Stockbrokers oder Stockjobbers
heißen nun diejenigen, welche mit diesem Artikel Handel treiben, dieses mag nun geschehen für ihre eigene
oder für fremde Rechnung. Zur nähern Auseinandersetzung dieses Gegenstandes müssen wir auf den Ursprung der englischen Nationalschuld, der Fonds oder
Stocks, welches gleichbedeutende Wörter sind, zurück-
gehen. Kurz vor der Revolution existirte in England keine fundirte National-Schuld. Die Fürsten
vor dieser Periode halfen gewöhnlich den Bedürfnissen durch forcirte Anleihen ab, deren Wiederbe-
zahlung sehr precair war; denn sie hing ganz allein
von der Rechtschaffenheit und dem Glücke des Anleihe-
hers ab; allein eine solche Anleihe war damals nicht
wie jetzt für die Nachkommenschaft eine Bürde. Seit
der merkwürdigen Periode aber, welche dem Volke
die gesetzliche Freiheit wieder gab, hat es kein König
von England gewagt, sich willkührlich an dem Eigen-

thume seiner Unterthanen zu vergreifen, oder auch nur
auf willkührliche Bedingungen es ihnen abzufordern.
Wenn nun die jährliche Ausgabe der Regierung die
Einnahme übersteigt, und man für nöthig findet,
größere Summen, als die gewöhnlichen Taxen und
Abgaben aufbringen, zu erheben, so schreitet man zu
der Maaßregel, bei Kapitalisten die erforderliche Summe anzuleihen, und der Nation wird nur eine verhältnißmäßig kleine Abgabe auferlegt, um die Zinsen
des von dem Gouvernement im Namen der Nation
geliehenen Kapitals zu decken. Es ist hier nicht der
Ort, zu untersuchen, ob eine solche Maaßregel, wodurch der Nachkommenschaft eine große Last aufge-
bürdet wird, die doch die jetzige Generation tragen
müßte, gut oder schlecht, politisch oder unpolitisch sey;
genug, dieses System ist einmal angenommen, und
giebt eine deutliche Ansicht von der Entstehung der
Fonds. Der Kaufmann, der nun Geldsummen bei
sich liegen hat, findet bei solchen Anleihen, unter Garantie der Nation, eine gute Gelegenheit, sein Kapital unterzubringen. Auf diese Art hat das Gouvernement seit der Revolution eine Summe von fast
600 Mill. Pf. St. angeliehen. Die National-Schuld
eröffnete den Kapitalisten ein neues Feld zur Spekulation, und gab einer neuen Art von Erwerb zwischen
dem Käufer und Verkäufer dieser Art Eigenthum seine
Entstehung. So wie der Verkauf der Fonds zunahm,
vervielfältigte sich auch die Anzahl der Eigenthümer,
und die Nothwendigkeit, dieses Geschäft andern zu
übertragen, ward immer stärker gefühlt. Diese Umstände machten, daß die dabei interessirten Personen
sich einander näherten, und so kam es, daß man zu
Jonathans, jetzt Garraways, Kaffehaus, in Cornhill
u. s. w., Zusammenkünfte der Stocksinhaber und ihrer Agenten verabredete. Allmählig arteten diese in
ordentliche Märkte aus, wo die Preise der Stocks bestimmt wurden Allein bald ward nun diese Art von
Handel so wichtig und umfassend, daß man ausschließlich für dieses Geschäft auf Subscription ein
Gebäude errichtete, welches man Stocks-Börse nannte.
Nach dieser kurzen Uebersicht des Ursprunges der
Stocks-Börse, so wie der Beschäftigung eines Stocks-
Mäklers, wird Niemand an der Wichtigkeit dieser
Branche des Handels zweifeln, wodurch die Circula-

tion eines so ungeheuern Kapitals, wie die Nationalschuld ist, sehr erleichtert und befördert wird.

Mutterliebe.

Zu St Omer im nördlichen Frankreich ereignete
sich im Jahr 1803 ein merkwürdiger Vorfall. Daselbst fiel ein großer toller Hund, der schon mehrere
Menschen beschädigt hatte, über zwei, unter einer
Hausthür spielende, Kinder her. Eben zerreißt er
das jüngste, das sich, unter seinen Klauen, im Blute
wälzt; da erscheint, aus einer Nebenstraße, mit einem
Eimer Wasser, den sie auf dem Kopf trägt, die Mutter. Diese, während der Hund die Kinder losläßt,
und auf sie zuspringt, setzt den Eimer neben sich nieder; und außer Stand zu fliehen, entschlossen,
das Unthier mindestens mit sich zu verderben,
umklammert sie, mit Gliedern, gestählt von Wuth und
Rache, den Hund: sie erdrosselt ihn, und fällt, von
grimmigen Bissen zerfleischt, ohnmächtig neben ihm
nieder. Die Frau begrub noch ihre Kinder und ward,
in wenig Tagen, da sie an der Tollwuth starb, selbst
zu ihnen ins Grab gelegt.

Beitrag zur Naturgeschichte des Menschen

Im Jahr 1809 zeigten sich in Europa zwei sonderbare entgegengesetzte menschliche Naturphänomene:
das Eine eine sogenannte Unverbrennliche, Namens
Karoline Kopini, das Andere eine ungeheure Was-
sertrinkerinn, Namens Chartret aus Courton in
Frankreich. Jene, die Unverbrennliche, trank siedend
heißes Oel, wusch sich mit Scheidewasser, ja sogar
mit zerschmolzenem Blei, Gesicht und Hände, gieng
mit nackten Füßen auf einer dicken glühenden Eisen-
platte umher, Alles ohne irgend eine Empfindung von
Schmerz. Die Andere trinkt, seit ihrem 8ten Jahre,
täglich 20 Kannen laues Wasser; wenn sie weniger
trinkt, ist sie krank, fühlt Stiche in der Seite, und
fällt in eine Art von Betäubung. — Uebrigens ist sie

körperlich und geistig gesund, und war vor zwei Jahren 52 Jahr alt.

Vermischte Nachrichten.

Nachrichten aus Paris vom 25. December zufolge, hat der Präsident der vereinigten Staaten von Nords-Amerika am 28. October eine Proclamation erlassen, wodurch dem Gouverneur des Orleans-Territorium befohlen wird, einen gewissen Distrikt von Louisiane, der nach Ueberlassung dieser Provinz von Frankreich an die vereinigten Staaten noch immer in Spanischen Händen geblieben war, mit Gewalt in Besitz zu nehmen, indem die Unterhandlungen darüber mit der Spanischen Regierung, um solche auf gütlichem Wege ausgeliefert zu bekommen, fruchtlos geblieben sind.

Die Einwohner von Schwabmünchen (in der Gegend von Augsburg) sind am 21. December Abends gegen 10 Uhr durch einen äußerst heftigen Donnerschlag erschreckt worden. Der Blitzstrahl fiel auf den Kirchthurm, den er beschädigte, jedoch ohne zu zünden. (L. d. B.)

Sinnentstellende Druckfehler in Nro. 4. des Abendblatts.

Seite 14, Zeile 9 von unten, hinter Beredsamkeit. lies: über die Form;
— 15, — 16 von oben, statt Rnde, lies Rede.
— — — 16 und 17, statt des Rhythmus, Wohlklangs, lies Rhythmus, Wohlklang.

1811.   No. 8

Berliner Abendblätter.

Berlin, den 10ten Januar 1811.

Unwahrscheinliche Wahrhaftigkeiten.

„Drei Geschichten," sagte ein alter Offizier in
einer Gesellschaft, „sind von der Art, daß ich ihnen
zwar selbst vollkommenen Glauben beimesse, gleichwohl aber Gefahr liefe, für einen Windbeutel gehalten zu werden, wenn ich sie erzählen wollte. Denn
die Leute fordern, als erste Bedingung, von der Wahrheit, daß sie wahrscheinlich sei; und doch ist die Wahrscheinlichkeit, wie die Erfahrung lehrt, nicht immer
auf Seiten der Wahrheit."

Erzählen Sie, riefen einige Mitglieder, erzählen
Sie! — denn man kannte den Offizier als einen heitern und schätzenswürdigen Mann, der sich der Lüge
niemals schuldig machte.

Der Offizier sagte lachend, er wolle der Gesellschaft den Gefallen thun; erklärte aber noch einmal
im Voraus, daß er auf den Glauben derselben, in diesem besonderen Fall, keinen Anspruch mache.

Die Gesellschaft dagegen sagte ihm denselben im
Voraus zu; sie forderte ihn nur, auf, zu reden, und
horchte.

„Auf einem Marsch 1792 in der Rheincampagne,"
begann der Offizier, „bemerkte ich, nach einem Gefecht, das wir mit dem Feinde gehabt hätten, einen
Soldaten, der stramm, mit Gewehr und Gepäck, in
Reih und Glied gieng, obschon er einen Schuß mitten durch die Brust hatte; wenigstens sah man das
Loch vorn im Riemen der Patrontasche, wo die Kugel eingeschlagen hatte, und hinten ein anderes im
Rock, wo sie wieder herausgegangen war. Die Offiziere, die ihren Augen bei diesem seltsamen Anblick
nicht trauten, forderten ihn zu wiederholten Malen
auf, hinter die Front zu treten und sich verbinden zu
lassen; aber der Mensch versicherte, daß er gar keine
Schmerzen habe, und bat, ihn, um dieses Prellschusses

willen, wie er es nannte, nicht von dem Regiment zu entfernen. Abends, da wir ins Lager gerückt waren, untersuchte der herbeigerufene Chirurgus seine Wunde; und fand, daß die Kugel vom Brustknochen, den sie nicht Kraft genug gehabt, zu durchschlagen, zurückgeprellt, zwischen der Ribbe und der Haut, welche auf elastische Weise nachgegeben, um den ganzen Leib herumgeglitscht, und hinten, da sie sich am Ende des Rückgrads gestoßen, zu ihrer ersten senkrechten Richtung zurückgekehrt, und aus der Haut wieder hervorgebrochen war. Auch zog diese kleine Fleischwunde dem Kranken nichts als ein Wundfieber zu: und wenige Tage verflossen, so stand er wieder in Reih und Glied.

Wie? fragten einige Mitglieder der Gesellschaft betroffen, und glaubten, sie hätten nicht recht gehört.

Die Kugel? Um den ganzen Leib herum? Im Kreise? — — Die Gesellschaft hatte Mühe, ein Gelächter zu unterdrücken.

„Das war die erste Geschichte," sagte der Offizier, indem er eine Prise Tabak nahm, und schwieg.

Beim Himmel! platzte ein Landedelmann los: da haben Sie recht; diese Geschichte ist von der Art, daß man sie nicht glaubt!

„Eilf Jahre darauf," sprach der Offizier, „im Jahr 1803, befand ich mich, mit einem Freunde, in dem Flecken Königstein in Sachsen, in dessen Nähe, wie bekannt, etwa anf eine halbe Stunde, am Rande des äußerst steilen, vielleicht dreihundert Fuß hohen, Elbufers, ein beträchtlicher Steinbruch ist. Die Arbeiter pflegen, bei großen Blöcken, wenn sie mit Werkzeugen nicht mehr hinzu kommen können, feste Körper, besonders Pfeifenstiele, in den Riß zu werfen, und überlassen der, keilförmig wirkenden, Gewalt dieser kleinen Körper das Geschäft, den Block völlig von dem Felsen abzulösen. Es traf sich, daß, eben um diese Zeit, ein ungeheurer, mehrere tausend Cubikfuß messender, Block zum Fall auf die Fläche des Elbufers, in den Steinbruch, bereit war; und da dieser Augenblick, wegen des sonderbar im Gebirge wiederhallenden Donners, und mancher andern, aus der Erschütterung des Erdreichs hervorgehender Erscheinungen, die man nicht berechnen kann, merkwürdig ist: so begaben, unter vielen andern Einwohnern der

Stadt, auch wir uns, mein Freund und ich, täglich Abends nach dem Steinbruch hinaus, um den Moment, da der Block fallen würde, zu erhaschen. Der Block fiel aber in der Mittagsstunde, da wir eben, im Gasthof zu Königstein, an der Tafel saßen: und erst um 5 Uhr gegen Abend hatten wir Zeit, hinaus zu spazieren, und uns nach den Umständen, unter denen er gefallen war, zu erkundigen. Was aber war die Wirkung dieses seines Falls gewesen? Zuvörderst muß man wissen, daß, zwischen der Felswand des Steinbruchs und dem Bette der Elbe, noch ein beträchtlicher, etwa 50 Fuß in der Breite haltender Erdstrich befindlich war; dergestalt, daß der Block (welches hier wichtig ist) nicht unmittelbar ins Wasser der Elbe, sondern auf die sandige Fläche dieses Erdstrichs gefallen war. Ein Elbkahn, meine Herren, das war die Wirkung dieses Falls gewesen, war, durch den Druck der Luft, der dadurch verursacht worden, auf's Trockne gesetzt worden; ein Kahn, der, etwa 60 Fuß lang und 30 breit, schwer mit Holz beladen, am andern, entgegengesetzten, Ufer der Elbe lag: diese Augen haben ihn im Sande — was sag' ich? sie haben, am anderen Tage, noch die Arbeiter gesehen, welche, mit Hebeln und Walzen, bemüht waren, ihn wieder flott zu machen, und ihn, vom Ufer herab, wieder ins Wasser zu schaffen. Es ist wahrscheinlich, daß die ganze Elbe (die Oberfläche derselben) einen Augenblick ausgetreten, auf das andere flache Ufer übergeschwappt, und den Kahn, als einen festen Körper, daselbst zurückgelassen; etwa wie, auf dem Rande eines flachen Gefäßes, ein Stück Holz zurückbleibt, wenn das Wasser, auf welchem es schwimmt, erschüttert wird."

Und der Block, fragte die Gesellschaft, fiel nicht ins Wasser der Elbe?

Der Officier wiederholte: nein!

Seltsam! rief die Gesellschaft.

Der Landedelmann meinte, daß er die Geschichten, die seinen Satz belegen sollten, gut zu wählen wüßte.

„Die dritte Geschichte," fuhr der Officier fort, „trug sich zu, im Freiheitskriege der Niederländer, bei der Belagerung von Antwerpen durch den Herzog von Parma. Der Herzog hatte die Schelde, vermit-

telst einer Schiffsbrücke, gesperrt, und die Antwerpner
arbeiteten ihrerseits, unter Anleitung eines geschickten
Italieners, daran, dieselbe durch Brander, die sie gegen die Brücke losließen, in die Luft zu sprengen. In
dem Augenblick, meine Herren, da die Fahrzeuge die
Schelde herab, gegen die Brücke, anschwimmen, steht,
das merken Sie wohl, ein Fahnenjunker, auf dem
linken Ufer der Schelde, dicht neben dem Herzog von
Parma; jetzt, verstehen Sie, jetzt geschieht die Explosion: und der Junker, Haut und Haar, sammt
Fahne und Gepäck, und ohne daß ihm das Mindeste
auf dieser Reise zugestoßen, steht auf dem rechten.
Und die Schelde ist hier, wie Sie wissen werden, einen kleinen Kanonenschuß breit."

„Haben Sie verstanden?"

Himmel, Tod und Teufel! rief der Landedelmann.

Dixi! sprach der Officier, nahm Stock und Huth
und ging weg.

Herr Hauptmann! riefen die Andern lachend:
Herr Hauptmann! — Sie wollten wenigstens die
Quelle dieser abentheuerlichen Geschichte, die er für
wahr ausgab, wissen.

Lassen Sie ihn, sprach ein Mitglied der Gesellschaft; die Geschichte steht in dem Anhang zu Schillers Geschichte vom Abfall der vereinigten Niederlande; und der Verf. bemerkt ausdrücklich; daß ein
Dichter von diesem Factum keinen Gebrauch machen
könne, der Geschichtschreiber aber, wegen der Unver-
werflichkeit der Quellen und der Uebereinstimmung
der Zeugnisse, genöthigt sei, dasselbe aufzunehmen.

v x.

Berliner Abendblätter.

Berlin, den 11ten Januar 1811.

Bülletin der öffentlichen Blätter.

London, den 22. December.

Unsere Blätter enthalten jetzt den Bericht über
die am 14. dieses stattgehabte Abhörung des Doctor
Willis in Betreff des Gesundheitszustandes des Königs. Die Meinung dieses Arztes ist, daß die gegenwärtige Krankheit des Königs ganz dieselbe sei, als
vor zwei und zwanzig Jahren und daß er nicht an
der Möglichkeit zweifele, Se. Majestät könne wieder
hergestellt werden. Er gab ferner die Krankheit des
Königs für eine Sinneszerrüttung an, mit der Hinzu-
fügung, daß diese vom Wahnsinn verschieden sei, und
auf die Frage, worin dieser Unterschied bestände, sagte
Doctor Willis folgendes:

„Der Ausschuß kann leicht einsehen, wie schwer
es ist, genaue Definitionen über Sachen zu geben,
wozu man nicht vorbereitet ist. Ich werde mich daher begnügen, die beiden verschiedenen Zustände zu
beschreiben. Das Derangement des Königs nähert
sich mehr dem Delirio als dem Wahnsinn. Jedesmal,
wenn der König einen gewissen Grad von Reiz erhält, so verfällt er insgeriein in ein Delirium. Im
Delirio beschäftigt sich der Geist thätig mit vergangenen Eindrücken, mit vorhergegangenen Scenen und
Gegenständen. Der Kranke gleicht jemanden, der im
Schlafe redet. Es zeigt sich auch zugleich eine beträchtliche Störung in den animalischen Funktionen
überhaupt, eine große Unruhe, ein großer Mangel an
Schlaf, und der Kranke ist sich der Gegenstände um
sich her gar nicht bewußt. Bei dem Wahnsinn hingegen giebt es, dem Anschein nach, wenig oder gar
keine Störung in den animalischen Funktionen; der
Geist ist fixirt, mit einer herrschenden Idee beschäftigt, an welcher er, ohnerachtet seiner offenbaren

Falschheit, hartnäckig hängt, und das Individuum handelt fortdauernd nach diesem falschen Eindruck. Indem ich den Wahnsinn und das Delirium als zwei verschiedene Extreme betrachte, so stelle ich die Geisteszerrüttung in einen gewissen Punkt zwischen beide. Die Krankheit Sr. Majestät hat überhaupt mehr den Charakter des Deliriums als des Wahnsinns.

————

In der Sitzung des Parlaments am 20. dieses erklärte sich nun der Kanzler der Schatzkammer näher über seinen Plan zu einer Regentschaft. „Diesem Plan zufolge, sagte er unter andern, muß der Prinz von Wallis die Stelle als Regent übernehmen. Alle Regierungs-Gewalt ist ihm zu übertragen. Die Königinn übernimmt die Sorge und Aufsicht über die Person des Königs. Die Prärogative der Krone müssen besonders beschränkt werden, da der König bald wieder besser werden kann. Dr. Willis hat erklärt, daß man bei Krankheiten, wie diejenige, von welcher Se. Majestät heimgesucht ist, nur erst, wenn sie ein oder anderthalb Jahre gedauert hat, die Hoffnung der Genesung aufgeben könne. Die vornehmsten, auf ein Jahr zu bestimmenden, Einschränkungen der Macht des Regenten sind nach meiner Meinung: daß er keine Pairs ernennen kann; alle Aemter und Pensionen, die er ertheilt, dauern nur während der Zeit der Regentschaft, wenn sie in der Folge nicht vom Könige bestätigt werden. Die Königinn ernennt zu Stellen des Königl. Hausstaats. Die Authorität des Königs muß ungeschmälert erhalten werden. Keiner verehrt mehr als ich (sagte Herr Perceval) die Tugenden der erlauchten Person, welcher die Regentschaft übertragen werden soll; ich kann aber denen nicht beipflichten, die sich bei dieser Gelegenheit auf die Tugenden des Regenten beziehen. Bei der Bestimmung der Funktionen einer Stelle, ist es eine gefährliche Sache, sich auf die Tugenden dessen zu beziehen, der sie bekleiden soll."

Der erste Beschluß ward einstimmig angenommen. Gegen den zweiten erhob sich Sir Francis Burdett mit vieler Heftigkeit und sagte unter andern: „Wie falsch ist die Anführung, als wenn das jetzige Parlament eine freie und völlige Repräsentation der

Nation wäre! Das Parlament ist verdorben und strebt nach willkührlicher Herrschaft. Wie schlecht ist sein Verfahren bei Gelegenheit der Untersuchung der Expedition von Walchern gewesen! Wir haben ein sogenanntes Langes-Parlament, ein Rump-Parlament rc. gehabt. Zweifelsohne wird das jetzige Parlament in einigen Jahren den Beinamen des Walcherschen Parlaments bekommen. Man lachte.) Der Prinz von Wallis muß als Regent unumschränkte Vollmacht haben und die Regentschaft muß permanent seyn, da an die völlige Genesung des Königs nicht zu denken ist. Ich protestire gegen die zweite und dritte Resolution." Die zweite ward aber dennoch angenommen.

Herr Ponsonby verlangte, der Prinz von Wallis möchte ganz einfach ersucht werden: die Königl. Funktionen während der Krankheit Sr. Majestät, unter der Form und mit dem Titel eines Regenten des vereinigten Reichs, auszuüben.

Für dieses Amendement waren 157 Stimmen, gegen dasselbe 260, folglich ward es mit einer Majorität von 112 Stimmen verworfen, und so ging auch der dritte Beschluß durch.

———

Der Prinz von Wallis hat allen Gliedern der verschiedenen Zweige seiner erhabenen Familie den ihm eingesandten Plan zur Regentschaft mitgetheilt. Demzufolge haben alle Prinzen des Königl. Hauses, sieben an der Zahl, eine Erklärung, in Protestationsform erlassen, die im Wesentlichen also lautet:

„Daß, da sie von Sr. Königl. Hoheit, dem Prinzen von Wallis, erfahren haben, es sei ein Project vorhanden, die Königl. Gewalt durch eine, mittelst gewisser Modifikationen und Beschränkungen limitirte, Regentschaft zu ersetzen, so glaubten sie es ihrer Pflicht gemäß, zu erklären, daß die einstimmige Meinung aller Prinzen der Königl. Familie dahin gehe, daß sie die Beschaffenheit des vorgeschlagenen Plans nicht ohne Besorgnisse ansehen könnten, da eine auf diese Weise beschränkte Regentschaft den aus der Königl. Gewalt entspringenden Vorrechten zuwider sei, sowohl in Hinsicht der Sicherheit und des Vortheils des Volks, als der Macht und Würde der Krone, und daß demzufolge sie auf das feierlichste gegen diese, den Grundsätzen, die ihre Familie auf den Thron gebracht hätten, zuwiderlaufenden Beschränkungen protestiren müßten.

Diesen Brief beantwortete der Kanzler der Schatzkammer am 20. folgendermaßen:

„Daß er diese Angelegenheit den Ministern Sr. Majestät zur Untersuchung vorgelegt habe; daß, obgleich es ihm ungemein leid wäre, daß die bei den traurigen Krankheits-Umständen Sr. Majestät angenommenen Maaßregeln nicht das Glück hätten, von den erhabenen Personen, aus denen die männlichen Zweige der Königl. Familie bestehen, gebilligt zu werden, sie doch nicht umhin könnten, solche als die einzigen gesetzlichen und constitutionellen zu betrachten, und die alleinigen, die durch frühere Beispiele gerechtfertigt werden könnten; daß man im Jahre 1788 eben so verfahren habe, um welche Zeit eben dieser Plan nicht allein nach langen und peinlichen Discussionen von den beiden Häusern angenommen worden, sondern sich auch des allgemeinen Beifalls der Nation in England zu erfreuen gehabt habe, und daß sie sich endlich glücklich fühlten, indem sie bedächten, daß, als der König wieder hergestellt worden, die bei dieser Gelegenheit genommenen Maaßregeln nicht allein die schmeichelhafteste Billigung Sr. Majestät erhalten, sondern daß auch der König geruht habe, in dieser Hinsicht seine besondre Dankbarkeit zu bezeugen."

Unsere Truppen unter den Befehlen des Lord Wellington in Portugal betrugen im November zusammen nicht 25000 Mann, worunter 2670 Mann Cavallerie. An Generals waren daselbst 5 General-Lieutenants, 16 General-Majors und 6 Brigadier-Generals.

Die Morning Chronicle vom 22 sagt, daß ein in 12 Tagen von Lissabon gekommenes Schiff die Nachricht mitgebracht habe, Massena habe Villa Nova wieder besetzt und Lord Wellington sei nach seiner alten Position zu Torres Vedras zurückgekehrt.   (L. d. B.)

Berliner Abendblätter.

Berlin, den 12ten Januar 1811.

Bülletin der öffentlichen Blätter.

Bern, den 26. December.

Durch ein Kreisschreiben vom 8 dieses, theilte der
Landamann der Schweiz den Cantons-Regierungen
in Fortsetzung der Berichte vom 8. November über
die in den Königreichen Neapel und Spanien herrschenden pestartigen Krankheiten den nachfolgenden
Bericht des Handels-Consuls in Marseille mit:
„Die Quarantaine, besagt derselbe, für Alles,
was aus dem Königreich Neapel herkomme, sei aufgehoben, und bestehe nicht mehr, weil der Sanitäts-
Verwaltung bekannt geworden, daß die letzthin zu
Brindisi geherrschte Krankheit nur eine örtliche Krankheit gewesen sei. Was aber die in den Spanischen
Seehäfen herrschende Krankheit anbetrifft, so sei diese
bedenklicher, und Alles, was von Westindien herkommt
oder visitirt worden sei, werde einer strengen Quarantaine unterworfen."   (L. d. B.)

Neueste Nachrichten.

Aus der Schweiz, den 21. December.
Man spricht theils von einer beabsichtigten neuen
Zusammenberufung des g. oßen Raths des Kantons
Tessin für verfassungsmäßige Geschäfte, theils von
ehrerbietigen Vorstellungen und Bitten, welche die
Regierung dieses Kantons kürzlich durch das Mittel
des Landammanns der Schweiz an Se. Maj. den französischen Kaiser gelangen ließ. — Außer dem Kanton
Zürich sind es, wie man versichert, die Regierungen
der Stände Uri, Schwyz und Appenzell des äußern
Rhoden, welche Wünsche und Begehren für die Zusammenberufung einer außerordentlichen Tagsazung
an das Bundeshaus richteten. Inzwischen legt sei-

nem beschleunigten Zusammentritt derselben schon der gegenwärtig nahe bevorstehende Wechsel des Direkto-rialstandes und der Uebergang des Direktoriats von Bern auf Solothurn Schwierigkeiten in den Weg.

(Schw. B.)

Ueber den Zustand der Schwarzen in Amerika.

In dem Werk: A Voyage to the Demerary, con-taining a statistical account of the settlements there, and of those of the Essequebo, the Berbice and other contiguous rivers of Guyana, by Henri Bolingbroke, London, 1810. sind merkwürdige Nach-richten über den Zustand und die Behandlung der dor-tigen Neger enthalten.

„Während meines Aufenthalts zu Demerary," sagt der Vf., hatte ich Gelegenheit, mehrere Mal die Eigenthümer der reichen Zuckerplantagen zu Renne-stein zu besuchen. So oft ich dies that, benutzte ich dieselbe, mich von dem Zustande und der Arbeit, wel-che den Negern, in diesen weitläuftigen Pflanzungen auferlegt ist, zu unterrichten. Von England hatte ich den Wahn mitgebracht, die Neger wären dergestalt gegen ihre Herren erbittert, daß diese schlechthin kein Zutrauen gegen sie hätten; das Leben eines Weißen glaubte ich einer ununterbrochenen Gefahr aus-gesetzt und meinte, die Häuser der Europäer wären, aus Furcht und Besorgniß, lauter kleine Citadellen. Wie groß war mein Erstaunen, zu finden, daß die Schwarzen zu Demerary selbst die Behüter ihrer Her-ren und ihres Eigenthums sind!

Ich bemerkte, am Abend meiner Ankunft, mehrere große Feuer, welche auf manchen Punkten der Pflan-zung, auf die Art, wie man einander Signale zu ge-ben pflegt, angezündet waren. Auf meine betroffene Frage an den Holländer, der mich empfangen hatte: was dies zu bedeuten habe? antwortete er mir: daß dies eben soviel Negerposten wären, welche ausge-stellt wären und sich ablös'ten, um, während der Nacht, die Diebstähle zu verhüten. Ich hörte sie, bis zum Anbruch des Tages, Patrouillen machen, und sich

eine Art von Parole zurufen, wie in einem Lager.
(All's well!) In Folge dieser Maaßregel stehen, wäh=
rend der Nacht, alle Thüren der Häuser offen, ohne
daß sich der mindeste Diebstahl ereignete.

Ich habe mehrere amerikanische Inseln, als Gre=
nada, St. Christoph. 2c. besucht, und überall den Zustand
der Neger nicht nur erträglich, sondern sogar so an=
genehm gefunden, als es, unter solchen Umständen,
nur immer möglich ist.

(Die Fortsetzung folgt.)

Kunst = Nachrichten.

Die Ausstellung der Gemälde in dem Saale des
Museum Napoleon zu Paris wurde am 5ten Novbr.
eröffnet. Die Zahl der Gemälde ist äußerst ansehn=
lich. Fast alle französische Mahler haben zu dieser
Ausstellung beitragen wollen, und manche, welche zum
Erstenmal ihre Arbeiten ausstellen, treten auf eine
solche Weise auf, daß man die schönsten Hoffnungen
von ihnen zu fassen berechtigt wird. Unter den be=
kannten Künstlern erscheint wieder David mit ei=
nem Gemälde, den, nach Vertheilung der Adler, dem
Kaiser auf dem Marsfelde geleisteten Schwur der
Armee darstellend; Gerard mit der Schlacht von
Austerlitz; Guerin mit Andromache und Phyrrhus;
Girodet mit dem Aufstande zu Kairo; Gauthe=
rot mit dem bei Regensburg verwundeten Kaiser;
Gros mit der Einnahme von Madrid; Meynier
mit dem Einzuge des Kaisers in Berlin; M. C. Ver=
net mit dem Bombardement von Madrid. Allgemein
wird diese Ausstellung für eine der glänzendsten ge=
halten, welche Statt gefunden hat, seitdem die Re=
gierung die Aufmunterung der Künste sich hat ange=
legen sein lassen.

Randglosse.

Bei den Aegyptiern war man verbunden, alle
Jahre dem Gouverneur der Provinz seine Profession
und die Mittel anzuzeigen, durch welche man substi=
stire. Es stand Todesstrafe darauf, wenn Jemand

nicht Rechenschaft von seiner Aufführung geben, noch beweisen konnte, daß er auf rechtlichem Wege lebe. Die Strafe war übertrieben, allein der Zweck dieses Gesetzes war gewiß vortrefflich. Es legte die Nothwendigkeit auf, nützlich zu seyn, und machte den Bürger für seine Handlungen dem Vaterlande verantwortlich. Zu Athen führte Solon ein ähnliches Gesetz ein. — Auch in Leipzig hat man neuerdings, bei Einführung einer neuen Polizeiordnung, auf diese uralten, aber in jedem Betracht so zweckmäßigen Polizeigesetze, Rücksicht genommen, und allen Hausbesitzern aufgegeben, genaue Verzeichnisse aller ihrer Miethleute, mit Beisetzung ihres Standes und ihrer Erwerbszweige, einzureichen. In einem solchen Verzeichnisse hat sich denn ein gewissenhafter Bürger genöthigt gesehen, dem Namen eines seiner Abmiether die Anmerkung beizufügen: „Er säet nicht, er erntet nicht; aber unser himmlischer Vater ernähret ihn doch."

Miscellen.

Ein Pariser Journal bemerkt, daß die Gewohnheit, sich mit dem Degen zu schlagen ganz abkomme, und die Fechtsäle leer stehen: dafür sei das Schießen auf Pistolen so im Schwange, daß die Schießschulen (tirs) von Lepage und Peignet gar nie leer werden. Es giebt wenig junge Leute, die nicht auf 25 Schritte durch einen Hut, und auf 15 einen Stöpsel von einer Bouteille wegschießen. Eine Boete de combat von 20 bis 40 Louis, bei oben genannten Waffenschmieden gekauft, für das Schießen auf Pistolen, und mit den nöthigen Geräthen gefüllt, gehört unter die nothwendigsten Nécessaires eines jungen Mannes von Ton.

Berliner Abendblätter.

Berlin, den 14ten Januar 1811.

Bülletin der öffentlichen Blätter.

Paris, den 1. Januar.

Der Moniteur und andere Französische Journale
hatten vor einiger Zeit eine Nachricht aus Englischen
Zeitungen, daß man auf Van Diemens Land eine
Bouteille mit Briefen gefunden, woraus man einige
Kunde über das Schicksal des Peyrouse zu erhalten
hoffte. Diese Briefe sind nunmehr bei dem See-Mi-
nister angekommen. Es sind ihrer fünf, alle vom 24.
und 25. Februar 1793, von Offizieren auf den Schiffen unter dem Befehl des Contre-Admirals d'Entre-
casteaur an ihre Freunde geschrieben, und sie enthalten nicht die geringste Nachricht von la Peyrouse.
                                        (L. d. B.)

Parma, den 28. December.

In der Nacht vom 24. bis zum 25. d. M. gegen
2 Uhr fand hier ein heftiges Erdbeben statt. Es fing
mit einem plötzlichen am Himmel sichtbaren Glanz
an, auf welchen ein Laut, einem starken Donnerschlag
ähnlich, folgte. Gleich darauf spürte man, während
ohngefähr 2 Minuten, eine oscillirende Bewegung der
Erde von Osten nach Westen. Mehrere Personen, die
eben aus der Messe kamen, wurden umgeworfen. Ein
Haus, in der Nähe der Stadt, stürzte um; zwei andere, in der Stadt selbst, wurden schwer beschädigt.
Alle Schornsteine in der Genuesischen Straße wurden
umgestürzt. Alles scheint anzudeuten, daß unsre Stadt
der Mittelpunkt des Erdbebens war, und man schließt,
daß in andern Gegenden dieses Departements keine
Beschädigungen vorgefallen sind.   (M.)

Der Moniteur enthält Folgendes:

An Se. Excellenz den Minister der Marine und Colonien.

Dünkirchen, den 29. December.

Monseigneur!

Ich habe die Ehre, Ew. Excellenz von einem unglücklichen Ereigniß zu benachrichtigen, welches gestern auf der Rhede von Dünkirchen statt gehabt hat.

Der Dreimaster unter Englischer Flagge, Elisabeth, von 650 Tonnen, Capitain Hubert William Erstwick, der Ostindischen Compagnie zuständig, von London kommend, welcher zu der in Portsmouth liegenden Flotte stoßen wollte, nachher aber zu Cork in Irrland schlechten Wetters wegen eingelaufen war, welchen Hafen er seit neun Tagen verlassen hat, nach Madras und Bengalen bestimmt, mit einer Ladung Eisen, Kupfer, Blei, Bier, Glaswaaren, Hüten, Kleidungsstücken und andern Gütern und einer Equipage von 11 Menschen, den Capitain eingeschlossen, und außerdem noch von 30 weißen Passagieren, und 250 Lascars, die von der Ostindischen Compagnie nach Bengalen gesandt worden, durch Windstöße verschlagen, welche ihn fortwährend seit seiner Abreise von Cork verfolgten, ward in der gestrigen Nacht zwischen die Sandbänke dieser Rhede, ungefähr bis auf drei Stunden in Nord-Osten von unserm Hafen hineingetrieben. Bald darauf gerieth er auf die Breebank. Man ward es bei Tagesanbruch gewahr, als er Nothsignale machte, und Nothschüsse that; er führte nämlich 6 16pfünder; Herr Delacoste, Chef des mouvemens, wandte sogleich alles an, um diesem Schiffe Hülfe zu leisten, aber alle Versuche schlugen schlechterdings fehl, da die Winde aus Nord-West weheten und das Meer hohe Wellen schlug; man hoffte, im Augenblick der steigenden Fluth zum Ziel zu gelangen; allein vergebens, es war ungeachtet aller Anstrengungen unmöglich, irgend ein Fahrzeug herauszubringen. Die Goelette la Victoire, welche der Kauffahrtei-Capitain Gaspard Malo bestieg, der, so wie auch andere Lotsen und Seeleute, bei dieser Gele-

gelenheit große Beweise seines Muthes gab, ward längs der Verpfählung vor dem Hafen mit Armeskraft hingezogen; doch da dieser Capitain sah, daß seine Goelette, durch die Wogen, die wüthend brausten, fortgerissen ward, und er denselben nicht widerstehen konnte, so sah er sich gezwungen, seinem Vorhaben zu entsagen, nachdem er die größten Gefahren ausgestanden hatte.

Während des hatte das Schiff den Besan- und den großen Mast verloren, und verschwand bald, so daß man nur den Fockmast voller Menschen gewahr ward; drei Böte sah man auf die Küste zu hinarbeiten, aber nur zweien gelang es, beim Fort Risban zu landen, und mit Hülfe der Garnison dieses Forts und einiger Zollbedienten 22 Menschen auszuschiffen; das dritte Bot ging unter; das Meer ward augenblicklich mit Trümmern aller Art bedeckt, die nach und nach die Küsten erreichten, aber sich sehr weit zerstreuten; auch sah man einige Leichname.

Die Geretteten sind: der Capitain, der erste Lieutenant, ein Officier von der Englischen Armee in Bengalen, zwei Passagiere und 16 Lascars; alle übrigen sind umgekommen. Die Nacht war noch schrecklicher als der Tag; und diesen Morgen weht der Wind noch heftig aus dem Nord-Nord-Westen zu Nord-Nord-Osten, mit Regen, Schnee und Hagel vermischt.

Unsere erste Sorge war, den Unglücklichen die nöthige Hülfe zu leisten.

Ich habe die Ehre rc.

Der Marine-Commissair,
C. Fourcroy.

Ueber den Zustand der Schwarzen in Amerika.

(Fortsetzung.)

Die Neger begeben sich, in der Regel, ein wenig vor Aufgang der Sonne, an ihre Arbeit; man giebt ihnen eine halbe Stunde zum Frühstücken und zwei Stunden zum Mittagsessen. Sie sind nicht träge bei der Arbeit, aber ungeschickt; und ein englischer Tagelöhner würde in einem Tage mehr leisten, als auch der fleißigste Schwarze.

Jeder Neger bekommt einen Quadratstrich Erdreichs, den er, nach seiner Laune und seinem Gutdünken, bewirthschaften kann. Sie gewinnen darauf, wenigstens zweimal des Jahrs, Mais, Ertoffeln Spinat rc Die Geschickteren Ananas, Meldnen rc. Alle Produkte, die sie auf ihren Feldern erzielen, haben sie das Recht, zu verkaufen; ein Erwerb, der bei weitem beträchtlicher ist, als der Erwerb auch des thätigsten Tagelöhners in Europa. Niemals sieht man, unter diesen Negern Bettler, oder Gestalten so elender und jämmerlicher Art, wie sie Einem in Großbrittannien und Irrland begegnen.

Alle Schwarze werden in Krankheiten gepflegt; besonders aber die Weiber derselben während ihrer Niederkunft. Jedem Weibe, das in Wochen liegt, wird eine Hebamme und eine Wärterinn zugeordnet; man fordert auch nicht die mindeste Arbeit von ihr, bis sie völlig wieder hergestellt ist. Ueberhaupt aber dürfen die Weiber nicht in schlechtem Wetter arbeiten: ein Aufseher, der zu strenge gegen sie wäre, würde weggejagt und nirgends wieder angestellt werden. Auf den Mord steht unerbittlich der Tod.

Seitdem die Engländer Meister vom holländischen Guyana sind, haben sie eine große Menge freier Schwarzen und Halbneger ins Land gezogen, welche (als Schuster, Schneider, Zimmermeister, Maurer) Professionen betreiben Diese Menschen arbeiten anfänglich unter der Anleitung englischer und schottischer Meister; nachher werden sie selbst gebraucht, um die jungen Schwarzen zu unterrichten Man hat bemerkt, daß diejenigen, die aus den Völkerschaften von Congo nnd Elbo abstammen, geschickter und gelehriger sind, als die übrigen Afrikaner.

(Die Fortsetzung folgt.)

1811. No. 12.

Berliner Abendblätter.

Berlin, den 15ten Januar 1811.

Bulletin der öffentlichen Bätter.

Aus der Schweiz, vom 21. December.

Man spricht theils von einer beabsichtigten neuen
Zusammenberufung des großen Raths des Cantons
Tessin für verfassungsmäßige Geschäfte, theils von
ehrerbietigen Vorstellungen und Bitten, welche die
Regierung dieses Cantons kürzlich durch den Lansam-
mann der Schweiz an Se. Majestät den Französischen
Kaiser gelangen ließ. Außer dem Canton Zürch sind
es, wie man versichert, die Regierungen der Stände
Uri, Schwyz und Appenzell des äußern Rhoden, wel-
che Wünsche und Begehren für die Zusammenberufung
einer außerordentlichen Tagsatzung an das Bundes-
haupt richteten. Inzwischen legt einem beschleunigten
Zusammentritt derselben schon der gegenwärtig nahe
bevorstehende Wechsel des Directorialstandes und der
Uebergang des Directoriats von Bern auf Solothurn
Schwierigkeiten in den Weg.   (L. d. Z.)

London, d. 31. December.

Folgendes ist der wörtliche Inhalt der Protesta-
tion der Königl. Prinzen:

Mein Herr!

„Da der Prinz von Wallis alle männliche Zweige
der Königl. Familie versammelt, und ihnen den Plan
mitgetheilt hat, den die vertrauten Diener des Königs
gesonnen sind, dem Hause der Gemeinen und der Pairs
zur Einsetzung einer Regentschaft vorzulegen, wenn
die Fortdauer der Krankheit Sr Majestät solches erforderte, so glauben Wir, eine heilige Pflicht gegen
den König, Uns und das Vaterland zu erfüllen, indem Wir auf das feierlichste gegen Maaßregeln protestiren, die Wir durchaus, als der Constitution zuwi-
derlaufend, als einen Angriff gegen Unsere Rechte,
und einen Umsturz der Grundsätze betrachten, die Un-

sere Familie auf den Thron dieses Reichs gebracht haben.

Unterzeichnet: der Herzog von York ꝛc. ꝛc.

———

Paris, vom 30. December.

Seit einigen Jahren schon hatte der Neujahrstag seine alte, verlorne Würde allmählig wieder zu erringen gewußt. Nie aber hat er sich wol mit solchem Glanz und so großer Pracht angekündigt, als eben heuer. Schwerlich kann man sich einen Begriff von der Bewegung machen, die bei Annäherung dieses Festes jetzt in der Hauptstadt herrscht. Wagen durchstreifen Paris nach allen Richtungen; die Thüren, besonders die der Palläste der Großen, sind von frühem Morgen an wie belagert; die Logen der Schweizer, der Thürhüter, sind mit Visitenkarten tapezirt, u. s. w.   **(N. M.)**

———

Paris, den 2. Januar.

Am 1. Januar empfingen Se. Kaiserl. Majestät in Ihrem gewöhnlichen Appartement die Prinzen, Prinzessinnen und Kinder der Kaiserlichen Familie. Um zehn und ein halb Uhr empfingen Ihre Majestät, die Kaiserinn, die Glückwunsche der Prinzen und Prinzessinnen. Auch die Dames du Palais, die Gemahlinnen der Groß-Kronbeamten, der Minister und Groß-Offiziers des Reichs, die Damen der Prinzessinnen und die Beamten vom ordentlichen und außerordentlichen Dienst wurden zugelassen, ihren Respekt zu bezeugen.

Des Mittags begab sich der Kaiser in den Thron-Saal. Nachdem der Oberkammerherr die Befehle des Kaisers eingeholt hatte, ließ er nach einander die Prinzen und Groß-Dignitarien, die Kardinäle, die Groß-Kronbeamten, die Minister und Groß-Officiers des Reichs und die großen Adler der Ehrenlegion hereintreten.

Nachdem der Ober-Ceremonienmeister die Befehle des Kaisers eingeholt hatte, so ließ er die Beamten des Kaiserl. Hauses vom ordentlichen und außerordentlichen Dienst hereintreten, und introducirte das diplomatische Corps.

Bei dieser Audienz wurden Sr. Kaiserl. Majestät

vorgestellt: durch Se. Excellenz den Russischen Ambassadeur, Fürsten Kurakin, oder Graf v. Witt, Oberst in Russischen Diensten; durch den Baierschen Gesandten, Herrn v. Cetto, der Kammerherr, Baron v. Zweibrücken; durch den Schwedischen Gesandten, Baron v. Lagerbjelcke, der Major, Chevalier v. Gyldenhall. Ueberdies wurden einige Personen durch den Königl. Sächsischen Gesandten, Grafen v. Einsiedel, durch den Hessischen Gesandten, Baron v. Pappenheim, und durch den Helvetischen Gesandten v. Maillardoz vorgestellt.

Nach dem Empfange des diplomatischen Corps begab sich der Kaiser in seinen Salon, wo er die Huldigungen der daselbst versammelten Damen empfing.

Ihre Majestäten begaben sich darauf in die Messe.

Bei der Rückkehr aus der Messe fand der Kaiser in dem Garden-Saal den Generalstab und das Officier-Corps der Garnison von Paris; in dem Marschalls-Saal die Officier-Corps der Garde du Corps, und in den andern Sälen die Mitglieder des Senats, des Staatsraths, des Cassations-Hofes, der Rechnen-Kammer, des Universitäts-Conseil, des Kaiserl. Gerichtshofes, des Capitels von Paris, des Calvinistischen und Lutherschen Consistoriams, des Instituts und der vorgestellten Personen

Alles war im größten, völligsten Costüm.

Nach der Messe empfing die Kaiserinn das diplomatische Corps und alle Personen, welche die Ehre gehabt hatten, dem Kaiser ihre Aufwartung zu machen.

Des Abends war Cercle und Spiel in den großen Appartements. (L. d. B.)

Ueber den Zustand der Schwarzen in Amerika.

(Fortsetzung.)

Der Verf. war jedesmal bei der Ankunft eines Fahrzeuges mit Negern und bei dem Verkauf derselben gegenwärtig. Gewöhnlich sind auf Anstiften der Herren die Schwarzen alsdann in dem sogenannten Verkaufssaal versammelt; sie tanzen und singen, und man giebt ihnen zu essen. Der Verf. bemerkte bei einer solchen Gelegenheit zwei Knaben unter den Angekommenen, die, ohne Theil an der Lustbarkeit zu nehmen, traurig und nachdenkend in der Ferne standen. Er näherte sich ihnen freundlich, und sprach mit ihnen: worauf der Aeltere von beiden, mehr durch Zeichen, als durch das schlechte Englisch, das er, während seiner Ueberfahrt, gelernt hatte, ihm zu verstehen gab: sein Camerad habe eine entsetzliche Furcht davor, verkauft zu werden, weil er meine, daß man sie nur kaufe, um sie zu essen. Herr B. nahm den Knaben bei der Hand, und führte ihn auf den Hof; er gab ihm einen Hammer, und bemühte sich, ihm verständlich zu machen, daß man ihn brauchen würde, Holz, zum Bau der Schiffe und Häuser, zu bezimmern. Der Knabe that, mit einem fragenden Blick, mehrere Schläge auf das Holz; und da er sich überzeugt hatte, daß er recht gehört habe, sprang er und sang, mit einer ausschweifenden Freude; kehrte aber plötzlich traurig zu Hrn. B. zurück, und legte ihm seinen Finger auf den Mund, gleichsam, um ihn zu fragen, ob er auch ihn nicht essen würde. Hr. B. nahm darauf ein Brod und ein Stück Fleisch, und bedeutete ihm, daß dies die gewöhnliche Nahrung der Europäer sei; er ergriff den Arm des Knaben, führte ihn an seinen Mund, und stieß ihn, mit dem Ausdruck des Abscheus und des Ekels, wieder von sich. Der junge Afrikaner verstand ihn vollkommen; er stürzte sich zu seinen Füßen, und stand nur auf, um zu tanzen und zu singen, mit einer Ausgelassenheit und Fröhlichkeit, die Hr. B. ein besonderes Vergnügen hatte, zu beobachten.

Ich komme noch einmal, sagt der Verf. am Schluß, zu meinem Lieblingsgedanken zurück, nämlich für die Erneuerung und den Wachsthum der schwarzen Bevölkerung in den Colonien der Inseln und des Continents von Europa Sorge zu tragen. Man müßte Neger, welche während zwanzig Jahre Beweise von Treue und Anhänglichkeit in den europäischen Niederlassungen gegeben haben, nach den Küsten von Afrika zurückschicken. Ich zweifle nicht, daß diese Emissarien ganze Völkerschaften, die ihnen freiwillig folgten, mitbringen würden: so erträglich ist der Zustand der Neger in Amerika im Vergleich mit dem Elend, dem sie unter der grimmigen Herrschaft ihrer einheimischen Despoten ausgesetzt sind."

Berliner Abendblätter.

Berlin, den 16ten Januar 1811.

Polizeiliche Tages-Mittheilungen.

Vorgestern Abend ist eine unbekannte Mannsperson von 30 — 40 Jahren an einem Baum im Thiergarten erhenkt gefunden worden

Gestern Nachmittag gegen 2 Uhr brach in der Farbeküche eines hiesigen Kattun-Fabrikanten in der Köpenickerstraße Feuer aus, welches jedoch ohne Lärm-schlägen durch die Train-Magazin-Spritze, weche ein Viktualienhändler mit seinen Pferden herbeigeholt hatte, schleunigst gelöscht wurde. Die fehlerhafte Ein-richtung des Rauchfanggewölbes hat, nach Ausweis der vorgenommenen Untersuchung, der Flamme den Durchgang gestattet.

Ein hiesiges Dienstmädchen hat sich gestern Abend um 8½ Uhr mit einer Flinte erschossen. Früherhin hat dasselbe einen Anfall von Wahnsinn gehabt, und ihre Herrschaft ließ sie durch einen hiesigen Arzt kuriren. Sie war indeß nicht ganz wieder hergestellt und des-halb vor 8 Tagen aus dem Dienste entlassen worden. Gestern kam sie in die Wohnung ihrer Herrschaft zurück, um die Wäsche an ihre Nachfolgerinn im Dienste zu übergeben, und bei dieser Gelegenheit verschaffte sie sich das benöthigte Pulver 2c. aus ei-nem verschlossenen Behältniß. Die Kugel ist durchs Herz aufwärts und durch die Decke des Zimmers ge-gangen. Sie hinterläßt noch einiges Vermögen, und soll mit einem hiesigen wohlhabenden Schuhmacher-meister verlobt sein.

An dem Fußsteige, welcher von der Invaliden-nach der Gartenstraße führt, ist ein im Invaliden-

Hause wohnender Invalide in der vorigen Nacht an einem Weidenbaum erhenkt gefunden worden.

Bülletin der öffentlichen Blätter.

Genua, den 25. December.

In der Weihnachtsnacht um $1\frac{1}{2}$ Uhr spürte man zu Genua einen leichten Erdstoß, der 8 bis 10 Sekunden dauerte. Die Glocken läuteten, die Meubeln wankten hin und her, und einige alte Häuser bekamen Risse. Zu Verona war der Erdstoß heftiger, und dauerte von Norden gegen Süden 10 Sekunden. Ein Donnern in der Atmosphäre ging vorher und ein Haus fiel ein.

Wien, den 2. Jan.

Wie man vernimmt, wird in kurzer Zeit Se. Kaiserl. Hoh. der Kronprinz mündig erklärt werden, und dann seinen eigenen Hofstaat führen. Man will neuerdings wissen, daß für diesen Fall der jetzige Oberstkanzler, Graf Ugarte, die Würde eines Oberst-hofmeisters des Kronprinzen erhalten, und der jetzige Hofkammerpräsident, Graf v. Wallis, an die Stelle des Grafen Ugarte treten werde.

Vermischte Nachrichten.

Seit einiger Zeit befindet sich der Preußische Geheime-Rath Beyme in Wien, wo er auch diesen Winter zu bleiben gedenkt.

Der Pariser Moniteur hat jetzt bloß die Ueberschrift: le Moniteur universel, der Ausdruck: Gazette nationale ist seit dem 1. Januar weggelassen.

Herr Diwawe, Russischer Gesandschafts-Secretair ist als Courier von Petersburg durch Metz nach Paris passirt.

Zur Beantwortung: der literärischen Bemerkung in No. 63. der Abendblätter.

Der Vorwurf des Eigennutzes, welcher in jener Bemerkung dem Verfasser der Grundsätze des rationellen Ackerbaues, Herrn Staatsrath Thaer, gemacht wird, trifft nicht diesen sondern allein den Verleger des Werks, da das Honorar des Verfassers um nichts wäre gekürzt worden, wenn der Verleger auch hätte einen ganzen Band Kupfer liefern müssen.

Dem Unterrichteten leuchtet die Unstatthaftigkeit der Beschuldigung leicht ein, allein für Minderunterrichtete hält der Verleger für nöthig zu erinnern, daß die Zumuthung wol alle Gränzen der Bescheidenheit überschreitet, da nemlich jener Bemerker für seinen Ducaten nicht nur einen Quartband von 38 Bogen Text und 13 Kupfertafeln fordert, sondern auch außerdem noch ein anderes Werk, welches für sich 9 Rthl. kostet, und seit 6 Jahren das unbestreitbare Eigenthum eines andern Verlegers ist.

Warum geht aber der Urheber dieser Beschuldigung — der mit Crispin wohlfeile Schuhe aus unbezahltem Leder verfertigt — nicht weiter, und fordert auch die übrigen Werke des Verfassers in den Kauf?

In wiefern übrigens jene Bemerkung literärisch genannt werden kann, leuchtet nicht wohl ein; merkantilisch ist sie unstreitig.

Fragment über Erziehung.

Knaben sollen öffentlich erzogen werden. Nachdem sie der unmittelbaren mütterlichen Pflege und Sorge, und des ersten Unterrichts nicht mehr bedürfen, sollen sie gleich gewöhnt werden, unter ihres Gleichen mit Ordnung und gegenseitiger Anerkennung in gemeinschaftlichem Bestreben kriegerisch gerüstet und friedlich gesinnt leben zu müssen. Auf diese Weise nur erhalten sie Gemeinsinn und Eigenthümlichkeit zugleich. Auch sind sie dereinst für ein öffentliches gemeinsames Leben bestimmt und können nicht früh genug dazu vorbereitet werden.

Mädchen dagegen sollen im Hause erzogen werden. Ihre Bestimmung ist eine häusliche, ihr ganzes künftiges Leben hat eine fortdauernde Beziehung auf die Männer, und zu dieser Bestimmung müssen sie von Jugend auf angeleitet werden. Nur ein Mädchen, welches mit der Mutter für Vater und Bruder fortdauernd sich beschäftigt und gesorgt hat, das schon gewohnt ist, von ihnen geliebt, geneckt und beschützt zu werden, und sie wieder zu lieben, zu necken und zu ehren, die in alle Geheimnisse eines unbefangenen Verkehrs mit Männern schon geweiht ist, nur ein solches wird eine gute, tüchtige, ordentliche und züchtige Hausfrau werden, die für Mann und Söhne zu sorgen und von ihnen geachtet zu werden versteht, die ihre Würde behauptet, und ihre Abhängigkeit empfindet, und die endlich wieder Töchter bildet, die ihr gleichen.

Daher wird die Klage über Frauen, die in allgemeinen Anstalten erzogen worden, so häufig gehört; und daher sind Frauen aus einem Hause, worin es viele Söhne gab, in der Regel die besten, gewandtesten, ordentlichsten und klügsten.

lh.

Anekdote.

Auf dem Theater zu * * wurde der Zinngießer ganz schlecht gegeben, so daß beim Vortreten des anoncirenden Schauspielers ein allgemeines Pfeifen ertönte. Als dieses sich in etwas gelegt hatte, zählte der nicht außer Fassung gebrachte Schauspieler eins, zwei, drei bis zwanzig, und kündigte dann mit größter Ruhe die nächste Vorstellung an. Das Publikum freute sich über diese Geistesgegenwart so sehr, daß dieser Schauspieler nun der Liebling des Publikums ist. Bekanntlich ist in diesem Stücke das Zählen als ein Mittel gegen den Zorn angegeben.

Berliner Abendblätter.

Berlin, den 17ten Januar 1811.

Sind die Termine, in welchen jetzt die
Zins = und Kapital = Zahlungen der Creditsysteme im Preuß. Staat geschehen,
für die jetzigen Zeiten noch passend?
und können die Zins = Coupons nicht
die Stelle des baaren Geldes ersetzen?

In Schlesien, in Pommern, in den Marken und
in Ost = und Westpreußen werden die Pfandbriefs=
Zinsen auf Johannis und Weihnachten eingezahlt. In
den nemlichen Terminen sollen auch die Kapital=
Zahlungen erfolgen (die Pfandbriefe realisirt werden) Daß, indem dies, in allen Provinzen, zugleich
geschieht, alsdann ein großer Mangel an klingendem
Courant entstehen, oder selbiges durch die große Nachfrage ungewöhnlich im Preise steigen muß, springt in
die Augen, besonders da zur nemlichen Zeit auch
andere Zahlungen geleistet werden müssen. Eine allgemeine Stockung muß daraus künftig entstehen, denn
es werden eine Zeitlang sehr große Summen dem
Umlauf entzogen.   Z. B. in Pommern müssen 8 Tage
vor Weihnachten und Johannis jedesmahl jetzt ohngefähr 140,000 Rthlr klingend Courant eingezahlt
werden.   Mit der Auszahlung wird erst am 2. Jan.
und 25. Juni angefangen. Was in den Departements
nicht abgefordert ist (vielleicht 50 — 70000 Rthlr.),
wird etwa 17 oder 24 Tage nach erfolgter Einzahlung an die General = Landschafts = Direction zu Stettin eingesandt.   Diese fängt dann —ohngefähr 1 Monat nach der ersten Einzahlung — auch mit der Zins=
Zahlung an, und nachdem auch diese vollendet ist, erfolgt die Zahlung in Berlin. — Vormals fühlte man
diese Nachtheile nicht; jetzt indeß muß man jede, auch

nur geringe Stauung des Stromes zu verhüten, ihn nach allen Seiten zu leiten, und wieder zu sammeln suchen. Man muß solche Maaßregeln nehmen, daß der Umlauf durch die Creditsysteme nie stocken, vielmehr sich immer gleich bleiben kann. Dies wird geschehen, wenn

1) Die Zins-Zahlungs-Termine nicht in allen Provinzen die nemlichen bleiben. Zahlt man in den Marken auf Johannis und Weihnachten; so muß man in Pommern wenigstens 3 bis 4 Wochen später zahlen.

2) Allenfalls zahle man künftig in 4 Terminen, weil sich, z. B. in Pommern, 70,000 Rthl. leichter aufbringen lassen, als 140,000 Rthl.

3) Die Zinsen müssen nicht lange in Cassa bleiben; Ein- und Auszahlung gewissermaßen Ein Akt sein. Die General-Direction könnte beinahe zu gleicher Zeit mit den Provinzial- (Departements) Directionen zahlen. Das nemliche könnte in Berlin Statt finden.

4) Die Realisation der Pfandbriefe müßte nie in den Zins-Terminen geschehen. Wenn man zu Letzteren schon viel baar Geld zusammen gebracht hat; so wird es zu den Kapital-Zahlungen fehlen. Letztere bestimme man 4 bis 6 Wochen nach, oder vor der Zins-Zahlung. Ueberhaupt scheint es auch zweckmäßiger, 4 Kapital-Zahlungs-Termine zu bestimmen.

5) Endlich mache man die Zins-Coupons mehr umlaufsfähig und die Stelle des baaren Geldes vertretend, besonders in Pommern, wo dies jetzt noch gar nicht der Fall ist. Ein Pfandbrief von 1000 Rthl. bekomme für einjährige Zinsen à 40 Rthl. acht Coupons, jeden zu 5 Rthl. theils auf Johannis, theils auf Weihnachten oder auch in 4 Terminen) zahlbar. A ist Inhaber, er hat Zahlungen, an B 10 Rthl. an C 10 Rthl. an D 20 Rthl. oder er hat von diesen Producte, Waaren rc. zu kaufen, die man ihm sonst vielleicht auch auf Credit überlassen würde. Er bezahlt indeß so fort mit Coupons. Es ist sehr wahrscheinlich, daß man diese gern annehmen wird denn B C und D bedürfen von E Getreide, Vieh und Holz. E nimmt die Coupons deshalb gern statt baar an,

weil er an die Landschaft Zinsen zu bezahlen hat, und diese damit befriedigen kann. Daß diese Coupons überall bald Cours bekommen werden, läßt sich auch deshalb mit viel Wahrscheinlichkeit vermuthen, weil sie nie über ein Jahr alt werden, und ihre halbjährige (vielleicht vierteljährige) Realisation sicherer ist, wie jede andere Zahlung. Daß die Operation — gelingt sie — von unleugbarem Nutzen sein würde, ist wol keinem Zweifel unterworfen. Man bleibe z. B. nur bei Pommern stehen! Diese Provinz hat jetzt etwa 7 Millionen Pfandbriefe; es kämen also 280,000 Rthl mehr Tauschmittel als bisher, in Umlauf. Ware dies nicht schon sehr bedeutend? Und es steht zu erwarten, daß die Summe der Pfandbriefe bald auf 2 Millionen steigen wird — Man könnte, um der Sache noch mehr Eingang zu verschaffen, in jeder Stadt ein Umtauschungs-Bureau vielleicht durch die Kreis- oder Accise-Cassen? etabliren. Ein Realisations-Fond wäre dazu nicht nöthig. Der Inhaber I daselbst wünscht, für seine Coupons baar Geld zu erhalten; er ist mit Münze zufrieden; er zeigt dies dem Bureau an. Der Pächter G hat Getreide zu Markt gebracht; er bekommt dafür nur Münze, muß aber klingend Courant (oder Coupons) zu Bezahlung seiner Pacht haben; er kann sie bei dem Bureau umtauschen, oder auch sein Käufer hat dies schon vorher gethan, oder thut es jetzt.

Man verhehlt sich nicht, daß dies alles mehr Arbeit und Kosten verursachen, überhaupt einige Inconvenienzen mit sich führen wird; man muß diese aber nicht scheuen, und sie zu überwinden suchen, wenn die Sache an sich gut ist. Der Drang der Umstände ist ein strenger Gebieter. Ueberdies scheint es, daß eine solche Operation den Werth der Pfandbriefe erhöhen wird, ohne die Zinsen erhöhen zu dürfen.

Uebrigens sind die vorstehenden Bemerkungen schon im Jahre 1808 geschrieben; es scheint immer nothwendiger zu werden, jedes unschädliche Mittel zu Erhaltung des Ganzen aufzusuchen. Und darum bringt man diese Angelegenheit abermals zur Sprache.

Man glaubt, bei dieser Gelegenheit die Frage aufwerfen zu müssen:

> ob es überall nicht rathsam sein dürfte, das Creditsystem jetzt auf alle städtische und ländliche Grundstücke, wenigstens auf Grund und Boden, auszudehnen.

Möchte sich doch jemand, der der Sache völlig gewachsen ist, mit diesem Gegenstande ernstlich beschäftigen!   — z

Das Waschen durch Dampfe.

Herr Courandeau hat in No. 97. der Annales des Arts et Manufactures 18 9. eine neue Erfahrung bekannt gemacht, die eben so sehr die allgemeine Aufmerksamkeit verdient, als seine übrigen Erfindungen, besonders die der Sparöfen. Er hat nemlich Anleitung gegeben zu einem neuen Verfahren, die Wäsche durch Dampfe zu reinigen. Die Wäsche wird nicht gebeucht, gerieben, gespühlt, sondern bloß über die kochende Beuche gelegt und von dem Dampfe derselben nach und nach durchdrungen, welcher, alle Unreinigkeiten mit sich führend, wieder in den Kessel zurückfällt. Das Verfahren wird fortgesetzt, bis alle Unreinigkeit aus der Wäsche gebracht ist; und da die Wäsche stets von dem Dampfe durchdrungen wird, der nichts von den unreinen Theilen, die sich in dem Wasser befinden, bei sich führt, so ist weiter kein Nachspülen nöthig, sondern die auf diese Art völlig gereinigte Wäsche wird bloß zum Trocknen aufgehängt.

Coureaudeau erspart durch sein Verfahren zwei Drittheile der Zeit, ein Drittheil Arbeitslohn und 2 Drittheile der Seife; er giebt der Wäsche eine grössere Weiße, als sie durch die gewöhnliche Art des Waschens erhält, und sie wird nicht im geringsten abgenutzt. Uebrigens wird jeder, der dieses Verfahren, das durch vorstehende Angaben hinlänglich erklärt wird, nachahmen will, die dazu nöthigen Vorrichtungen sich selbst nach seinen Bedürfnissen und seinen Hülfsmitteln erfinden können.

Berliner Abendblätter.

Berlin, den 18ten Januar 1811.

Polizeiliche Tages-Mittheilungen.

In der Nacht vom 14. bis 15. hat sich ein 77jähriger Gelbgießergeselle in seiner Wohnung, Niederwallstraße, erhängt.

Bülletin der öffentlichen Blätter.

London, den 1sten Januar

Ueber die um die Mitte des Novembers statt gehabte rückgängige Bewegung des Marschalls Massena enthält der Star einen Brief, aus dem Hauptquartier Cartano, vom 30. Nov., aus welchem hervorgeht, daß noch keine Schlacht statt gehabt, und daß es auch das Ansehen habe, als werde überhaupt keine so bald statt finden. Die französische Armee brach in solcher Stille aus ihrem Lager auf, daß man, im Lager Wellingtons, erst bei Tages-anbruch, als keine Spur jener Armee mehr da war, solches gewahr ward. Die Stellung, welche Massena bei Santarem einnahm, war durch Flüsse und Sümpfe so gedeckt, daß nur 2 Chausseen auf das Plateau der Hügelkette führten, auf welcher Massena stand. Wellington entschloß sich, ihn hier anzugreifen. Zu seinem Glück entstand dadurch eine solche Versäumniß, daß General Pack eine Kanone, mit welcher das Signal zum Angriff gegeben werden sollte, nicht fortbringen konnte; der General Spencer, der indeß herbeigekommen war, ward von dem bloßen Gedanken dieses Projekts wie versteinert, und erklärte es für unausführbar. Seitdem sind, durch große Regengüsse, die Flüsse im Thal so angeschwollen, daß keine der beiden Armeen zu der anderen kommen kann, wenn sie auch noch so gern wollte. Demnach ist nichts Merkwürdiges vorgefallen, außer

daß Wellington 2000 Ochsen, die für die französische
Armee zusammengebracht waren, in die Hände gerathen sind.   (Mon.)

———

London, den 2ten Januar.

Sowohl im Ober- als Unter-Hause sind gegen
die Beschränkung der Regentschaft, welche, mit einer
beträchtlichen Stimmenmehrheit, durchgegangen ist,
Protestationen eingelegt worden. Man erwartet noch
heute Abend eine sehr stürmische Sitzung, in der man
auf den Widerruf der genommenen Beschlüsse dringen
wird.   (L. d. B.)

———

Mein theurer Freund!

Aus der Cabinetsordre Sr. Majestät des Königs
vom 28. December v. J. haben Sie ersehen, daß, gegen die, zur Tilgung der Nationalschuld ergriffenen
Maaßregeln, eine ehrfurchtsvolle aber eindringliche
Vorstellung, von Seiten der Stände des Stolpischen
Kreises, eingegangen ist. Ueber den Inhalt jener Vorstellung giebt das Königliche Schreiben keine weitere
Auskunft; inzwischen wollen Sie aus guter Quelle
wissen, daß der besagte Kreis darin über die indirecte
Form der Besteurung geklagt habe; die Last der damit
verbundenen Controllen legt er auseinander, und bringt
am Schluß auf unerwartete Weise den Gedanken zur
Sprache, lieber die ganze Quote der Contribution,
die auf seinen Theil fällt, baar innerhalb des Raums
von sechs Monaten entrichten zu wollen. Wenn nun,
fragen Sie, anzunehmen wäre, daß auch bei dem übrigen Theil der Stände, zur Erhaltung der alten Ordnung der Dinge, dieser Entschluß zur Reise gelangen
könnte: warum griff die Regierung nicht sogleich, ohne
irgend die Grundlage der Verfassung anzurühren, zu
einem Mittel, das mit einem Mal den ganzen gordi-
schen Knoten der Staatsaufgabe, auf die es ankommt,
lös't?

Ihnen zu Gefallen will ich einmal in die Meinung, als ob eine directe Besteurung des Landes, Behufs einer Abtragung der Nationalschuld, beides, aus-

führbar und zweckmäßig, wäre, eingehen. Ich will vergessen, daß in der Verfassung, so wie sie seit Friedrich dem Ersten bestand, mancherlei vorhanden war, das, auf ganz augenscheinliche Weise, einer Ausbesserung oder eines Umbau's bedurfte; ich will annehmen, daß die Tilgung der Nationalschuld der einzige und letzte Zweck aller Verordnungen gewesen wäre, die seit dem 27. Oct. v. J. im Umfange der Monarchie erschienen sind.

Fern sei von mir, zur Einleitung in das, was ich Ihnen zu sagen habe, in die auf allen Lippen ertönende Klage, über Mangel an Gemeingeist und Patriotismus einzustimmen! In einem Augenblick, wie der jetzige ist, scheint es mir doppelt unschicklich, diese Untugend der Zeit, wenn sie vorhanden sein sollte, anders anzuklagen, als durch die bessere That. Wer Vergangenheit und Zukunft ins Auge faßt, der ist mit der Gegenwart, als dem Mittelglied derselben, ausgesöhnt; und wenn ein beträchtlicher Zeitraum von Jahren verflossen ist, ohne daß die Kraft der Hingebung und Aufopferung für das Gemeinwesen wäre erprobt und geübt worden, so ist dies nur ein Grund mehr für mich, zu glauben, daß wir dem Zeitpunkt ganz nahe sind, wo ihm die größesten und herrlichsten Opfer, würdig der schönsten Beispiele der Vorzeit, werden gebracht werden.

Aber gesetzt, die Regierung hätte, Ihrem Vorschlage gemäß, ohne die Form der Verfassung, wie es geschehen ist, anzurühren, die Summe der Nationalschuld direct, sei es nun unter der Form einer Anleihe oder einer Contribution, von dem Lande eingefordert: mit welchem Geiste, meinen Sie, würde diese Anforderung wol, bei der Erschütterung alles innerlichen Wohlstandes, von dem Lande aufgenommen worden sein? Würde man sich zu einer Kraftäußerung so außerordentlicher Art, schon vor acht Wochen, als man das Drückende, das in der Alternative lag, nicht kannte, so schlagfertig und bereitwillig gezeigt haben? Hatten die Stände, möcht' ich fragen, damals diese Kraft schon, und ging nicht (ich berufe mich auf Sie selbst) von Mund zu Mund, auf nichts gestützt und doch nichts desto weniger allgemein, die Behauptung, daß die Contribution die Kräfte des Landes bei Weitem übersteige?

Wie nun, wenn der Gedanke, diese Kraft in dem Schooß der Nation zu erwecken und zu reisen, mit in die Waagschale gefallen wäre? Wenn man die Reaction, die gegen den Inbegriff der erlassenen Verordnungen, auf ganz nothwendige Weise, eintreten mußte, gar wohl berechnet hätte, und nicht sowohl der Buchstabe derselben, als vielmehr der Geist, den sie, in Folge jener natürlichen Reaction, annehmen würden, die Absicht und der Zweck der Regierung gewesen wäre? —

Börhave erzählt von einem Holländer, der paralytisch war, daß er, seit mehreren Jahren schon, nicht die Kräfte gehabt habe, die Thüre seines Zimmers zu öffnen. Als aber zufällig Feuer in dem Zimmer entstand: hatte er die Kraft, ohne auch nur die Klinke oder den Schlüssel zu versuchen, die Thüre, auf den ersten Anstoß, einzusprengen: er befand sich, ohne daß er angeben konnte, woher ihm das Vermögen dazu gekommen war, auf der offenen Straße, und war gerettet.

Der Himmel bewahre mich davor, der Regierung bei so viel preiswürdigen und gesegneten Schritten, die sie zum Aufbau einer besseren Zukunft that, nichts als eine Absicht dieser secondairen Art unterzulegen: es gilt hoffentlich ganz andre Dinge, als die bloße Tilgung einer, momentan auf uns lastenden, Kriegsschuld und ich gehe hier bloß in eine Ansicht der Dinge ein, die Sie mir in Ihrem Briefe aufgestellt haben. Aber Ihr Urtheil, mein theurer Freund, möcht' ich Sie, wenn es seyn kann, bewegen, vor der Vollendung des Werks, von dem uns einige Grundlinien vor Augen gelegt worden sind, gefangen zu nehmen — möchte Ihr Vertrauen schärfen zu einer Regierung, die es lebhaft, wie je eine, verdient, und, in einer so verhängnißvollen Zeit, wie die jetzige, mehr als irgend eine andere, falls die Wolken, die uns umringen, zerstreut werden sollen, in ihren Maaßregeln, groß und klein, die sie zu ergreifen für gut befindet, bedarf. Leben Sie wohl!

r y.

Berliner Abendblätter.

Berlin, den 19ten Januar 1811.

Bülletin der öffentlichen Blätter.

Dresden, den 7. Januar.

Gestern ward der Landtag mit den gewöhnlichen
Feierlichkeiten eröffnet. Einer der Conferenzminister,
Herr v. Globig, ertheilte, nachdem der König allein
mit bedecktem Haupte seinen Platz eingenommen hatte, eine Darstellung der Lage des Reichs, in Hinsicht
der Finanzen, der Industrie und der Verwaltung und
zeigte den Ständen die Nothwendigkeit einiger neuen
Auflagen an. Herr Eibenstock, Secretair des gehei-
men Raths, verlas die Liste der Vorschläge, welche
Se. Majestät den Städen machen. Nach ihm hielt
Herr Baron v. Fries, Großmarschall des Landtags,
eine schöne Rede, in welcher er die Würde des Corps,
dem er präsidirt, mit der Ehrerbietung für seinen
Souverain vereinigte. Diese Rede, ein Muster der
Eloquenz, fand den größten Beifall, und wird im
Druck erscheinen. Beim Schluß dieser imposanten
Ceremonie speisete der König mit der ganzen Königl.
Familie im größten Pomp.

Abends war Ball bei Hofe, was seit fünf Jahren nicht statt gehabt hatte.   (L. d. B.)

Aus Oesterreich, den 6. Januar.

Die Politiker wollen wissen, daß im gegenwärtigen Augenblick zwischen Oesterreich und Rußland Unterhandlungen angeknüpft sind, welche die Angelegenheiten der Türkei im Allgemeinen und das Schicksal
Serbiens ins Besondere betreffen. Indeß ist über
das Ganze noch ein Schleier gehüllt. Ein Privat-
schreiben aus der Türkei meldet, daß die Pforte zur
Beendigung des Kriegs mit Rußland die Vermittlung
Frankreichs angesprochen habe.

Jüngsthin erbeutete ein Dieb in einem Theater zu Wien eine Brieftasche mit 10 Bankozetteln à 500 Gulden Er eilte damit in das nächste Wirthshaus, ließ sich ein gutes Abendessen bereiten und wolle einen jener Bankozettel verwechseln. Der Wirth bezweifelte die Aechtheit, und schickte nach einem Polizeikommissär; dieser erkannte die Bankozettel für falsch, der Dieb gestand, wo er sie her hatte und mußte dem Polizeikommissair in das Theater folgen und ihm den Bestohlnen zeigen, der, so wie der Dieb, arretirt wurde.

Ständische Commission.

Eine der weisesten Maaßregeln, welche die Regierung hat ergreifen können, ist die Ernennung einer Commission aus den Ständen aller Provinzen zu gutachtlicher Berathung über die nothwendig gewordenen neuen Einrichtungen.

Eine Anzahl von Männern, denen der König, außer dem Gefühle ihres Standes, auch rechtlichen Willen, klare Hinsicht und örtliche Kenntniß zutrauet, sind berufen worden, um die Bedürfnisse, Wünsche, Rechte und besonderen Verhältnisse einer jeden Provinz der gesetzgebenden Behörde nicht bloß ein für allemal mitzutheilen, sondern in beständig gegenwärtiger Berücksichtigung zu erhalten.

Nur auf solche Weise ist es möglich, daß eine neue, vollständige, von einem und demselben einfachen Geiste durchdrungene, weise Verfassung ausgemittelt werden könne, ohne daß bei ihrer Einführung unübersteigliche örtliche Hindernisse zu befürchten sind. Zugleich aber werden dadurch die thörichten Erwartungen Derjenigen vollständig zu Schanden, welche sich nichts Geringeres versprochen haben, als eine allgemeine ständische Versammlung mit gesetzgebender Gewalt, *) einen großen Reichstag gleichsam, wol

---

*) Ein Unding! denn eine ächte ständische Verfassung, eine solche, als hoffentlich das Resultat der neuen Einrichtungen seyn wird, überträgt die Gesetzgebung dem Souverän, als dem allgegenwärtigen Mittelpunkte des ganzen Staates, d. n Ständen dagegen, als den gebornen und erwählten Repräsentanten der Staatskräfte, das Geschäft, die Wünsche und Bedürfnisse der Nation, ihr Interesse und ihr Verlangen dem Gesetzgeber immer gegenwärtig zu erhalten.

gar ein Parlament mit Ober- und Unterhause und mit allem Zubehör von Opposition, Stimmenmehrheit und möglichen Ministerial-Veränderungen.

Gäbe es nicht so mancherlei persönliche, oft eigennützige Rücksichten, welche die Urtheile der Einzelnen bestimmen; so würde es überhaupt unbegreiflich seyn, daß gerade solche, die am meisten von alten Rechten und Privilegien und von hergebrachter Verfassung geredet haben, eine so unerhörte Maaßregel haben erwarten können; eine Maaßregel, welche nicht allein die alte Staats-Einrichtung, ihrem ganzen Wesen nach, auf das Vollständigste umgestaltet, sondern obendrein im gegenwärtigen Augenblicke die schwankendsten und gefährlichsten Verhältnisse, und auf jeden Fall unnöthige und weitläuftige Verhandlungen, zu Wege gebracht haben würde.

In unserer Zeit bedarf die Natur nicht mehr jener hartnäckigen Partheilichkeiten und Kämpfe der verschiedenen Stände unter einander und gegen den Oberherrn, wodurch sie in vergangenen Zeitaltern, im Laufe langer Jahrhunderte, so mancherlei kräftige Verfassungen und Staaten hat entstehen und gedeihen lassen. Die letzten zwanzigjährigen Erschütterungen des Europäischen festen Landes haben gerade die wohlthätige Folge gehabt, daß nicht bloß ein erhöhter Antheil an den öffentlichen Dingen allenthalben eingestellt hat, sondern daß auch besonnenere und allgemeinere Ideen über das Wesen und die Einrichtung des Staates durchgängig verbreitet worden sind. Der Staat wächst anjetzt nicht mehr, wie in vorigen Zeiten, aus dem Widerstreite einseitiger Herrn- und Stände-Interessen, gleich einem Wunderwerke bewußtlos empor; sondern er will mit Vorbedacht und Absicht gestaltet seyn, als ein Kunstwerk und nach dem Resultate eines ruhigen und besonnenen Selbstgespräches.

Dieses Resultat aber von dem Gespräche des Staates mit und über sich selbst ist — die öffentliche Meinung, welche daher ein weiser Staatsmann keinesweges leiten oder beherrschen zu wollen unternimmt, sondern mit welcher er sich möglichst zu vereinbaren und zu verständigen bemüht seyn wird.

Organe aber dieser öffentlichen Meinung, dem gesetzgebenden Souverän gegenüber, zu seyn, sind die jenigen berufen, welche der König zu Mitgliedern der neuen Commission ernannt hat. Ein höchst ehrenvoller Beruf! zu dessen würdigen Erfüllung das bewiesene Königliche Zutrauen der mächtigste Antrieb, und ein gutes, vertrauliches Vernehmen mit den Provinzen das hülfreichste Mittel seyn wird.

L. B.

Merkwürdiger Prozeß.

In einer deutschen Stadt, wo man Pf wie F auszusprechen pflegt, schrieb einst ein Bürger unter andern in sein Testament: „dem Stadtfarren vermache ich das Heu von meiner Wiese." Nach Eröffnung des Testaments meldete sich sowohl der Stadtpfarrer, als der Stadthirte zu diesem Heu-Legate, und es kam zwischen beiden hierüber zu einem Prozesse. Der Stadtpfarrer meinte in seiner Klage, es wäre lächerlich, die Sache nur im Geringsten zweifelhaft zu finden; einem unvernünftigen Thiere könne ja nichts vermacht werden, und daß man im Orte statt dem Stadtpfarren, wiewohl fehlerhaft genug, dem Stadtfarren zu sagen pflege, bedürfe, als notorisch, keines Beweises. Der Stadthirte hingegen behauptete: nicht der Heerdochs, sondern er selbst, müsse als Legatar betrachtet werden, so wie, nach römischem Rechte, bei der Erbeseinsetzung eines fremden Sklaven, nicht der Sklave, sondern dessen Herr für den Erben angesehen worden wäre; zudem, könnten, nach römischem Rechte, auch unfähigen Personen doch wenigstens Alimente vermacht werden, und Heu sei in so fern ein weit passenderes Legat für einen Heerdochsen, als für einen Pfarrer. Uebrigens wäre das Wort, Stadtfarren, im Testamente vollkommen deutlich geschrieben, und könne darunter nur ein Heerdochs verstanden werden, der bekanntlich im Orte auch Stadt-Farre genannt werde. In erster Instanz wurde der Rechtsstreit zum Vortheile des Hirten entschieden; der zweite Richter sprach für den Stadtpfarrer; der dritte Richter aber erklärte das Legat für nicht geschrieben, folglich für ungültig, wobei jeder Theil die Kosten gleichheitlich zu tragen hätte.

Berliner Abendblätter.

Berlin, den 21ten Januar 1811.

Bülletin der öffentlichen Blätter.

Paris, den 12. Januar.

Aus Valence vernehmen wir, daß der Tod des Generals, Grafen St. Croix, des Sohns des Präfecten
vom Drome-Departement, welcher in Portugal geblieben, bei den Einwohnern des Departements große
Theilnahme erweckt. Der unglückliche Vater hatte
gerade vor neun Monaten einen andern Sohn, den
Fregatten-Capitain Sainte Croix verloren, der, wie
man sich erinnert, am Bord der Fregatte Danae von
einem Artilleristen ermordet wurde.   (L. d. B.)

Hamburg, den 18. Januar.

Nach einigen Nachrichten sollen die vier ersten,
vom Kanzler der Schatzkammer am 21. December
dem Parlement vorgeschlagenen Beschlüsse, die mit
einer geringen Majorität durchgiengen, von neuem in
Berathschlagung genommen und gänzlich verworfen
worden seyn Demnach würde der Prinz von Wallis
die Regentschaft ohne alle Einschränkungen übernehmen. Aus diesem Resu tat der Debatten schließt man,
daß gleich nach Antritt der Regentschaft eine Veränderung des Ministeriums statt haben werde.

Von der Spanischen Gränze:

„Dem Vernehmen nach ist eine Abtheilung der
zu Valladolid versammelten Reserve-Truppen über
Salamanca nach Almeida in Portugal aufgebrochen,
um theils diese Festung zu besetzen, theils die nähe-

gelegenen Distrikte von Feinden zu reinigen und die
Communication mit dem Armee-Corps des Generals
Drouet zu unterhalten, welches jetzt den linken Flügel der Armee von Portugal bildet Eine zweite Abtheilung des gedachten Reserve-Corps ist gleichfalls
von Valladolid abmarschirt, um sich bei Salamanca
aufzustellen, und den Besitz dieser Provinz zu sichern.
Sie besteht größtentheils aus Truppen von der Kaiserl.
Garde, die seit geraumer Zeit in der Gegend von
Burgos cantonnirten. Bei Valladolid sind indessen
noch einige Garde-Regimenter zurückgeblieben. In
Burgos wurde hingegen das Armee-Corps des Generals Tarreau, aus drei Divisionen bestehend, erwartet; diese Truppen hatten seit ihrer Rückkehr aus
Deutschland ihre Quartiere auf dem rechten Ufer der
Loire bei Nantes, und brachen zu Anfang dieses Winters nach Baionne auf, wo sie auch schon größtentheils durchpassirt sind. — Nach dem Abmarsch des
Drouetschen Corps aus der Gegend von Almeida waren die zuvor ins nordwestliche Portugal zurückge-
drängten Portugiesischen Milizen wieder vorgerückt,
und hatten sich Almeida in einiger Entfernung genähert, allein sobald Französische Truppen gegen sie
marschirten, zogen sie sich in wilder Eile zurück, und
suchten hinter dem Duero Sicherheit. Die Französischen Reserve-Truppen halten jetzt Valhelhas, Pinhel rc. besetzt, und streifen bis nach Viseu. Hingegen ist der westliche Theil der Provinz Beira von ihnen verlassen und auch die Garnison von Coimbra
zurückgezogen worden; weil Marschall Massena alle
seine disponiblen Streitkräfte concentrirt hat. Zur
Verbindung mit der Armee von Portugal ist nemlich
jetzt die Besetzung der Straße von Vieu über Coimbra nach Leyria nicht mehr erforderlich, indem man
zur Unterhaltung der Communicationen den sichern
Weg über Aelmonte und Castelbranco vorgezogen hat.
Er ist es, auf welchem Gardanne's Division und das
Drouetsche Armee-Corps ihre Vereinigung mit der
Haupt-Armee bewerkstelligten. Uebrigens sollen diese
Truppen, nach ihrer Ankunft bei Sarzedos und Castel-
branco, Befehl erhalten haben, ihren Marsch gegen
der Tajo einzustellen, und sich gegen den Zezere zu
wenden. Sie standen zuletzt bei Proenca-Nova nnd
Ferreira. Man hält sie für bestimmt, die Belagerung

von Abrantes zu unternehmen, während Marschall Massena die Haupt-Armee zu andern Operationen verwendet. Eine Abtheilung dieser Letztern soll unweit Camuska auf das linke Ufer des Tajo übergegangen seyn, um das in jene Gegend vorgerückte Englische Corps anzugreifen. Die Ufer des Zezere sind von Ferreira bis Punhete durch Verschanzungen gedeckt. Man erwartet übrigens wichtige Nachrichten von der Armee von Portugal, deren bisherige Bewegungen, wie es scheint, die Erleichterung des Marsches des ihr zukommenden Verstärkungscorps beabsichtigten. Da dieser Zweck nunmehr erreicht ist, so kann vielleicht der seit einiger Zeit vorbereitete Haupt-Angriff statt haben. Uebrigens bemerkt man im östlichen Theil von Portugal eine günstigere Stimmung für unsere Truppen, als in den Häfen und Küstengegenden, wo die Engländer wegen ihrer Handelsverbindungen viele Anhänger haben. Das Betragen der Englischen Armee hat dazu vieles beigetragen, sie im Lande verhaßt zu machen. Die Englischen Offiziere, die zu Commandanten der Milizen und Portugiesischen Truppen ernannt sind, zeigen beinahe durchgängig viel Rohheit, und wissen sich wenig in die nationelle Denkungsart der Portugiesen zu fügen. Geringe Vergehen der Portugiesen werden mit Härte bestraft; die Englischen Soldaten hingegen verüben ungestraft große Exzesse. Die Verwüstung der Landesstrecke zwischen Pinhel und Coimbra, die mit vieler Grausamkeit vollzogen wurde, hat freilich Schrecken verbreitet, und die gewaltsame Aushebung der Einwohner vermittelst eines allgemeinen Aufgebots gewissermaßen erleichtert; aber es gab doch dabei manche heftige Auftritte. In den nördlichen Gebirgsgegenden von Portugal haben sich die Bewohner ganzer Districte geweigert, für die Engländer ins Feld zu ziehen und bis jetzt ihre Weigerung durchzusetzen gewußt. Selbst in Oporto, wo die Engländer so viele merkantilische Verbindungen haben, wurden Englische Offiziere mißhandelt, und die Einwohner sollen sich verbunden haben, keine Englische Garnison aufzunehmen.   (L. d. B.)

Bernay, den 2. Januar.

Den 31. Dec. v. J. ist eine Frau in der Gemei=
ne zu Launay mit 4 Kindern (1 Knaben und 3 Mäd=
chen) niedergekommen. Die drei Mädchen sind todt,
der Knabe lebt noch.   (Mon.)

Miscellen.

Ueber die jüngsthin gefallenen Luftsteine meldet
Herr Pellier, Arzt zu Beaupency bei Orleans, noch:
daß den 23. Nov. um ½ 2 Uhr Nachmittags über der
Gemeine Charjouville eine Feuerkugel erschienen, im
Bersten ein helles Licht von sich geworfen, ein gros=
ses Geräusch verbreitet und drei ziemlich große Stei=
ne mit solcher Gewalt herabgeschleudert habe, daß sie
¼ Metre (3 Fuß) tief in die Erde gedrungen. Jeder
fiel von dem andern eine Viertelstunde entfernt; sie
sind beide so hart, daß man Glas damit schneiden
kann; der Eine wiegt 20, der größere 40 Pfund,
welcher Letztere zerbrach.

Einige Stunden von der Stadt Lahr im Groß=
herzogthum Baden liegt das Kloster Wonnethal.
Es wurde, wie bekannt, bei der neuen Säkularisation
mit aufgehoben, und die Gebäude, die einige Kauf=
leute an sich brachten, wurden zu einer Fabrik eingerichtet.
Als man zu diesem Behuf das Gemäuer an dem Chor
abbrach, fand man, in einer engen Höhlung, ein auf=
rechtstehendes Todtengeripte. Der Raum war so
enge, daß es nicht zusammenfallen konnte. In der
Mauer gegen den Mund zu war eine Oeffnung, wo
man wahrscheinlich der unglücklichen Nonne, die diese
Strafe erlitt, Speise und Trank reichte, bis sie starb.
— Für sie freilich war das Kloster kein Wonnethal.

Berliner Abendblätter.

Berlin, den 22sten Januar 1811.

Bülletin der öffentlichen Blätter.

London, den 8. Januar.

Der heutige Courier enthält Folgendes:

„Die in einigen Blättern enthaltene Nachricht, als
seien gestern Abend im Unterhause die Beschlüsse in
Bezug auf die Einschränkungen der Regentschaft widerrufen worden, ist völlig irrig. Es ist von Seiten
der Opposition nichts gegen diese Beschlüsse vorgebracht worden.   (L. d. B.)

Die Morning Chronicle enthält Folgendes:

„Man verbreitete gestern das Gerücht, Massena
habe seinen Rückzug begonnen; allein wir glauben,
es giebt keinen andern Grund zu diesem Gerüchte,
als den Marsch des 9ten Corps nach Madrid. Als
Ursache dieser Bewegung wird eine Insurrection in
dieser Hauptstadt angegeben; allein auch diese Nachricht ist nichts als ein schwankendes Gerücht. Folgender Brief ist bei Gelegenheit der letzten Depeschen
aus Portugal angekommen:

Val de Santarem, den 15. December.

„Wir stehen hier, eine halbe Meile vom Feinde,
und die Vorposten sind nur 100 Ruthen von einander
entfernt, und durch einen kleinen Bach getrennt.
„Wir sind so wenig auf ein Treffen, oder auch
nur auf eine Bewegung, gefaßt, daß ich befohlen habe, in meiner Hütte einen Kamin zu bauen. Ich
schlafe jede Nacht in meinem Bette, ohne Furcht, im
Schlafe gestört zu werden, ein Genuß, den ich seit
langer Zeit habe entbehren müssen.“   (L. d. B.)

Schreiben aus Gotha.

Auch der nunmehr scharf und streng eingetretene
Winter hindert hier nicht, von den Annehmlichkeiten
Gebrauch zu machen, zu denen die Verschönerungen
der Spaziergänge um die Stadt, bei der Abtragung
der Wälle, Gelegenheit gegeben haben. Ein Bassin,
welches an dem Abhang einer kleinen Höhe, ohnweit
des schönsten Theils dieser Anlagen: dem Friedrichs-
thal, den Orangeriehäusern und der neuen Esplanade,
liegt, wimmelt jetzt von Schlittschuhläufern und Zuschauern. Man hat von hieraus die Aussicht nach
der majestätischen Lage des Schlosses. Die Kaskade,
welche, zwischen Felsen und einer Aegyptischen Säu-
lenruine hervorsprudelnd, dieses Bassin anfüllt, bildet, durch die mannigfaltigsten Zusammensetzungen von
Eiszapfen, den seltensten Anblick. Diese Kristallfelsen
scheinen sich allmählig bis zu dem Gesims der Säulen
zu erheben und strahlen das auf sie fallende Sonnenlicht prismatisch zurück. Oben auf dem Gesims der
Säulen thront, von mehreren Stufen getragen, eine
kolossale Sphinx, den räthselhaft ernsten Blick nach
dem Orient zu gerichtet, als verachte sie gleichgültig
Alles, was anderswo vorgeht.

Die nahe gelegenen Gebäude sind geschmackvoll
zum Theil dazu eingerichtet, sich durch erwärmende
und stärkende Getränke zu erquicken, und vom warmen Zimmer aus des Anblicks zu genießen.

Auch die schöne Welt wird um die Mittagszeit
und bei schönen Tagen angezogen, sich an dem fröhli-
chen Gewimmel zu ergötzen, dasselbe zu vermehren
und zu verschönern, so daß mitten im Winter ein
zweiter Frühling erblüht. Nicht bloß auf leichten,
von Chapeaus regierten, Schlitten nimmt diese schöne
Welt an dem Vergnügen Theil. Nein! selbst im kühnen Tanz sieht man diesen, bisher meist nur von der
männlichen Jugend geübten Zweig, der Tanzkunst ver-
edelt; weibliche Heldinnen auf Schlittschuhen sieht
man dahin schweben und erwartet mit nächstem das
Schauspiel einer künstlich angeordneten Quadrille unter dem Rythmus einer schallenden Musik. Was werden hierbei nicht Mahler und Bildhauer für herrliche
Ideen zu Stellungen schwebender Gestalten auffassen
und sammeln können; da ein beharrliches Schweben,
ohne besondere Bewegung einzelner Glieder, auf kei-

ne andere Art so vollkommen studirt werden kann. —
Aber was werden Aerzte und Tanzmeister dazu sagen? Werden diese, von dem auf der einen Seite so
schönen, und für die Gesundheit dienlichen Nerven-
und Muskelstärkenden Uebungen nicht auch, von der
andern Seite, für das Geschlecht künftiger Mütter
nachtheilige Folgen besorgen lassen? und wird es
nicht einer Untersuchung bedürfen, welche Maaßregeln
und Vorsorgungsmittel man anwenden muß, gegen
Erkältung und den Einfluß der rauhen Luft auf den
Tein? — Gewiß nicht unwichtige Fragen, welche einer gründlichen Beantwortung werth sind.

Seit der Anwesenheit des Herrn Iffland haben
sich schon mehrere Künstler wieder hier, bei Hof sowohl als in der Stadt, mit Beifall und Zulauf gezeigt. Ganz vorzüglich Madame Willmanns aus
Cassel. Man sagt, daß sie hier eine Oper des so allgemein wegen Operettencomposition und kleiner Gesänge beliebten Herzoglichen Concertmeister Spohr einstudirt habe.

Alle diejenigen, welche Weimar kürzlich besucht
haben, sind von dem Gesang und der Action des Herrn
Brizzi ganz bezaubert.

Anekdote.

Als Gluck Iphigenia, die jetzt alles entzückt und
hinreißt, in Paris znm ersten Male aufgeführt wurde, fiel sie, gleich dem Machwerk des untersten der
Midasenkel. „Ach Iphigenia ist gefallen!" sagte
Gluck voll Verzweiflung zu einem Freunde. — „Ja,
vom Himmel!" antwortete dieser; und ein wahreres
Wort wurde nie ausgesprochen.

Ueber das Sprichwort: Verbessert durch Johann Balhorn.

Bekannt genug ist das Sprichwort: „Verbessert
durch Johann Balhorn." Allein unter hundert Personen mögen keine fünf sehn, welche den Ursprung
desselben anzugeben wissen; daher es für Manchen

vielleicht nicht unangenehm ist, etwas Näheres über
die Veranlassung desselben zu erfahren. Das Lübecksche Stadtrecht wurde im 13ten Jahrhundert schriftlich verfaßt, und in Meklenburg, Pommern u. s. w.
eingeführt, aber erst im 16ten Jahrhundert gedruckt.
Daher kam es denn, daß die einzelnen Exemplare voll
Schreibfehler waren, und sich sogar hie und da wider-
sprachen. Als nun mehrere Städte auf den Druck
desselben drangen, so erhielten drei Rathsherren in
Lübeck den Auftrag, die Handschriften durchzusehen,
und die Gesetze in eine bessere Ordnung zu bringen.
Dieß geschah, und das Werk wurde in Lübeck durch
Johann Balhorn gedruckt, unter folgendem Titel:
„Lübecksche Statuta und Stadtrecht, aus alter sächsi-
scher Sprache ins Hochdeutsche gebracht, von neuem
übersehen und verbessert. Durch Johann Balhorn
gedruckt." Dieser Druck aber machte viel Bewegung
in Deutschland, und fand großen Widerspruch, indem
Viele es übel nahmen, daß die Statuta gedruckt worden
seien. Manche tadelten daher dasselbe öffentlich und
sagten: „Es sei verbessert durch Johann Balhorn;"
indem man das Punktum nach „verbessert" auf dem
Titel ausließ, und damit die folgenden Worte verband. Diese Spottrede ergriffen nun viele Richter,
Advokaten u. s. w., welche dem neuen Recht feind
waren, und daher kommt es denn, daß man heut zu
Tage sich dieses Ausdrucks bei verschlimmerten Sachen zu bedienen pflegt.

Sinnentstellende Druckfehler im 16. Blatt.

Seite 62. Zeile 20 von oben, statt Hinsicht, lies:
Einsicht.
— 63. — 13 — unten, — Wunderwerke,
lies: Naturwerke.

Berliner Abendblätter.

Berlin, den 23sten Januar 1811.

Bülletin der öffentlichen Blätter.

Paris, den 6. Januar.

Der Erzbischof von Paris stellte sein Kapitel, das
Sr. Maj. eine Adresse zu überreichen hat, vor. Der
Generalvikar Jalabert las die Adresse ab. „Wir waren, heißt es darin, vom tiefsten Schmerze durchdrungen, als wir die Vorwürfe vernahmen, welche Ihr
erlauchter Mund einem unsrer Mitglieder, das uns
viel Interesse eingeflößt hatte, machte. Indem wir
es wegen des Unglücks beklagten, das es hatte, das
Vertrauen seines Souverains zu verlieren; machten
wir es uns nichts desto weniger zur Pflicht, ihm sogleich die geistliche Macht zu entziehen, womit wir
ihn bekleidet hatten. . . . Um unsern Schmerz zu erleichtern, überreichen wir dem Wiederhersteller unsers
Kultus und dem allmächtigen Beschützer der gallikanischen Kirche eine Adresse, indem wir ihm zugleich auf
das Loyalste unsere Grundsätze, unsere Gesinnungen und
die Beweggründe unsers Benehmens in Betreff aller
Gegenstände, die bei dieser Gelegenheit die Sorgfalt
Ihrer souverainen Gedanken erweckten, aus einander
setzen. Wir erklären einmüthig und feierlich, daß wir
alle zur Ausübung der Lehre und der Freiheiten der
gallikanischen Kirche vereinigt sind. . . . Wir werden
bis in den Tod die 4 Propositionen der französischen
Geistlichkeit von 1682, so wie sie der große Bossuet
aufsetzte, behaupten rc." Der Kaiser unterhielt sich
mit den Mitgliedern des Kapitels fast eine Stunde.

Kurze Geschichte des gelben Fiebers in Europa.

Schon seit undenklichen Zeiten ist in den westindischen Colonien ein heftiges, ansteckendes und in kur-

zer Zeit tödtliches Fieber einheimisch, welches wegen der Gelbsucht und des schwarzen Erbrechens, womit es verbunden ist, das gelbe Fieber heißt. Bis 1793 schränkte sich diese occidentalische Pest auf bloß tropische Gegenden ein; allein in der Mitte dieses Jahres, und noch heftiger im Jahr 1793, zeigte sie sich auch zu Philadelphia, wo, von einer Bevölkerung von 40 — 50000 Menschen, täglich 70 — 80 starben. Dieses Uebel kam durch ein amerikanisches Kauffahrteischiff, welches damit angesteckt war, und in Cadir einließ, am Schluß des 18. Jahrhunderts auch nach Europa. Es griff in kurzer Zeit so heftig um sich, daß selbst der Hof von Madrid dadurch in Furcht gesetzt ward und sich an die nördliche Grenze, nach Pamplona in Navarra, begab. Endlich ließ die Wuth dieser Epidemie bei einer kühlen Veränderung der Atmosphäre nach, die Leichen verminderten sich, und in Cadir hielt man deswegen ein feierliches Dankfest. Allein dagegen ergriff sie Mallaga, und verödete andere blühende Gegenden, bis ihr allmählig die verringerte Bevölkerung ein Ziel setzte, und sie von selbst ruhte.

Diese Ruhe des gräßlichsten Feindes währte indeß keine 4 Jahre. In der Mitte des Augusts brach diese Epidemie im Jahr 1804 mit verwüstender Heftigkeit wieder in Mallaga aus. Von den 100,000 Einwohnern, die diese sonst so blühende Stadt zählt, waren im December 30,000 Opfer des Todes geworden, und die Flüchtenden trugen das Uebel nach mehr als 50 Städten, Flecken und Dörfern, und vergifteten Cadir, Gibraltar, Alicante, Carthagena, Cordova, Granada und andere bedeutende Oerter. Durch Verheimlichung nahm die Krankheit im Anfange so schrecklich überhand, daß in den ersten 5 Wochen zu Mallaga 10,000 Menschen starben — So mörderisch war selbst die Pest nicht gewesen, die 1711 in Marseille wüthete; damals starben in dem Laufe eines ganzen Jahres daselbst nur in allem 30,000 Menschen, so viele, als in Mallaga in 4 Monaten betrauert wurden. Da es hier eben so sehr an Leuten fehlte, welche den unglücklichen Kranken und Sterbenden Hülfe leisten konnten, als an Personen, die Todten zu begraben, so mußten viele Kranke verschmachten, und viele Verstorbene unbeerdigt bleiben, deren Fäulniß die Luft vollends vergiftete. Man bemerkte zu Mallaga 1804, daß schwächliche Personen seltener und minder heftig vom gelben Fieber befallen wurden, als solche, die einen starken Körper hatten, und daß Neger, Amerikaner, Kroaten, farbige Menschen, und Spanier, welche in Amerika oder vor 4 Jahren in Andalusien diese Krankheit überstanden hatten, ganz verschont blieben. Auch drohte dem weiblichen Geschlechte eine geringere Gefahr, und besonders alte Weiber schienen eine das Uebel zurückstoßende Kraft zu besitzen, und unbeschadet des giftigen Miasma der Krankheit trotz bieten zu können.

(Die Fortsetzung folgt.)

Räthsel aus der Hervararsaga.

(Der König Heidrekur hat einem reichen Mann in Gothland, der Giestur heist, der ihm Feind war und ihm seiner bösen Thaten wegen oft Unglück gewünscht hatte, die Wahl gelassen, entweder sich dem Urtheil seiner zwölf weisen Männer zu unterwerfen, oder mit ihm in Räthseln zu streiten. In der Noth, da er durch beides gefährdet wurde, hört Giestur Abends an seiner Thüre pochen; ein Mann tritt ein, der ihm heißt, die Kleider mit ihm tauschen. Das geschieht, der Verkleidete geht nun an des Königs Hof, wird dort für den Giestur erkannt, und will sich auf Räthsel mit dem König einlassen, der es nicht ahndet, daß es Othin, ist der vor ihm steht.)

Ich wähle nur einige aus.

II. Giestur sprach: heim fuhr ich gestern, sah ich auf dem Weg Wege: war da Weg unten, Weg oben, und Weg in allen Wegen. Heidrekur König, denk du an das Räthsel.

König antwortete: Gut ist dein Räthsel, errathen ist das. Da fährst du über eine Brücke, und Weg war unter dir nieden, und Vögel flogen über deinem Haupt, und rund um dich: und war darum Weg auf allen Wegen.

III. G. sprach: Was ist das für ein Trank, den trank ich gestern? das war nicht Wein, nicht Wasser, nicht Meth, nicht irgend eine Speise, fuhr doch durstlos davon? Heidrekur rc.

König antwortete: Errathen rc. Du lagst im Schatten, als der Thau war gefallen auf's Gras, und kühlte dir deine Lippen.

IV. G. sprach: Wer ist der Schallende, er geht auf hartem Weg, ist oft vorher weggesprungen, oft küßt er, hat zwei Münde, und zu Gold nur geht er? Heidrekur ꝛc.

König antwortete: das ist der Hammer; den hat der Goldschmied.

V. G. sprach: Was sind das für Mägdlein, sie gehen oft zusammen nach ihrer Natur, manchem Mann haben sie Leid gebracht?

König antwortete: das sind Meer-Mägdlein (d. h. Wellen) und thun die manchem Mann Leid an, und sind manche zusammen.

VI. G. sprach: Was sind das für Wittwen, die gehen alle zusammen, nach ihrer Natur, selten sind sie günstig den Männern, und müssen im Winde wachen?

König antwortete: das sind die Meeres-Töchter (die Wogen) die gehen stets drei zusammen, wenn der Wind sie aufweckt.

VII. G. sprach: was sind das für Weiber, die gehen in kleinen Haufen (wie Wasser das mit Schnee hin und wieder bedeckt ist), haben bleiches Haar und sind weiß geschleiert, und achten auf nichts?

Heidrekur antwortete: das sind die Meereswellen, die gehen rauschend und kämmen ihren weißen Scheitel auseinander und ihren bleichen Schleier: ihnen folgen immer Seemänner und sind achtlos.

IX. G. sprach: Was ist das für ein Thier, was ich drinnen sah, unter des Königs Thieren, hat acht Füße und vier Augen, trägt die Kniee höher, als den Magen?

Heidrekur antwortete: das ist ein klein Thier, das heißt der Gewebekönig (die Spinne).

X. G. sprach: Was ist das für ein wunderlich Ding, das sah ich draußen, hatte sein Gesicht zur Hölle gekehrt, und seine Füße zur Sonne hinauf?

Heidrekur antwortete: Das ist Spieß-Lauch, der hat Zwiebel in der Erde und Blatt zur Sonne.

Berliner Abendblätter.

Berlin, den 24sten Januar 1811.

Kurze Geschichte des gelben Fiebers in Europa.

(Schluß.)

Zwei Aerzte erkannten in Mallaga gleich das Uebei, und erklärten es für das gelbe Fieber. Zur Belohnung für ihre Vorsicht und pflichtmäßige Aufrichtigkeit wurden sie exilirt. Erst später sah die Regierung in Madrid die Gefahr ein, die ganz Spanien und von da Europa bedrohte. Es wurden nachdrückliche Maaßregeln ergriffen, besonders die verpesteten Oerter durch Truppen-Kordons eingeschlossen, alle geflüchtete Personen von der Gesellschaft anderer Menschen abgesondert, und öffentliche Gebete gehalten. Am Ende des Jahres 1804 schien diese Kontagion auch ihre Wuth in Spanien erschöpft zu haben.

Gerade wie jetzt, eröffnete damals die Schifffahrt den Verwüstungen derselben einen neuen Schauplatz in Italien. Ein Schiff, welches nach dem Ausbruch des gelben Fiebers aus Cadix abgesegelt war, brachte es 1804 nach Livorno; ein neuer Beweis, daß die Krankheit nicht epidemisch, sondern bloß ansteckend ist, da der Giftstoff von Spanien nach Livorno mit Uebergehung von Nord-Spanien und Süd-Frankreich verschleppt wurde. Sorglosigkeit und Unkunde ließen ihr in Livorno anfänglich Spielraum. Sie wurde nicht bei ihrem wahren Namen, sondern la Febre corrente — daß im Schwange gehende Fieber — genannt, und die Aerzte, die gleich auf die große Gefahr aufmerksam machten, zogen sich Verfolgung zu. Bald aber war die Furcht vor dem gelben Fieber, und zwar mit Recht, in allen Städten des mittelländischen Meeres, in ganz Europa an der Tagesordnung. Ueberall wurden zweckmäßige Quarantaineankalten getroffen, der einzig wirksame Damm, den man diesem Feinde des menschlichen Geschlechts entgegen setzen kann. Zerstörender und weit schrecklicher, als die jetzt durch die Schutzpocken verbannten Blattern, würde er eine Entvölkerung von einem Pol zum andern drohen, wenn uns keine Quarantaine sicherte.

Schon das Schleswigholsteinische Sanitäts-Collegium hat die sehr richtige Bemerkung gemacht, daß das nördliche Klima kein Schutz gegen das gelbe Fieber ist, da diese Krankheit in Newyork, welches, obgleich südlicher liegend wie das nördliche Deutschland, dennoch, der großen amerikanischen Seen und Wälder wegen, das Klima von Norddeutschland hat, bösartiger gewesen ist, wie in ihrer Heimath, den südlichen Himmelsstrichen. Auch hat ja die orientalische Pest, die ein eben so warmes Geburtsland hat, wie die occidentalische, ihren Weg bis an die äußersten Grenzen Norwegens *) gefunden, und dieses Land so verwüstet, daß es noch jetzt Strecken Landes giebt, die seit dem sogenannten schwarzen Tode verödet liegen.

Ungefähr 6 Jahr hatte diese Geißel des menschlichen Geschlechts Europa nun verschont, als sie, am Schluß des vorigen Jahres, fast zu gleicher Zeit, in Mallaga und Chartagena von Neuem ausbrach.

Durch ein spanisches, mit Wein beladenes, Schiff war das Uebel auch nach dem südlichen Italien gebracht worden. Dies Schiff hatte die pestartige Krankheit am Bord, als es zu Brindisi im Königreich Neapel einlief. Die ganze Schiffsmannschaft starb an der Seuche, die fast zugleich mit dem in Mallaga entstandenen gelben Fieber in der Seestadt Brindisi und dem nicht weit davon belegenen neapolitanischen Hafen Otranto sich äußerte, und hiernach die von Spanien fortgepflanzte occidentalische Pest zu sein schien.

Dagegen schien die Königl. Quarantainedirektion in Kopenhagen, die sich durch ihre sorgfältige Aufmerksamkeit zu Erhaltung der Sanität so rühmlichst auszeichnet, die in Otranto und Brindisi entstandene beulenartige Pest für die orientalische zu halten, und,

_____

*) Ja selbst nach Island, ums Jahr 900.

nach den bei der Königl. Dänischen Direktion einge=
gangenen offiziellen Nachrichten, hatten Schiffe von
den Inseln Rhodos und Corsu dies Uebel dahin ge=
bracht. Was die Meinung, daß die an der neapoli=
tanischen Küste herrschende Krankheit nicht vom Occi=
dent herstamme, unterstützt, ist die Beschreibung der=
selben, nach welcher sie mit den in der Türkei an der
eigentlichen Pest beobachteten Symptomen überein=
kommt. Sie dauert in der Regel nicht länger als 24
Stunden, höchstens 3 Tage. Heftiges Kopfweh und
reißende Schmerzen in allen Gliedern bezeichnen ihr
erstes Entstehen. Zuletzt verliert der Kranke das Be=
wußtsein, fällt in Delirium und stirbt, wenn sich die
Beule, die sich während der Krankheit hinter den
Ohren bildet, öffnet, oder dem Aufgehen nähert. Wie
schrecklich ist nun dieses Uebel, besonders auf der spa=
nischen Küste, wo manche Kriegsereignisse die Wirk=
samkeit der Quarantaine=Anstalten hemmen können,
und dasselbe über die ganze Pyrenäische Halbinsel
auszubreiten drohen!

Miscellen.

In Chateauneuf des généraux qui sont il=
lustres dans la guerre de la revolution findet man
sehr viel Merkwürdiges über den General Wester=
mann, der unter dem Zunamen: der Fleischer der
Vendee, bekannt war. Westermann, heißt es darin,
strahlte als Heerführer in den Schluchten und For=
sten der Vendee. Er hatte ein ausgezeichnetes Ta=
lent für dieses Terrain und würde vielleicht auf fla=
chem Lande kein so guter General gewesen sein. Mit
einer schönen, hohen, anmuthigen Gestalt verband er
persönliche Bravour im höchsten Grade; sein Auge
flammte drohend, wenn die Schlacht begann, seine
Stimme glich dem Donner, und seine stürmische Hitze
siegte allenthalben, wo er sich an die Spitze stellte.
Wenn sich der Sieg nicht schnell zu seinen Gunsten
ergab, zog er den Rock aus, streifte die Hemdärmel
wie ein Fleischer auf, nahm die Zügel seines Pferdes
in den Mund, faßte mit jeder Hand eine geladene
Pistole, hieng seinen großen Säbel an die Faust und
stürzte sich, an der Spitze seiner Cavallerie, in das

dichteste Gedränge. Oft sah man ihn mit 500 — 600 Husaren auf diese Art in den Feind hineinstürzen und allein wieder zurückkommen, indem er alle Leute verloren hatte, und über und über voll Wunden war; oft trug er den Arm in einer Binde, oder war selbst aufs Pferd gebunden, wenn er in die Schlacht ritt. Die Soldaten, welche erstaunten, daß er so wunderbar mit dem Leben aus so vielen Schlachten davongekommen war, ließen es sich nicht ausreden, daß er einen Bund mit dem Teufel gemacht habe.

Der Freiherr von Campenhausen in seinen Bemerkungen über Rußland erzählt gelegentlich, da er die Badeanstalten in der Stadt Akermann in der Moldau beschreibt, die Art, wie die Türken zu baden pflegen. Man zieht sich in einem warmen Vorzimmer aus und wird dann in ein wärmeres Zimmer geführt; hier erwartet einen der Bademeister, der einen großen Handschuh anhat, welcher von Wolle oder von Haaren eines Thieres gemacht ist. Nun reibt er erst äußerst sanft, dann immer stärker und stärker den ganzen Körper, macht alle Gelenke knacken, wäscht hierauf den Körper mit laulichem Wasser, legt den Badenden auf ein an der Erde liegendes Polster, setzt sich auf dessen Rücken und glitscht so bis zu seinen Füßen hinab. Hierauf biegt er des Badenden Rücken, den er beständig reibt, und verursacht dadurch eine sehr angenehme Empfindung. Nach dieser Procedur wickelt er den Gebadeten in eine dazu bestimmte Leinewand wie eine Mumie ein, führt ihn in ein noch heißeres Zimmer, wo er von Neuem sanft frottirt und mit wohlriechenden Oelen über den ganzen Körper eingerieben wird. Diese Oele hat man zu verschiedenen Preisen. Sobald nun diese Salbung vorbei ist, erhält man einen Schlafrock und Pantoffeln und begiebt sich in ein anderes Zimmer, wo man Kaffee trinkt, und aus diesem kehrt man zu dem ersten zurück, wo man seine Kleider gelassen hat. Ein solches Bad kostete dem Hrn. von Campenhausen, der sich dessen bediente, eine Zechine.

Berliner Abendblätter.

Berlin, den 25sten Januar 1811.

Polizeiliche Tages-Mittheilungen.

Gestern Nachmittag gegen 4 Uhr sprang bei einem Destillateur auf der Kontre-Eskarpe der Blasenkopf ab, und die Flamme schlug sogleich zu den Fenstern und zum Kamine hinaus, der obere Theil des Rauchfanges stürzte ein, und das Feuer hatte bereits das nahliegende Holzwerk ergriffen, als es gelöscht wurde. Drei Arbeiter sind beschädigt worden, und einer von ihnen dergestalt, daß er nach dem Gutachten der herbeigerufenen Chirurgen sein Gesicht verlieren kann.

Abends gegen 6 Uhr entzündete sich in der Adlerstraße in der Wohnung einer Wittwe ein Strohsack, welcher an den Ofen gelegt worden war, und verursachte einen sehr starken Dampf. Das Feuer wurde sogleich erstickt, wiewohl die Wittwe abwesend war. Bei beiden Vorfällen ist kein Feuerlärm geschlagen worden.

Die Frau des Gastwirthes zu Rummelsburg, deren Pflegetochter, und der Sohn eines dortigen Tagelöhners sind gestern den 22sten Jan. mit einem Eisschlitten auf dem Rummelsburgischen See eingebrochen, und sämmtlich ertrunken. Die todten Körper konnten erst heute aufgefunden werden.

Bülletin der öffentlichen Blätter.

Paris, den 14. Januar.

Nach einem Kaiserl. Decrete vom 11. Januar wird die Consumtions-Steuer auf Mehl, Stein-Kohlen und Blätter-Tabak, welche aus den andern Departe-

ments des Reichs oder aus der Fremde in Holland
eingeführt werden, beibehalten, und soll nach Holländischem Gewicht und in Holländischem Gelde bezahlt
werden. Die bisherige Consumtions-Steuer auf andere Gegenstände aber ist aufgehoben; jedoch sind sie
den Zöllen des Reichs unterworfen.

Durch ein Kaiserl. Decret wird das Vorland der
Polders, welches bei der Fluth vom Wasser überflossen wird, für Zubehör der öffentlichen Domainen erklärt. Wer an solches Land einen Anspruch zu haben
glaubt, soll ihn in Jahresfrist beweisen, und es soll
darüber gerichtlich entschieden werden. Wenn ein
Polder länger als ein Jahr von der See überflossen
ist, so hört er auf, Privat-Eigenthum zu seyn, und
fällt an die öffentliche Domaine. Indessen soll diese
Verjährung nicht gegen solche Eigenthümer gelten,
welche beweisen, daß die Wiedereindeichung für den
Augenblick unmöglich ist. Sie tritt aber nach Ablauf eines Jahr, nachdem ihnen die Möglichkeit der
Herstellung angezeigt ist, gerichtlich ein. Alsdann
wird ein solcher Polder für Rechnung der Regierung
eingedeicht.   (L. d. B.)

London, den 5. Januar.

Es ist gestern mit einem Kauffahrtei-Schiff ein
Brief aus Reval angelangt. Er ist von einem Sub-
cargo, dessen Schiff in diesen Hafen, mit Colonial-
Waaren beladen, eingelaufen ist, und dieser berichtet
uns, daß ihm erlaubt worden wäre, seine Waaren gegen Bezahlung der gesetzlich bestimmten Abgaben
auszuladen. Diese Produkte stehn hoch im Preise; die
Gesinnungen der Einwohner von Ober-Liefland sind
dem Englischen Handel sehr günstig, und den aus
St. Petersburg eingelaufenen Nachrichten zufolge
glaubt man allgemein, daß ein Krieg zwischen Frankreich und Rußland für Englands Handelsverbindungen sehr vortheilhaft seyn würde.

Eine Zeitung, die wir aus Buenos-Ayres erhalten haben, ist mit Klagen der dortigen Kaufleute gegen den Capitain Elliot, Commandanten der Porcu-
pine angefüllt. Man glaubte dort allgemein, die Absicht der Englischen Regierung sei, sich der Stadt
Monte-Video zu bemächtigen, unter dem Vorwande,

das Gebiet von la Plata in der Bothmäßigkeit de[r]
Regentschaft in Spanien zu erhalten. Die Brief[e]
des Lord Strangford sagen nichts, woraus eine solch[e]
Absicht abzunehmen wäre, und wir glauben daher
dieses Gerücht sei ungegründet. Eine solche Maaßre[-]
gel würde sowohl die Eifersucht des Mutterlandes als
auch die der Colonien erwecken.   (L. d. B.)

Neapel, den 25. December.

Vor einigen Tagen besuchte der König die hie[-]
sigen Spitäler und wohlthätigen Anstalten, so wie auch
das Arbeitshaus. In Letzterem befinden sich über 1000
vormalige Lazzaroni's, die ehedem müßig giengen,
jetzt aber dort nützlich beschäftigt werden. Vor 11
Jahren zählte man in der Stadt Neapel noch 30000
Lazzaroni's, jetzt ist von denselben nur noch der Name
übrig. Soviel vermag eine kraftvolle Regierung.
                              (L. d. B.)

Vermischte Nachrichten.

Paris, den 16. Januar.

Der Moniteur enthält Folgendes:

London, den 10. Januar.

Der König befindet sich fortdauernd etwas besser.
Die Deputation der beiden Häuser hat sich die[-]
sen Morgen nach Windsor begeben, um der Königinn
die Beschlüsse mitzutheilen, und die Deputation, wel[-]
che ernannt ist, um sich zu dem Prinzen von Wallis
zu begeben, und ihn dieselben Beschlüsse mitzuthei[-]
len, hat sich um 1 Uhr nach Carltonhous begeben.
Die Antworten Ihrer Majestät und des Prinzen
von Wallis werden heute Abend dem Hause der Ge[-]
meinen und Morgen dem Hause der Lords mitgetheilt
werden.
Man versichert, daß Se. Königl. Hoheit ge[-]
sagt haben, Ihre Pflichten gegen den König und Ih[-]
re Achtung für die Wünsche der beiden Häuser ver[-]
anlaßten Sie, die schwere Bürde, die Ihnen aufge[-]
tragen würde, zu übernehmen, indem sie sich die Re[-]
strictionen gefallen ließen.
In Wien hatte sich das Gerücht von einem na[-]

hen Abschluß des Friedens zwischen Rußland und der Türkei erneut. Auch war die Rede von einer abermaligen Reduction der Oestreichischen Armee.

Methode der Alten, allen ihren Töchtern Männer zu verschaffen.

Die Babilonier hielten alle Jahre eine öffentliche Versteigerung der mannbaren Mädchen. Die schönste wurde zuerst ausgeboten, die dann der Meistbietende erhielt. Man ging so fort, Stufe vor Stufe, zu den Schönen, zu den Hübschen, zu den Leidlichen, herunter, bis zu den Häßlichen. Bei diesen Letztern aber kehrte sich der Handel um, und man bot den Freiern von dem Kaufschilling, den man für die schönern Mädchen gelöst hatte, ein verhältnißmäßiges Heirathgut an, zur Entschädigung für die schlecht conditionirte Waare. Fanden sich zu Einem Stücke mehrere Liebhaber, so wurde es demjenigen, der mit der kleinsten Summe vorlieb nahm, zugeschlagen. Vermöge dieser artigen Einrichtung, sagt Herodot, wurden die ungestalteten Mädchen durch die Reize ihrer Schwestern ausgestattet.

Tragische Vorfälle.

Zu St. Georgen, unweit St. Gallen, hat sich folgende traurige Geschichte zugetragen: Eine Wittwe nahm aus Mitleiden einen herumirrenden Wahnsinnigen auf, pflegte seiner, und sprach sogar die Hülfe des Arztes für ihn an. Am 22. Dec. Abends verrichtete der Wahnsinnige erst seine Andacht, dann fiel er plötzlich über die Wittwe her, und mißhandelte sie schrecklich; zuletzt ergriff er ihren 7jährigen Knaben bei den Füßen, und schlug ihn so lange gegen den Ofen, bis er den Geist aufgab. Leider kam die Hülfe zu spät. Dieß zur Warnung gegen unzeitiges Mitleiden!

Zu Villeneuve d'Agen spielte am 21. Dec. die Gemahlinn des Hrn. Lafosse unvorsichtig mit einer geladenen Flinte. Diese ging los, und das junge, erst seit 6 Monaten verehelichte Weib, das sich in gesegneten Umständen befand, stürzte todt zu Boden.

Berliner Abendblätter.

Berlin, den 26ſten Januar 1811.

Bülletin der öffentlichen Blätter.

Hamburg, den 23. Januar.

Geſtern, den 22. Januar, traf hier durch eine Eſta-
fette die Nachricht ein, daß zufolge offizieller, zu Paris eingegangener, Berichte die Feſtung Tortoſa, nachdem die Tranſcheen nur einige Tage eröffnet waren,
ſich den ſiegreichen Kaiſerl. Franzöſiſchen Waffen ergeben hat.

Man hat in dieſer Feſtung eine Beſatzung von
12000 Mann, worunter 400 Offiziers, 20 Kanonen,
2 Millionen Patronen und einen großen Vorrath von
Mund-Proviſion aller Art gefunden.

So hat alſo der General, Graf Suchét, welcher
das mit der Belagerung beauftragte Corps commandirt, den Spaniern den Ruhm geraubt, welchen ſie
bisher behaupteten, die Feſtungen aufs äußerſte zu
vertheidigen.

Die Einnahme von Tortoſa iſt von der höchſten
Wichtigkeit; ſie öffnet den Franzoſen das Königreich
Valentia und ſichert ihnen gänzlich den Lauf des
Ebro.   (X. d. B.)

Paris, den 15. Januar.

Der heutige Monitent enthält Folgendes:

Die letzten Briefe aus London vom 9. dieſes melden, daß, nachdem die Beſchlüſſe in Bezug auf die
Regentſchaft von beiden Häuſern bekräftigt waren,
zwei Commiſſionen ernannt wurden, die eine an den
Prinzen von Wallis, um demſelben die Beſchlüſſe der
beiden Häuſer mitzutheilen, und ihre Hoffnung zu erkennen zu geben, er werde die Regierung an der
Stelle des Königs übernehmen wollen; die andere an

die Königinn, um Ihre Majestät zu ersuchen, Sie möge die Sorge für die Person des Königs übernehmen.

Die an den Prinzen von Wallis abgeschickte Deputation besteht aus den Herren Perceval, Ryder, R. Dundas und dem Master of the rolls; die an Ihre Majestät die Königinn abgesandte Deputation aber aus den Lords J. Thynne, Clive, Palmerston und dem Obersten Desborough.

Am 7. hatte der Lord-Major von London noch in einer Versammlung der Repräsentanten der City präsidirt, in welcher eine Adresse an die beiden Häuser beschlossen ward, um auf eine unbeschränkte Regentschaft anzutragen.

Man sieht jetzt die bei Gelegenheit der Regentschaft eingelegten Protestationen, ihrem wörtlichen Inhalt nach, in unsern Blättern.

Sobald die Antwort des Prinzen von Wallis in Betreff der Regentschaft ertheilt ist, so wird das Parlament förmlich durch eine Commission eröffnet werden.   (L. d. B.)

———

Ferner enthält der Moniteur noch folgende Nachrichten aus London:

„Eine Depeche des Lords Wellington vom 15. December zeigt die Erscheinung vier Französischer Regimenter vor Coimbra an."

„Der Commandant von Obidos, Capitain Fenwick, ist geblieben, indem er eine Abtheilung Französischer Grenadiere verfolgte."

„Es ist keine Veränderung in der Stellung der Armeen vorgegangen."

„Zu Madrid hat eine große Truppen-Versammlung statt; das Corps von Gardanne hat seine Richtung nach dieser Stadt genommen."

„Blake ist zu Cadir angekommen, um seine Stelle als Präsident der Regentschaft anzutreten."

„Die Batterien der Franzosen sind nun so weit, Bomben in die Gräben von Cadir werfen zu können. Es ist befohlen, daß die Thore der Stadt gesperrt werden, und niemand darf ohne besondere Erlaubniß heraus."   (L. d. B.

———

Paris, den 16. Januar.

Auf den Bals parés, die während des Carnevals von den Prinzessinnen, Ministern und andern Großen des Reichs zu Paris gegeben werden, soll niemand anders als in Seide gekleidet zugelassen werden. Auch hört man, daß künftig bei Hofe zu den Cercles und Schauspielen niemand Zutritt haben wird, ohne in Sammet oder seidene Stoffe gekleidet zu seyn.

(C. d. B.)

Wien, den 19. Januar.

Se. Majestät haben laut Hofkanzley-Decrets vom 6. (20.) d. M. über die in Ansehung der Verordnungen vom 19. Februar 1790 und 19. Juli 1808 von mehreren Behörden aufgeworfene Frage, welche Jahre als die Unterscheidungsjahre (anni discretionis) zu betrachten seyen, bis zu welchen bei dem Uebertritte eines jüdischen Vaters zum Christenthume dessen Kinder mit dem Vater zu taufen seyen? Folgendes zu beschließen geruhet: Zur richtigen Erklärung der erwähnten Verordnungen habe die Bestimmung der Unterscheidungsjahre nach der Verordnung vom 15. Februar 1765 zu geschehen, so zwar, daß die Kinder unter vollen sieben Jahren in der Regel mit dem Vater zu taufen sind, den über sieben Jahr alten aber frei zu lassen ist, dem zum Christenthume übertretenden Vater zu folgen, oder im Judenthume zu bleiben.

(W. Z.)

Haydn's Tod.

Haydn verließ schon, seit dem Jahr 1806, hohen Alters wegen, die kleine Wohnung nicht mehr, die er in einer Vorstadt von Wien besaß. Seine Schwäche war so groß, daß man ihm ein eigenes Fortepiano, dessen Claven, vermittelst einer Vorrichtung, mit besonderer Leichtigkeit zu rühren waren, erbauen mußte. Er bediente sich dieses Instruments, schon seit 1803, nicht mehr, um zu componiren, sondern bloß, die Oede seiner alten Tage, wenn er sich dazu aufgelegt fühlte, zu erheitern. Freunde, welche kamen, sich nach seiner

Gesundheit zu erkundigen, fanden, statt der Antwort, an der Thür eine Karte befestigt, auf welcher folgender Saz, aus einem seiner lezten Gesänge, in Kupfer gestochen war:

„Meine Kraft ist erloschen, Alter und Schwäche drücken mich zu Boden."

Inzwischen hatte sich, während des Winters von 1808, in den ersten Häusern von Wien, eine Gesellschaft gebildet, welche Sonntags, vor einer zahlreichen Versammlung, die Werke der großen Musikmeister aufführte. Einer der geschmackvollsten und prächtigsten Säle der Stadt, der in seinem Raum wenigstens funfzehnhundert Menschen faßte, war der Schauplaz dieser musikalischen Festlichkeit; Damen und Herren vom ersten Rang fanden sich darin ein, theils um der Concerte und Oratorien, die man gab, zu genießen, theils selbst an der Ausführung derselben, begleitet von den geschicktesten Meistern der Stadt, Antheil zu nehmen. Am Schluß des Winterhalbenjahrs, den 27. März 1808, entschloß sich die Gesellschaft, Haydn's Schöpfung aufzuführen. Man erhielt von Haydn, in einem heitern Augenblick, das Versprechen, daß er sich dabei einfinden würde; und Alles, was Gefühl für Musik und Ehrfurcht für Verdienst und Alter hatte, beeiferte sich dem gemäß, an diesem Tage gegenwärtig zu sein. Zwei Stunden vor Anfang des Concerts war der Saal bereits voll; in der Mitte ein dreifacher Rang von Sesseln, mit den ersten Virtuosen der Stadt, Männern wie Salieri, Gyrowetz, Hummel 2c. besetzt; vorn ein Sessel von noch größerer Auszeichnung, bestimmt für Haydn, der nicht ahndete, welch ein Triumph seiner wartete.

(Die Fortsetzung folgt.)

Miscellen.

Frau v. Helwig, geborne v. Imhof gegenwärtig in Heidelberg lebend, will ihren Schwestern von Lesbos ein anderes Werk unter dem Titel: die Schwestern von Chios an die Seile stellen.

Berliner Abendblätter.

Berlin, den 28sten Januar 1811.

Bülletin der öffentlichen Blätter.

Paris, den 18. Januar.

Der heutige Moniteur enthält Berichte von den Armeen in Spanien. Man sieht daraus, daß Cadix mit glühenden Kugeln und Bomben beschossen worden ist. Man hat es so weit gebracht, zwölfzöllige Bomben in einer Entfernung von 2050 Toisen und achtzöllige Haubitzen 2150 Toisen weit abzuschießen. Der Alarm und die Bewegung sind zu Cadix äußerst groß, die Thore sind geschlossen und mit den Vorstädten communicirt man nur noch unter den größten Vorsichts-Anstalten. Die Theurung ist zu Cadix aufs höchste gestiegen, und das gelbe Fieber richtet daselbst große Verheerungen an.

Die Französischen Armeen von Andalusien, Grenada und Murcia befinden sich, Gott Lob! in dem besten Gesundheitszustande. Die Kranken, die in Folge der großen Hitze nach den Hospitälern gekommen waren, sind wieder hergestellt. In dem Arrondissement der Armee im Süden herrscht die größte Ruhe. Man reiset daselbst ohne alle Escorte, so wie in Frankreich. Die Armee hat an allem den größten Ueberfluß.

General Sebastiani hat vor dem Fort Marbella die Laufgräben eröffnen lassen. Seit dem Siege, den er über Blake erfochten, haben sich alle bewaffnete Haufen von Murcia zerstreut.

In den Gouvernements von Valladolid, von Burgos und Biscaya giebt es keinen einzigen beträchtlichen bewaffneten Haufen. Einige Banden halten sich noch in den Gebirgen versteckt, um einzelne Leute zu überfallen. Sie werden oft von unsern Patrouillen zerstreut, und ihre Zahl nimmt merklich ab.

Sitzung des Unterhauses vom 11. Januar.

Der Kanzler der Schatzkammer zeigte an, daß, gemäß den Befehlen des Hauses, die Commission, welche ernannt worden sei, um sich zu Sr. Königl. Hoheit zu begeben, sich zu diesem Prinzen begeben habe, bei welchem sie schon, im Namen des Hauses der Pairs, den Präsidenten des geheimen Raths und den Lord Groß-Siegelbewahrer angetroffen hätte. Nachdem die Beschlüsse der beiden Häuser Sr. Königl. Hoheit mitgetheilt worden, geruheten Sie Folgendes zu antworten:

Mylords und Gentlemen!

„Ich empfange die Mittheilung, womit die beiden Häuser Sie beauftragt haben, um mir, mittelst ihrer Beschlüsse, die Macht zur Ausübung der Königl. Gewalt während der Krankheit Sr. Majestät zu übergeben, mit den Gefühlen der Hochachtung, die ich stets für die vereinigten Wünsche der beiden Häuser gehegt habe."

„Mit denselben Gefühlen empfange ich die Hoffnung der Pairs und der Gemeinen, daß meine Sorgfalt für die Interessen Sr. Majestät und die Nation mich bewegen werden, die schwere Last auf mich zu nehmen, die mir unter den in diesen Beschlüssen enthaltenen Einschränkungen und Ausnahmen anvertraut ist."

„Innigst überzeugt, daß alle Gefühle meines Herzens mich bewogen hätten, nächst der gerechtesten Liebe für meinen Vater und meinen geliebten Souverain, auch jenes hochachtungsvolle Zartgefühl gegen ihn zu offenbaren, welches in diesen Beschlüssen ausgedrückt ist, kann ich doch nicht unterlassen, das Leidwesen auszusprechen, daß es mir nicht gestattet worden ist, seinen loyalen, betrübten Unterthanen zu beweisen, daß mein Betragen jenen Empfindungen gemäß gewesen sein würde."

„Gänzlich durchdrungen von der Nothwendigkeit, den Geist des Volks zu beruhigen, und entschieden, mich einem jeden persönlichen Opfer zu unterwerfen, welches mit der Sicherheit der Krone meines Vaters, und der gleichen Sorge, die ich für das Wohlseyn meines Volkes hege, vereinbar ist, zögre ich nicht, den angebotenen Auftrag, unter welchen Einschränkungen es auch sei, anzunehmen; in dieser Rückssicht bleibe ich der Meinung, die ich vormals bei einer frühern, eben so unglücklichen, Gelegenheit äußerte."

"Indem ich das mir auferlegte Geschäft übernehme, kenne ich alle die schwierigen Verhältnisse der Lage, worin ich mich nun befinden werde; doch ich traue mit Zuversicht auf den constitutionsmäßigen Rath eines aufgeklärten Parlaments, und auf die eifrige Unterstützung eines großmüthigen, loyalen Volks; ich werde alle mir übriggelassenen Mittel aufbieten, um dessen Unterstützung zu verdienen."

Mylords und Gentlemen!

"Theilen Sie meine Antwort den beiden Häusern mit, und überbringen Sie denselben zugleich meine feurigsten Wünsche und Gebete, daß es der Wille Gottes seyn möge, Uns und die Nation aus dem Bedrängniß der gegenwärtigen Lage durch eine baldige Wiederherstellung Sr. Maj. zu befreien!" (L. d. B.)

Haydn's Tod.

(Fortsetzung.)

Kaum war das Zeichen seiner Ankunft gegeben, so steht, in unbesprochener Uebereinkunft, wie durch einen elektrischen Schlag, Alles auf; man drängt, man erhöht sich, um ihn zu sehen, und alle Blicke sind auf die Thüre gerichtet, durch die er eintreten soll. Die Prinzessinn von Esterhazy, an der Spitze einer Versammlung von Personen von der ersten Geburt oder seltnem, vorzüglichem Talent, erhebt sich und geht ihm, um ihn zu empfangen, bis an den Fuß der Treppe entgegen. Der rühmwürdige Greis, auf einem Sessel getragen, erscheint unter der Thür; er kömmt, unter Vivatrufen und Beifallklatschen, vom Tusch aller Instrumente begrüßt, auf dem für ihn bestimmten Sessel an. Die Prinzessinn von Esterhazy nimmt ihren Platz zu seiner Rechten, der Autor der Danaiden zu seiner Linken; die Prinzen von Traumannsdorf, Lobkowitz, mehrere auswärtige Gesandte u. s. w. folgen; und es erscheinen zwei Damen, welche ihm, im Namen der Gesellschaft, zwei Gedichte überreichen, das Eine ein Sonnett, in italienischer Sprache, gedichtet von Carpani, das Andere eine Ode, in deutscher Sprache, gedichtet von Collin.

Haydn, der diesen Empfang nicht vorhergesehen hatte, gebrach es, einfach und bescheiden, wie er war, an Worten, das Gefühl, das ihn ergriff, auszusprechen. Man hörte nur einzelne, von Thränen unterbrochene, Laute von ihm: „Niemals — niemals empfand ich — —! Daß ich in diesem Augenblick sterben möchte — —! Ich würde glücklich in die andere Welt hinüber schlummern!"

In eben diesem Augenblick wird von Salieri, der das Concert dirigirte, das Zeichen zum Anfang desselben gegeben; Kreuzer am Flügel, Clementi (mit der ersten Violine), Weinmüller, Radichi, und eine Auswahl von Liebhabern, beginnen, mit bewundernswürdiger Einheit und Innigkeit die Aufführung der Haydn'schen Schöpfung. Vielleicht ist dies Werk noch nie in solcher Vollkommenheit executirt worden; die Talente übertrafen sich selbst und die Zuhörer empfanden, was sie nie wieder empfinden werden. Haydn, dessen Herz, alt und schwach, von Gefühlen überwältigt ward, zerfloß in Thränen, er vermöchte nichts, als seine Hände, sprachlos, zum Zeichen seiner Dankbarkeit, gen Himmel zu heben.

Inzwischen hatte das Gefühl, das dieses Fest anordnete, vorausgesehen, was es der Gesundheit des ehrwürdigen Greises, durch die damit verbundenen Erschütterungen, kosten konnte: und schon zu Ende des ersten Akts erschien der Tragsessel wieder, der ihn zurückbringen sollte. Haydn winkte den Trägern, sich zu entfernen, um keine Störung im Saal zu veranlassen; aber man drang in ihn, sich nach Hause zu begeben, und so ward er mit demselben Triumph, obschon nicht mehr mit dem Ausdruck ungetrübter Heiterkeit, mit welchem er erschienen war, wieder weggebracht.

(Der Schluß folgt.)

Berliner Abendblätter.

Berlin, den 29sten Januar 1811.

Bülletin der öffentlichen Blätter.

Paris, den 19. Januar.

Der heutige Moniteur enthält die ausführlichen Berichte über die Belagerung und Einnahme von Tortosa.

Gleich nach der Einnahme von Lerida und Mesquinenza zog sich das 3te Corps in die Gegend von Tortosa; der Transport des Belagerungs-Geräthes ging wegen des niedrigen Wasserstandes des Ebro nur langsam von Statten. Erst um die Mitte des Decembers konnte der Angriff ernstlich begonnen werden.

Die Artillerie hatte viele, immer wiederkehrende Schwierigkeiten überstiegen, um den Belagerungspark auf das linke Ufer des Ebro zu bringen. Die Errichtung der Batterien ward durch ein fürchterliches Feuer aus der Festung, welches besonders das rechte Ufer ecrasirte, sehr verhindert. Die Batterie No 1, 50 Toisen weit von dem Fort Orleans, ward am hellen Tage und offen, mit Hülfe eines, gegen die Schieß-Scharten gerichteten, Flintenfeuers, aufgeworfen. Der General Valée, die Offiziere, die Kanoniere gaben das Beispiel eines unermüdeten Eifers. Am 19. December, bei Tagesanbruch, begannen 45 Feuerschlünde, in 10 Batterien auf beiden Ufern, ein Feuer, welches in zwei Stunden ein entscheidendes Uebergewicht erlangte, und bald das ganze Feuer der angegriffenen Fronte zum Schweigen brachte. Die Brücke, welche einen Brückenkopf mit der Festung verband, war zerstört, und der Feind mußte diesen verlassen; wir nahmen ihn in Besitz. Am 30. schoß bloß das Schloß noch, und am 31. ward unser Feuer schwächer, da es gar nicht mehr beantwortet ward. Die Parapets waren rasirt, die Schießlöcher außer Stande noch Kanonen zu halten, und zwei Breschen vorwärts des

Forts Orleans und des Platzes begonnen. Man war schon in den Graben hinabgestiegen, und der Mineur schon an den Hauptwall befestigt.

„In diesem Zustand der Dinge, heißt es im Bericht des General Suchet, erschien am 1. Januar Morgens eine weiße Fahne auf der Höhe des Schlosses, und da bei diesem Zeichen bald alle Feindseligkeiten aufgehört hatten, so wurden die Wälle mit einer Menge Soldaten und Einwohnern bedeckt. Zwei Parlamentairs kamen heraus und wurden mir vorgestellt; sie übergaben mir einen Brief des Gouverneurs, der sie bevollmächtigte, mir Vorschläge zu machen. Mein Chef des Generalstabs, der Adjutant-Commandant, St. Cyr Nuguès, brachte meine Antwort mit den Grundlagen zu einer Capitulation nach der Stadt. Er fand an dem Gouverneur einen schwachen Mann, von zwei bis drei Oberhäuptern umgeben, die sich in die Macht theilten und nach Tarragona geschickt zu werden begehrten, wenn sie sich gleich ergäben, sonst aber 15 Tage Aufschub haben wollten. Dies ward nicht zugestanden, und man sagte ihnen, sie sollten keine weiße Fahne wieder aufziehen, wenn sie sich nicht ganz einfach ergeben wollten. Als mein Adjutant zurückkam, vernahmen die Soldaten mit Vergnügen die Nachricht, und verlangten mit Geschrei, zum Sturm geführt zu werden; ich versprach es ihnen für den andern Tag. Das Feuer der Bomben und Haubitzen begann in der Nacht auf Stadt und Schloß von neuem, der Mineur war in seiner Arbeit fortgefahren. Um 2 Uhr Morgens schoß eine mit außerordentlicher Schnelligkeit im bedeckten Wege auf der Contre-Escarpe des Grabens errichtete Batterie auf 15 Toisen weit. Von Stunde zu Stunde ward die Bresche weiter. Drei weiße Fahnen wurden zugleich aufgezogen. Ich befahl überall das Feuer zu verdoppeln. Um 2 Uhr war alles bereit. Ich ließ eine Brigade des General Harispe in den Communikationen der Transcheen die Waffen ergreifen, und bildete die Eliten-Compagnien der Transcheen-Wachen in Colonnen, um die Bresche zu besteigen. Die Parlamentairs kamen wieder; aber ich hatte verboten, irgend einen zuzulassen, wenn als Präliminar-Artikel nicht sogleich den Grenadieren eines der Stadtthore überliefert würde. Sie zauderten. Ich trat, von den Generalen und einigen Offizieren begleitet, hervor, und befahl, die Zugbrücken niederzulassen. Die Soldaten gehorchten mir, ich ging hinein, ließ die Waffen strecken, und machte den Offizieren und dem Gouverneur Vorwürfe über ihr Betragen Tages vorher. Ich ließ die Grenadiere einrücken, und Abends um 4 Uhr defilirte eine Garnison von 8000 Mann als Kriegesgefangene, legte neun Fahnen ab, wovon eine vom Könige Georg der Stadt Tortosa geschenkt war, und schlug unmittelbar, unter guter Escorte, den Weg nach Sarragossa ein." (L. d. B.)

Aus Italien.

Das Mayländer Amtsblatt liefert aus Venedig, Mantua, Bergamo, und aus andern Städten, Berichte, aus welchen erhellt, daß das wellenförmige Erdbeben, welches am 25. Dec. früh um 1 Uhr 39 Minuten verspürt wurde, 10 Secunden anhielt, seine Richtung von Osten nach Westen nahm, und in dem Königreich Italien beinahe allgemein war, Es stürzten Schornsteine ein, und mehrere baufällige Häuser fielen zusammen; sonst aber richtete es kein bedeutenden Schaden an, und kein Mensch kam dabei ums Leben. Die meisten Einwohner befanden sich eben bei den Christmetten in den Kirchen. (W. Z.)

Rom, den 2. Januar.

Bekanntlich besitzen die Damen aus den hiesigen ersten Häusern einen großen Reichthum an Diamanten. Nichts aber übertrifft die Pracht des Schmucks, in welchem die Großfürstinn Konstantin im verflossenen December bei einigen festlichen Gelegenheiten hier auftrat. Die vielen Steine, welche diese Prinzessinn auf der Brust und in den Haaren trug, hatten alle die Größe von Solitairs, und die ganze Robe war mit kleinern Diamanten besetzt. — Die zu Rom neu errichtete Ehrengarde, aus jungen schön gewachsenen Männern von den vornehmsten Familien bestehend, gewährt einen prächtigen Anblick. Ihre Uniform ist roth, mit weißen Schnüren garnirt. (K. f. D.)

Haydn's Tod.

(Schluß.)

Jedes Herz glaubte, als er den Saal verließ, ihm das letze Lebewohl zu sagen.

Im Vorzimmer streckte er noch einmal die Hände über die Versammlung aus, gleichsam um sie zu segnen; und ein Vorgefühl von Trauer trat an die Stelle der frohen Begeisterung, mit welcher man ihn empfangen hatte.

Dies Vorgefühl war nur zu gerecht. Haydn, in seine Wohnung angekommen, hatte das Bewußtsein verloren; und zwei und einen halben Monat darauf (den 31. Mai) war er todt.

Räubergeschichte.

Der Besitzer eines einsam gelegenen Landguts bei Corbeil (5 Stunden von Paris) reiste mit seiner Familie nach Paris; Niemand blieb zu Haus als weibliche Dienstboten. Des Abends kommt eine alte arme Frau an die Thüre, mit der Bitte, sich wärmen zu dürfen, und etwas Suppe zu erhalten. Die gute Bonne führt sie zum Küchenkamine, bemerkt aber bald, daß die Alte einen übelversteckten Backenbart habe. Ohne ihre Sprache zu ändern, sagt sie, sie werde gehen, ihr ein Stück Fleisch abzuschneiden, wetzt ihr Küchenmesser, kommt dann zur Alten zurück, und stößt ihr das Messer in die Kehle, daß sie todt bleibt. Darauf steckt sie den Kamin in Feuer, um die Nachbarn herbei zu locken; diese kommen und verscheuchen die Diebesbande, die in der Nähe harrte, bis ihr Kundschafter, als altes Weib verkleidet, die Zahl der im Hause Anwesenden erkunden, und ihnen die Thüre öffnen würde. Man fand Pistolen und Messer in dem falschen Bauche des Verkleideten. Der Besitzer des Landguts hat nun dieser modernen Judith eine jährliche Pension von 600 Franken ausgesetzt.

Berliner Abendblätter.

Berlin, den 30ſten Januar 1811.

Bülletin der öffentlichen Blätter.

Wien, den 16. Januar.

Nach hier eingetroffenen ſichern Nachrichten iſt der
Friede zwiſchen Rußland und der Pforte nun wirklich
abgeſchloſſen worden. Von den Bedingniſſen dieſes
Friedens kennt man vorläufig nur die Abtretung der
Moldau und Wallachei an Rußland von Seiten der
Pforte. — Der ruſſiſche General Buxhövden wird
ſich, dem Vernehmen nach, von hier nach Paris be-
geben.   (K. f. D.)

Aus der Schweiz.

Bekanntlich hat das Haus Konrad Schulthes in
Zürich ſich genöthigt geſehen, ſeine Zahlungen einzu-
ſtellen. Die Gattinn des Herrn Schulthes brachte
ihrem Manne ein Vermögen von 400,000 Schweizer
Gulden (den neuen Louisd'or zu 10 Gulden gerechnet)
zu. Nach den Geſetzen hat ſie mit ihrem Eingebrachten einen Vorzug vor allen übrigen Kreditoren. Aber
dieſe edle Frau entſagte, um die Ehre ihres Mannes
zu retten, der Hälfte ihres Vermögens; und durch
dieſes Opfer können nun alle Gläubiger innerhalb 5
Jahren, bloß mit Nachſicht der Zinſen, befriedigt
werden.   (K. f. D.)

Aus Italien.

Das Nationalinſtitut des Königreichs Italien erhielt den Namen Inſtitut der Wiſſenſchaften und ſchö-
nen Künſte. Es hat ſeinen Sitz in Mailand und 4
Sectionen in Venedig, Bologna, Padua und Verona.
60 Mitglieder dieſes Inſtituts genießen einen Jahrge-
halt von 1200 Lire. Die Zahl der Ehrenmitglieder

ist unbestimmt. Für die Ausgaben des Instituts sind jährlich 120,000 Lire bestimmt. — Die Konskription im Königreich Italien ist für 1811, 15,000 Mann; die Hälfte davon wird in Thätigkeit gesetzt. — Ihre Königl. Hoheit die Prinzessinn Viceköniginn ist auf dem Wege der Besserung.　　　　　　　(K. f. D.)

K. L. Fernow.

Karl Ludwig Fernow's Leben, von Johanna Schopenhauer. Tübingen. Cotta, 1810.

Viele überrascht es, bei uns in Fernow einen Landsmann zu begrüßen; er gehörte, wie Winkelmann, Herder und Ritter zu der großen Zahl ausgezeichneter Talente, die in ihrem Vaterlande nicht die erwünschte Unterstützung fanden und deswegen dem Auslande ihre Dienste widmeten. Sein Geburtsort ist Blumenhagen in der Ukermark (geboren 1763 den 19 Nov.), wo sein Vater als Knecht auf dem Hofe des Gutsbesitzers, des Hrn. v. Necker, diente. Das jüngste Fräulein war seine Pathe, die ihn im fünften Jahre zu sich aufs Schloß nahm, und ihn mit liebevoller Sorgfalt aufzog. Diesem Fräulein danken wir alles, was dieser schätzbare Gelehrte der Welt geleistet hat, wir stellen sie als ein nachahmungswerthes Beispiel den Frauen, die unter ähnlichen Verhältnissen leben, auf; der Uebergang eines ausgezeichneten Talents unter den Landleuten ärmerer Gegenden zu einer höheren Bestimmung ist ohne eine solche verbindende Mittelstufe fast unmöglich. Gutsbesitzer und Prediger vermöchten in dieser Hinsicht sehr viel, wenn nicht die eigenen Verhältnisse derselben durch Zeitumstände so drückend geworden wären. — Der Hofmeister jener Familie entdeckte zufällig, daß der kleine F. beim Herumspielen in einem Zimmer, worin er andre unterrichtete, manches besser behalten und begriffen hatte, er verwunderte sich und nahm ihn mit in die Lehrstunden. Die Herrschaft wollte für ihn auf der Schule sorgen. Er kam nach Pasewalk auf die Schule und wäre vielleicht glücklich seinem eigentlichen Berufe zum Gelehrten entgegengereift, wenn nicht eine

kindische Liebhaberei an Kunstwerken, die ihn veran=
laßte, die Kupferstiche aus den Büchern eines gewis=
sen alten gelehrten H. Pistorius, der sie ihm anver=
traute, auszuschneiden, ihn bei der Entdeckung zu ei=
ner Flucht nach Hause getrieben hätte. Wer das
Stehlen alter Antiquare und Kunstliebhaber kennt,
wird schon hierin seine Vorbestimmung dazu erken=
nen; die Verfasserinn erzählt die Geschichte so wahr,
so natürlich; das Kindische, nur Halbbewußte wird ei=
nem ganz deutlich in der kleinen Missethat, und doch
ist sie der Anfang von allem Verkehrten, Mühevollen
und Nutzlosen in Fernow's Leben. Denn wegen die=
ser Flucht ward er Apotheker in Anklam und von dem
eigentlichen Studieren abgelenkt. Dort hatte er das
Unglück, aus Spielerei mit der Flinte einen Jäger zu
erschießen, was zwar durch die Klugheit seines Herrn
verschwiegen blieb, wobei er aber den langewähren=
den Vorwurf aushalten mußte, den Nachfolger jenes
Jägers im Dienste, mit demselben Rocke, an welchem
das Loch, sichtbar zugenäht war, wo die Kugel ihn
durchbohrt hatte, häufig in der Apotheke zu sehen. Aus
Furcht vor der militärischen Aushebung, von der er
frei gewesen wäre (nach der damaligen Einrichtung
unsres Landes), wenn er sich auf der Schule ausge=
zeichnet hatte, flüchtete er nach Endigung seiner Lehr=
jahre über die Grenze; in Lübeck fand er eine gute
Anstellung; er machte die Bekanntschaft des Maler
Carsten, der später zu Rom in seinen Armen starb;
durch ihn ward seine Liebhaberei am Zeichnen zu et=
was Bedeutendem ausgebildet, er lernte bald in Blei=
stift und in Pastell sehr sauber porträtiren, so daß er
seinen Apotheker plötzlich mit der Nachricht überraschte,
die Apothekerkunst gänzlich aufgeben zu wollen. Von
seiner neuen Kunst, nebenher auch mit Poesie, beschäf=
tigt, lebte er in Ratzeburg und Schwerin; eine Lieb=
schaft zog ihn nach Weimar, er fand sich getäuscht, und
ging zufällig nach Jena, wo ihn Rheinholds Vortrag
auf sein eigentliches Wesen, auf seinen Beruf zum Ge=
lehrten, aufmerksam machte. Noch kam er aber nicht
zu diesem Erkenntniß, er wollte nur lernen, um ein
Künstler zu werden; in dieser Hinsicht sorgten Rhein=
hold und Baggesen für ihn; eine Reise nach Rom,
die seine Seele füllte, sollte ihn als Künstler ausbil=
den. Seine seltene Festigkeit im Entsagen und Sparen

machte es ihm möglich, die Reise von Jena bis Bern mit 18 Rthl. zu bestreiten; er lernte dort als Vorbereitung Italiänisch, und reiste mit Baggesen über Wien nach Florenz; Verhältnisse trieben ihn nach Bern zurück; die milde Unterstützung des Grafen Burgstal machte es ihm endlich möglich, nach Rom zu gehen und dort ein Paar Jahre ohne Erwerb zu leben. Dort, in Rom, in dem Kreise vieler jungen Künstler, fühlte er zuerst, daß er zu alt sei, um etwas Bedeutendes in der Mahlerei zu leisten; er glaubte sich zu einem philosophischen Kunsttheoretiker bestimmt, hielt ästhetische Vorlesungen und schrieb in mehreren deutschen Journalen über die Kunst. Ganz allmählig entwickelte sich indessen sein eigentliches Talent, als gelehrter Sprachforscher; er hatte die italiänische Sprache bald mit einer Gründlichkeit durchdrungen, daß ihm selbst italiänische Gelehrte den ersten Platz als Grammatiker einräumten; dabei hatte er sich eine seltene Kenntniß ihrer Literatur erworben. — Durch so viele Umwege war er zu seinem Ziele gelangt, wohin er durch einen beendigten Schulunterricht auf der Universität vielleicht mit unmittelbarem raschen Wetteifer gedrungen wäre. Die Herausgabe seiner Grammatik führte ihn nach Jena, zugleich die Theurung in Rom, wo er Frau und Kind die ihm Rom geschenkt hatte) nicht mehr ernähren konnte; die verwittwete Herzoginn von Weimar berief ihn als Bibliothekar nach Weimar, wo er allmählig die Herausgabe seiner Schriften besorgte, seine italiänische Grammatik, seine italiänischen Classiker, Winkelmanns Werke, seine römischen Studien, sein Leben Carstens u. s. w.; das Haus der Verfasserinn seiner Biographie ward seine Zuflucht nach dem Tode seiner Frau und bei seiner eigenen, sonst sehr dauerhaften, aber durch einen starken Marsch auf der Rückkehr von Italien geschwächten, Gesundheit.

(Der Schluß folgt.)

Berliner Abendblätter.

Berlin, den 31sten Januar 1811.

K. L. Fernow.

(Schluß.)

Eine Pulsadergeschwulst war sein geheimes Uebel,
die Aerzte verschwiegen es ihm; er ruhte nicht eher,
bis er sein Todesurtheil in Scarpa's Werke gelesen hatte:
da ward er ruhig um sich, arbeitete so viel er noch
vermochte und wurde eines Morgens todt unter sei=
nen Büchern in der Stellung eines sitzend Eingeschla=
fenen gefunden (den 4. Dec. 1808). Die Freundschaft
schenkte ihm in dieser Biographie ein dauerndes Denk=
mahl. — Möge es einem Geistigverwandten eben
so schön gelingen, die mancherlei halbvollendeten Ar=
beiten, die sich im Nachlasse des Verstorbenen gefun=
den haben, zu beendigen. Hier nur eine gute Lehre
zum Schluß:

Ich seh den Zufall jetzt mit Männern spielen
Wie Meereswellen mit dem leeren Nachen,
Da muß ich wohl des ersten Strebens lachen,
Der Arbeit Gluth will sich in Ruhe kühlen.

Doch seh ich dieses Kind im Dorf erwachen,
Zur honen Roma viele Jahre zie en,
Die es als Mann erreicht, wo ihn vor vielen
Allein durchdringt die Gabe aller Sprachen.

Da fühle ich die Kraft im eignen Willen:
Der Zufall stürmet uns umsonst vom Hafen,
Der Steuermann belauert ihn im Stillen.

Er fesselt ihn, wenn müde Seelen schlafen,
Der Zufall muß ihm jeden Wunsch erfüllen,
Den Zufall macht ein froher Muth zum Sklaven.

L. A. v. A.

Aus Paris.

Der Kassationsgerichtshof hat kürzlich einen merk=
würdigen Rechtsfall entschieden, der wegen seiner Be=
ziehung auf die Religion, die Sitten und bürgerliche

Ordnung die allgemeine Aufmerksamkeit erregt hat
und in mehreren öffentlichen Blättern mitgetheilt wird.
Der Fall ist folgender:

Bei dem Pfarrer eines Kirchsprengels, unweit
Mons in Jemappes-Departement, wird ein ansehn-
licher Diebstahl begangen, mehrere Personen werden
verhaftet und vor dem Spezialgerichtshof dieses Departements als verdächtig angeklagt. Während der
Untersuchung aber erscheint eine Person bei Herrn
Laveine, Vikar des Kirchspieles von Mauvelle, und
erklärt ihm, daß sie ein Geheimniß zu entdecken habe,
welches sie auch sogleich thut. Sie stellt zugleich Hrn.
Laveine eine Summe zu, und bringt ihm den Tag
darauf noch eine, um alles dem bestohlenen Pfarrer
wied-r zuzustellen. Der mit der Behandlung dieses
Prozesses beau tragte Richter hatte nicht sobald von
diesem Geständnisse und dieser Restitution Kenntniß
erhalten, als er Herrn Laveine aufforderte, über beide Fakta ein besonderes Zeugniß abzulegen. Der
Geistliche behauptete, daß er weder das Geschlecht
noch den Namen der Person, die ihm ein Geheimniß von solcher Wichtigkeit anvertraut habe, entdecken könne; allein er erbot sich, eine Aussage zu er-
statten über das Faktum der Restitution und
alle andere Umstände, von welchen er Kenntniß
habe. Es ergehen nunmehr Verordnungen und Re-
quisitionen an Herrn Laveine, der Justiz den Namen
der Person zu entdecken, welche das aus dem Diebstahl sich herschreibende Geld ihm zugestellt habe; weil,
sagt der Gerichtshof, diese Entdeckung zur Verurtheil-
ung und Bestrafung eines Verbrechens oder zur
Rechtfertigung eines Unschuldigen dienen könne.

Gegen diese Verordnung ergriff Herr Laveine das
Rechtsmittel der Kassation. Er stützte sich dabei auf
den ersten Artikel des Konkordats, welcher freie Religionsübung gestatte, und die katholische Religion für
diejenige erkläre, welche der größte Theil der Franzosen bekenne. Nun aber, sagt er, verletzt man
offenbar das Gesetz, stört die freie Religionsübung,
beeinträchtigt den sakramentalischen Glauben und die
Gewissensfreiheit, so wie die Sittlichkeit, stört auch die
öffentliche Ordnung, sobald man den Geistlichen zwingt,
der Gerechtigkeit ein Bekenntniß mitzutheilen, welches

ihm von einem Reuigen im Vertrauen geleistet wurde. Die Grundsätze der Religion, die kanonischen Gesetze, die bürgerlichen und geistlichen Statuten, Alles spricht gegen eine solche Entdeckung.

In dem vorliegenden Falle befand sich der Beichtende freilich nicht im Beichtstuhle selbst; er legte Herrn Laveine keine eigentliche sakramentalische Beichte ab, sondern bloß ein Bekenntniß im Vertrauen, so daß man daraus eine Ausnahme von der allgemeinen Regel ableiten könnte, welche dem Beichtvater die Verbindlichkeit auflegt, die ihm enthüllten Geheimnisse zu verschweigen.

Hierauf antwortet man: die Person, welche die Restitution geleistet, habe ihren Fehler dem Geistlichen bloß in gegründetem Vertrauen auf die sakramentalische Beichte gestehen wollen; es sei nicht nothwendig, daß der Priester im Beichtstuhl sitze, um eine Entdeckung unter dem Siegel der Verschwiegenheit anzuhören; das Vertrauen des Bekennenden und die Eigenschaft dessen, der das Bekenntniß annimmt, erfordern dieselbe Verschwiegenheit, wie die sakramentalische Beichte; der Unterschied liege bloß in der Form, und folglich müssen in beiden Fällen gleiche Grundsätze angewandt werden.

Ich habe also, sagt Herr Laveine, durch Anzeige des Faktums der Restitution der geraubten Sache, durch Vorlegung aller Umstände, von denen dieses Faktum begleitet war, meine Pflicht als Staatsbürger erfüllt. Durch Verschweigung des Geschlechts und Namens der Person habe ich meiner Pflicht als Beichtvater und Priester Genüge geleistet; ich habe mich in beiden Hinsichten dem bürgerlichen und geistlichen Gesetze gemäß bezeigt; ein Befehl, der eine vollständigere Aussage fordert, der meinem Gewissen unverletzliche Geheimnisse zu entreißen droht und mich zwingt, meinen Eid zu verletzen um ein guter Bürger zu sein, kann durchaus nicht bestehen.

Der Generalprokurator Merlin bestritt diese Gründe und behauptete, daß ein Geistlicher wie jeder andere Franzose gehalten sey, der Gerechtigkeit vollständig alle Umstände eines Verbrechens zu entdecken, welches ihm außer dem Beichtstuhle bekannt geworden sei.

Allein der Gerichtshof nahm diese Meinung nicht an. Er verordnete vielmehr durch einen Beschluß, daß die von Herrn Laveine angefochtene Entscheidung kaffirt sein solle.

Miscellen.

Madame Geoffrin zu Paris kaufte von dem Königlichen Hofmaler Vanlo zwei schöne Gemälde, wovon das Eine ein spanisches Concert, das Andere ein spanisches Gesellschaftsstück vorstellte. Beide Stücke hatte sie für 4000 Livres erstanden. Die Kaiserinn von Rußland ließ ihr für beide Stücke 34000 Livres bieten und Madame Geoffrin nahm das Gebot an. Sobald sie aber das Geld erhalten hatte, schickte sie der Wittwe Vanlo, die von ihrem Manne nicht in den besten Umständen zurückgelassen worden war, 30000 Livres mit einem verbindlichen Schreiben zu, und behielt nur die Auslage von 4000 Livres zurück. — Dies ist in der That, ein außerordentliches Beispiel von Edelmuth.

Wenn die große Glocke zu Peking in China, nach einem erfochtenen Siege oder einer andern frohen Begebenheit, geläutet werden soll, so werden die Einwohner in und um Peking davon benachrichtigt, um jedes Unglück zu verhüten. Die Wirkungen dieser Glocke sind fürchterlich, wenn sie in Bewegung gesetzt worden ist. Ihr Schall tödtet neugebohrne Kinder und junge Thiere, Schwangere kommen vor der Zeit nieder, und die erschütterte Luft zerschmettert Fenster, Gläser und Porcellan und stürzt Schornsteine zusammen. Um sie zu läuten, braucht man 100 Menschen.

Berliner Abendblätter.

Berlin, den 1sten Februar 1811.

Bulletin der öffentlichen Blätter.

Cadix, den 18. December.

Am 16. December begannen die Franzosen, von Ca=
bezuela aus eine Haubizen=Batterie spielen zu lassen.
Die Stücke standen auf dem Parapet unter einem
Winkel von 45 Grad. Es gelang dem Feinde; einige
Bomben auf das Hospital las Murgeres, und auf
das Schauspielhaus, welches etwas über das Centrum
der Stadt hinaus liegt, zu werfen. Jede dieser Bom=
ben wog 72 Pfund. Sie waren beinahe ganz mit
Blei gefüllt und enthielten nur wenig Pulver. Diese
Grenaten sind eine Art Geschoß, ehemals von einem
Spanier erfunden, welche die Franzosen bei ihrer
Ankunft in Sevilla im Arsenal vorgefunden haben.
Sie haben dieses Werkzeug der Zerstörung, welches
dreißig Secunden, nachdem man das Zündfeuer ge=
wahr wird, in die Stadt fällt, sehr vervollkommnet.
(Mon.)

London, den 15. Januar.

Wir haben diesen Morgen Briefe von Lissabon
erhalten. Sie geben die Berichte von der Armee bis
zum 30. December und von Lissabon bis zum 1. Ja=
nuar, die sehr wichtig sind. Die Armee befand sich
seit drei Tagen in Bewegung, und nach allen Um=
ständen konnte man in Kurzem eine schreckliche Schlacht
erwarten. Es sind 1200 Seesoldaten mit dem Dienst
auf den Batterien zur Vertheidigung der Hauptstadt
beauftragt und 4000 Matrosen haben sich freiwillig
erboten, sich am südlichen Ufer des Tajo gebrauchen
zu lassen. Folgende Schreiben enthalten noch einige
besondre Umstände.
(L. d. B.)

Lissabon, den 29. December.

„Ich komme so eben aus dem Lager. Der Marschall Beresford war an die andere Seite des Tajo, nahe an der von den Franzosen besetzten Stelle, übergegangen. Die Verstärkungen des Feindes, 18000 Mann stark, wurden am 26. zu Thomar erwartet, einer Epoche, wo man glaubte, daß die Franzosen etwas Wichtiges unternehmen würden.

Die Generale, welche Erlaubniß erhalten hatten, nach England zurück zu gehen (Cotton, Steward, Coleman) und sich einschiffen wollten, haben Befehl bekommen, sich bei der Armee einzufinden.

In zwei Tagen erwarten wir große Ereignisse.“

Lissabon, den 31. December.

„Seit zwei Tagen haben große Bewegungen bei der Armee statt gehabt. Ein Theil der Artillerie hat eine andere Disposition erhalten, und den Offizieren ist befohlen, sich bei ihren Regimentern einzufinden. Massena hat über Almeida beträchtliche Verstärkungen erhalten, und man glaubt bei der Armee, Lord Wellington werde sich in seine vorige Stellung zurückziehen.“
(Mon.)

Boston, den 14. November.

Am 9. Abends gegen 9 Uhr, verspürte man zu Portsmouth (in den vereinigten Staaten) ein heftiges Erdbeben. Es scheint, es habe sich in der Richtung von Nordwest nach Südwest geäußert und sey mit einer starken Explosion begleitet gewesen. Es dauerte 1 bis 2 Minuten, hat aber keinen wirklichen Schaden angestiftet. Das Journal von Connecticut spricht auch von heftigen Erdstößen in jenem Lande, die gegen 20 Sekunden angehalten, und die Zeitung von Portland sagt, man habe es dort nur schwach bemerkt. Deutlicher ist es aber zu Salem, Newborg, Port, York, Exetor, Dove, Haverhil, und andern Städten des Innern gespürt worden. (L. d. B.)

Paris, den 21. Januar.

Am 19. dieses ist der Marschall Oudinot, Herzog

von Reggio, zu Bar-sur-Ornain, seiner Geburts-
stadt, angekommen. (L. d. B.)

Inspruck, den 17. Januar.

Bekanntlich haben vor einem Jahre nach der unglücklichen Insurrektion, die so viel Jammer über Tyrol brachte, sämmtliche Einwohner des Landes ihre
Stutzen und andere Schickgewehre abgeben müssen.
Diese damals nothwendige Verordnung kam der Gem-
sen wohl zu statten, die sich seit dem in den gebir-
gigten Gegenden sichtbar vermehrten. Allein seit dem
Eintritt des Winters kommen nun auch die Wölfe von
den Bergen in die Thäler herab, und fallen seit ein
paar Wochen sogar die Menschen an. Unsere weise
Landesregierung denkt aber bereits auf Mittel, diesen
schädlichen Thieren Einhalt zu thun. (L. d. B.)

Hamburg, den 4. Januar.

Einer unserer Mitbürger, der von einer Reise
nach Schweden zurückgekommen ist, sagt aus, daß, ungeachtet der Kriegserklärung, die Communicationen
zwischen Schweden und England fortdauernd die
nemlichen sind, und daß die Packtbote regelmäßig zu
Gothenburg anlangen, auch daß am Tage seiner Abreise, am 23. December, Briefe und Zeitungen von
London bis zum 18. da waren. Die Verhältnisse beider Länder beschränken sich nicht bloß auf die Correspondenz: Gothenburg ist der Stapelplatz eines sehr
lebhaften Handels, der gar nicht aufgehört hat, unter der Direktion des vormaligen Englischen Consuls,
Herrn Smith, und durch Vermittelung eines gewissen Patterson, eines Engländers, betrieben zu werden,
der auf Vorio, einer kleinen Insel, wohnt, die in der
Bay zwei Meilen von Gothenburg liegt. Täglich begeben sich Schwedische Fahrzeuge nach dieser, um den
Engländern verschiedene Artikel, als Pech, Theer, fri-
sches Fleisch, Branntweine und andere Provisionen
zu bringen: Sie führen dagegen Colonial-Produkte
und Englische Waaren zurück, die, nachdem sie in
Gothenburg niedergelegt worden, bald darauf ins
Innere des Landes gebracht werden. Der Reisende,
dessen wir erwähnen, hat von mehreren Expeditionen
von Colonial-Waaren nach Helsingborg und Malmö

Kenntniß gehabt. Am 15. December sah er von Gothenburg eine Convoy von 60 mit Indigo beladenen Wagen abgehen. Am 19. fuhren 500 mit Kaffee und Zucker beladene Karren nach Norköping ab. Endlich am Tage seiner Abreise ward eine zweite Convoy mit Colonial- und Englischen Waaren ins Innere des Landes geschafft. Die Englischen Kaper lassen alle nach Schweden bestimmte Schiffe frei durchpassiren. Sie begünstigen die Küstenfahrt und legen der Fischerei kein Hinderniß in den Weg. Andererseits halten sich zu Gothenburg eine Menge Engländer auf; alle ihre Besorgnisse sind verschwunden; sie haben ihre gewöhnlichen Geschäfte wieder angefangen, und nach ihrem arroganten und ironischen Ton zu schliessen, mußte man geneigt sein, zu glauben, daß niemals ein besseres Einverständniß zwischen beiden Regierungen geherrscht hat.   (Mon.)

Diebshändel.

Am Ende des vorigen Jahres wurden am nemlichen Tage in Wien acht Personen verhaftet, deren Leben seit Jahren zwischen Diebstählen und Arrest oder Zuchthaus getheilt war. Unter ihnen befinden sich auch eine Frau und ein Mädchen von 24 Jahren, welche schon ein Jahrzehend hindurch Diebereien in Kaufmannsgewölben sich zum eigenen Geschäfte gemacht und von dem Ertrage ein schwelgerisches Leben geführt hatten. In den Theatern fand man die Diebe auf den ersten Plätzen, und sie besaßen eine vorzügliche Geschicklichkeit, im Gedränge die Portefeuille's aus den Brusttaschen zu schneiden. Einem Schustermeister hatten sie von ihren Diebstählen 500 fl. in Geld und zwei goldene Uhren in Verwahrung gegeben. Nachts brachen sie bei ihm ein, raubten selbst Geld und Uhren, und forderten dann von dem Schustermeister Ersatz für das gestohlene Gut. Ein Greis von 76 Jahren, der wegen Diebstähle und Theilnahme an denselben fünf Mal im Arreste und im Zuchthause gewesen war, und nun unter dem verdächtigen Namen eines „Regocianten" zu Wien lebte, war der Vermittler, die gestohlnen Waaren der Bande zu verschachern.

(Der Schluß folgt.)

Berliner Abendblätter.

Berlin, den 2ten Februar 1811.

Bülletin der öffentlichen Blätter.

London, den 16 Januar.

Die Hofzeitung enthält Folgendes:

„Der Graf Liverpool hat gestern eine Depesche von Lord Wellington erhalten, wovon hier eine Abschrift folgt."

Cartaro, den 22. December.

Mylord!

„Der Feind hält fortdauernd seine Position von Santarem besetzt, und hat seit meinem Briefe vom 15. keine bedeutende Bewegung gemacht. Er fährt fort, Schiffe auf dem Zezere zusammenzubringen, über welchem Flusse er jetzt drei Brücken hat.".

„Nach den letzten Berichten des Generals Silveira, hat sich der Feind an der Eda gezeigt. Allein dieser General glaubt ihn nicht stark genug, um über diesen Fluß zu gehen. Die Nachricht, die man mir in Bezug auf den Marsch des 9. Corps nach Madrid gegeben hatte, hat sich nicht bestätigt."

„Die letzten Nachrichten aus Cadix gehen bis zum 8. dieses."

„Ich habe die Ehre zu seyn 2c.

Wellington."

Der Graf Liverpool hat eine zweite Depesche des Lords Wellington erhalten, wovon hier ein Auszug erfolgt:

Cartaro, den 29. December.

„Seitdem ich am 22sten an Ew. Herrlichkeit ge=

schrieben habe, bin ich unterrichtet worden, daß die feindlichen Truppen, welche Nieder-Beira am Ende des vorigen Monats verlassen haben, am 15ten und 16ten über die Coa nach Almeida gegangen, und in Ober-Beira auf den Straßen von Pinhel und Franxosa, von Alverca und Celorico vorgerückt sind."

"Ich habe die genaue Stärke der Truppen, die über diesen Theil der Gränze vorgedrungen sind, nicht in Erfahrung bringen können; es scheinen aber 16 — 17000 Mann zu seyn und ich glaube, sie bestehen nicht allein aus dem Corps von Gardanne, sondern auch aus einem Theil der 9ten Corps."

"Nach den neuesten Nachrichten, die mir zugekommen sind, war der Vortrab des Feindes am 22. zu Marcirva im Mondego-Thal, so daß sein Marsch eben nicht schnell war; wenn er indeß fortgefahren hat, so muß dieses Corps gegenwärtig mit der Armee des Massena mittelst der Straße von Thomar in Verbindung seyn."

"Der General Silveira hat sich mit seinen Truppen nach Momento de Beira zurückgezogen."

"In der Position des Feindes, meiner Armee gegenüber, hat sich nichts verändert; die Französische Armee hat bloß 3 bis 4000 Mann, sowohl Cavallerie als Infanterie, jenseits des Zezere nach Castell Branco detaschirt."

(Mon.)

Aus Italien.

Daß der am 25. December Morgens um 8 Uhr in ganz Ober-Italien, und auch in einem Theil der Französischen Departements jenseits der Alpen verspürte Erdstoß an mehreren Orten ziemlich heftig gewesen ist, erhellt daraus, daß in der Stadt Reggio allein 17 Schornsteine einfielen; zu Parma stürzte beinahe die Hälfte derselben zusammen; hie und da schlugen selbst die Glocken an. (A. Z.)

Aus Spanien.

General Sebastiani hat sich mit 2000 Mann des

in der Nähe von Mallaga gelegenen Schlosses Marbella bemächtigt. Er ließ eine kleine Garnison allda,
und kehrte darauf nach dem östlichen Theile zurück.
Marschall Soult setzte seine Zurüstungen gegen Cadix und
die Insel Leon mit der größten Thätigkeit fort. Im
November wurde zu Sevilla ein neuerfundenes Geschütz gegossen, und entspricht dieser Versuch den
Wünschen und den Versprechungen der Erfinder, so
soll jede andere Arbeit bei Seite gesetzt, und unverzüglich 50 Kanonen von derselben Art gegossen werden. Schon ist Befehl zur Ausrüstung von 150 Canonierschaluppen gegeben; 50 sind fertig und man erwartete, daß funfzig andere mit Anfang dieses Monats
ins Meer gelassen werden konnten. Auch war Holzwerk von Sevilla auf dem Fluß abgeschickt worden,
um daraus ein sehr großes Floß zu bauen, worauf man
50 Mörser aufzurichten willens war. Man wußte noch
nicht, wo es aufgestellt werden sollte. Auch wurden
zur nemlichen Zeit Maaßregeln ergriffen, um alle
Kanonierschaluppen, welche sich auf dem St. Gebers-
flusse befanden, in den Hafen von Trocadero einlaufen zu lassen.   (W. Z.)

Diebshändel.

(Schluß.)

Man fand bei einigen Mitgliedern derselben reichen Schmuck an Perlen, Brillanten ꝛc. und Bruch-
stücke von mehreren Diebstählen, welche seit einem
Jahre begangen wurden. Ein vormaliger Marqueur,
der sich verschiedene Namen gegeben, und ebenfalls
in einen Negocianten sich umgewandelt hatte, stand
an der Spitze. Taschendiebstähle an öffentlichen Orten, besonders an den Kassen der Schauspielhäuser,
sind an der Tagesordnung, und — selbst die Taschen
der Beinkleider gewähren nicht mehr volle Sicherheit.
Denn so wurde am 26. December an der Kasse des
Burgthortheaters eine Brieftasche mit 1400 fl. ent-
wandt. Zwar werden Viele dieser Taschendiebe ergriffen, aber immer mehrt sich ihre Anzahl wieder:

größtentheils sind es Juden aus Ungarn, welche diesen Industriezweig betreiben, zehen Mal abgestraft,
zehen Mal fortgeschafft werden, und immer unter
neuen Namen, neuem Vorwande, wieder nach Wien
zurück kehren, und den Wunsch immer allgemeiner
und dringender machen, daß die Sicherheitspolizei in
Ungarn nach einem guten Plane organisirt werden
möchte. Auch die Akten der Polizei in Wien liefern
viele Belege zu der Bemerkung des Kriminalge-
richts in Mainz: „Nur durch Hülfe der Juden
könnte es der Bande Damian Heßels gelingen,
funfzehn französische Departements und mehrere an-
grenzende Länder Jahrelang zu plündern und über
200 Diebstähle auszuführen“ — In der Nacht vom
30. December wurde das, etwas abgelegene, Schlafzimmer eines Wirthes in der Stadt Wien gewaltsam
erbrochen, und aus demselben die Summe von 1000
Gulden, und an Pretiosen der Werth von 150, Gulden geraubt. Ein Gewohnheitsdieb, bekannt unter
dem Namen: „der prächtige Karl,“ und, in einem
Alter von 23 Jahren, schon zum sechsten Mal verhaftet, hatte an diesem Tage, mit einigen seiner Kameraden, dort gezecht, aber sich entfernt, noch ehe der
Raub entdeckt war. Schon in der folgenden Nacht
fiel dieser prächtige Karl (ein Ziegeldecker seines Hand-
werks) in die Hände der Polizei, und bald hatten
auch seine drei Genossen dieses Schicksal. Bei der
Durchsuchung ihrer Wohnungen entdeckte man zwar
nichts von jenen, dem Wirthe geraubten, Prätiosen,
hingegen beträchtliche Geldsummen, goldene und silberne Uhren, silberne Ketten und Tischgeräthe, Ta-
batieren, Ringe und Ohrgehänge mit Edelsteinen, kostbare Damenkleider 2c. 2c. Die Spur führte weiter,
und am 6. Januar waren bereits sieben Personen im
Verhafte, welche zu dieser Bande zu gehören scheinen, unter welchen ein Hausirer (vormals ein Schlosser-
geselle, und ebenfalls schon zum dritten Mal in Ver-
haft) eine vorzügliche Rolle spielte.

Berliner Abendblätter.

Berlin, den 4ten Februar 1811.

Bülletin der öffentlichen Blätter.

Semlin, den 6. Januar.

Briefe aus Bucharest und Jassy sagen, daß in der
Moldau und Wallachey solche Vorkehrungen getroffen
werden, welche beweisen, daß Rußland diese großen
und fruchtbaren Provinzen bereits als ein unbezwei-
feltes Eigenthum ansehe.

Die neuesten Berichte aus der Türkei lauten für
die Friedenshoffnungen sehr günstig, und die Handels-
häuser zu Constantinopel, Salonichi und Smirna melden, daß die alte Verbindung mit der Oestreichischen
Monarchie auf dem geraden Wege dadurch bald wieder eröffnet werden dürfte.

(K. d. B.)

Petersburg, den 16. Januar.

Schrecklich weckte uns der Neujahrs-Morgen!
Unser schönes, großes, steinernes Theater wurde in
der Neujahrs-Nacht ein Raub der Flammen. Es
liegt jezt in Schutt und Trümmern da, denn es ist
von Grund aus abgebrannt. Die Ursache dieses Unglücks ist noch nicht völlig bekannt; allein, wahrscheinlich ist man, was gewöhnlich nach jeder Vorstellung
geschieht, mit Licht in den Logen und im Parterre
herumgegangen, um etwa verlohrne Sachen aufzusuchen, und durch Unvorsichtigkeit ist denn dieser
große Schaden entstanden. An Löschen war gar nicht
zu denken; denn inwendig muß es schon lange gebrannt haben, ehe die Polizei davon benachrichtigt
worden ist; sonst hätte man bei unsern vortrefflichen
Feuer-Anstalten noch Vieles retten können. Der Scha-

den wird auf anderhalb Millionen Rubel geschätzt.
Zum Glück befand sich die kostbare Garderobe nicht
im Theater, sondern in einem davon weit entlegenen
und besonders dazu eingerichteten Gebäude. Doch unersetzlich ist der Verlust der vorzüglich schönen Male-
reien und Decorationen des berühmten Gonzago, die,
wie man sagt, mehrentheils ein Raub der Flammen
geworden sind. Uebrigens soll niemand dabei ums
Leben gekommen, aber wohl einige Spritzenleute beschädigt worden seyn.

Der General-Director auer Theater, Oberkammerherr von Narischkin, gab gerade in seinem Hotel
ein glänzendes Fest, das denn durch dieses unglückliche Ereigniß unangenehm unterbrochen wurde.

(L. d. B.)

London, den 18. Januar.

Der Courier enthält Folgendes:

„Die Verstärkungen, deren Lord Wellington in
seiner zweiten Depesche erwähnt, haben sich, wie man
vermuthet, gegen das Ende des Decembers mit Massena vereinigt. Die nach Castel Branco detaschirte
Truppen-Abtheilung war vermuthlich dorthin bestimmt,
um auszukundschaften, ob die aus Spanien herkom-
menden Verstärkungen auf diesem Wege in Portugal
eingerückt sind. Wahrscheinlich wird uns Massena
angreifen, sobald diese zur Armee gestoßen sind. Am
15. Abends verbreitete sich hier das Gerücht, es sei
schon eine Schlacht vorgefallen. Eine andere Nachricht aus einem Briefe aus Plymouth meldet, es sei
General Beresford gelungen, eine Colonne von 9000
Mann abzuschneiden. Die Regierung hat in dieser
Hinsicht keine Nachricht erhalten Aber es kann, wie
wir glauben, nicht lange dauern, ohne daß eine Schlacht
vorfalle, wenn anders die neuen Minister unsere Armee nicht zurückrufen.“

Der Alfred macht folgende Bemerkung:

„Die letzte Depesche des Lord Wellington muß
als sehr wichtig betrachtet werden, da sie die Bestä-

tigung der bewirkten Vereinigung der schon angekün-
digten Verstärkung aus Spanien mit Massena's Armee bestätigt.   Der Marsch dieser Verstärkungen hat
also weder von dem General Silveira noch von irgend einem andern Corps Portugiesischer Milizen
verhindert werden können, und es ist zu vermuthen,
diesen Verstärkungen daß wahrscheinlich noch andere
folgen werden."

———

Die letzten Privatnachrichten aus Portugal schildern die Lage der Franzosen zu Santarem weit gün-
stiger, als sonst. Die momentane Einstellung der
Feindseligkeiten hat ihnen erlaubt, sich manchem Zeit-
vertreib zu überlassen, worunter auch die Errichtung
einer Oper in der Stadt Santarem gehört. (Mon.)

———

Leipzig, den 21. Januar.
Zufolge einer in diesen Tagen hier eingegangenen offiziellen Nachricht (heißt es in einem öffentlichen Blatt) ist in dem Großherzogl. Hessen-Darm-
städtischen Dorfe Hartmannsheim eine epidemische
Krankheit ausgebrochen, woran die Menschen schnell
dahin sterben. Etwas Näheres über den Charakter
der Krankheit und die dagegen genommenen Maaßregeln ist zur Zeit hier noch nicht bekannt. (L. d. B.)

———

Vermischte Nachrichten.

Es heißt, sagen öffentliche Blätter aus Wien,
daß der vormalige Herr Minister Graf v. Stadion
Präsident der Hoffinanzstelle werden, und der Herr
Graf von Wallis eine anderweitige Anstellung erhalten soll.   (L. d. B.)

———

Bei dem Abgange des diese Nachricht über-
bringenden Couriers von Wien wollte man daselbst
die — jedoch noch einer Bestätigung bedürfende —
Nachricht haben, daß der Großvezier sein befestigtes
Lager bei Schiumla wegen Mangel an Lebensmitteln
habe verlassen müssen, und sich nach Adrianopel zu-

rückgezogen habe, um daselbst neue Vollmacht zur Fortsetzung der Unterhandlungen mit den Russischen Bevollmächtigten, dem General Ramenski und dem Grafen von Italinski, zu erwarten. (L. d. B.)

In einigen Gegenden von Irland ist es wieder unruhig. (L. d. B.)

Zu Plymouth sind mehrere Französische Kriegs-gefangene aus Lissabon angekommen, sie rühren von der Schlacht von Savo her. (L. d. B.)

Erklärung.

Die in No. 41 des hiesigen Abendblattes unter den polizeilichen Mittheilungen enthaltne Nachricht, von einer auf einem hiesigen Tanzboden zwischen Studen-ten und Handwerksburschen vorgefallenen Schlägerei, macht es nothwendig, hierdurch zu erklären, daß von den Studierenden hiesiger Universität Niemand der Theilnahme an derselben schuldig befunden worden, und jene Nachricht in so weit also falsch ist. Das achtungswerthe Publikum der Residenz ist zu einsichts-voll, als daß ihm entgangen sein sollte, wie Vieles von dem, was von den hiesigen Studierenden zu ih-rem Nachtheil debütirt wird, ungegründet und über-trieben ist Um desto mehr ist es die Pflicht des Senats solchen Gerüchten möglichst zu begegnen, welche nur dahin führen, die gesittete Mehrzahl der Studierenden herabzusetzen, und sie derjenigen Ach-tung zu berauben, welche ihnen eine freundliche Auf-nahme in den gebildeten Zirkeln Berlins sichert.

Berlin, den 9. Januar 1811.

Rektor und Senat der Universität.

Berliner Abendblätter.

Berlin, den 5ten Februar 1811.

Bülletin der öffentlichen Blätter.

Hamburg, den 1. Februar.

Neueste Berichte von der Armee in Spanien.

§. 1.

Arondissement der Armee in Süden.

Armee von Grenada und Murcia.

Am 6. rückte General Sebastiani vor das Fort Marbella. Nachdem die Laufgräben 3 Tage eröffnet gewesen waren, bemächtigte er sich desselben; 17 Kanonen,
worunter verschiedene 24 Pfünder, und einiger Proviant wurden in dem Platz gefunden. Diese Expedition hatte Schwierigkeiten. Es wurden beinahe 2
Monate erfordert, um einen Weg zu Stande zu bringen, auf welchem man von Mallaga die Artillerie gegen dies Fort führte, welches an den Ufern des Meers
einen Tagesmarsch von Gibraltar liegt.

Der Adjutant-Commandant Berbon rückte indessen vor Gibraltar, vertrieb die Engländer aus dem
Fort St. Roch und ließ das Fort Stepona schleifen.

Das Königreich Murcia ruft laut die Franzosen
herbei. Die Insurrections-Häupter werden daselbst
verabscheut. Seit der letzten Katastrophe von Blake
hat sich die Armee, die er zu versammeln gesucht hatte, gänzlich zerstreut.

General Sebastiani war willens, gegen Cartha-
go zu rücken, um diesen Platz zu belagern.

Belagerung von Cadix.

Vor Cadix hatten die Belagerungs-Operationen
einen lebhaften Fortgang. Am 14. waren 40 Kano-

nier-Schaluppen und 60 Feluken mittelst Rollhölzer über
die 500 Toisen breite Landzunge nach dem Canal von
Trocadero abgegangen. Eine neue, 200 Toisen vorwärts dem Fort Napoleon errichtete, Batterie warf
Bomben nach allen Stadtquartieren von Cadir. Mittelst 15 Haubitz-Mörser hatte man es dahin gebracht,
Wurf-Geschütz, 80 Pfund schwer, 2600 Toisen weit
von den Batterien zu werfen. Die Bomben giengen
selbst noch über Cadir hinaus. So hatte also das
Bombardement seinen Anfang genommen, welches
noch immer mehr zunehmen wird. Die Unzufriedenheit stieg in dieser unglücklichen Stadt aufs höchste.
Man beschwerte sich selbst darüber, daß die Engländer, anstatt Cadir zu Hülfe zu kommen, die Gränze
Andalusiens von Truppen entblößten, und zur Vertheidigung ihrer eigenen Armee die Armee von Romana herbeiriefen. Man schien zu Cadir äußerst unzufrieden mit dem jetzigen Conseil der Insurgenten,
die eine Assemblee formirt hatten, welche dem Englischen Einfluß unterworfen war, und nach dem Sinne
einer exaltirten Demagogie dirigirt wurde. Der Bischof von Orense, einer von den alten Mitgliedern
der Regentschaft, der einer der hitzigsten Insurgenten
gewesen war, aber jetzt zu andern Gesinnungen zurückgekehrt ist, hat öffentlich erklärt: es sei augen-
scheinlich, daß dem Kaiser Napoleon alles gelinge;
dies sei der Wille der Vorsehung, und man müsse
sich ihren Beschlüssen unterwerfen. Bei dieser Vorstellung kam die Junta in Allarm, verjagte den Bischof von Orense, den General Castagnos und alle
Mitglieder der alten Regentschaft, und ließ viele der
vornehmsten Einwohner ins Gefängniß werfen.

Der Herzog von Belluno, dem die Belagerung
von Cadir besonders übertragen ist, hat Fahrzeuge
genug, um 12000 Mann auf einmal einzuschiffen und
auf das andere Ufer zu versetzen.

Am 29. rückte die feindliche Escadre gegen das
Fort St. Catharine und gegen die Batterie Napoleon
heran. Das Gefecht begann. Das Feuer war sehr
lebhaft. Verschiedene feindliche Kanonier-Schaluppen wurden in Grund gebohrt. Von unsern verschiedenen Batterien erfolgten über 300 Kanonenschüsse. Das Fort Puntales ward durch unsere Bomben in die Luft gesprengt. Nach einem dreistündigen

Gefecht entfernten sich die feindlichen Schaluppen nach der Spitze von Cadir, um sich gegen unsere furchtbaren Batterien von 36, und 24, Pfündern in Sicherheit zu setzen.

Armee von Estremadura.

Der Herzog von Dalmatien ist mit Belagerungs, geschütz von Sevilla gegen Badajoz aufgebrochen, um diesen Platz zu belagern und sich mit dem Prinzen von Eßling in nähere Verbindung zu setzen. Badajoz muß im gegenwärtigen Augenblick bereits genommen seyn. Das Belagerungs, Geschütz bestand aus 60 schweren Artilleriestücken.

§. 2.

Arrondissement der Armee in Norden.

Armee von Asturien. Am 14. December griffen 1500 Spanier den Posten Soto an, der von zwei Compagnien der Avantgarde des Generals Bonnet besetzt war. Diese Tapfern stellten sich sogleich in Schlachtordnung und drangen im Sturmschritt gegen den Feind vor. Die Insurgenten wurden geworfen und kehrten in der größten Unordnung über den Nalon, Fluß zurück. Sie verloren 200 Todte oder im Strom Ertrunkene. Ueberdies nahm man ihnen 100 Gefangene ab, die zu Oviedo angekommen sind.

§. 3.

Armee von Catalonien und Arragonien.

Die Armee von Arragonien macht sich zum Angriff von Valencia bereit.

Die Armee von Catalonien hat Tarragona berennt.

Eine Abtheilung Französischer Fregatten hat unter ihrer Convoi 95000 Centner Getreide, Mehl, Reis, Zwieback und Pulver nach Barcellona geführt. Dieser wichtige Platz ist dadurch auf zwei Jahre verproviantirt. (L. d. B.)

Wassermänner und Sirenen.

In der Wiener Zeitung vom 30. Juli 1803 wird erzählt, daß die Fischereipächter des Königssees in Ungarn mehrmals schon, bei ihrem Geschäft, eine Art nackten, wie sie sagten, vierfüßigen Geschöpfs bemerkt hatten, ohne daß sie unterscheiden konnten, von welcher Gattung es sei, indem es schnell, sobald jemand sich zeigte, vom Ufer ins Wasser lief und verschwand. Die Fischer lauerten endlich so lange, bis sie das vermeintliche Thier, im Frühling des Jahrs 1776, mit ihren ausgesetzten Netzen fiengen. Als sie nun desselben habhaft waren, sahen sie mit Erstaunen, daß es ein Mensch war. Sie schafften ihn sogleich nach Capuvar zu dem fürstlichen Verwalter. Dieser machte eine Anzeige davon an die fürstliche Direction, von welcher der Befehl ergieng, den Wassermann gut zu verwahren und ihn einem Trabanten zur Aufsicht zu übergeben. Derselbe mochte damals etwa 17 Jahr alt sein, seine Bildung war kräftig und wohlgestaltet, bloß die Hände und Füße waren krumm, weil er kroch; zwischen den Zehen und Fingern befand sich ein zartes, entenartiges Häutchen, er konnte, wie jedes Wasserthier, schwimmen, und der größte Theil des Körpers war mit Schuppen bedeckt.

Man lehrte ihn gehen, und gab ihm Anfangs nur rohe Fische und Krebse zur Nahrung, die er mit dem größten Appetit verzehrte: auch füllte man einen großen Bottig mit Wasser an, in dem er sich mit großen Freudenbezeugungen badete. Die Kleider waren ihm öfters zur Last und er warf sie weg, bis er sich nach und nach daran gewöhnte. An gekochte, grüne, Mehlund Fleischspeisen hat man ihn nie recht gewöhnen können, denn sein Magen vertrug sie nicht; er lernte auch reden und sprach schon viele Worte aus, arbeitete fleißig, war gehorsam und zahm. Allein nach einer Zeit von drei Vierteljahren, wo man ihn nicht mehr so streng beobachtete, gieng er aus dem Schlosse über die Brücke, sah den mit Wasser angefüllten Schloßgraben, sprang mit seinen Kleidern hinein und verschwand.

(Der Schluß folgt.)

Berliner Abendblätter.

Berlin, den 6ten Februar 1811.

Bülletin der öffentlichen Blätter.

London, den 21. Januar.

Die Eifersucht der Grenvillisten und der Foristen nimmt
täglich zu. Es scheint, daß bei der neuen Ordnung der
Dinge die Leztern das Uebergewicht haben werden.
Der Lord Grenville hat keine Unterredung mit dem
Prinzen gehabt, während Lord Holland nicht allein die
Ehre eines persönlichen Besuchs, sondern auch gestern
eine lange Audienz bei dem Prinzen zu Carltonhouse
gehabt hat. Da Se. Herrlichkeit noch immer an der
Gicht leidet, so wurde er in einem Sessel getragen.

Wir sehen schon die Keime der Uneinigkeit zwischen beiden Partheien, und obgleich sie sich auf einige
Augenblicke vereinigen, um Stellen und Macht zu erhalten, so wird diese Einigkeit doch nicht von langer
Dauer sein.

Am 16. ward auf Loyd's Caffeehause eine Versammlung von Assecuradeurs gehalten, die bei den Assecu-
ranzen auf Schiffe nach der Ostsee interessirt sind. Der
Ausschuß erklärte unter andern, daß man sich in einem
Hafen der Ostsee allein falsche Condemnations-Papiere
für 30 Schiffe verschafft habe, um dadurch die Forderungen der Eigenthümer der Waaren gegen die Assecuradeurs zu begründen. Gründe des öffentlichen Interesses verhindern uns, sagt der Courier, dasjenige
anzuführen, was in der Versammlung weiter über die
Zulassung und den Verkauf der Ladungen entdeckt
worden.

Da in Irland katholische Soldaten verhindert worden, dem Gottesdienste nach dem Gebrauch ihrer Religion beizuwohnen, und da sie selbst gezwungen worden, bei dem Gottesdienste der herrschenden Kirche an-
wesend zu seyn, so ist zu Dublin ein Parole-Befehl

erlassen, wodurch den Soldaten völlige Freyheit in dieser Hinsicht gesichert wird. (L. d. B.)

———

Gotha, den 24. Januar.

Die beiden Städte des Herzogs von Weimar, Jena und Eisenach, von denen die eine durch die Schlacht am 14. Octbr. 1893, und die andere durch die Pulver-Entzündung am 1. Sept. v. J. ungemein gelitten hatten, haben durch die Gnade Sr. Majestät des Kaisers und Königs Napoleon sehr ansehnliche Hülfs- oder Entschädiaungs-Gelder, zusammen die Summe von 420000 Franken, erhalten.

In Jena trafen diese Entschädigungs-Gelder am 10. Januar d. J. ein. Nachdem nämlich durch ein Kaiserl. Französisches Decret vom 5. Novbr. v. J. die wirkliche Ablieferung der Hülfsgelder und Gnadengeschenke, die Se. Kaiserl. Majestät der Kaiser und König Napoleon der Stadt Jena, mehreren Anstalten und einzelnen Einwohnern derselben unter dem 12. Octbr. 1808 verheißen hatte, definitiv bestimmt worden war: hatte der Stadtrath zu Jena zwei Deputirte, die Kaufleute Beyer und Heidenreich, am 20. Decbr. v. J. zur Empfangnehmung derselben nach Mainz abgesendet. Dort wurden ihnen 200000 Franken ausgezahlt; und da der Transport dieser Summe auf eigene Unkosten zu kostspielig gewesen wäre: so wurden durch den Kaiserl. Französischen General-Commandanten Moulin zu Mainz die gemessensten Befehle gegeben, daß diese Kaiserl. Gelder durch Requisitions-Pferde, sechs auf jeder Station, und von Gens'darmes begleitet, bis an ihren Bestimmungsort überbracht werden sollten. Dies geschah auch; und sowohl die beiden Deputirten des Stadtraths zu Jena, als das immer abwechselnde Militair Commando genossen bei Weimar der unentgeldlichen Gastfreundschaft und ehrenvollen Aufnahme, welche Jena's Bewohner seit vier Jahren allen unter K. K. Befehlen durchreisenden Französischen und Deutschen Militärpersonen erwiesen haben. In Erfurt wurde durch die Auszahlung der übrigen 100,000 Franken die ganze Summe von 300,000 Franken vollzählig gemacht. Und so kamen denn diese Gelder, zwei Drittel baar in Preußischem Courant und ein Drittel in Wechseln, am 10. Jan. in Jena an, wo sie vorgeschriebenermaßen

auf folgende Art vertheilt wurden: 194,000 Franken
zum Wiederaufbau der abgebrannten 20 Häuser. 400,000
Franken für den Aufwand, welche die in Jena befind=
lich gewesenen Französischen Militair=Lazarethe verur=
sacht haben. 11,500 Franken zur Bezahlung der von
den Jenaischen Vorspännern seit dem October 1808 ge=
leisteten Spannfuhren. 1200 Franken zur Reparatur
der durch das Lazareth beschädigten Hauptkirche. 1400
Franken zur Reparatur des gleichfalls zu einem Laza=
reth gebrauchten Irrenhauses. 29,000 Franken zur Her=
stellung einer Catholischen Kirche nebst Schule und
Kirchhof, und zum Erkauf der drei Aecker an der
Zwätzner=Straße, wohin die verstorbenen Blessirten be=
erdigt worden sind. 2000 Franken dem Hofrath Stark,
der sich große Verdienste um die Französischen Lazarethe
in Jena erworben hat. 8000 Franken dem Pastor Putsch
zu Wenigen=Jena, der am 18. Octbr. 1806 den Mar=
schall Lannes durch das Nauthal führte. 5000 Franken
der verwittweten Amtsschreiberinn Bartholomä, deren
Mann bei der Plünderung am 13. Octbr. 1806 erstochen
wurde. — Auf gleiche oder ähnliche Rücksichten grün=
deten sich auch die Gnadengeschenke, die den übrigen
ertheilt wurden. 2000 Franken den Schöppischen Kin=
dern zu Ramsdorf. 1500 Franken der Wittwe Töpfer.
1500 Franken der Wittwe Nitschkin. 1000 Franken ei=
ner gewissen Henneberg. 600 Franken dem Thorschrei=
ber Rost. 300 Franken dem Wagenmeister Blaubach.

Früher noch als Jena, erhielt Eisenach die durch
die Gnade Sr. Majestät des Kaisers und Königs Na=
poleon versprochene Unterstützungssumme. Am 4. Dec.
v. J. traf dieselbe, 120,000 Franken in 17 Fässern, von
Erfurt kommend, in Eisenach ein, wo sie den Anord=
nungen Sr. Kaiserl. Königl. Majestät gemäß vertheilt
werden soll. (L. d. B.)

Vermischte Nachrichten.

Nachrichten aus Schweden zufolge, hat sich der ge=
wesene König Gustav Adolph, der sich jetzt in England
befindet, geweigert, von diesem Lande, dessen Allianz
ihn bei seiner Sinnesart um Krone und Scepter brachte,
eine Pension anzunehmen, indem er bloß von den Ren=
ten seines Privat=Vermögens leben will. (L. d. B.)

Wassermänner und Sirenen.

(Schluß.)

Man traf sogleich alle Anstalten, um ihn wieder zu fangen, allein alles Nachsuchen war vergebens, und ob man ihn schon nach der Zeit, besonders bei dem Bau des Kanals durch den Königssee, im Jahr 1803, wiedergesehen hat, so hat man seiner doch nie wieder habhaft werden können.

Dieser Vorfall wirft Licht über manche, bisher für fabelhaft gehaltene, See-Erscheinungen, die man Sirenen nannte. So sah der Entdecker Grönlands Hudson, auf seiner zweiten Reise, am 15. Juni 1608 eine solche Sirene und die ganze Schiffsmannschaft sah sie mit ihm. Sie schwamm zur Seite des Schiffs und sah die Schiffsleute starr an. Vom Kopfe bis zum Unterleib glich sie vollkommen einem Weibe von gewöhnlicher Statur. Ihre Haut war weiß; sie hatte lange, schwarze, um die Schultern flatternde Haare. Wenn die Sirene sich umkehrte, so sahen die Schiffsleute ihren Fischschwanz, der mit dem eines Meerschweins viel Aehnlichkeit hatte, und wie ein Makrelenschwanz gefleckt war. — Nach einem wüthigen Sturm im Jahr 1740, der die holländischen Dämme von Westfriesland durchbrochen hatte, fand man auf den Wiesen eine sogenannte Sirene im Wasser. Man brachte sie nach Harlem, kleidete sie und lehrte sie spinnen. Sie nahm gewöhnliche Speise zu sich und lebte einige Jahre. Sprechen lernte sie nicht, ihre Töne glichen dem Aechzen eines Sterbenden. Immer zeigte sie den stärksten Trieb zum Wasser. — Im Jahr 1560 fiengen Fischer von der Insel Ceylan mehrere solcher Ungeheuer auf einmal im Netze. Dimas Bosquez von Valence, der sie untersuchte und einige, die gestorben waren, in Gegenwart mehrerer Missionaire anatomirte, fand alle inneren Theile mit dem menschlichen Körper sehr übereinstimmend. Sie hatten einen runden Kopf, große Augen, ein volles Gesicht, platte Wangen, eine aufgeworfene Nase, sehr weiße Zähne, gräuliche, manchmal bläuliche Haare, und einen langen grauen bis auf den Magen herabhangenden Bart. — Hierher gehört auch noch der sogenannte neapolitanische Fischnikkel, von welchem man in Gehlers physikalischem Lexikon eine authentische Beschreibung findet.

Berliner Abendblätter.

Berlin, den 7ten Februar 1811.

Bülletin der öffentlichen Blätter.

Konstantinopel, den 28. December.

Die Beys in Egypten sind nun von dem Pascha
Mohamed-Ali gänzlich aufgerieben. Dieser Vezier
suchte sie an den Grenzen der Wüste auf, und verfolgte
seine Operationen mit einer Thätigkeit, einer Klugheit,
die immer den Erfolg sichern. Zu einer Zeit, wo der
Großherr alle rebellische Pascha's verfolgen und aus-
rotten läßt, schickt er jetzt von Cairo große Geschenke,
und fügt denselben noch andere Merkmale seiner Gunst
bei. Auch ist dieser Gouverneur wirklich seinem Souverain stets treu geblieben. Der Tod des Pascha von
Bagdad wird in diesem Reiche Epoche machen, da dieses Ereigniß für unsern Souverain von der größten
Wichtigkeit ist, und einen großen Begriff von seiner
Energie und seitem Muthe geben muß — Der Großherr hat Constantinopel noch nicht verlassen; aber wird,
wie es wahrscheinlich ist, kein Friede gemacht, so begiebt er sich, muthmaßlicher Weise, im Frühjahre zur
Armee. Wider seinen Willen und zu seinem größten
Verdrusse, hat er es bisher nicht gethan, da er es doch
hatte anzeigen lassen; allein die Unruhen in der Hauptstadt, die seit einigen Jahren nur zu gewöhnlich sind,
verhinderten ihn daran.

Ein Schreiben aus Trebisonde in Natolien meldet: „Den 26. des Mondes Ramassan (den 24. Octbr.)
erschien die Flotte der Feinde des Glaubens (die Russische), aus 6 Linienschiffen, 4 Fregatten und 7 Corvetten
bestehend, im Gesichte von Palaina, einem Flecken 3
Stunden von Trebionde. Den Tag vor dem Beiram-
feste näherte sie sich, und warf, dem Flecken gegenüber,
Anker. Als Ali Pascha von Trebisonde davon Nachricht erhalten hatt, begab er sich, an der Spitze aller
Truppen die zu seiner Disposition waren, und einem

guten Theils der Einwohner von Trebisonde, mit Ca=
nonen ꝛc. nach Palatna, um kräftigen Widerstand zu
leisten In der Nacht des Beiramfestes um 9 Uhr
(den 28. Octbr) fiengen die Feinde an, den Flecken zu
beschießen, und bei Anbruch des Tages landeten sie
mehr als 3000 Mann und 4 Canonen an der Spitze
Akre Cala Ali Paicha ließ, unerachtet des Feuers von
ihren Schiffen, nachdem er den Gelandeten den Rück=
zug abgeschnitten hatte, mehr als die Hälfte über die
Klinge springen, und machte die Uebrigen zu Gefan=
genen. Die Kanonen und die Fahrzeuge, womit sie
gelandet, sind in unsere Hände gerathen. (L. d. B.)

Vermischte Nachrichten.

Man rechnet die Schuldenlast des flüchtig gewor=
denen Dr. Hauschuld auf 170,000 Thaler. Viele fal=
sche Dokumente, wozu er das Gerichtssiegel der Ritter=
güter, wo er Gerichtshalter war, mißbrauchte, stellen
ihn als den verschlagensten Betrüger dar, und das Un=
glück, worein er alle seine würdigen Verwandten und
sogar Frau und Kinder gestürzt hat, als einen Nichts=
würdigen. Da man ihm durchaus keinen bedeutenden
Aufwand Schuld geben kann, so ist es mehr als wahr=
scheinlich, daß er große Summen auf die Seite geschafft
hat. Spuren davon sind vorhanden, aber sie führen
zur Zeit zu keiner weitern Entdeckung. Nicht lange
vor seiner Flucht hat er viele dänische und schwedische
Papiere aufgekauft, aber auch Banknoten. Man will
daraus vermuthen, daß er entweder seinen Weg gegen
Norden oder nach der Türkei zu genommen, um sie
nach England oder nach Amerika in Sicherheit zu brin=
gen. Steckbriefe verfolgen ihn, und es ist zu wünschen,
daß sie ihn erreichen mögen. (K. f. D.)

Unglücksfälle.

Vor Kurzem ereignete sich zu Greifswalde der trau=
rige Vorfall, daß in einer dasigen Apotheke die Eti=
quette für die Medizin zweier gleichnamigen Kranken
verbunden wurden, und so erhielt ein Kind, das am
Zahnfieber litt, die Arznei, die für einen an der Lust=

seuche laborirenden gehörte, und dieser die Zahnfieber-
medizin. Beide starben durch diese Verwechslung. —
Zu Lauenburg verbrannte sich im November ein Tischler durch Firniß, der beim Kochen in Brand gerieth,
so daß er bald darauf starb. — Im Großherzogthum
Berg wetteten drei Bauern, wer am meisten Brannt-
wein zu sich nehmen konnte. Zwei täuschten den Dritten und tranken Wasser, dieser brachte es bis zu 30
halbe Orth Viertelkanne) wo er todt nieder fiel. —
Im Schönburgschen trug sich das Unglück zu, daß sich
ein Mann und eine Frau durch Verwechslung eines
Topfes, in dem Fliegenstein aufgekocht war, und worin
die Magd Caffee sod, vergifteten. Der Mann unter-
lag dem Gifte.

Feine List gegen die englische Douane.

In England war auf die dänischen Handschuhe
ein sehr hoher Impost gelegt, so daß er den Werth der
Handschuhe selbst überstieg, und doch trug man in London beinahe keine andere, wie dänische. Auf solche
Art nun war es der sicherste Weg zum Reichthum für
einen Großhändler, wenn er Gelegenheit hatte, damit
zu schmuggeln. Nichts war indessen mißlicher, als dieses. Dem Kaufmann L * * * gelang dieses schwere Unternehmen jedoch auf folgende Art: Er kaufte eine
große Menge dieser Handschuhe außer England, packte
eine große Kiste lauter solche, die auf die rechte Hand
gehörten, und in eine andere, von gleicher Beschaffenheit, solche, die für die linke waren. Eine derselben
nahm er mit, gab die Anzahl der Handschuhe nach
Paaren an, und versteuerte alles richtig, ohne daß man
bemerkt hätte, daß die Handschuhe alle für eine Hand
gemacht waren. Nach einigen Wochen kam auf einem
Schiffe die andere Kiste nach, aber unter der Adresse
eines Mannes, der in ganz London nicht auszufragen
war. Die Accisegerichte confiscirten die Kiste als Kontrebande, und setzten einen Tag an, wo sie mit andern
eingezogenen Dingen versteigert werden sollte. Es
erschienen viele Liebhaber, allein man endeckte, daß
unter den vielen tausend Handschuhen kein einziges
Paar war; — sie waren alle auf Eine Hand gemacht.
Kein Mensch konnte sie gebrauchen. L * * * sagte lachend: „Um des Spaßes willen gebe ich eine Guinee

für die Kiste." Man scherzte darüber, und er erhielt sie. So hatte er seine beiden Kisten für den halben Impost.

Ankündigung.

Die großen Gegenstände der innern Staatsadministration und Gesetzgebung, welche in diesem Augenblick, zumal in Preußen, jeden Freund des Vaterlandes und der bürgerlichen Ordnung beschäftigen, verdienen, besonders von ihrer rechtlichen Seite, eine fortlaufende öffentliche Erörterung. Die Zeiten haben sich geändert, und erleuchtete Regierungen provociren selbst die freimüthige und bescheidene Untersuchung der Grundsätze, welche ehemals ein Arcanum der wenigen zur wirklichen Herrschaft Berufenen waren. Wenn alte und ganz neue Zustände verflochten werden sollen, so wird auch billig keine Stimme verschmäht werden, die aus einem klaren Herzen kommt und die sich in die wirklich bestehende Ordnung fügt.

Unter dem Beistande wahrer, der Rechte des Landes Kundigen werden zu jenen erheblichen Zwecken erscheinen:

Staatsanzeigen

herausgegeben

von

Adam Müller.

Ihrer Ansicht und ihres reinen Willens gewiß werden der Herausgeber und seine Freunde zur Beruhigung und Vereinigung der Gemüther aus allen Kräften wirken. Die auswärtigen Angelegenheiten sind unbedingt ausgeschlossen.

Berliner Abendblätter.

Berlin, den 8ten Februar 1811.

Bülletin der öffentlichen Blätter.

Stockholm, den 25. Januar.

Man vernimmt aus Finnland, daß daselbst der Direktor Ekholm durch ein mit drei Kugeln geladenes Gewehr ermordet worden. Der Mörder hat noch nicht entdeckt werden können.

Jetzt ist auch der Marstall des Kronprinzen, bestehend in einigen vierzig sehr schönen Pferden, hier angekommen.

Dem Vernehmen nach ist Se. K. H., der Erbprinz Oscar, zum Oberst Lieutenant beim 2ten Garde-Regiment ernannt worden.

Für die beste Schrift, wie die sogenannte Bewilligungssteuer am passendsten in Schweden einzurichten, ist von dem Kammer-Collegio eine Belohnung von 3000 Rthl. Banco ausgesetzt worden. (L. d. B.)

London, den 22. Januar.

Die Morning-Chronicle enthält Folgendes:

„In den ministeriellen Blättern ist oft die Rede von den Verstärkungen, die nach Portugal geschickt werden sollen. Wir wissen, daß Lord Wellington in den dringendsten Ausdrücken um eine Verstärkung an Truppen angehalten hat; allein wir zweifeln, daß die Minister so viel Mannschaft werden abschicken können, als er verlangt und nöthig hat. Man braucht viele Truppen in Irland, und wer kann uns während eines Krieges mit einem Feinde wie Napoleon Bürge seyn, daß wir deren nicht auch bald in England nöthig haben werden? Sobald das Parlament sich mit den allgemeinen Angelegenheiten wird beschäftigen können, wird der Zustand der Armee gewiß in Berathschlagung genommen werden, und da dürfte es sich wohl zeigen, daß sie hauptsächlich aus einem großen Generalstaabe besteht.

Am 20. spazirte der König von neuem eine Stunde auf der Terrasse zu Windsor. Abends befand er sich nicht so wohl als des Morgens, hatte aber eine gute Nacht, und befand sich dann wieder eben so gut, als die Tage vorher.

Man hat gestern Briefe aus Oporto vom 3. Jan. erhalten. Es scheint, daß ein feindliches Corps von 6000 Mann Infanterie und 2000 Mann Cavallerie auf dem Wege von Celorico und von Viseu bis Ponte de Murcella, 4 Stunden von Coimbra, auf dem südlichen Ufer des Mondego vorgerückt sei, und daß die alliirte Armee nicht im Stande war, diese neue Verstärkung zu verhindern, ihre Vereinigung mit Massena's Armee zu bewerkstelligen.

Unter den Einschränkungen und Bestimmungen für den Regenten ist auch die, daß er zufolge der Acte, die im 30. Jahre der Regierung Carls II. durchgegangen, erklärt, daß die Papisten unfähig sind, im Ober- oder Unterhause Sitz zu nehmen.   (L. d. B.)

Das weibliche Ungeheuer.

Französische Blätter enthalten die Erzählung folgender Gräuelthat:

Zu Biozat, im Departement de l'Allier, wohnte ein gewisser Albert; er war als ein ehrlicher Mann bekannt, aber arm, und mußte für eine zahlreiche Familie sorgen. Dies nöthigte ihn, am 13. des vorigen Monats einen Theil seines Grund-Eigenthums zu veräußern. Er hatte eine drei- und zwanzigjährige Tochter von heftigem Charakter, die schon oft ihren Aeltern schlecht begegnet war, und auch sonst nicht in gutem Ruf stand. Diese machte nun dem Vater Vorwürfe wegen dieser Veräußerung, und verlangte einen Theil des gelöseten Geldes. Der Vater weigerte sich, in ihr Begehr zu willigen, und machte sie mit dem Zustande seiner Angelegenheiten bekannt; sie bestand aber auf ihr Verlangen, und bediente sich dabei heftiger Schmähungen. Der Vater, über diese Frechheit höchst erbittert, gab ihr einige Streiche über den Rücken, und be-

fahl ihr, zu Bette zu gehen. Sie gehorchte; allein
eine Viertelstunde nachher steht sie wieder auf, ergreift
ein Beil, und schleicht leise an den Heerd, wo ihr Vater, ihre Mutter und drei Geschwister sich wärmen.
Zuerst versetzte sie nun dem Vater einen fürchterlichen
Hieb auf den Kopf, spaltete ihm das Gehirn, und,
trotz des Geschreies ihrer Familie, fährt sie noch immer mit ihren Streichen fort; er war schon todt bei
dem ersten. Die Wunden waren so tief, daß das Un-
gebeuer außerordentliche Kräfte gehabt haben muß. Nun
stürzte sie sich auf die Mutter, und, ohne von ihren
Bitten gerührt zu werden, streckte sie sie mit fünf Hieben zu Boden. Ihre beiden jüngern Schwestern, wovon eine dreizehn, die andere drei Jahre alt waren,
wurden nun auch nicht verschont; die erste starb aber
nicht gleich, weil der Streich vom Kopf auf den Hals
glitt, und das Kind sich dann auf ein Bett stürzte.
Das jüngste Kind, das sich an den Leib der Mutter
festhielt, faßte das Ungeheuer in ihre Arme, und warf
es lebendig in einen Brunnen. Von dieser ganzen Familie ward nur ein dreizehnjähriger Knabe, wie durch
ein Wunder, gerettet; er schlüpfte nämlich hinter einem
Kasten weg, öffnete die Hausthür, und nahm schreiend
die Flucht. Zu so vieler Bosheit fügte die Mörderinn
nun noch die listigste Scheinheiligkeit hinzu; sie ruft ihren Bruder, und wendet mit ruhiger Stimme alles an,
ihn zu sich zu locken; allein er trauet ihr nicht, und
flieht erschrocken zu einem gewissen Richard. Mehrere
Nachbaren eilen nun dieser Familie zu Hülfe, und finden die Mörderinn mit großen Schritten auf- und abgehen; sie hatte ein großes Messer in der Hand, womit sie jedem, der sich ihr nähern würde, zu drohen
schien. Die Dunkelheit der Nacht, das Schreckliche
der ganzen Scene, schien diese Menschen versteinert zu
haben; sie getraueten sich nicht, auf sie zuzugehen. In
ihrer Gegenwart nahm sie, aus der Tasche ihrer Mutter, den Schlüssel zu einem Schrank, öffnete ihn, nahm
das vorräthige Geld, und ging aus dem Hause, ohne
daß einer der Zuschauer so kühn war, sie zu fassen oder
ihr zu folgen.

Der Unter-Präfect Sartiges, der dem Präfekten
des Departements Nachricht von dieser Gräuelthat
giebt, meldet, daß die Mörderinn, die sich nach Riom

oder Clermont gewandt zu haben schien, von den Gensd'armes verfolgt würde.

Außerordentliches Beispiel von Mutterliebe bei einem wilden Thiere.

(Aus dem Annual-Register von 1775.)

Als die Fregatte the carcass, welche im Jahr 1772 nach dem Nordpol segelte, um Entdeckungen zu machen, eingefroren war, meldete der Wächter auf dem Mast an einem Morgen, daß drei Bären heftig über den Ocean liefen, und dem Schiffe zueilten. Sie waren ohne Zweifel durch den Thrangeruch von einem Seepferd eingeladen worden, welches das Schiffsvolk einige Tage vorher getödtet hatte, und eben auf dem Eise verbrannte. Es zeigte sich gleich, daß es eine Bärinn mit zwei Jungen war, die aber fast so groß waren, wie ihre Mutter. Sie rannten dem Feuer zu, rissen Stücke Fleisch heraus, welche unverbrannt geblieben waren, und fraßen sie gierig auf. Das Schiffsvolk warf ihnen noch mehr Klumpen Seepferdefleisch hin, welche man auf dem Eise hatte liegen lassen. Die alte Bärinn holte einen nach dem andern, legte ihn, so wie sie ihn brachte, vor die Jungen hin, zertheilte ihn, gab jedem ein großes Stück, und behielt für sich nur ein kleines. Wie sie den letzten holte, feuerte man auf die Jungen, schoß sie nieder, und verwundete die Mutter auf ihrem Rückwege, obgleich nicht tödtlich.

(Der Schluß folgt.)

Miscellen.

Auf der fürstlich palmischen Herrschaft Piestriz in Böhmen ist in das izolirt liegende Schloß gewaltsam eingebrochen, die fürstliche Kasse und der Wirthschaftsdirektor rein ausgeplündert, und letzterer mit 7 Stichwunden und mit verstopftem Munde todt im Bette gefunden worden. Seine Frau und Kinder und die übrigen Personen im Schloß waren gebunden und geknebelt.

Berliner Abendblätter.

Berlin, den 9ten Februar 1811.

Bülletin der öffentlichen Blätter.

Amsterdam, den 1. Februar.

Die Nachrichten von den Französischen Armeen in
Spanien lauten fortdauernd aufs angenehmste. Auch
das Fort Balaguer, welches auf einer Anhöhe zwischen
Tortosa und Tarragona liegt, ist bereits von den Französischen Truppen eingenommen. Die Nachricht hiervon ist zu Paris durch den Capitain Desair, Neffen
des berühmten Generals dieses Namens, angekommen,
welcher Sr. Kaiserl. Majestät zugleich die Fahne überbracht hat, die der König von England der Stadt
Tortosa geschenkt hatte; eine Fahne, die bei Eroberung
dieser Stadt dem Grafen Suchet, General und Chef
der Armee von Arragonien, in die Hände fiel.

(L. d. B.)

Amsterdam, den 2. Februar.

Die Unbeständigkeit der Witterung hat mehrere
Unglücksfälle veranlaßt. Unter andern fiel neulich eine
Gesellschaft von 50 Hochzeitsgästen, die Schrittschuhe
liefen, ins Wasser. Glücklicherweise aber wurden sie
alle bis auf zwei gerettet, die ihr Leben einbüßten.
Hier ist eine Anzeige folgenden wesentlichen Inhalts bekannt gemacht worden:

,,Da der Direktor der Kaiserl. Douanen unterrichtet worden, daß einige Individuen in Douanen-Uni-
form sich auf dem Lande und auf den Heerstraßen verbreitet haben, um unter dem Vorwande von Saisten
die daselbst cirkulirenden Waaren zu stehlen, und da
auch selbst Préposés, aus falschem Eifer und Unwissenheit, mehrere ungesetzmäßige Anhaltungen gemacht ha-

ben, die sogleich wieder frei gegeben worden sind, so
hat derselbe geeilt, die ersteren der Polizei anzuzeigen,
und die anderen streng zu bestrafen, indem er die nöthigen Maaßregeln nimmt, daß dergleichen nicht wieder geschehe; um aber jede Besorgniß zu beseitigen, als
dürften die Waaren nicht mehr im Innern von Holland ohne Schein der Douanen cirkuliren, so glaubt
der Douanen-Direktor, anzeigen zu müssen, daß bloß
die Colonial-Waaren, wovon man nicht beweisen kann,
daß die tarifmäßige Auflage entrichtet worden, Englische Manufaktur-Waaren, und die heimlich aus Deutschland eingeführten Waaren, nicht frei cirkuliren können.
Wenn aber Individuen, die sich als Douaniers ausge-
ben, Waaren anhalten, so sollen dieselben verhaftet
werden.“
(L. d. B.)

———

Dresden, den 28. Januar.

Man ist jetzt mit den vorbereitenden Maaßregeln
zu dem Festungsbau von Torgau beschäftigt. Es sind
schon Sachverständige hingesandt, um die Häuser zu
taxiren, die niedergerissen und deren Eigenthümer entschädigt werden sollen.
(L. d. B.)

———

Copenhagen, den 2. Februar.

Aus Viborg in Jütland schreibt man, daß das
Erdbeben, welches sich in der Nacht des zweiten Weih-
nachtstages in einem Theile Deutschlands und Italiens
äußerte, sich hier durch Sturm, Regen und Blitze zu
erkennen gab, die am 23. December, Abends von 8
bis 9½ Uhr, am heftigsten waren.
(L. d. B.)

———

Außerordentliches Beispiel von Mutterliebe bei einem wilden Thiere.

(Aus dem Annual-Register von 1775.)

(Schluß)

Hier würde es auch der rauhesten Seele Empfindungen des Mitleidens ausgepreßt haben, wenn sie die
liebevolle Kümmerniß gesehen hätte, welche das arme

Thier bei dem Sterben ihrer Jungen ausdrückte. Ob
sie gleich schwer verwundet war, und kaum zu dem
Platze, wo sie lagen, kriechen konnte, so schleppte sie
doch das Stück Fleisch mit, welches sie zuletzt gefaßt hatte,
zertheilte es wie die vorigen, und legte es vor sie nieder. Und wie sie sah, daß sie nicht fressen wollten,
legte sie ihre Tatzen erst auf das eine, und dann auf
das andere, und wollte sie gerne aufrichten. Erbärm-
lich war die ganze Zeit über ihr Aechzen anzuhören.
Wie sie fand, daß sie ihre Jungen nicht aufrichten
konnte, kroch sie eine kleine Strecke von ihnen weg,
sahe zurück und ächzte. Wie dieses Hinweglocken nicht
helfen wollte, kehrte sie zurück, roch um sie herum,
und hub an, ihre Wunden zu lecken. Sie kroch darauf
noch einmal einige Schritte weg, sah wieder zurück,
und stand einige Augenblicke still und ächzend. Aber
ihre Jungen konnten ihr nicht folgen. Sie kroch wieder zu ihnen, ging mit den Zeichen der unausdrückbar-
sten Liebe um sie herum, sie betastend und ächzend.
Endlich, wie sie fand, daß sie todt, und ohne Leben waren, hob sie ihr Haupt in die Höhe, sah nach dem
Schiffe, und heulte den Mördern einen Fluch zu, den
diese mit einer Musketensalve beantworteten. Sie fiel
hierauf zwischen ihre Jungen nieder, und starb, ihre
Wunden leckend.

Sonderbarer Rechtsfall in England.

Man weiß, daß in England jeder Beklagte zwölf
Geschworne von seinem Stande zu Richtern hat, deren
Ausspruch einstimmig sein muß, und die, damit die
Entscheidung sich nicht zu sehr in die Länge verziehe,
ohne Essen und Trinken so lange eingeschlossen bleiben,
bis sie eines Sinnes sind. Zwei Gentlemen, die
einige Meilen von London lebten, hatten in Gegenwart von Zeugen einen sehr lebhaften Streit mitein-
ander; der eine drohte dem andern, und setzte hinzu,
daß ehe vier und zwanzig Stunden vergingen, ihn
sein Betragen reuen solle. Gegen Abend wurde dieser
Edelmann erschossen gefunden; der Verdacht fiel natürlich auf den, der die Drohungen gegen ihn ausgestoßen hatte. Man brachte ihn zu gefänglicher Haft,
das Gericht wurde gehalten, es fanden sich noch mehrere Beweise, und 11 Beisitzer verdammten ihn zum

Tode; allein der zwölfte bestand hartnäckig darauf, nicht einzuwilligen, weil er ihn für unschuldig hielte.

Seine Kollegen baten ihn, Gründe anzuführen, warum er dies glaubte; allein er ließ sich nicht darauf ein, und beharrte bei seiner Meinung. Es war schon spät in der Nacht, und der Hunger plagte die Richter heftig; einer stand endlich auf, und meinte, daß es besser sey, einen Schuldigen loszusprechen, als 11 Unschuldige verhungern zu lassen; man fertigte also die Begnadigung aus, führte aber auch zugleich die Umstände an, die das Gericht dazu gezwungen hätten. Das ganze Publikum war wider den einzigen Starrkopf; die Sache kam sogar vor den König, der ihn zu sprechen verlangte; der Edelmann erschien, und nachdem er sich vom Könige das Wort geben lassen, daß seine Aufrichtigkeit nicht von nachtheiligen Folgen für ihn sein sollte, so erzählte er dem Monarchen, daß, als er im Dunkeln von der Jagd gekommen, und sein Gewehr losgeschossen, es unglücklicher Weise diesen Edelmann, der hinter einem Busche gestanden, getödtet habe. Da ich, fuhr er fort, weder Zeugen meiner That, noch meiner Unschuld hatte, so beschloß ich, Stillschweigen zu beobachten; aber als ich hörte, daß man einen Unschuldigen anklagte, so wandte ich alles an, um einer von den Geschwornen zu werden; fast entschlossen, eher zu verhungern, als den Beklagten umkommen zu lassen. Der König hielt sein Wort, und der Edelmann bekam seine Begnadigung.

Der Papagei.

Der König von England, Heinrich VIII., hatte einen Papagei in einem Zimmer, dessen Fenster auf die Themse hinaus gingen. Hier lernte er mehrere Redensarten, welche täglich die Schiffsleute und Passagiere wiederholten. Einst fiel er ins Wasser hinab und sogleich fing er an zu schreien: „Einen Kahn! einen Kahn! 20 Pfund wer mich rettet!" Ein Schiffer eilte sogleich herbei, weil er glaubte, ein Mensch sei in Gefahr. Er rettete indeß den Papagei, trug ihn ins Schloß und erhielt die 20 Pf. St., welche der Papagei ihm versprochen hatte.

Berliner Abendblätter.

Berlin, den 11ten Februar 1811.

Bülletin der öffentlichen Blätter.

Moskau, den 13. December.

Hier befindet sich jetzt der Major Tschekmarew, der
von dem Herrn Oberbefehlshaber der Moldauischen
Armee auf einige Zeit Urlaub erhalten hat. Der ausgezeichnete Muth desselben und das ihm zugestoßene
unglückliche Begegniß haben die ganze Aufmerksamkeit
des hiesigen Publikums auf ihn gelenkt. Bei dem ersten Angriff unserer Truppen auf Rutschschuck im jetzigen Kriege mit den Türken, sprang Herr Tschekmarew,
als ein tapferer Offizier, auf den Wall der Festung,
wo er auf einmal einen Janitscharen vor sich sah, der
seinen Dolch schwang, um ihm die Brust zu durchboh-
ren. Ob nun gleich dieser Stoß abpariirt wurde, so
ward er doch im Gesichte gerade unter dem Auge heftig verwundet, und fiel in den Graben, in welchem er
einige Zeit lag, ohne übrigens sein Bewußtsein zu verlieren. Darauf, als die Türken in den Graben hinab-
giengen, ergriff ihn einer bei den Haaren, und hob bereits sein Messer empor, um ihm den Kopf abzuschneiden, als in demselben Augenblick ein anderer Türke
diesem seinem Cameraden in den Arm fiel und ihm
das Leben erbat. Dieser nahm ihn sodann auf seine
Schultern und trug ihn in die Festung, wo er freundschaftlich für ihn sorgte, und einen Wundarzt, einen
Juden, herbeiholte, der aber die Wunde desselben sehr
ungeschickt zuheilte, so daß auf immer große Narben
als ein Denkmal dieser großen Heldenthat nachgeblie-
ben sind. Herr Tschekmarew, der so offenbar von der
Vorsehung des Allmächtigen erhalten wurde, fand in
seinem Retter, einen Freund, der von den innigsten
Gefühlen der Liebe und des Mitleidens gegen ihn beseelt war; dabei erfuhr er, daß sein Wohlthäter der

Koch des Pascha von drei Roßschweifen war, der in
Kutschschuck commandirte. Als darauf diese Festung sich
unserm siegreichen Heere ergab, wünschte er, ihn auf
eine würdige Art zu belohnen; allein dieser großmüthige Freund nahm nichts an.   (L. d. B.)

Wissen, Schaffen, Zerstreuen, Erhalten.

Da Gold nächst Platina der schwerste Körper ist,
den wir kennen, so ist künstliches Gold nur auf zwei
Wegen möglich.

Durch Entdeckung eines wohlfeileren Körpers von
derselben, oder größerer specifischer Schwere, dem man
durch künstliche Behandlung die übrigen Eigenschaften
des Goldes geben könnte. Durch die Platina ist nichts
geholfen, weil sie theurer ist.

Durch Entdeckung einer Mischung mehrerer Sub-
stanzen, die zusammen alle Eigenschaften, auch die Schwere des Goldes hätten. Also die Mischung muß schwerer
sein, als die einzelnen Bestandtheile vor der Mischung,
oder durch chemische oder mechanische Bearbeitung es
werden. Unmöglich ist dieses nicht. Wir haben die
Beispiele an einigen Metallen, die oxidirt durch Einwirkung des Feuers schwerer werden, als vorher im
regulinschen Zustande, und durch Läutern und Häm-
mern nehmen viele Körper an specifischer Schwere zu.
Gold auf künstlichem Wege zu machen, kann man also
so wenig unmöglich nennen, als Zinnober und Mine-
ral-Wasser. Dennoch hat man, seitdem es bei policirten
Nationen ein Hauptmaterial des Geldes geworden ist,
und seinen Inhaber gleichsam allmächtig macht; diese
künstliche Erzeugung vergebens versucht; obgleich
erfahrne Scheidekünstler mit aller Anstrengung und
Aufopferung ihres Vermögens Menschenalter hindurch
operirt haben.

Die künstliche Goldmacherei mag ihrem dereinsti-
gen Erfinder ganz nützlich sein, aber für die höhere
Naturkunde, für Erweiterung unserer Einsichten in
ihre Oekonomie im Großen wird dadurch doch nur wenig gewonnen.

Wie unendlich lehrreicher würde die künstliche Erzeugung eines organischen, oder gar lebendigen Körpers
sein. Der Schöpfer einer Milbe, des verächtlichsten aller

Thiere, würde weit über dem stehen, dem es gelänge, den ganzen Aetna in reines Gold zu verwandeln.

Wenn wir es erst so weit gebracht hätten, den geringsten Pflanzenkeim, ein einziges keimfähiges Weizenkorn, durch Kunst hervorzubringen, dann erst könnten wir von Elementen und Urstoffen, von deren Kenntniß und Gebrauch reden, und uns eines Blicks hinter den geheimnißvollen Schleier der Werkstätte der Natur rühmen.

In Vogeleiern erwecken wir durch künstliche Wärme den schlafenden Keim des Lebens. Aber — ein Ei zu schaffen, das befruchtbar ist; Thiere oder wol gar den Menschen selbst auf mechanischem und chemischem Wege hervorzubringen; das wären Aufgaben, des so hoffärtigen Menschen würdig. Warum sagt man der Goldmacherei so nach? Hier ist ein erhabeneres Ziel, auch abgesehen von der Bereicherung der Naturkunde. Die Weltherrschaft wäre dem gesichert, der Menschen wie Besenstiele schnitzen, und ihren Schädeln nach der Gall'schen Theorie eminente Diebs- und Raufs-Organe imprimiren könnte!

Wozu doch unsre ärmlichen sich einander sagenden physischen und medicinischen Theorien, phlogistische und antiphlogistische, Hufelandsche und Brownsche Wasser- und Branntweinsysteme?

Sucht erst die Elemente des organischen und unorganischen Lebens kennen zu lernen, und die Art der Zusammensetzung zum Leben: und glaubt nicht, durch leere physische und hyperphysische, sinnige und unsinnige Träume schon aufs reine zu sein. Vermögt ihr wol vom Regen, Hagel, Thau und andern täglichen Erscheinungen eine andere Erklärung zu geben, als; es regnet, weil — es regnet! und kommen alle eure schwerfälligen, grundgelehrten, superfeinen Deduktionen am Ende auf etwas anderes heraus? Die Sternschnuppen, sagt ihr, sind wässrige und feurige Dünste. Laßt doch einmal nur einen solchen Sternschnuppen herabfallen vom Firmament, mit allen eurem physicalischen und mechanischen Apparat, mit dem ihr die Erde aus den Angeln rücken würdet, wenn sich nur ein fester Stützpunkt fände; oder — sagt nur einmahl voraus, wann ein solcher Sternschnuppen, oder nur ein Tropfen Regen herabfallen wird!

Ihr rühmt euch eurer naturhistorischen Kenntnisse

der Tausende und aber Tausende von Thieren und Vögeln, von Insekten und Würmern. Ihr kennt viele Fische und andere Bewohner des Wassers. Aber wie mit den Bewohnern der inneren Erde?

Glaubt ihr denn, diese ungeheure, 1200 Meilen dicke, Kugel sei unbewohnt und ohne Leben in ihrem Innern? Grabt doch einmahl mit allen euren Maschinen ein Loch durch die Erde bis zu den Gegenfüßlern, belauscht da die Natur in ihrer verborgensten Zeugungswerkstätte, und dann sprecht weiter!

Ihr redet so viel von Feuer und Phlogiston, Elementarfeuer und Feuerluft. Fangt doch einmahl die sichtbare Flamme, und schließt sie in unveränderter Gestalt wie die Luft und das Wasser in eure Gefäße ein. Schaffet die Thiere, von denen eure Naturgeschichten sprechen, und setzt — die Urelemente des Lebens kennend — deren tausend neue Arten zusammen, die ihr jetzt nur durch eure ungeregelte Phantasie erschafft, und auf Leinwand oder in Marmor darstellt. Sattelt eure Hyppoativhen zur luftigen Reuterei, und richtet den Vogel Rab so ab, daß er euch von den Polen her zuträgt, wornach euch gelüstet! Was sind die Egyptischen Pyramiden und alle Wunder der Welt, gegen ein Loch durch die Erde, oder einen Bau nur von der Höhe des Tschimborasso? — Ihr wißt recht gut zu sagen, auch zu berechnen, warum ein solches Loch und ein solches Gebäude nicht möglich sind. Ihr müßt aber immer dazu setzen: mit unserem jetzigen Maaße von Kenntniß und Erfahrung, und mit unseren jetzigen Einsichten in den Haushalt der Natur. Ihr sagt z. B. so ein Gebäude bis zum Anfang der Frostzone aufzuführen, würde wol möglich sein; aber höher nicht. Die Arbeiter würden erstarren, die Bindungsmittel gefrieren u. f. w. Eben solche Hindernisse zu besiegen, übet euren Scharfsinn.

(Der Schluß folgt.)

Berliner Abendblätter.

Berlin, den 12ten Februar 1811.

Bülletin der öffentlichen Blätter.

Constantinopel, den 4. Januar.

Wegen der Schwangerschaft einer der Sultanninnen ist die Begrüßung des Serails mit Kanonenschüssen von ankommenden und abgehenden Schiffen untersagt. Der Capitain einer Kriegs Corvette, der diesem Befehl zuwider handelte, ist arretirt worden. (L. d. B.)

Stockholm, den 29. Januar.

Hier ist Folgendes bekannt gemacht worden:

Carl, von Gottes Gnaden rc. Wir haben zwar von Zeit zu Zeit befohlen, daß Untersuchungen gegen die Offiziere bei der vormaligen Finnländischen Armee angestellt werden sollten, die, dem Vermuthen nach, verantwortlich für verübte Dienstfehler waren, wobei Wir — da Unsre Denkungsart nicht zugab, ehemalige Schwedische Officiere wegen etwas anderm, oder wegen mehr als Dienstfehler in Verdacht zu haben — wünschten, mehreren von ihnen Gelegenheit zu geben, ihre Unschuld an den Tag zu legen, da indeß Se. Kaiserl. Russische Majestät erklärt haben, daß die genannten Offiziere unter der Anzahl derer begriffen wären, welche entweder durch Thaten oder durch ihre Denkungsart zum Vortheil Sr. Kaiserl. Majestät sich während des Kriegs ausgezeichnet, und also durch den 11ten Artikel des in Friedrichshamm den 17. (5.) September 809 abgeschlossenen Friedens-Tractats gegen allen Prozeß und Rechenschaft geschützt wären; so wollen Wir, da Wir wünschen, mit aller Genauigkeit Unsre Verbindungen gegen Se Russisch-Kaiserl. Majestät zu erfüllen, hiedurch verordnen, daß alle weitere Untersuchungen gegen die Offiziere von der Finnländischen Armee und die Uebergabe Sweaborgs und Svartholms an den Feind, und die Ursachen der zu Seiwis den 25. (13.) März 1809 eingegangenen Capitulation betreffend, nunmehr aufhören sollen; jedoch soll wenn einige von gedachten Offizieren vor einem Schwedischen Gericht zu beweisen verlangten, daß die vorgeworfenen Fehler im Dienste ungegründet sind, ihnen solches zugestanden werden. Wir befehlen 2c.

Stockholms Schloß, den 17. Januar 1811.

Carl.

———

Nächsten Sonnabend werden sich Ihre Königl. Hoheiten, die Kronprinzessinn und Prinzessinn Sophia Albertina, imgleichen Prinz Oscar, in den Amaranten Orden aufnehmen lassen.

Der Prinz Oscar hat den Titel eines Herzogs von Südermannland erhalten, den, wie bekannt, auch Se Majestät der König vor seiner Gelangung zum Thron führte.
(L. d. B.)

———

Mayland, den 23. Januar.

Jüngsthin waren in dem Hause der Gebrüder Graffi allhier 30 Pfund Chocolade gestohlen worden. Die Polizei hatte gute Gründe, sich der beiden Schweizer, Jos. Domanietti und Carl de Audrea, zu bemächtigen. Als man vorgestern den Domanietti nach seiner Wohnung führte, um dieselbe in seiner Gegenwart zu durchsuchen, sprang er vor der Wache die Treppe hinauf, und entwischte über einige benachbarte Dächer. Bald aber fiel er von einem herunter, blieb halb todt liegen, und starb am folgenden Tage im Spital. In seinem Hause fand man richtig die gestohlne Chocolade.

Zu Ancona, wo sich ein wohlbehaltener Triumphbogen des Kaisers Trajan befindet, hat man nun auch, bei Anlegung neuer Festungswerke, die nicht unbedeutenden Ueberbleibsel eines Amphitheaters gefunden, die seit vielen Jahrhunderten unter Schutt und Erde begraben waren.
(L. d. B.)

———

Amsterdam, den 5. Februar.

Hier hat man folgende Nachrichten aus London vom 28. Januar:

Lissabon, den 10. Januar.

Alle Offiziere unsrer Armee sehen eine Schlacht näher an, als wie jemals seit unserm Rückzuge von Busaco nach Torres Vedras. Die combinirte Armee ist furchtbar; die feindliche ist es auch, und zu welcher Zeit auch die Bataille geliefert wird, so wird der Choc schrecklich seyn.

Massena hat seit einiger Zeit die größten Anstalten getroffen, um die Englischen Linien anzugreifen; er hat Brücken, Brückenschanzen und andre Festungswerke angelegt. Auch unsrer Seits sind wir nicht müßig geblieben, und unsre Linien haben ein furchtbares Ansehn.

Gestern haben die Reconvalescenten den Befehl erhalten, wieder zu der Armee zu stoßen. (L. d. B.)

Neapel, den 5. Januar.

Ein Königl. Decret vom 22. December setzt Folgendes fest: „Der Orden der Salesianerinnen hat, so wie er von Unserm erhabenen Schwager, Sr. Majestät dem Kaiser Napoleon, wieder hergestellt und modificirt worden ist, auf die weibliche Erziehung im Kaiserthum Frankreich, und im Königreich Italien einen wohlthätigen Einfluß. Damit aber auch Unsere Staaten sich dieses Vortheils erfreuen mögen, so verordnen Wir folgendes: Der Orden der Salesianerinnen ist in Unserm Reiche beibehalten und sie können überall, wo sie es für zweckmäßig erachten, weibliche Erziehungs-Anstalten errichten. Dieser Orden steht unter dem Schutze Unserer geliebten Gemahlinn, der Königinn. Die Salesianerinnen können demnach Novizen annehmen, welche jedes Jahr die einfachen Gelübde erneuern. Sie befolgen die Ordensregeln des heiligen Franciscus von Sales, und stehen in geistlichen Angelegenheiten unter Unsern Bischöfen. Zur Errichtung neuer Institute werden ihnen von der Regierung schickliche Gebäude angewiesen." (L. d. B.)

Vermischte Nachrichten.

Basel, den 26. Januar.

Vorgestern fand man eine seit einigen Tagen vermißte Bürgerstochter vom Rhein ohnweit Erienstein todt ausgeworfen. Sie war an 30 Jahr alt, wegen der vielen Falliten melancholisch geworden, und hat sich deshalb ertränkt. Sie zog sich zu dieser Handlung festlich, ganz weiß an, und zierte sich noch mit ihrem Geschmeide, als Bracelets, goldener Kette um den Hals rc.   (L. d. B.)

Hamburg, den 9. Februar.

Heute Mittag sind Se Durchl Hoheit, der Prinz von Eckmühl, General = Gouverneur der Departementer der Ober = Ems, Weser = Mündungen und Elb Mündungen, hier angelangt.   (L. d. B.)

Wissen, Schaffen, Zerstreuen, Erhalten.
(Fortsetzung.)

Zum Ausgraben des Loches würden wir bald auf Wasser stoßen. Das ist gewiß. Aber eben die Ueberwältigung des Wassers ist das Problem. Wenn es auch nie gelingen sollte, würde es vielleicht die Mechanik und Hydraulik mit den schätzbarsten Erfindungen bereichere. Also die Frostzone, nicht $\frac{1}{1200}$ tel Dicke unseres Planeten, wäre die Gränze unseres Emporsteigens zum Firmament, wenn auch die mechanischen Hinderniffe glücklich besiegt würden? — Der Mensch kann im Wasser nicht leben. In der Taucherglocke kann er es. Er kann auf die Dauer nicht über dem Wasser bleiben. In der Korkweste kann er es. Also — macht daß er in der feinen und kalten Luft da oben dauern könne, oder   macht diese Luft dichter und wärmer!

Wir essen und trinken täglich die mannigfachsten Dinge. Aber wissen wir wol,   wie jede Gattung Speise und Trank auf uns wirkt!

Wir sehen, daß Milch durch Zuthun einer Säure gerinnt. Wir schließen daraus, daß dieses auch im Magen der Fall sein müsse, wenn wir auf Milch Säuren zu uns nehmen, und daß die Verdauung dadurch zum Nachtheil unserer Gesundheit unterbrochen werden würde.

(Der Schluß folgt.)

Berliner Abendblätter.

Berlin, den 13ten Februar 1811.

Bülletin der öffentlichen Blätter.

Wien, den 30. Januar.

Man erwartet in diesen Tagen die Erscheinung ei=
nes Patents, durch welches, auf die Dauer der gegen=
wärtigen Geldverhältniß, dem in der leztern Zeit alle
Grenzen überschreitenden Wucher der Hausbesitzer ge=
steuert werden soll. Nach demselben sollen, wie man
vernimmt, die Hausmiethen so bestimmt werden, daß
dem Miethzinse, wie er im Jahre 1808 war, noch ein
Zuschuß von 30 pro C. beigefügt wird, wogegen alle
seitdem erfolgten Steigerungen annulirt sind; ferner
soll der Hausbesitzer der Miethpartei nur aus Grün=
den, nicht aber wie seither aus bloßer Willkühr, auf=
kündigen können; auch soll die Auszichzeit nur auf
einen einzigen Termin im Jahre festgesetzt werden,
während bisher zwei solcher Termine waren, woher
es kam, daß die Miethparteien von eigennützigen
Hausbesitzern, denen von fremden Juden und Griechen
ein höherer Zins geboten wurde, alle halbe Jahre von
Einer Wohnung in die andere getrieben wurden. Man
erwartet von diesen Anordnungen, die von der einen
Seite eben so gerecht als billig von der andern sind,
die beste Wirkung. Es ist überhaupt bei unsern jetzi=
gen Geldverhältnissen mit dem Auslande für einzelne
Stände sehr drückend, daß ein großer Theil der Eigen=
thümer aller Art, die Nutznießung seines Vermögens
immer nach dem Kurse verlangt, obgleich sich der
Preis der unentbehrlichen Lebensbedürfnisse hier bei
weitem nicht nach dem Kurse erhöht hat; denn es ist
bekannt, daß der jetzige, durch besondere Umstände ver=
anlaßte, Kurs unsers Papiergeldes weder dem wahren
Stande unserer Finanzen, noch dem Preise der inlän=
dischen Produkte angemessen ist. Mithin zieht jeder,

der hier im inländischen Verkehr nach dem Kurse rech=
net, einen übermäßigen, unbilligen Gewinn. — Wie
wohlfeil es jetzt, gegen jedes andere Land, hier sei,
wenn man nach Konventionsgeld oder dem Kurse rech=
net, letztern aber nur zu 800 angenommen, zeigt ein
kurzes Verzeichniß der Preise der gewöhnlichsten Be=
dürfnisse. Das Pfund Rindfleisch 32 kr. (4 kr. K. G.)
das Maas guten Oestreicher 2 fl. ('5 kr. K. G.); Mit=
tagessen bei einem Traiteur zu 6 Speisen 5 fl. (37½ :r.
K. G.); von 3 Speisen 1 fl. 30 kr. (11¼ kr. K. G.);
Eintritt ins erste Parterre in den Hoftheatern 4 fl. 30
kr. (18¾ kr. K. G.; auf der Wieden 1 fl. 30 kr. (11⅛
kr. K. G.) Eintritt in den Kaiserl. Redoutensaal 5 fl.
(37½ kr. K. G.); die große Elle sehr feines Tuch 40 fl.
(5 fl. K. G.); ein Paar gute Stiefeln 40 fl (5 fl. K.
G.) u. s. w. — Nachrichten aus Ofen zu Folge, ist
dort neuerdings in einem großen Holzmagazin Feuer
ausgebrochen, das so schnell um sich griff, daß alle
Löschanstalten unnüz wurden. Der Brand soll gestern
noch fortgewährt haben. — Gestern war bei Sr. Erz.
dem französischen Bothschafter ein großer Ball, zu wel=
chem der höhere Adel und die Herrn Beamten einge=
laden waren.   (K. f. D.)

Wissen, Schaffen, Zerstören, Erhalten.

(Schluß.)

Wir bedenken nicht, daß der Magen und die in=
nere Organisation der Verdauung dazu kömmt, und
ganz andre Erfolge hervorbringt, als wir im Destillir=
Kolben sehen. Und doch sind unsre mehrsten diätetischen
Regeln von einer hypothestellen Analogie dieser äußern
chemischen zur inneren Gährung abgezogen, und unsre
mehrsten Arzneimittel hierauf gegründet. Wir schlies=
sen: Chinarinde hat den Cajus und Mevius vom Fie=
ber geheilt; also heilt sie jedermann. Wir vergessen
dabei, daß jeder Mensch eine Welt ist, seine eigenthüm=
liche Welt in seinem Innern trägt, und selbst im or=
ganischen Baue von jedem andern abweicht.

Erst wenn wir die Urelemente aller Körper rein

darstellen und beliebig zusammensetzen können, sind wir um einen Schritt weiter.

Wir wissen seit Jahrtausenden, daß Wasser die Salze auflöst. Wie geschieht diese Auflösung? Warum löst sich Blei nicht im Wasser auf? Ist chemische Auflösung von einer mechanischen Trennung der Theile so wesentlich verschieden? und wirkt nicht auch bei jener nichts, als eine feinere Reibung?

So sehr der Mensch hier in seinem Wissen und in der Kunst zu schaffen noch zurück ist, so weit hat er es in der Kunst zu zerstören gebracht; vielleicht bis zum Höchsten.

Der äthiopische Kürbiß-Baum (Adansonische Baum, Calebay-Baum), dessen Stamm kaum 12 Fuß hoch wird, dagegen bis 37 Fuß im Durchmesser erhält, will, nach Adansons Berechnung, um einen Stamm von 30 Fuß im Durchmesser zu erhalten, 5150 Jahre nöthig haben. Eine solche Frucht von 5000 Jahren zerstört der Mensch in 5 Minuten! Die Egyptischen Piramiden, die schon mehrere tausend Jahre den Elementen trotzen, sprengt er vielleicht in einem einzigen Tage in die Luft!

Schaffen und Erhalten ist der Gegensatz von Zerstören. Und doch ist beides sehr nahe mit dem Zerstören verwandt. Denn oft ist Erhaltung nur durch Zerstörung möglich, so wie oft Leben nur aus dem Tode hervorgeht.

So müssen wir, um Obst, Gemüse, Feldfrüchte zu haben, Miriaden von Raupen, Schmetterlingen, Heuschrecken zerstören. Wir tödten den Holzwurm, um unsre Meubles zu retten, die Motte, um unsre Kleider zu erhalten. Wir tödten den Wolf, der in unsern Schaafstall bricht, ja selbst zuweilen unsers Gleichen, um Haus und Hof und unser Allerheiligstes zu retten. —

Einleitung.

Die herrliche Darstellung, welche Frau Professor Schütz auch in ihre, an Freunde während ihrer Reisen gerichtete, Briefe zu legen weiß, bewegt den Besitzer, einen derselben, seines allgemein interessanten Inhaltes wegen, mit Weglassung aller Privat-Angele-

genheiten, in diesen Blättern öffentlich mitzutheilen.
Das Schöne, in welcher Form es auch hervortritt,
darf nicht gänzlich verborgen bleiben; und die treffliche
Künstlerinn selbst wird in dieser Bekanntmachung ihres
Schreibens, nicht ohne Beifall, das Bestreben eines
Freundes anerkennen, ihren Werth auch als sinnige
Beobachterinn geltend zu machen, welche die seltne
Gabe zugleich besitzt, mit der Feder dasjenige lebendig
darzustellen, was sie gesehen, gedacht und empfunden;
so wie sie das Gleiche auf der höchsten Stufe der dra-
matischen Mimik, und der mimischen Plastik längst geleistet hat.

Salzburg, den 12. April 1809.

Ich will diese Tage der Ruhe dem Geschäft widmen, Ihnen zu sagen, wie ich nach Salzburg komme,
und was ich auf meiner Reise von Wien hierher, die
zu den angenehmsten gehört, die man machen kann,
wahrgenommen habe.

Wenn man aus den Thoren von Wien herausfährt,
sieht man schon von fern, immer zur Rechten, die ungeheuern, mit ewigem Schnee bedeckten Gebirge. Bei
Schottwien, kurz vor der Steierschen Gränze, kömmt
man in das Gebirg hinein. Nun wird die Gegend,
in dem Maaße, als man sich Italien nähert, romanti-
scher, das Klima milder, der Weg steiler. Graunvoll
schön ist die Passage über den Sömmering, man fährt
anderthalb Stunden immer steil in die Höh, auf der
einen Seite Abgründe, auf der andern schroffe Felsen.
Der Weg ist entsetzlich und wurde noch schlechter durch
die Militair-Transporte, die eben damals in Bewegung waren und denen Alles ausweichen mußte. Oft
hielt mein Wagen dicht am Rand eines Abgrundes, und
doch durften und konnten wir nicht aussteigen, weil
kein Platz dazu war.

(Die Fortsetzung folgt.)

Berliner Abendblätter.

Berlin, den 14ten Februar 1811.

Bülletin der öffentlichen Blätter.

Aus Italien.

Nachrichten aus Rom melden, daß die öffentlichen
Arbeiten an dem alten Tempel der Vesta, am Colosseum, am Triumphbogen des Septimius Severus ꝛc.
stark vorwärts rücken und das Publikum um so mehr
vergnügen, da man bei denselben Männer, Weiber und
Kinder angestellt sieht, die vormals im Müßiggang
und vom Betteln lebten. Sobald die bisher angeordneten Arbeiten vollendet sind, sollen andere zur Verschönerung von Rom vorgenommen werden. Unter
andern hat die Regierungskonsulta den Plan, auch innerhalb der Stadt, und namentlich in der Nachbarschaft der schönsten Denkmäler des Alterthums, Spaziergänge von schattigen Platanen und andern Bäumen
anlegen zu lassen. Von Alleen zu Alleen wird man
sich zu verschiedenen Denkmälern begeben können, welche wie die Zierraths-Ruinen eines unermeßlichen und
herrlichen Gartens aussehen werden. Man wird in dieselben durch den Triumphbogen des Septimius Severus hineingehen und, indem man die ganze Via Sacra
durchgeht, wird man bis zu den Bogen des Colosseums
gelangen. Man hat auch, wie man sagt, das Projekt,
den Weg von Neapel durch den Bogen des Titus gehen zu lassen, und ihn mit der Straße von Paris zu
vereinigen; was die prächtigen Verschönerungen, die
man bei der Stadt Rom macht, vollständig machen
wird.   (K. f. D.)

Aus der Türkei.

Die Waffen schweigen jetzt: über Frieden und
Krieg gehen nur schwankende Gerüchte. Die Russen

erwarten zahlreichen Sukkurs aus dem Innern des
Reichs. Warna und Widdin sind die letzten Bollwerke
von Schumla. Sollte der Waffentanz von Neuem beginnen und diese beiden Festungen fallen, welche die
Russen noch im Rücken beunrubigen können, so steht
es dann bei den Russen, Schumla mit ganzer Macht
anzugreifen. (K. f. D.)

Frankfurt, den 31. Januar.

Gestern Nachmittags sind Se. Erz. der Hr. Gen.
Graf Friant, mit einem ansehnlichen Gefolge und unter Bedeckung einer Abtheilung Husaren und Gensdar-
mes, von hier nach Paris abgereist. — Gestern traf hier
ein Artilleriepark von 10 Kanonen, von Mainz kommend, ein; demselben folgen noch ¼ ähnliche Transporte in den folgenden Tagen. Der erste ist heute
über Hanau abgegangen und wird auf dieser Straße
weiter nach Sachsen ꝛc. gehen. (K. f. D.)

Salzburg, den 12. April 1809.

(Fortsezung.)

Ich drückte dann meine Augen zu und befahl meine Seele Gott — Mit jeder Station, mit jedem Schritt
fast, den man vorwärts kommt, wird die Luft nun
lauer, gleichsam balsamisch. Die Berge waren schon
jetzt, im März, ganz mit blühenden Veilchen, Schlüssel-
blumen, blühenden Gesträuchen und Schmetterlingen
bedeckt. Aber um desto häßlicher, mein Freund, je tiefer man in diese herrlichen Thäler hineinkommt, wird
die Menschenart! Auf zehn Wohlgebildete immer sechs
Kröpfige — — und Köpfe, nein, so garstig, Gewächse,
die auf beiden Seiten des Halses hinausstehen, häßlicher als das Häßlichste, was man in dieser Art bei
uns sieht. Dann die fürchterliche Menge Cretins!
Es ist ein ekelhafter und bejammernswürdiger Anblick!
Sie können schlechthin nichts anders thun, als wobei
sie nicht im Mindesten zu denken brauchen. Ihre
Größe ist wie eines Kindes von 12 — 14 Jahren;
sie haben große, mit struppigen Haaren dünn besäte
Köpfe, platte Nasen, grüne, tiefliegende Augen, einzelne, zwischen dicken Lippen vorstehende Zähne, und

dabei ruht der Kopf ganz auf dem Schlüsselbein; die Schultern sind hoch, der Leib kurz und aufgelaufen; die Beine, krumm und dünn, schleppen ungestaltete Füße nach und so stehen sie an den Wegen, wo die Klügsten von ihnen untergeordnete Arbeiten thun; betteln und lallen halbblödsinnige Töne, im Steierschen Dialekt. Dazu kommt die Kleidung dieser Unglücklichen: die Weiber graue, wollene Röcke, schwarzgefärbte Schaafpelzkamisöler, große, runde Filz- oder Strohhüthe, oder Hauben von häßlicher Form. — Ein wunderlicher Contrast gegen die herrliche Landschaft, die bunten Blumen und die Gesträuche voll zahlloser, niedlicher Singvögel. Ueberhaupt ist das Land in der Cultur zurück; und man bemerkt nur eine Spur von Handel und Gewerbe in den vielen Eisenwerken, die, an den Ufern der Bäche, längs dem Thale verstreut sind. Besonders sind die Wirthshäuser schlecht, schmutzig, die Wirthsleute grob, unbehülflich: sie haben gar keinen Begriff von dem, was einen Reisenden empfangen heißt. Statt ihm, wenn er in der Nacht ankommt, aus dem Wagen zu helfen, oder, wenn er ausgestiegen ist, Licht zu bringen und ein Zimmer anzuweisen, stehen Wirth und Kellner um ihn herum und fragen: was schafen's z' Nacht z' speisen? schafen's a Brates, a Kälbernes? a Brodsuppen mit 'n Ah, an Sallat mit 'n Eß u. s w. Dagegen ist Alles auf das Aeußerste wohlfeil; und wenn man wegfährt, küßt Einem das ganze Hausgesinde, bis auf die Hausknechte, für das Trinkgeld die Hände. Sie können denken, wie ich mit meinen Händen weggefahren bin.

So kam ich denn endlich nach Grätz: eine Stadt, deren Lage einen herrlichen Anblick gewährt. Fast in ihrer Mitte erhebt sich ein ungeheurer Felsen, mit einer schönen, vortrefflich erhaltenen, gothischen Citadelle. Die Stadt ist alt und nicht groß, aber freundlich und mit himmlischen Spaziergängen umgeben.

(Der Schluß folgt.)

Aufwand des Marquis Wellesley in Indien.

Der Aufwand, den Marquis Wellesley in Indien gemacht haben soll, übersteigt alle Begriffe. In einem

Briefe aus Calcutta, vom 30. August 1805, kommer
merkwürdige Dinge darüber vor. Die Kosten der
ersten Reise, heißt es darin, und seine Zubereitungen
auf eine zweite, waren so, daß man in Europa sich
schwerlich eine Vorstellung davon machen kann. Es
würde unglaublich vorkommen, wenn man die Summen angeben wollte, welche er auf seine Gebäude,
Wachen u. s. w. verwendet hat. Die Erleuchtung seines Pallastes kostete jede Nacht 500 Pfund Sterlinge.
Der Hauptmann seiner Leibgarde, im Jahr 1797 noch
Kadet in Madras, erhielt monatlich mehr als der
Obergeneral. Dieser junge Mann verwandte an einem Abende 10,800 Rupien zu einer Fete, welche er
dem Marquis gab. Bei seiner Reise ins Innere des
Landes brauchte der Marquis Wellesley 1100 Böte für
sich und seine Suite.

- - -

Miscellen.

In der Bukowina wurde ein gewisser Räuberan-
führer, Dary, der erst 28 Jahre alt, hoch und stark
gewachsen ist, und viele kühne Kerls zur Vollziehung
seiner Streiche unter seinen Befehlen hatte, durch die
Bauern verrathen, und gefangen der Kriminaljustizbe-
hörde übergeben.

- - -

Ein auf der Straße gehender Bauer wurde bei
Magierow im Zolkiewer Kreise von den Wölfen angefallen und gefressen. Wenn diese Thiere in Viehställe
einbrechen können, so sind sie so kühn, bis an den hellen,
lichten Tag an dem Vieh so lange zu fressen, bis sie
von den Leuten verjagt oder geschossen werden; zu letzterer That eifert der Dukaten an, den Jedermann für
einen erlegten Wolf von dem Aerarium bekommt.

- - -

Berliner Abendblätter.

Berlin, den 15ten Februar 1811.

Bülletin der öffentlichen Blätter.

Amsterdam, den 8. Februar.

Hier hat man folgende Nachrichten aus
London, vom 29. Januar.

Heute Morgen sind Depeschen vom Lord Wellington
vom 5. und 12. angekommen.

Die Verstärkungen unter General Drouet sind zu
Massena gestoßen. Dieses Corps war den Truppen
weit überlegen, die Coimbra unter dem Obersten Trant
besetzt hielten. Dieser Oberst war genöthigt, dasselbe
zu räumen, und sich über die Vouga gegen Oporto zurück zu ziehen. Bei Annäherung des Feindes zog sich
der Oberst Wilson nach Eipenhal zurück, und gieng
über den Mondego; allein, da der Feind gegen Eipenhal marschirte, kehrte Oberst Wilson über den Mondego zurück, und harcelirte am 25. und 26. December
lebhaft die feindliche Arriergarde, die aus 4 Bataillons
vom 9ten Corps bestand. Dieses Corps, welches von
Castel Branco detaschirt war, ist wieder zu dem Gros
der Armee gestoßen.   (L. d. B.)

Lissabon, den 8. Januar.

Coimbra ist jetzt von Drouet besetzt. Oberst Trant
fand den Feind zu stark und hat sich gegen Oporto, auf
dem andern Ufer der Vouga, gezogen. Die Verstärkungen, die Massena erhalten, belaufen sich auf 9000
Mann Infanterie, mit 300 Pferden, eine große Menge
Munition und einen kleinen Artilleriepark.

Alle Soldaten die sich hier befanden, sind wieder
zur Armee gestoßen. Zu Santarem und Cartaxo ist alles in derselben Lage. General Hill ist fortdauernd

krank. General Campbell ist am Fieber gestorben, so
wie der Oberst Finch, General in Portugiesischen Diensten. Die gute Marquise d'Angaya ist auch in ihrem
Hotel zu Bellene gestorben. Zwei bis drei Tage hindurch haben wir ein fürchterliches Regenwetter gehabt.

Die zu Lande von Cadix erhaltene Depeschen melden, daß es dem Feinde gelungen ist, Bomben von
Matagorda in die Stadt zu werfen. Der Feind hat
aus der Gegend von Cadix ein Corps detaschirt, man
weiß nicht, zu welcher Bestimmung. Alles wird hier
rarer und theurer.   (L. d. B.)

Lissabon, den 10. Januar.

Heute Morgen hieß es, daß Badajoz von den Franzosen genommen wäre; aber keiner glaubt diesem Gerüchte. Die Generale Ballasteros, Mendizabal und Madden sind genöthigt worden, sich auf Badajoz zurückzuziehen. Soult und Mortier marschiren vereinigt gegen
diese Stadt. Hier zu Lissabon sieht man keinen einzigen Land-Soldaten. Die Marine-Soldaten dienen in
der Stadt zur Garnison. Alle Gallegos sowohl, als die
Portugiesen, sind genöthigt, zu dienen. Massena hat
drei Brücken über den Zezere geschlagen, und hat, nach
den letzten Nachrichten, 15000 Mann Verstärkung erhalten.   (L. d. B.)

Badajoz, den 6. Januar.

Heute Morgen kam hier General Madden mit seiner Cavallerie an. Heute Abend erwartet man Ballasteros mit der Infanterie. Sie sind genöthigt worden,
sich zurück zu ziehen, weil General Mortier, dessen Armee auf 18000 Mann durch die aus der Gegend von
Cadix gekommenen Verstärkungen gebracht worden, bei
Merida über die Guadiana gegangen ist, und auf beiden Ufern dieses Flusses vorrückt.   (L. d. B.)

Lissabon, den 13. Januar.

Massena befindet sich mit 6000 Mann zu Santarem, mit Einschluß der Verstärkungen, die er erhalten
hat. Ein Spion, der am 10. das Lager verlassen hat,

sagt aus, daß die Operationen im nächsten Monat an=
fangen sollen, und daß Maßena dann 80000 Mann ha=
ben wird, weil er Verstärkungen von Madrid erwartet.
Di. Französischen Batterien bestreichen den Tajo und
verhindern die Schifffahrt.   (L. d. B.)

———————

Salzburg, den 12. April 1809.

(Fortsetzung.)

Den 5ten reiste ich wieder von hier ab und kam
nun in die Gebirge von Ober=Steiermark. Die
Wege sind fürchterlich, aber zu beiden Seiten, alle 20
Schritt, mit Nischen und kleinen Kapellen besetzt, wor=
in die Bildnisse der Patrone des Landes aufgestellt
sind. Denn man findet es bequemer, die Heiligen um
Schutz vor dem bösen Weg anzuflehen, als ihn auszu=
bessern; welches gleichwohl, bei der Menge von Stei=
nen, ein Leichtes wäre. Alle Augenblicke steht man
ein Muttergottesbild; sie schwebt oben in den Wolken,
mit dem Kind auf dem Schooß, und schaut hernieder
auf einen umgefallenen Wagen. Darunter steht denn
geschrieben, wie Maria diesen Wagen gnädiglich vor
der gänzlichen Zertrümmerung bewahrt habe. — Ueber=
haupt tritt, in dieser Gegend, die Unwissenheit, Träg=
heit und Unbehülflichkeit der Einwohner noch weit
lebhafter hervor. Die Wiesen, von Wasser überschwemmt,
ohne Abhang und Gräben, gleichen Morästen! Die
Häuser sehen gar keinen menschlichen Wohnungen mehr
ähnlich. Sie sind von dicken Tannenbalken zusammen=
gezimmert, die Fenster betragen höchstens eine halbe
Elle ins Gevierte, und Schornsteine fehlen ganz; der
Rauch von dem Feuer, das im Innern angemacht ist,
geht hinaus, wo er will. Wenn man des Abends ein
solches kröpfiges Zwergenweib vor die Thür dieser
durchräucherten Wohnungen treten sieht, so weiß man
nicht, ob man nicht schon, in irgend einer Thierbude,
zur Jahrmarktzeit, ein ähnliches Geschöpf gesehen hat.
Besonders in den Sennenhütten, die man hier Schwö=
gerhütten nennt, übersteigt der Schmutz allen Glauben.
Es ist nicht möglich, daß Milch=Produkte, die die höchste
Reinlichkeit erfordern, hier gerathen können; die Schwöge=
rinn (Sennenhirtinn) nimmt sich nicht die Mühe, ih=
ren schwarzen Pelz auszuziehen, oder nur die Ermel

aufzuſtreifen: ſie knetet, beim Käſemachen, immer in
der veräucherten Milch damit herum, behält auch nachher, obſchon die geronnene Milch von den Ermeln her-
abläuft, das Kamiſol an, ſo daß man ſie, zu Hauſe und
auf der Straße, auf zehn Schritt weit riechen kann. —
Bei Werfen beſtieg ich den hohen Berg, auf welchem, am Ufer der tobenden Salzach, die alte Feſte
dieſes Namens liegt: ein Rieſenwerk, ſchon zwölfhun-
dert Jahre alt, aber noch völlig erhalten. Die Thürme, mit ihren Zugbrücken und angrenzenden, unüberwindlichen Feſtungswerken, die prachtvolle alte Kapelle,
im Innern der Burg, in welcher noch alle Jahre ſie-
benmal Gottesdienſt gehalten wird: Alles deutet die
Kraft und Herrlichkeit der verfloſſenen Jahrhunderte an.
Der Caſtellan, der, mit ſeiner Familie, der Einzige iſt,
der es bewohnt, leuchtete mir gegen Abend, weil es
ſchon finſter geworden war, den Schloßberg wieder
hinab. Der Pfad war nur für zwei Perſonen breit,
und mit einem ſchlechten Geländer verſehen, worüber
man ſteil in die Salzach hinab ſieht — Die Felſen,
am gegenüberſtehenden Ufer, ſtreckten ihre weiß beſchnee-
ten Häupter dämmernd und undeutlich in die Nacht
hinein. — Der Wind rauſchte in den Eichen über mir
und unter mir, von Zeit zu Zeit raſſelten, vom Regen
losgeriſſene, einzelne Steine in die Tiefe hinab. — Die
Sterne zogen verſtreut am Himmel vorüber; aus der
Tiefe ſchienen wirthlich die beleuchteten Fenſter des
Städtchens herauf, der Führer verlor ſich zuweilen,
mit ſeiner Laterne, hinter den Bäumen, und ſchien ein
hüpfendes Irrlicht. — — Alles dies zuſammen machte
mir dieſen Abend zu einem der unvergeßlichſten meines
Lebens. — Am andern Morgen kam ich durch den
Salzburger Paß, wo eben damals, auf dem Gipfel
des Felſens, beträchtliche Feſtungswerke angelegt wurden, um den Feind, wenn er von hier aus vordringen
ſollte, abzuwehren.

(Der Schluß folgt.)

Berliner Abendblätter.

Berlin, den 16ten Februar 1811.

Bülletin der öffentlichen Blätter.

Hamburg, den 12. Februar.

So eben erhalten wir noch durch außerordentliche Gelegenheit den Moniteur vom Donnerstag, den 7. Februar, der zu folgendem Artikel nachstehende wichtige Bemerkungen enthält:

London, den 26. Januar.

(Aus dem Alfred.)

Gestern Abend haben wir zu London die Französischen Journale empfangen. Sie enthalten das Decret, nach welchem das Tabak-Monopol eingeführt werden soll, so wie einige grämliche Bemerkungen über die Englischen Zeitungen, besonders über ein Schreiben, welches mit der Unterschrift: von einem Veteran, in the Times erschienen ist. Was die Bemerkungen über die Verheerung des Landes betrift, um die Fortschritte von Massena zu verhindern, so haben sie ohnstreitig einigen Grund; denn es ist jetzt erwiesen, daß dieses schreckliche Mittel den Marsch der Franzosen nicht um einen Tag aufgehalten hat; sie haben ohne Zweifel bei dieser Gelegenheit Anlaß zum Triumphiren. Das Vernichten der Englischen Waaren ist fortdauernd ein Lieblings-Gegenstand der Franzosen. Was den Vortheil betrifft, den das Continental System hervorbringt, so kennt Napoleon den Einfluß noch nicht in seinem ganzen Umfange, den der Handel in allen Theilen Europa's zur Folge hat; und wie groß auch der Verlust seyn mag, den England leidet, und den es noch durch die Handels-Entbehrungen, denen es unterworfen ist, leiden wird, so wird man doch jetzt als letztes Resultat ersehen, daß die Finanz-Verlegenheit und der Handels-

Ruin des Continents von Europa denjenigen gleich seyn werden, die man in England empfinden wird. *) Die Continental-Conföderation hat Großbrittannien den Markt von Europa geraubt; allein die Negocianten werden aller auswärtigen Communication, beraubt, durchaus genöthigt seyn, allen Handels aufzugeben. Es kann für die Produkte des Europäischen Continents, die gegen Colonial-Waaren vertauscht wurden, keinen Markt mehr geben.

Salzburg, den 12. April 1809.

(Schluß.)

Mehrere Bastionen, auf den vorspringenden Winkeln, waren schon fertig und eben beschäftigte man sich, die Casematten, für die Garnison, in Stein zu bauen. Dieser Salzburger Paß ist überhaupt, wegen der häufig herabrollenden Schneelavinen, gefährlich; er ward es

*) Es ist außer Zweifel, daß die Maßregeln, die den Englischen Handel vernichten, eine Rückwirkung haben, die auf dem festen Lande empfunden werden muß, und zwar besonders von den unvorsichtigen Häusern, die den Handel Englands assecurirten und escomptirten, und seine Communications-Canäle mit dem Continent formirten. Giebt man aber auch selbst diesen Handels-Umsturz zu — nicht als eine That Frankreichs, sondern die Folge der Cabinets-Orders von 1806 und 1807 — so ist es doch nicht weniger wahr, daß Frankreich und die Continental-Mächte keinen Verlust weder in ihren Einnahmen, noch in ihren Kriegsmitteln leiden werden, da die 900 Millionen, welche die Einnahme Frankreichs im Jahre 1810 ausmachen, nach ihrem ganzen Belaufe in netten, reinen Einnahmen bestehen, die in baarem Gelde eingehen. Diese 900 Millionen sind mehr als hinreichend, um alle Arten von Bedürfnissen zu bestreiten; England hingegen hat 1600 Millionen nöthig, um seine Ausgaben zu bestreiten, eine Staatsschuld von 600 Millionen zu bezahlen. Diese 1600 Millionen sind aber nicht das Resultat der Einkünfte Englands, sondern sind wenigstens zur Hälfte der Ertrag der Benefice, den es von seiner Courage, sonst genannt von seinem Handelsmacht. Sein Commerz wird ruinirt; sein Credit ist es schon. Seine beiden Stützpunkte der Cirkulation auf dem Continent, Anerbieten und Hamburg, können ihn nicht mehr dienen; sein Kaufmann auf dem festen Lande will nichts mehr mit England zu thun haben. Es ist sicher leicht voraus zu sehen, daß die Finanzen Englands spätestens 1813 oder 1814 einen solchen Stoß leiden worden daß sie die Bedürfnisse desselben nicht mehr bestreiten können.

(Die Fortsetzung folgt.)

aber doppelt durch die Erschütterungen, welche eben
jetzt das Sprengen der Felsen mit Pulver veranlaßte.
Eine dieser Explosionen, denken Sie sich —! geschah
grade, als wir uns unter dem, halb fertigen, Thor
dieser Festung befanden, und unsere Pässe vorzeigten.
Eine große Lavine ward dadurch, mit einem ungeheuren Geprassel, hinter uns auf den Weg herabgerollt;
grade auf die Stelle, wo wir uns, ohngefähr vier Minuten zuvor, befunden hatten! — — Jenseits dieses
Forts öffnet und erheitert sich Alles, das Auge blickt
über ein lachendes, blühendes Thal, in welchem Früh-
lingslüfte wehen, Lerchen singen und Veilchen duften:
und so geht es, über Golling, ein hübsches, freundliches
Städtchen, bei welchem sich die Salzach mit der Lam-
mer vereinigt, nach Salzburg, wo ich nach einer
achttägigen gefahr- und mühevollen Reise ankam. Salzburg liegt unaussprechlich schön, hat ebenfalls, wie
Gräz, einen hohen Felsen, mit einer Citadelle, in seinen Mauern, und ist durch die Salzach, welche hindurch fließt, in zwei Theile getheilt, welche das Ganze
sehr malerisch machen. Eben jetzt herrscht, wegen der
künstlich durchpassirenden Landwehr, eine außerordentliche Lebhaftigkeit darin. Beim Hereinfahren vernahm
ich, daß niemand über die Bayersche Gränze gelassen
würde, bevor das Militair hinüber sei, und so werde
ich mich wol darein ergeben müssen, ein Paar Tage
hier zu verweilen. Adieu!

Gaunerei.

Zu Angers wird seit einiger Zeit eine neue Art
Gaunerei getrieben. Die Gauner lassen hie und da
auf den Straßen sehr schöne Ringe, Ohrreife, Kreuze
fallen, als wären sie von blankem Gold. Hebt man
sie auf, so springt der Gauner, welcher auf der Lauer
steht, herbei, will seinen Antheil, und läßt sich mit einer Summe abfertigen. So sah ein Pächter am 15.
Dezember ein solches Kreuz. Ein Gauner sprang sogleich herbei, und schrie: auch ich habe Antheil daran.
Der Pächter wollte es auch nicht lassen, und endlich
kamen sie in einer Schenke überein, daß der Pächter
6 Franken dafür bezahlen sollte. Dieser wollte es vor-

her einen Goldschmidt sehen lassen. Der Gauner willigte mit der Bedingung ein, daß er 6 Franken bei der Wirthinn niederlegen müßte, welche derjenige erhielte, der das Kreuz ihr vorzeigte. Der Pächter thats. Kaum war der Pächter zum Goldschmidt auf dem Wege, so kam der Gauner in die Schenke zurück, wies der Frau ein ähnliches Kreuz und ging mit den 6 Franken davon. Das Kreuz, das der Pächter hatte, war keine 5 Sous werth.

S c h i l d e.

Unter den vielen deutschen Handwerkern ist jetzt noch Mode, ihre Schilde mit französischen Aufschriften zu versehen, welche denn nicht selten mit ihrer Orthographie höchst drollig lauten. So liest man zu ** auf einem Schuhmacherschilde: faisseur des pots; auf einem Schneiderschilde: tailleur des hommes; und auf einem Perückenmacherschilde gar: N. N. bürgerlicher Damen Fresser! Dieß erinnert an einen Schild in Amsterdam, auf welchem Absolon, an einem Baume mit den Haaren hängend, abgebildet, und worunter geschrieben war: „Hättest du eine Peruque getragen, so würst du mit den Haaren nicht hängen geblieben."

M i s c e l l e n.

Am 7. Januar ist Nachmittags gegen 3 Uhr, in der Gegend von Zeitz, nach Altenburg zu, eine Erderschütterung mit einem Getöse bemerket worden, das dem Einsturz einer Mauer ähnlich gewesen ist. Der Himmel war sehr heiter. In einer mehr flachen als bergigten Gegend gewiß eine seltene und auffallende Erscheinung!

1811. No. 41.

Berliner Abendblätter.

Berlin, den 18ten Februar 1811.

Bülletin der öffentlichen Blätter.

Paris, den 8. Februar.

Unsere Blätter enthalten Folgendes vom 1. Dieses:

„Nach den letzten Nachrichten von Cadix wird die Belagerung dieses Platzes lebhaft betrieben. Der Marschall Sonlt hat vor seiner Abreise alle Arbeiten besucht, und schien äußerst zufrieden mit denselben. Er hat neue Anordnungen getroffen, die man mit unglaublicher Thätigkeit ausführt. Der Marschall Victor hat sein Hauptquartier fortdauernd zu Chiclana, und der unter seinem Befehl commandirende General Leval zu Puerto-Real. Die Regimenter sind complet und die Lebensmittel in Ueberfluß vorhanden.

Es scheint, daß zu Cadix großes Mißverständniß zwischen den Spaniern und Engländern herrsche. Die Letztern sind in gewisser Hinsicht Meister der Stadt, wo sie eine Garnison und Flotte haben. In den letzten Tagen des Dezembers entstand bei dunkler Nacht ein lebhafter Streit zwischen den Spanischen und Englischen Schiffen, wo von beiden Seiten viele Leute umkamen. Sie hielten sich wie es heißt gegenseitig für Feinde. (L. d. B.)

Constantinopel, den 25. December.

Zwei Sultaninnen befinden sich jetzt in gesegneten Leibes-Umständen; man erwartet in einigen Monaten ihre Entbindung. Der Sultan erhält dadurch seine ersten Erben. (L. d. B.)

Paris, den 7. Februar.

Am 6. dieses hielten Se. Majestät um 2 Uhr Nachmittags ein Conseil der Minister.

Gestern begaben sich Se. Majestät nach der Ge-
traidehalle. Allerhöchst dieselben waren mit den nicht
sehr vorgerückten Arbeiten unzufrieden und ertheilten
Befehle, daß sie vor Ausgang des Jahrs beendigt seyn
sollen.

Se. Majestät besuchten auch die Märkte des Tempels, der Jakobins und der Innocens. Mit Zufriedenheit bemerkten Sie den Zustand der Arbeiten des Markts
der Jacobins, und äußerten Ihre Verwunderung, daß
die Arbeiten des Markts des Innocens so wenig vorgerückt waren.   (L. d. B.)

Aus der Schweiz, den 3. Februar.

Die Stockung des Handels und die gute Aufnahme, welche die Fabricanten in einigen benachbarten
Deutschen Staaten finden, veranlassen seit einiger Zeit,
daß mehrere Fabrikarbeiter, vorzüglich aus dem Flecken
Trogen, auswandern.   (L. d. B.)

Aufklärung

über die Naturerscheinung bei Zeulenroda.

In Nro. 26. des Korrespondenten von und für
Deutschland wird von einer Naturerscheinung Nach-

Bemerkung des Moniteurs zu dem im vorigen Blatt
enthaltenen Artikel:

London, den 26. Januar.

(Aus dem Alfred.)

(Schluß.)

Ganz anders ist die Lage von Frankreich im Jahre 1811.
Von Jahr zu Jahr wird es durch die Ersparung einer Aus-
fuhr von 150 Millionen reicher werden, welche ihm die Colonial-Waaren kosteten, so wie durch die Zunahme seiner Manu-
fakturen Die Crisis von England liegt schon klar am Tage.
Sein Wechsel-Cours verliert 33 pCt. Zu London selbst verwechselt man, obgleich mit unendlicher Mühe, Bankbillets ge-

richt gegeben, die sich den 19. Januar in der Gegend
von Zeulenroda ereignet hat, und von welcher, wie es
in dieser Nachricht heißt, auch die allerältesten Menschen (um Zeulenroda vermuthlich) noch keine Erfahrung gemacht haben. Die Erscheinung besteht darin,
daß man auf dem Schnee ein Heer von verschieden ge-
stalteten Raupen wahrnahm, die herum krochen und
sich von Zeulenroda bis über Tegau hin ausbreiteten.
Diese Erscheinung ist aber nicht neu, denn im Jahr
1672 beobachtete man sie den 20. November in Oberun-
garn, 1730 im Winter in der Mark Brandenburg bei
Drossen, 1749 in Schweden, 1791 den 25. Dezember
und 1792 in den Vorderbergen des Thüringer Waldes,
und sie ist unter dem Namen Schneewürmer und
Wurmschnee bekannt. Es sind diese sogenannten
Würmer aber weder Würmer noch Raupen (denn letztere entstehen nur aus den Eiern der Schmetterlinge),
sondern die Larven (madenähnliche Thiere) des schwarz-
braunen Warzenkäfers (Cantharis fusca Linné) mit
walzenförmigen von ¼ bis 1 Zoll langem Körper, mit

---

gen Silber oder Gold mit 15 bis 16 p Ct. Verlust. Die Bank-
zettel sind gezwungene Zettel, und ein wahres Papiergeld.
Dieser Zustand der Dinge muß täglich noch schlimmer werden.
Die Anzahl der Zettel, die eine Bank discontiren kann, steht
im Verhältniß des Credits; da die Geschäfte überdies die Hälfte
abgenommen haben, da der Credit vernichtet ist, so muß der
Verlust der Zettel gegen das baare Geld täglich reißend zuneh-
men. Die Geschichte wird nicht begreifen, wie eine auf den
Handel gegründete Regierung, die 1600 Millionen zu ihren
Ausgaben nöthig hat, die über 800 davon aus ihrer Courtage
zieht, so wenig Uebervortheilung haben kann, daß sie die Handels-
Charta zerreißt, alle Grundsätze über den Haufen wirft, den
Handel außer dem gemeinschaftlichen Rechte stellt, und ihn, so
zu sagen, in Belagerungsstand setzt. Dies ist indeß das Resultat der Cabinets-Beschlüsse von 1806 und 1807. In der That,
England ist sehr erstaunt über das, was passirt. Seit hundert
Jahren war es gewohnt, Gesetze vorzuschreiben; unter dem
Vorwande seiner Preßfreiheit schreibt es sich allein das Recht
zu, der ganzen Welt Beleidigungen zu sagen; es maßt sich allein
das Recht an, die Manufactur-Produkte anderer Länder zu
verbrennen, Handels-Traktate zu dictiren, willkührlich Verordnungen über den Seehandel und über die Neutralen zu erlassen zc. Es hatte mit schwachen, entnervten Regierungen zu
thun. Jetzt muß es überzeugt seyn, daß die Zeiten verändert
sind. Die Maaßregeln Frankreichs werden immer im Verhältniß der seinigen stehen, und dieser Kampf ist der Kampf
des Holzes gegen den Felsen. England wird dabei unterliegen,
wenn diejenigen, die es bedürfen, ferner von jenem Geist
der Unübertegtheit und des Hasses befreit sind, welcher seit
verschiedenen Jahren die Englische Administration characterisirt.

6 kurzen Füßen, oben schwarz, unten schwarzgrau von Farbe, mit glänzendem, kastanienbraunem Kopfe Diese Larve lebt allenthalben in Menge unter der Erde besonders gern um die Wurzel der Bäume, und verwandelt sich im Mai und Juni in einen ½ Zoll langen Käfer mit rothem Brustschilde und schieferfarbigen Flügeldecken, der sich auf Wiesen, Sträuchern und Bäumen oft in ungeheurer Menge aufhält und das Laub abfrißt. Die Larve frißt Regenwürmer und Insektenlarven. Sie sind gegen die Kälte unempfindlicher als andere Insekten. Ihre Erscheinung auf dem Schnee wird durch mancherlei Ursachen veranlaßt, z. B. wenn Sturmwinde Bäume umreißen, da sie dann hervor und auf dem Schnee herum kriechen und vom Winde auf der glatten Schneekruste fortgetrieben, oder auch aufgehoben und aus der Luft im Schneegestöber an ganz andern Orten herabgeworfen werden. Auch durch Maulwürfe, bei Räumung der Steinbrüche, bei Arbeiten im Lehm- und Thongruben und bei Abtragung der Erde in waldigen Gegenden werden sie hervor gebracht. So krochen sie auch in dem gelinden Winter im Januar 1792 in Schnepfenthal bei Gotha, als man zur Erbauung eines neuen Gebäudes viel Erde wegräumen mußte, schaarenweise hervor, so daß der Schnee, im Umkreise einer halben Stunde, von ihnen wimmelte. Sie kommen aber auch bei warmer Witterung da, wo sie sich nur in Moos verborgen haben, von selbst hervor.

Miscellen.

Die Wiener genossen am 28. Januar in den Mittagsstunden des angenehmen Schauspiels einer glänzenden, von mehreren Kavalieren veranstalteten, Schlittenfahrt. Die Equipagen wetteiferten durch geschmackvolle Pracht; auf dem Burgplatze zeichneten sie verschiedene Touren, in Gegenwart einer Menge von Zuschauern, und durchfuhren hierauf die vorzüglichsten Straßen und Plätze der Stadt.

1811.   No. 42.

Berliner Abendblätter.

Berlin, den 19ten Februar 1811.

Bülletin der öffentlichen Blätter.

Aus Italien.

Nach Berichten aus Florenz ist der diesjährige Karneval daselbst ungemein glänzend. Am 30. Dezember
kam die Großherzoginn von Pisa, wo sie sich zwei Monate lang aufgehalten hatte, nach Florenz zurück. In
den ersten Tagen des neuen Jahrs gab die Stadt der
Großherzoginn zu Ehren einen großen Ball, den sie
selbst mit dem Präfecten des Arnodepartements eröffnete. Am 20. Januar ließ dagegen die Prinzessinn einen maskirten Ball im Kaiserl. Pallaste zu Florenz ver-
anstalten, der Alles übertraf, was man bisher Prächtiges daselbst gesehen hatte. Mehr als 3000 Personen
aus den gebildeten Ständen waren dazu eingeladen.
Durch die Hofleute der Herzoginn wurde dabei erzählt
die Florentiner Zeitung) folgende Idee ausgeführt: In
dem herrlich beleuchteten Saale sah man oben den
Parnaß, den Apollo, die Minerva und die Musen. Um
diese Götter und Halbgötter herum saßen die berühmtesten Männer, deren Vaterland Toskana gewesen ist:
bei der Kalliope Dante; bei der Klio Macchiavell und
Guicciardini; bei der Thalia Bibbiena und Buonarotti;
bei der Melpomene Ruccelli und Poliziano; bei der
Urania Galilei und Torricelli; bei der Erata Petrach
und Boccaz; bei der Polihymnia Filicaja und Redi;
bei der Euterpe Alemanni und Menzini; bei der Terp-
sichore endlich Guido und Lully.   In der Muse der
Geschichte erkannten die Anwesenden die Vizeköniginn,
und allgemein war der Wunsch, daß dieser Anblick einen guten Kopf in Toskana begeistern möchte, die Geschichte ihrer unsterblichen Familie auf eine würdige
Weise zu beschreiben. Die kleine Prinzessinn Tochter
der Großherzoginn erschien bei dem Ball als Amor,

vom Apoll geführt. Dieses Fest, wobei sich Geschmack und Pracht vereinigten, dauerte die ganze Nacht mit jener anständigen Heiterkeit fort, die sich von dem feinen Florenz, dem Athen Italiens, erwarten ließ.

(K. f. D.)

Die Venediger Zeitungen liefern einen Befehl der Polizei, vermöge welchem ein jeder Schiffer, der einen Soldaten ohne ausdrückliche Erlaubniß nach dem festen Lande überführt, und ihm also zur Desertion behülflich ist, mit einer Geldbuße von wenigstens 600 Lire und mit einer zweijährigen Einsperrung bestraft werden soll. — Das Karneval zu Venedig ist sehr belebt. Die Masken dürfen, wie vormals, bei Tag und bei Nacht öffentlich erscheinen, bloß an Sonn- und Feiertagen erst in der Abenddämmerung. Der Markusplatz ist deßwegen täglich mit drollichten und mitunter sehr witzigen Masken angefüllt. Der Eintritt in die Kirchen ist ihnen verboten, auch dürfen keine Masken erscheinen, wodurch die Sittlichkeit, oder ehrwürdige Stände beleidigt werden können.

(K. f. D.)

Constantinopel, den 25. December.

Bei der Armee hat sich wegen der sehr vorgerückten Jahreszeit nichts von Bedeutung zugetragen. Der Großvezier hat sein Hauptquartier in Schumla, wird aber selbiges wegen der, besonders in jetziger Jahreszeit, daselbst ungefunden Lage hinter den Balkan verlegen.

Die Armee des Großveziers ist sehr geschwächt. Die Haupt-Ursache liegt im Nachhausegehen der Asiatischen Truppen. Indeß werden alle Anstalten zum künftigen Feldzug getroffen. Im Arsenal wird ernstlich an Ausrüstungen aller Art gearbeitet, und täglich müssen von den Griechischen und Armenischen Unterthanen in Constantinopel 1000 Mann zur Arbeit gestellt werden. Zu Adrianopel sind große Magazine für die Türkische Armee errichtet.

(L. d. B.)

New-York, den 14. December.

Als der Gouverneur von Quito die Nachricht von

der dasigen Maſſacre an den Vice-König von Santa
Fee ſchickte, ward der Expreſſe, der ſie überbrachte, auf
Befehl der Junta zu Santa Fee arretirt; der Gouverneur ward ins Gefängniß geſetzt, gerichtet und enthauptet.

Die Nachricht von den ſchrecklichen Begebenheiten
zu Quito ward durch den jungen Marquis von Selvalegre nach Caraccas gemeldet. Der Eindruck, den ſie
bei den Einwohnern hervorbrachte, war ſo allgemein
als ſchnell. Von allen Seiten der Stadt und der Provinz erhob ſich ein Geſchrei der Rache gegen die Europäer. Mehrere derſelben wurden ſogleich verhaftet,
und man befahl den erſten Augenblick die Vertreibung
aller übrigen.   (L. d. B.)

Madrid, den 8. Januar.

Den 31. des letzten Monats haben Se. Königl.
Majeſtät eine Commiſſion errichtet, welche alle Origi-
nale und überſetzte Werke, aus welchen der Fonds der
Theaterſtücke zu Madrid beſtehen ſoll, zu unterſuchen,
zu verbeſſern, und überhaupt zu den größten Fortſchrit-
ten der Kunſt beizutragen hat. Durch ein anderes
Decret vom nemlichen Datum ſind zu dieſer Commiſſion
ernannt worden die Herren: Don Leandro Fernandez
Moratin Don Juan Meiendez Valdes, Don Vicente
Gonzalez Arnao, Don Pedro Eſtala, Don Joſeph An-
tonio Conde, Don Tomas Garcia Suelto und Don
Ramon Moreno.   (L. d. B.)

Schreiben aus Dänemark.

Der Profeſſor Baggeſen iſt zum Profeſſor der däni-
ſchen Sprache in Kiel ernannt worden. — Die bürgerliche Artillerie zu Helſingör hat eine neue, ihrer Stärke
und der Anzahl Stücke, die ſie in Kriegszeiten zu bedienen hat, angemeſſene, Organiſation erhalten. — Um
das hier bereits anerkannte Vorurtheil gegen das Eſſen
des Pferdefleiſches auch an andern Orten zu überwinden, iſt auf Königl. Befehl eine darauf Bezug habende

Schrift des Professors, Ritter Viborg, an die Obrig-
keiten zur Vertheilung eingesandt worden. (K. f. D.)

Der Rodenstein.

(Eine Volkssage.)

In dem Odenwald herrscht eine Sage, welche von
Generation zu Generation übergeht, und durch ihr
Alter, bei der in der Aufklärung noch etwas zurückste-
henden Volksklasse dieser Gegend, den höchsten Grad
der Glaubwürdigkeit erhalten hat. Nahe an dem, zum
gräfl. Erbachischen Amte Reichenberg gehörigen, Dorfe
Oberkainsbach, liegen auf einem Berge die Trümmer
eines vom Alter zerstörten Schlosses, Schnellerts genannt. Gegen über, eine Stunde davon, in einer
schauerlich-romantischen Gegend, in der großen Roden-
steiner Mark, lebten ehemals gewisse Herren von Rodenstein, deren Geschlecht in der männlichen Linie erloschen ist. Noch sind die Ruinen der alten Bürg zu
sehen, ein mächtiges Raubschloß, dessen letzter Besitzer,
durch Reichthum und Menge seiner reisigen Knechte,
über die Gegend ein gewisses furchtbares politisches
Uebergewicht behauptete, und die Nachbarn weit umher befehdete. Er war durch ritterliche Thaten das
Wunder der Gegend geworden; sein Andenken lebt
noch bis auf den heutigen Tag fort; sein Schicksal hat
ihn bestimmt, zu gewissen Perioden unsichtbar, aus der
Geisterwelt hervor zu treten, der Verkündiger von
Krieg und Frieden zu werden, und im Reiche des
Aberglaubens Erwartungen der Dinge, die da kommen
sollen, zu erregen. Droht Kriegsgefahr, und der Tempel Janus ist geschlossen, so zieht Rodenstein von seinem gewöhnlichen Aufenthaltsorte, Schnellerts, bei
grauender Nacht, mit Rossen, Hunden, in Gefolge seines Hausgesindes und unter dem Schmettern der Trom-
peten, von der verfallenen Burg.

(Der Schluß folgt.)

1811.   No. 43.

Berliner Abendblätter.

Berlin, den 20sten Februar 1811.

Bülletin der öffentlichen Blätter.

Aus Sachsen.

Der Plan zur Anlegung der neuen Festung in Torgau ist nunmehr vom Kaiser Napoleon gebilligt worden und vor Kurzem ist der Hauptmann Aster, der mit
Aufträgen in dieser Angelegenheit nach Paris gesandt
war, von daher zurückgekommen. Sogleich nach seiner
Zurückkunft begab sich eine militärische Commission
nach Torgau, um die nöthigen Vorkehrungen zu treffen,
und sobald die Witterung es erlaubt, wird mit dem
Bau angefangen und thätig fortgefahren werden. Auch
die wegen des Frostes eingestellten Arbeiten zu Demo-
lirung der Dresdner Festungswerke werden dann wieder fortgesetzt werden.   (K. s. D.)

Aus Italien.

Am 4. Januar frühe wurden mehrere große italiänische mit Waaren beladene Schiffe, die sich unter
den Schuß von Tremoli (in der neapolitanischen Provinz Capitanata) geflüchtet hatten, von 5 englischen
Schiffen angegriffen. Von Seiten der Engländer fielen bei 2000 Kanonenschüsse. Die Nationalgarden kamen von allen Seiten herbei. Nachmittags schickten
die Engländer einen Parlamentär, der den Ort aufforderte, alle ital. Barken herauszugeben, wenn er
nicht zerstört werden wollte. Die Aufforderung wurde
verneinend beantwortet; die Engländer zerstörten fast
ganz den Ort und segelten fort. Glücklicher Weise kam
Niemand um. Allgemeinen Unwillen erregte dieß feige
Betragen der Engländer.   (K. s. D.)

Der Rodenstein.

(Eine Volkssage.)

(Schluß)

Er nimmt seinen Weg durch die Hecken und Gesträuche, durch die Scheune des Simon Daums zu
Oberkainsbach nach dem Rodenstein, „gleichsam (wie
die Legende sagt als ob er flüchten und das Seinige
in Sicherheit bringen wolle;" dort verweilt er: beginnen aber Hoffnungen zum Frieden, so kehrt er in eben
dem Zuge, jedoch in ruhiger Stille, nach dem Schnellerts zurück. So lächerlich und abentheuerlich die
Sage auch klingt, so ist sie doch einmal so tief in die
Gemüther eingewurzelt, daß es eine Art politischen Un-
glaubens geworden ist, die Wahrheit derselben zu bezwei-
feln, die das Alter geheiliget, und der Aberglaube zum
Volksglauben gemacht hat. Ehedem hielt es sogar die
Obrigkeit ihrer Aufmerksamkeit nicht unwürdig, der
Sache näher auf den Grund zu sehen. Bei dem gräfl.
Erbachischen Amt Reichenberg, zu Reichelsheim, wurden viele Personen abgehört; ihre Aussagen bezeichnen
so genau den Geist der Zeit, daß sie, als Belege der
damaligen Denkungsart und des Grades der Aufklärung, hier bemerkt zu werden verdienen. Die amtli-
chen Protokolle, welche Einsender vor sich liegen hat,
fangen mit dem Jahr 1741 an, und endigen mit dem
Jahr 1764. Im erstgenannten Jahre deponirte Simon
Daum, Einwohner zu Oberkainsbach: „Sein Vater
selig, welcher Jeremias Daum geheißen, seie des Orts
Schultheiß gewesen, und ein alter Mann geworden,
habe diesen Geister-Zug von Schnellerts ab, und wieder zurück gar vielmalen gehört, und es hernachmalen
wieder erzählet, Deponent könne auch auf sein gut Gewissen sagen, daß er dieses Wesen gar vielmalen von
Schnellerts auf= und abziehen hören, aber noch niemals etwas gesehen, es bestünde allezeit in einem großen Getöse und Geräusche, gleich vielen Fuhrwerks=
Pferden, und dergleichen, es komme gemeiniglich eine
Stunde nach eingetretener Nacht, oder eine Stunde
vor Tag, gerade durch Deponentens Hof, und zwar
zu der Zeit, wenn Krieg und Völkermärsche sich ereig=

nen wollten. Wie dann sogar er damalen, als der König von Preußen vor 2 Jahren den Krieg in Schlesien angefangen, gar eigentlich gehört, daß es von Schnellerts ab- und nach dem Rodenstein gezogen; es seie zu der Zeit ein halbes Jahr ausgeblieben, und hernach wieder zurückgezogen; und wie der jetzige Kaiser Karl VII. zu Anfang dieses Jahres in Frankfurt gekrönt worden, seie es wieder abgezogen, aber gleich, und zwar nach zweien Tagen, wieder zurück gekommen." 1763, den 3. Februar, zeiget Johannes Weber von Oberkainsbach an: "Am letztverwichenen Dienstag vor 14 Tagen seie bekanntlich der Geist ausgezogen, und von seinem Nachbarn, dem Johannes Hartmann, gehört worden; den folgenden Donnerstag, als den 20. letztverflossenen Monats Januar, nach ungefähr 8 oder 9 Uhr, habe er, Deponent, da er eben in seine Scheune gehen wollen, ein starkes Getöse wahrgenommen, als wenn einige Chaisen den Berg hinauf gingen, und gegen das Schnellerts-Schloß zu führen; immer Ho! Ho' rufen hören, wie man insgemein zu rufen pflege, wenn man die Pferde, welche eine große Last zu führen hätten, antreiben wollte; weil der Geist auf diese Art einzuziehen pflege, wenn es ruhig werde, so werde insgemein dafür gehalten, daß jetzt alles still und ruhig bleiben werde." Der letzte Auszug Rodensteins soll im Monat Juli 1792 geschehen, der Rückzug aber noch nicht erfolgt seyn.

* * *

Geschichte eines merkwürdigen Zweikampfs.

Der Ritter Hans Carouge, Vasal des Grafen von Alenson, mußte in häuslichen Angelegenheiten eine Reise übers Meer thun. Seine junge und schöne Gemahlinn ließ er auf seiner Burg. Ein anderer Vasal des Grafen, Jakob der Graue genannt, verliebte sich in diese Dame auf das heftigste. Die Zeugen sagten vor Gericht aus, daß er zu der und der Stunde, des und des Tages, in dem und dem Monat, sich auf das Pferd des Grafen gesetzt, und diese Dame zu Argenteuil, wo sie sich aufhielt, besucht habe. Sie empfing

ihn als den Gefährten ihres Mannes, und als seinen
Freund, und zeigte ihm das ganze Schloß. Er wollte
auch die Warte, oder den Wachthurm der Burg sehen, und die Dame führte ihn selbst dahin, ohne sich
von einem Bedienten begleiten zu lassen.

Sobald sie im Thurm waren, verschloß Jakob, der
sehr stark war, die Thüre, nahm die Dame in seine
Arme, und überließ sich ganz seiner Leidenschaft. Jakob, Jakob, sagte die Dame weinend, Du hast mich
beschimpft, aber die Schmach wird auf Dich zurück-
fallen, sobald mein Mann wiederkömmt. Jakob achtete
nicht viel auf diese Drohung, setzte sich auf sein Pferd,
und kehrte in vollem Jagen zurück. Um vier Uhr des
Morgens war er in der Burg gewesen, und um neun
Uhr desselben Morgens, erschien er auch beim Lever
des Grafen. — Dieser Umstand muß wohl bemerkt
werden. Hans Carouge kam endlich von seiner Reise
zurück, und seine Frau empfing ihn mit den lebhaftesten Beweisen der Zärtlichkeit. Aber des Abends, als
Carouge sich in ihr Schlafgemach und zu Bette begeben hatte, ging sie lange im Zimmer auf und nieder,
machte von Zeit zu Zeit das Zeichen des Kreuzes vor
sich, fiel zuletzt auf seinem Bette auf die Kniee, und erzählte ihrem Manne, unter Thränen, was ihr begegnet war. Dieser wollte es anfangs nicht glauben, doch
endlich mußte er den Schwüren und wiederholten Betheurungen seiner Gemahlinn trauen, und nun beschäftigte ihn blos der Gedanke der Rache. Er versammelte seine und seiner Frau Verwandte, und die
Meinung aller ging da hinaus, die Sache bei dem Grafen anzubringen, und ihm ihre Entscheidung zu überlassen.

(Der Schluß folgt.)

Berliner Abendblätter.

Berlin, den 21sten Februar 1811.

Bülletin der öffentlichen Blätter.

Aus Persien.

Im Jahre 1807 machte ein Französischer Offizier eine
Reise ins Lager des Kaisers von Persien. Ueber seine
Aufnahme und Audienz meldet derselbe unter andern
Folgendes: Mir kam Mirza Kassan mit zahlreicher
Eskorte entgegen, den der Kaiser sandte, um mich zu
bekomplimentiren. Wie ich nun ins Heerlager dieses
Souveräns trat, fand ich in noch größerer Unordnung,
als das Lager des Schazadeh. Eine Armee von etwa
50,000 Mann nahm hier so viel Plaz ein, als bei uns
für 300,000 Mann nöthig wäre. Die Truppen bedeckten die ganze Ebene; und dennoch lagen ihre Zelte
manchmal so dick beisammen, daß die Stricke durchein-
ander liefen und man nicht wußte, wie heraus zu kommen? Zwar hatte man mir schon ein eigenes Zelt
gerüstet; ich wollte aber lieber den vierten Plaz im
Zelte meiner Landsleute einnehmen, die ihrerseits auch
froh waren, wieder Neuigkeiten von Hause zu hören.
Doch noch den nemlichen Abend begehrte ich eine Audienz bei dem ersten Vezier, und sie ward mir gewährt.
Mirza Scheff ist der Mann, der diese wichtige Stelle
versieht; ein Greis, von hoher Herkunft, reicher Familie, der durch Thätigkeit, Kenntniß und Gewandtheit
sich auf der Glückshöhe immerdar zu behaupten wußte.
Dieß vermochte er besonders dadurch, daß er von des
Kaisers 33 Kindern zwei auf seine Kosten erzog, unterhielt, und, weil er selbst kinderlos ist, adoptirte und
zu seinen Erben ernannte. Aus diesem einzigen Zug
erkennt man den Geist des Volks und den des Souverains eines so weitläuftigen und reichen Landes, der
es erlaubt, daß ein Unterthan kaiserliche Prinzen adop-
tirt. Man muß sich aber nicht einbilden, daß der Ve-

ziersrang den Mirza Schest gewissermaßen geadelt und
der Person des Kaisers angenähert habe. Durchaus
nicht. Der Adoptiv-Vater zweier Prinzen kaiserl. Ge-
blüts ist zu den Füßen des Schahs von Persien, wie
der niedrigste Sklav. Die Kluft, welche den Despoten
trennt vom ersten seiner Unterthanen, ist unermeßlich,
im Verhältnisse zu den Distinktionen, die zwischen den
verschiedenen Klassen eines Sklavenvolks bestehen, wo
jeder es sich zur Ehre rechnet, als Knecht und Diener
einer höhern Klasse angenommen zu werden. Mirza
Schest zum Beispiel darf sich niemals in Gegenwart
der beiden jungen Prinzen, seiner adoptirten Söhne,
niedersetzen! In der Audienz, die er mir gab, und wo
von Angelegenheiten der wichtigsten Art die Rede war,
affektirte der Vezier, als hörte er mir gar nicht zu,
und amüsirte sich, Fleischklöschen von der Schüssel in
den Mund zu werfen; denn die ganze Negotiation
ward beim Nachtessen gemacht. Was mir aber das
Aergste schien, ein Haufe neugieriger Menschen und die
Dienerschaft standen im Zelte, und hörten alles ungestört mit an. Auch bemerkte ich, daß ein Mensch, den
weder Kleidung noch Anstand auszeichneten, und der
dem Vezier zur Rechten saß, seine Nase in alle Briefschaften und Papiere steckte, die ich gebracht hatte.
Diese Vertraulichkeit nahm mich aber gar nicht mehr
Wunder, als ich erfuhr, diese Person sei Hadschi Ma-
hammet Hussein Khan, des Königs Liebling, Begler-
beg von Ispahan, der den Titel: „Eminud Dewlet"
(Reichsstützer) hatte. In der Audienz, die wir den
folgenden Morgen (18. Juni) bei Mirza Schest hatten,
war dieser viel aufmerksamer; auch waren wir diesmal unbehorcht. Der Kaiser schickte mir schön gearbeitete Silberschüsseln voller Zuckerwerk; Schade, daß
die Schüsseln nicht mit zum Geschenk gehörten! Der
19. war der Tag meiner Audienz beim Schah. Herr
Lablanche, franz. Gesandschaftssekretär, übernahm es,
mich vorzustellen. Wir wurden alle vier in großer
Ceremonie eingeführt; erst in das Zelt des Befehlsha-
bers der Leibwachten, Ferradi Ullah Khan, wo der
Mirza Mirza Kuli, zweiter Vezier, in meiner Gegenwart den von mir gebrachten Brief des Kaisers Napoleon las, und dann hinausging, um seinem Monarchen Meldung zu machen. Der gleiche Brief wurde,
als ich ins Kaiserliche Zelt eintrat, vor mir her mit

größter Verehrung auf einer mächtigen, goldnen Schüssel getragen, nachdem man ihn vorher nach morgen-
ländischer Sitte in einen Sack von kostbarem Stoff gethan. Der Schah saß auf einem Thron von bemaltem
und vergoldetem Holze; dies ist sein Thron in den La-
gern. Auch hatte er jetzt keine andere Juwelen der
Krone, als die dreifache Aigrette von Diamanten, welche über seine ebenfalls mit Edelsteinen geschmückte
Müze emporstieg. Er empfing uns mit vieler Güte
und Huld, unterhielt uns einige Zeitlang von den
Siegen des Kaisers Napoleon, und bewunderte die
Waffenthaten desselben, wie er sie von Jahr zu Jahr,
seit Eroberung Egyptens, vernommen hatte. Als wir
entlassen waren, schickte uns der Monarch noch Sirup
und viel Zuckerwerk und Bonbons.   (K. f. D.)

Geschichte eines merkwürdigen Zwei-
kampfs.

(Schluß.)

Der Graf ließ die Partheien vor sich kommen,
hörte ihre Gründe an, und nach vielem Hin- und
Herstreiten fällte er den Schluß, daß der Dame die
ganze Geschichte geträumt haben müsse, weil es unmöglich sei, daß ein Mensch 23 Meilen zurücklegen,
und auch die That, deren er beschuldigt wurde, mit
allen den Nebenumständen, in dem kurzen Zeitraum
von fünfthalb Stunden, begehen könne, welches die
einzige Zwischenzeit war, wo man den Jakob nicht im
Schloß gesehen hatte. Der Graf von Menso befahl
also, daß man nicht weiter von der Sache sprechen
sollte. Aber der Ritter Carouge, der ein Mann von
Herz, und sehr empfindlich im Punkt der Ehre war,
ließ es nicht bei dieser Entscheidung bewenden, sondern
machte die Sache vor dem Parlament zu Paris anhängig. Dieses Tribunal erkannte auf einen Zweikampf.
Der König, der damals zu Sluys in Flandern war,
sandte einen Kurier mit dem Befehl ab, den Tag des
Zweikampfs bis zu seiner Zurückkunft zu verschieben,
weil er selbst dabei zugegen sein wollte. Die Herzoge
von Berry, Burgund und Bourbon kamen ebenfalls
nach Paris, um dies Schauspiel mit anzusehen. Man

hatte zum Kampfplatz den St. Katharinenplatz gewählt, und Gerüste für die Zuschauer aufgebaut. Die Kämpfer erschienen vom Kopf bis zu den Füßen gewaffnet. Die Dame saß auf einem Wagen, und war ganz schwarz gekleidet. Ihr Mann näherte sich ihr und sagte: Madame, in eurer Fehde, und auf eure Versicherung schlage ich jetzt mein Leben in die Schanze, und fechte mit Jakob dem Grauen; niemand weiß besser als ihr, ob meine Sache gut und gerecht ist. — Ritter, antwortete die Dame, ihr könnt euch auf die Gerechtigkeit eurer Sache verlassen, und mit Zuversicht in den Kampf gehen. Hierauf ergriff Carouge ihre Hand, küßte sie, machte das Zeichen des Kreuzes, und begab sich in die Schranken. Die Dame blieb während des Gefechts im Gebet. Ihre Lage war kritisch: wurde Hans Carouge überwunden, so wurde er gehangen, und sie ohne Barmherzigkeit verbrannt. Als das Feld und die Sonne gehörig zwischen beiden Kämpfern vertheilt war, sprengten sie an, und gingen mit der Lanze aufeinander los. Aber sie waren beide zu geschickt, als daß sie sich hätten was anhaben können. Sie stiegen also von ihren Pferden, und griffen zum Schwerdt. Carouge wurde am Schenkel verwundet; seine Freunde zitterten für ihn, und seine Frau war mehr todt als lebendig. Aber er drang auf seinen Gegner mit so vieler Wuth und Geschicklichkeit ein, daß er ihn zu Boden warf, und ihm das Schwerdt in die Brust stieß. Hierauf wandte er sich gegen die Zuschauer, und fragte sie mit lauter Stimme: Ob er seine Schuldigkeit gethan habe? Alle antworteten einstimmig, Ja! Sogleich bemächtigte sich der Scharfrichter des Leichnams des Jakobs, und hing ihn an den Galgen. Ritter Carouge warf sich dem König zu Füßen, der seine Tapferkeit lobte, ihm auf der Stelle 1000 Livres auszahlen ließ, einen lebenslänglichen Gehalt von 200 Livres aussetzte, und seinen Sohn zum Kammerherrn ernannte. Carouge eilte nunmehr zu seiner Frau, umarmte sie öffentlich, und begab sich mit ihr in die Kirche, um Gott zu danken, und auf dem Altar zu opfern. Froissard erzählt diese Geschichte, und sie ist Thatsache.

Berliner Abendblätter.

Berlin, den 22sten Februar 1811.

Bülletin der öffentlichen Blätter.

Außerordentliche Zeitung von Mexiko.

Mexiko, den 8. November.

Depesche vom Don Felix Calleja an den Vicekönig.

Excellenz!

Heute Morgen um 9 Uhr habe ich die Armee der Insurgenten angegriffen, die sich in einer so vortheilhaften Stellung befand, daß, wenn ich nicht ihre wenige Geschicklichkeit in der Kriegskunst gekannt hätte, es Verwegenheit von mir gewesen seyn würde, sie anzugreifen. In weniger als einer Stunde wurden sie in Deroute gebracht, und verlohren alle ihre Artillerie, worunter sich die zwei Kanonen befanden, die unsre Truppen zu Monte de las Conces gelassen hatten, alle ihre Munition, aus 120 Pulverwagen bestehend, 11 Brodwagen, viele Waffen und viele Todte, nebst einigen Gefangenen. Unser Verlust hat bloß aus einem Getödteten und zwei Verwundeten bestanden. Hätte das Terrain nicht die Annäherung der Cavallerie verhindert, die dem Feinde den Rückzug abschneiden sollte, so würden sich meine Truppen der Chefs Hidalgo, Allende, Albama und Abasto bemächtigt haben, welche sich mit vieler Schnelligkeit durch die Sierra retteten, von wenigen ihrer Leute begleitet. Ich habe auf dem Schlachtfelde bei der Stadt Santo Geroruco Aculeo auf dem Wege nach Toluca campirt, wohin ich mich begeben, und die Herren Garcia, Conde, Rul und Merino wieder in Freiheit gesetzt habe.

Gott erhalte Ew. Excellenz lange Zeit!

Unterzeichnet: Felix Calleja.

Im Lager von Aculeo, an Don Franzisco Xaviro Venegas, Vicekönig von Neuspanien.   (L. d. B.)

Theateranekdote.

Der Schauspieldirektor von Steinsberg, der zuletzt in Moskwa stand, wollte zu Prag die damals sehr beliebte Oper: „Hans Klachel von Spellautsch" (eine Art Rochus Pumpernickel) mit seiner Truppe geben, mit der er eben nach Karlsbad abzureisen im Begriff stand. Schon waren am Abende der Vorstellung die Schauspieler, im Charakter ihrer Rollen gekleidet, die Zuschauer versammelt, und die Musiker bei einander, als der Correpetitor erschien, und dem Direktor die Partitur und Orchesterstimmen der Oper abforderte. Der Direktor wies ihn ab, weil er als Correpetitor selbst für Aufbewahrung der Musik zu sorgen habe. Als dieser aber erwiderte, er habe sie nicht zu Hause, wahrscheinlich sei sie schon mit den andern Theatersachen eingepackt, forderte der Direktor die anwesenden Schauspieler auf, mit ihm in sein Logis zu gehen, und geschwind in den eingepackten Kisten nachzusuchen. Es geschah, und man denke sich nun den Aufzug! Der Direktor mit rothbezwickeltem Zopfe, den Blumenstrauß vor der Brust und die Reitpeitsche in der Hand, stürmte voran, und ihm nach das ganze männliche Personale der Oper im lächerlichsten Kostüme, über die Straße auf den Markt, zur Wohnung der Direktion in den Gasthof. Ein ganzer Nachtrab von Neugierigen begleitete sie. Im Gasthof fanden sie Baugefangene in Ketten, welche als Handlanger gewöhnlich bei den Bürgern helfen, und hier so eben die Kisten der Schauspielergesellschaft auf die Frachtwagen packten. Die Schauspieler in ihrem Kostüme packten nun, in Vereinigung mit diesen Kettenträgern, wieder ab, und so entstand eine in dieser Art wirklich einzige Vermischung der Gestalten und Dinge. Man suchte die Kisten durch, fand die Oper aber nicht; der Direktor gab nun dem Correpetitor eine so derbe Ohrfeige, daß dieser zwischen dem Bagagenobguer und dem Theatersarg zu Boden taumelte, und sich endlich besann, daß er die Oper doch zu Hause verlegt habe. Er holte sie geschwind, und nun nahm endlich das Stück seinen Anfang. Da Hans Klachel seinen Einzug auf einem Pferde hält, so hatte man dazu mit vieler Mühe einen Gaul die Stiege hinauf auf das Theater gebracht. Nach Beendigung der Oper konnte man diesen nicht wieder herab bringen, man versuchte sogar vergeblich, ihn auf Brettern gebunden herab zu schleifen, b s ein Fuhrmann herbei kam, einige Knaben an dem Schweif des Gauls als Gegenkraft anstellte, und so den Gaul die steile Treppe herab führte.

Gaunerstreich.

Unter dem Vorwande, Bankozettel gegen Rubel einzuwechseln, hatte ein junger Mann zu Wien mit zwei russischen Kaufleuten Bekanntschaft gemacht und sie in ein Wirthshaus beschieden, wo der Handel geschlossen und das Geld ausgewechselt werden sollte. Die Kaufleute hatten kein Arges; sie zählten 6525 fl. in Banknoten vor, der junge Mann zählte sie nach, und gab sie noch über dieses einem Dritten, der ihn begleitet hatte, zum Ueberzählen. Dann legte er die Bankozettel ordentlich zusammen, band das Packet in ein Taschentuch, ließ dieses in den Händen der Kaufleute, und entfernte sich mit dem Dollmetscher der Letztern, um, wie er sagte, aus seiner Wohnung die Silberrubeln zu holen. Aber bald entschwand er dem Dollmetscher. Man wartete eine Stunde, aber als er auch da noch nicht kam, so eröffneten die Kaufleute das Taschentuch und das Packet in demselben, das zwar keine Banknoten mehr, dafür aber Löschpapier in Form derselben enthielt. Der Betrüger hatte durch eine Taschenspielerwendung ein anderes Packet untergeschoben, ein Kunststück, welches er, nach seiner Personsbeschreibung, seit drei Monaten schon zwei Mal mit Erfolg angewendet zu haben scheint. — Ein anderer Betrüger; der an Menschen aus den niedern Volksklassen, gewöhnlich an Fuhrleute, um einen Spottpreis eine, in einem ledernen Beutelchen verwahrte, silberne Uhr verkaufte, diese dann gegen einen, in ähnlicher Form gehauenen, ebenfalls in einem Beutel befindlichen, Stein verwechselte, und mit dem Gelde entfloh, wurde ergriffen, als er eben seine vielversuchte Kunst wieder ausübte.

Tragischer Vorfall.

Am 23. Januar, Abends zwischen 5 und 6 Uhr, wurde in Pesth ein Freudenmädchen mit 4 Dolchstichen ermordet und beraubt. Die Unglückliche hatte sich unter der zahlreichen Klasse ähnlicher Geschöpfe, welche dort öffentlicher, als in irgend einer andern Stadt der Monarchie — Sitten und Gesundheit vergisten, durch einen gewissen Anstrich von Dezenz und durch Sparsamkeit ausgezeichnet, und sie stand sogar im Rufe, einige 1000 Gulden zu besitzen. Der Mörder und Räuber wurde bereits am dritten Tage entdeckt, verhaftet, und zum Geständnisse seiner That gebracht. Es ist ein Mensch von kaum 20 Jahren.

Miscellen.

Zwei Eheleute, Bewohner des Dorfes Rancourt im Maasdepartement, beinahe 84 Jahre alt, wurden zu gleicher Zeit krank, und starben am verflossenen 9. Januar nach einer vergnügten Ehe von 55 Jahren an Einem Tage, und beinahe zur nemlichen Stunde.

Berliner Abendblätter.

Berlin, den 23sten Februar 1811.

Bülletin der öffentlichen Blätter.

Bericht über die Lage der Armee von Portugal bis zum 20. Januar 1811.

Die Französische Armee in Portugal hat, nachdem
sie länger als einen Monat in der Position von So-
bral unter den Englischen Verschanzungen zugebracht
hatte, sich dem Lande, aus welchem sie ihre Subsistenz
zieht, nähern, und einige Lieues rückwärts eine Linie
besetzen müssen, deren linker Flügel sich an Santarem
stützt, wo sich das zweite Armee-Corps befindet, und
der rechte Flügel an Tremes und Alcanhede, wo die
Truppen des 3. Corps sind. Die Vorposten sind, am
Rio Major, der Brücken von Celorico, Calheris, und
Asseca Meister. Ourem, Leyria, Thomar und Pombal
sind von dem 6ten und 9 Armee Corps und von der
Cavallerie-Reserve besetzt, die ihre Detaschements bis
nach Coimbra und ans Meer schickt. Das Hauptquartier der Armee ist zu Torres Novas. Die Division
Loison steht am Zezere, den man zu Purhete und Mar-
tinchel passirt, auf Schiffbrücken, welche durch gute
Brückenköpfe vertheidigt werden.

    Die Artillerie, die Sarpeurs, und das 44ste Ba-
taillon Seesoldaten, die von dem Eiter und der Thätigkeit ihrer Officiere beseelt sind, haben zwei Brük-
ken-Equipagen, jede von 80 Schiffen, gemacht, welche
bestimmt sind, unsere Truppen nach dem linken Ufer
des Tagus überzuführen. Das Land hat zu diesen ungeheuern Arbeiten nichts geliefert. Das Tauwerk,
selbst das Geräthe, welches zum Fällen der ersten Bäume diente, verdankt man der Industrie unserer Arbeiter.

    Die Armee ist in sehr gutem Zustande. Sie hat
keine Art der Entbehrung empfunden. Der Soldat ist

bis jetzt im Ueberfluß mit Maisbrod, Fleisch und fast täglich mit Wein versehen gewesen. Die Regimenter haben zahlreiche Heerden von Ochsen und Hammeln und einen monatlichen Vorrath von Zwieback, eine große Menge Mais, Getraide und Hülsenfrüchte. Die Ebenen von Orlaao, aus denen die Armee seit drei Monaten ihre Nahrung bezieht, erschöpften sich; unsre Detaschements haben das Getraide bis von den Ufern des Mondego geholt.

Die Armee hat wenig Kranke: ihre Anzahl beträgt 1200. Sie hat keinen Deserteur: alles, was die Engländer hierüber bekannt machen, ist völlig erdichtet. Im Gegentheil, es kommen täglich zwei bis drei Englische Deserteurs in unserm Lager an, wobei wir die Portugiessschen und Deutschen Deserteurs nicht rechnen. Die Soldaten sind von einem vortrefflichen Geiste beseelt; sie brennen vor Verlangen, sich mit den Engländern zu schlagen und den Beifall Sr. Kaiserl. und Königl. Maj.stät zu verdienen.

Die Cavallerie hat nicht gelitten: die Pferde werden mit Mais gefüttert und sind in ziemlich gutem Stande. Die Artillerie hat 3600 gute Pferde.

Den 26. December hat der Herr Graf von Erlon mit seiner zweiten Division seine Vereinigung mit der Armee von Portugal bewerkstelligt, indem die Division Claparede am Douro zu Lamego war. Sie hatte Silviera und T.ant aeschlagen und aufgerieben. Die Division Foi war vorwärts Almeida.

Die Englische Armee hat ihre Vorposten am Rio Maior; ihre Truppen stehen echelonsweise auf dem Terrain zwischen diesem Fluß und den Verschanzungen, die Lissabon decken. Ihr Hauptquartier ist zu Cartaxo. Der Feind hat sich in seinen Positionen verschanzt, und die Communikationsbrücken mit unserer Linie unterminiren lassen. Er hat auf das linke Ufer des Tagus eine Division von 12 bis 15000 Mann geworfen, welche Almeyrin und Chemusca besetzt halten. Dieses Corps hat der Mündung des Zezere gegenüber einige Redouten aufgeworfen, um den Uebergang über den Tagus an diesem Punkte zu erschweren. Die Engländer haben keine Brücken über diesen Fluß; sie passiren ihn zu Villa Franca, Mugen und besonders zu Azambuja mit Kähnen.

Abrantes ist mit zwei Linien-Regimentern und

drei Regimentern Portugiesischer Miliz besetzt, die von
einem Englischen Offizier kommandirt werden. Es
fehlt der Garnison an Lebensmitteln, welches Desertion
verursacht, die sehr beträchtlich ist.

Die Englischen Linien vor Lissabon sind mit Redouten bedeckt, die der Feind noch mit neuen Werken
vermehrt hat. Diese Arbeiten, und vornämlich die
Beschaffenheit des Terrains, machen diese Position
stark.

Die Bevölkerung von Lissabon, die durch die Bauern
beträchtlich vermehrt worden, welche die Engländer
gezwungen haben, ihre Wohnungen bei Annäherung
der Französischen Truppen zu verlassen, ist dem schrecklichsten Mangel preis gegeben. Die Unzufriedenheit
der Portugiesen hat den höchsten Grad erreicht. Die
Lage der Engländer wird von Tage zu Tage kritischer;
sie machen unermeßliche Opfer, um sich in Portugal
zu halten. Alle ihre Approvisionnemens kommen aus
England, selbst das Futter, womit sie ihre Pferde ernähren, kommt auf Transportschiffen an.

Die Engländer haben im Innern des Landes Or-
donnanz-Compagnien organisirt, um unsere Communikationen zu zerstören; aber die Bauern, aus denen sie
bestehen, sind schlecht bewaffnet, und nehmen beim Anblick unserer schwächsten Detaschements die Flucht.

Den Herrn Herzog von Abrantes hat eine Kugel
an die Backe getroffen, als er die feindlichen Vorposten
recognoscirte. Diese Wunde ist leicht und veranlaßt
keine Unruhe.

Paris, den 9. Februar 1811.

Der Major-Adjutant Sr. Excellenz des Herrn
Marschalls, Prinzen von Eßlingen,

Casabianca.

Downingstreet, den 29. Januar.

Graf Liverpool hat vom Lord Wellington eine Depesche folgenden Inhalts erhalten:

Cartaxo, den 12. Januar.

Mylord!

Seitdem ich die Ehre gehabt, unterm 5. an Ew.
Herrlichkeit zu schreiben, habe ich erfahren, daß das

feindliche Corps, welches gegen Ende des vorigen Monats zu der feindlichen Armee gestoßen ist, aus 11 Bataillons vom 9ten Corps besteht. Einige Offiziers, welche diese Verstärkungen gesehen, schätzen sie nur auf 8000 Mann; allein ich halte sie für zahlreicher.

Die 2te Division des 9ten Corps war, zufolge der letzten Nachrichten, noch nicht über die Gränze gegangen; allein ich erfahre durch ein aufgefangenes Schreiben des Generals Drouet an den General Claparede, daß diese Division Ordre erhalten sollte, Position zu Guarda zu nehmen. Die Avantgarde derselben verließ die Gegenden von Trancosa in der Nacht auf den 9.

Seit meinem letzten Schreiben ist in den Positionen des Feindes keine Veränderung vorgefallen, außer daß sich General Drouet mit seinem Corps nach Leyria gezogen, und daselbst sein Hauptquartier genommen hat.

Der Feind fährt fort, Fahrzeuge am Zezere und an den Ufern des Tagus zu bauen.

Ich muß Ihnen jetzt melden, daß der Marschall Mortier am 5. mit einer Division seines Corps zu Ronquillo angekommen ist. Er fuhr darauf fort, in Estremadura vorzurücken, nachdem er sich zu Guadalcanal mit der Division Girard vereinigt, und es thut mir leid, hinzu zu fügen, daß ich die Nachricht erhalte, daß er am 3 des Abends die Stadt Merida und die Brücken über die Guadiana daselbst besetzt hat, indem sich die Spanischen Truppen bei seiner Annäherung zurückgezogen haben.

General Ballasteros ist mit seiner Division auf dem linken Ufer zwischen Xeres de los Caballeros und Oltvenza geblieben. Er hat freie Communication mit Badajoz, und man meldet, daß dem Corps von Mortier noch andre Truppen folgen.

Ich habe die Ehre rc.

Wellington.

Berliner Abendblätter.

Berlin, den 25ften Februar 1811.

Bülletin der öffentlichen Blätter.

Cartaxo, den 12. Januar.

In der frühern Depeſche vom 5. meldet Lord Wellington außer den ſchon bekannten Sachen, daß Marſchall Soult am 20. und 21. das Belagerungs-Corps von Cadix mit einem Detaſchement verlaſſen habe.

In Briefen aus Liſſabon vom 19. Januar wird Folgendes angeführt: Man beſorgt hier, daß eine Franzöſiſche Colonne ſich Liſſabon auf dem Wege von Alentejo nähern möchte. Zu Liſſabon ſind viele Schiffe angekommen.

Die Unthätigkeit des Lord Wellington beweiſet offenbar die Unzulänglichkeit ſeiner Macht. Anſtatt ſich mit der Belagerung von Badajoz aufzuhalten, iſt Mortier über die Guadiana gegangen, und rückt mit 18000 Mann gegen das linke Ufer des Tajo vor. Man ſieht nächſtens wichtigen Operationen entgegen. General Silviera iſt von Drouet geſchlagen worden.

(L. d. B.)

Nachrichten aus Mexiko zufolge, haben die Eingebohrnen eine große Ueberlegenheit über die Europäer. Sie ſind bis vor die Thore von Mexiko gedrungen, wo ſie in einen Hinterhalt kamen und beträchtlich litten; allein dieſer Choc wird wenig Folgen haben. Die Eingebohrnen bedienen ſich der Schleuder zu ihren Waffen, und eine außerordentliche Zeitung von Mexiko enthält Details von der Niederlage dieſer Rebellen.   (L. d. B.)

Braunschweig, den 14. Februar.

Gestern war für uns ein Tag des Schreckens. Kurz vor zwei Uhr Nachmittags wurde die Luft sehr finster. Es fieng an stark zu schneien; darauf folgte plötzlich ein heftiger Blitzstrahl von schrecklichem Donner begleitet. Da man befürchtete, daß der Blitz eingeschlagen hätte, so wurden die Thürme bestiegen und genau untersucht; allein es fand sich keine Spur von Verletzung. Um 6 Uhr Abends aber stand die obere Spitze des Petri-Thurms auf einmal in vollen Flammen. Das Blei floß glühend herunter. An Löschen war nicht zu denken. Man mußte sich bloß darauf beschränken, die angrenzenden Häuser zu erhalten. Das Feuer brannte langsam herunter. Fast um 9¼ Uhr sank die ganze Thurmspitze mit der Schlag-Uhr und den großen Glocken, und stürzte glücklicher Weise in den massiven Bauch des Thurms hinein. Dieser Umstand beugte einem größern Schaden vor, der entstanden seyn würde, wenn der Thurm zur Seite weggestürzt wäre und das Feuer sich bei dem starken Südwestwinde ausgebreitet hätte.

Die Kirche hat nicht vom Feuer gelitten, allein die Kanzel, der Altar, die Orgel und alle Stühle wurden abgebrochen und herausgeschleppt, um größerm Unglück vorzubeugen, wenn sie etwa Feuer gefangen hätten.
(L. d. B.)

Amsterdam, den 16. Februar.

Hier haben wir aus dem Moniteur folgende Nachrichten erhalten:

London den 8. Februar.

Briefe aus Lissabon melden die traurige Nachricht, daß der Marquis de la Romana gestorben sei.

Windsor, den 8. Februar.

Der Gesundheitszustand Sr. Majestät scheint sich fortdauernd zu verbessern.

Wir erfahren, sagt der Courier, daß Silviera am 11. Januar ein neues Gefecht mit dem Corps von

Clavarede gehabt und seinen Rückzug ohne vielen Verlust bewerkstelligt hat. Der Englische Major Cooksen ist in dieser Affaire getödtet worden.

Gestern haben die Minister, sagt die Morning Chronicle, Depeschen aus Cadix bis zum 24. Januar erhalten. Um diese Zeit hatten sich die Cortes aus Vorsicht in den Mauern von Cadix installirt. Tortosa ist feige überliefert worden. Die Nachrichten aus Spanien sind keinesweges günstig.

Am 24. Januar sind 6000 Mann von Lissabon abmarschirt, um die Besatzung von Elvas zu verstärken.

Der unglückliche Ausgang der Affaire von Palamos ist vielleicht dem Umstande zuzuschreiben, daß unsere Leute betrunken waren. Die Franzosen griffen sie unerwartet an. Capitain Fane und 300 Engländer wurden zu Gefangenen gemacht.

Mit Bedauern melden wir, daß die Nachrichten von Lissabon nicht beruhigend sind. Mortier stößt zu Massena und die Besorgnisse wegen Alentejo scheinen nicht ohne Grund zu seyn. Die Verstärkungen, die Massena erhalten hat, sind beträchtlicher, als man anfangs glaubte. Die Depesche des Lord Wellington gab sie auf 8000 Mann an; man muß aber noch ein zweites Corps von 6000 Mann hinzufügen. Man versichert uns, daß in dem aufgefangenen Briefe eines Französischen Generals an einen andern gemeldet werde, daß Massena im Begriff sey, wichtige Operationen anzufangen. In unserm Haauptquartier ist man sehr unruhig, warum? wissen wir nicht. Vier Linien- und einige andere Kriegsschiffe sind vom Tagus abgesegelt und kreuzen auf der Höhe des Cap St. Vincent.

Die Bank-Actien sind plötzlich 9pCt. über den gewöhnlichen Cours gestiegen. Die Ursache davon ist,

wie man glaubt, die Fortdauer des jetzigen Ministe=
riums, welches die Restrictionen in Betreff der Bezah=
lungen in Gold und Silber fortdauern lassen wird.

Briefe aus Oporto vom 22. sagen, daß am 21.
Januar alles zu Coimbra ruhig war, und daß die
Franzosen diese Stadt verlassen hatten, um sich dem
Gros ihrer Armee zu nähern.   (L. d. B.)

Paris, den 12. Februar.

Der Moniteur enthält unter andern Nachrichten
aus London vom 6. auch Folgendes aus der Morning
Chronicle:

„In der Erwartung, eine Zeitlang an der Spitze
der Geschäfte zu bleiben, hatten Se. Königl. Hoheit
es für Pflicht gehalten, den Lords Grenville und Grey
den Auftrag zu geben, ein Ministerium zusammen zu
setzen, zu dem der Regent völliges Zutrauen hätte.
Allein bei dem Bericht der Aerzte über die Besserung
des Königs hat der Prinz leicht einsehen können, daß
eine Veränderung des Systems auf eine kurze Zeit nur
nachtheilige Folgen haben würde.‟

„Dieser Ansicht zufolge hat der Prinz den Herrn
Adams und Lord Hutchinson an die Lords Grenville
und Grey abgeschickt, um ihnen anzuzeigen, daß er
nicht gesonnen sei, vor der Hand eine Veränderung
des Ministeriums eintreten zu lassen.‟   (L. d. B.)

Miscellen.

Zu Ofen ist am 20. Dezember der als Schriftstel=
ler bekannte, bei der Königl. Ungarischen Statthalte=
rei, angestellte, Franz Boros von Rakos, Verfasser der
„Genialitäten‟ u. s. w. im 27sten Jahre gestorben.

Berliner Abendblätter.

Berlin, den 26sten Februar 1811.

Bülletin der öffentlichen Blätter.

London, den 9 Februar.

Mit Bedauern melden wir die Bestätigung der Nachricht von dem Tode des Marquis de la Romana. Aus
Lissabon schreibt man Folgendes darüber:

Lissabon, den 26. Januar.

„La Romana ist vor zwei Tagen im Hauptquartier
gestorben. Die Franzosen haben Olivenza genommen.

6000 Spanier sind über den Tagus gegangen, um
sich nach Elvas zu begeben.''

Die neuesten Portugiesischen Zeitungen melden, daß
Ballasteros am 11. Januar des Abends zu Torresen, 2
Lieues unterhalb Aroche, campirte. Soult war noch
am 12. zu Zafra. Ein französisches Truppen Corps be-
fand sich zwischen diesem Platz und den Gränzen von
Portugal und Spanien.

Im Augenblick, wo die Post am 7. von Torbay
abgieng, kam in diesem Hafen die Kriegsbrigg le Flo-
rent binnen 6 Tagen von Lissabon an. Mit diesem
Schiff ist keine Nachricht von einer Bataille, wohl aber
von einem lebhaften Scharmützel eingegangen.

Die Regierung hat Depeschen von Lissabon vom
30. Januar erhalten. In der Position der Armeen ist
keine Veränderung vorgefallen. Nur sind die Spanischen Truppen auf das linke Ufer des Tagus gegangen,
theils um die Garnison von Elvas zu verstärken, theils
um zu dem Marschall Beresford zu stoßen, und ihn in
den Stand zu setzen, sich mit dem Marschall Mortier
zu messen.

Diese Depeschen bestätigen die Nachricht von dem
Tode des Marquis de la Romana. Einige sagen, daß

er an Gift, andre, daß er durch den Bruch eines Blut-
gefäßes gestorben sey, welches durch zu große Anstrengungen veranlaßt worden. Sein Tod ist ein großer
Verlust.

Die Französische Division, die den Silviera geschlagen, hat ihn bis zum Douro verfolgt.

Die Flotte unter Sir J Yorke, die von Torbay
noch nicht nach Portugal hat absegeln können, hat folgende Truppen am Bord: Infanterie 5970 Mann, Artillerie und Cavallerie 1118 Pferde. Ueberdies hat die
Flotte 1100 Rekruten am Bord. Dies beträgt eine
Verstärkung von 8000 Mann für die Armee des Lord
Wellington. Von dieser Anzahl müssen aber die Kranken abgezogen werden, die bei dem Einlaufen der Flotte
zu Torbay haben wieder ans Land gesetzt werden
müssen.

Obgleich sich die Truppen des Marschalls Mortier
vor Badajoz gezeigt haben, so glaubt man doch, daß
die Belagerung von Abrantes das erste Hauptwerk seiner Operation ist. Die Franzosen werden so Alentejo
weit leichter besetzen, als von Badajoz her.

Bei der Affaire zu Yalamos, wo Capitain Jane
getödtet ward und unsre Truppen sich in dem Ort vertheidigten, hatten wir 150 Todte, und 280 bis 300
Verwundete und eben so viele Gefangene.

Die Einwohner von Alentejo sind aufgefordert
worden, bei Annäherung des Feindes das Land zu verlassen, die Effekten mitzunehmen und das Uebrige zu
zerstöhren.

Marschall Beresford hat unterm 6. Januar aus
dem Hauptquartier zu Chamosca einen Parole-Befehl
erlassen, worin er die strengsten Befehle gegen die
Marodeurs erneuert, welche das Eigenthum der unschuldigen Einwohner verletzen.

'Nachrichten aus Mexiko zufolge, erheben die Insurgenten, die Eingebornen, ohnerachtet ihrer letzten
Niederlage, das Haupt zahlreicher als jemals.

Vom 10. bis zum 13. Januar hatte Mortier Badajoz wiederholt recognosciren lassen. (L. d. B.)

———

Oporto, den 20. Januar.

Letzten Sonntag rückten die Franzosen, 8 bis 10000
Mann stark, zu Lamego ein. Silviera zog sich am 17.

zurück, um sich mit den Generalen Baklar und Wilson zu vereinigen, die zu Castro de Ayre waren. General Miller war vier Lieues von Lamego. Diese vier Generale hatten demnach, wie man glaubt, 22000 Mann Miliz und 2000 Mann regulairer Portugiesischer Truppen unter ihren Befehlen, womit sie es offentlich gegen den Feind aufnehmen konnten. Das vorgedrungene Französische Corps hat Brodt, Wein, Oel, Ochsen ꝛc. in der Provinz Beira reich sich gefunden. Die Einwohner hatten ihren Besuch nicht sobald erwartet. Viele Einwohner hatten sich geflüchtet. Zu Lamego fanden die Franzosen vielen Wein.   (L. d. B.)

<hr />

Helgoland, den 18. Januar.

Auf der Eider und Weser ist eine beträchtliche Anzahl Kanonierschaluppen, Briggs ꝛc. versammelt, die, wie man glaubt, bestimmt sind, die Niederstadt, die am Ufer gebauten Häuser, dieser Insel zu zerstören, wenn sich die Kriegsschiffe entfernt haben. Der Tabak wird hier in Auktion zu 3 bis 4 Pence verkauft, ein Preis, der kaum die Transport- und andre Kosten deckt. Schöner Zucker von London wird hier zu 5 bis 6 Pence verkauft, und guter Caffee zu 5 Pence. Die Käufer sind bloß Leute von der Insel. Sie haben viele Colonial-Waaren geladen.   (L. d. B.)

<hr />

Paris, den 15. Februar.

Das heutige Journal de l'Empire enthält Folgendes:

„Ein Französischer Kaufmann, der gegen Ende Decembers von London zurückgekommen ist, sagt, daß die Lage der Handels-Angelegenheiten in England daselbst kritischer wurde. Die Bankerotte folgten in allen Handels-Arten schnell auf einander. Es sind nicht bloß die Kaufleute, deren Verhältnisse mit dem Europäischen Continent eingerichtet waren, welche von den Wirkungen der Maaßregeln leiden, die Se. Majestät, der Kaiser der Franzosen, angenommen hat; auch diejenigen, welche den Indischen Handel treiben, trifft die

Wirkung dieser Maaßregel ebenfalls. Der Handel nach Indien ist kein Tauschhandel; er besteht fast ganz in Ankäufen, die baar bezahlt werden.

Der Absatz der Indischen Produkte nach andern Gegenden der Erde bringt erst den Kaufleuten den Vortheil; und da Europa den größten Theil dieser Produkte verzehrt, dieser Ausweg aber fehlt, so bleiben diese Waaren in England unverkauft liegen. Die Ostindische Compagnie ist auch in großer Verlegenheit. Man sagt, daß sie 35 Millionen Pfund Sterling Schulden hab.

Die noch vor kurzem so thätige Schifffahrt ist sehr in Stocken gerathen. Die Themse bietet den Anblick einer unzähligen Flotille dar; allein die Schiffe bleiben auf dem Flusse liegen. Ein großer Theil wird täglich abgetakelt.

Die Manufakturisten müssen viele Arbeiter entlassen, und nur mit Aufopferungen behalten sie den Ueberrest bei. Die Produkte vieler Werkstätte häufen sich so wie die Colonial-Waaren auf. Der Preise der Einen und der Andern haben nie so niedrig gestanden.

(Der Schluß folgt.)

Miscellen.

Das in Bau stehende neue Schauspielhaus in Pest wird eine Zierde der Stadt seyn; der berühmte Hofarchitekt Aman hatte den Auftrag, mit Bewilligung Sr. Majestät des Kaiser und Königs, den Plan dazu zu entwerfen, und die Ausführung davon zu leiten.

Das in einigen Zeitungen verbreitete Gerücht von einem tragischen Vorfalle in Böhmen, wobei ein Offizier, dessen Bedienter und ein Förstersohn ihr Leben verloren haben sollten, ist gänzlich grundlos.

Berliner Abendblätter.

Berlin, den 27sten Februar 1811.

Bülletin der öffentlichen Blätter.

Paris, den 15. Februar.

(Schluß.)

Die Versicherer nach dem Norden wollen seit den letzten Unglücksfällen, Stürmen und Confiskationen, des Inhalts der Policen ungeachtet, für weiter nichts bezahlen, als für die im Schiffbruch verunglückten, konfiscirten und verbrannten Waaren, welche Englischen Kaufleuten zugehören, worüber ein Eid gefordert wird. Alles, was für fremde Rechnung verschifft ist, obgleich es versichert worden, wird nicht bezahlt werden.

Ungeachtet der unglücklichen Erfahrungen in den nördlichen Meeren ist das Bedürfniß, die Waaren abzusetzen, so gebieterisch, daß wieder eine Flotte von 300 Schiffen ausgelaufen ist. Sobald sich nur die geringste Aussicht darbietet, so will eine Menge davon Gebrauch machen; dann werden die Manufaktur- und Colonial-Waaren Haufenweise ausgeboten.

Endlich bestimmten die Decrete des Kaisers den Londoner Cours.

Uebrigens waren die Minister mit der Intrigue wegen der Regentschaft sehr beschäftigt, um ihre Stellen zu behaupten. Die öffentlichen Angelegenheiten waren eine Nebensache.

Man sah dem Kriege mit den vereinigten Staaten in London mit Leidwesen entgegen. Man befürchtete die Thätigkeit und Kühnheit der feindlichen Kreuzer, eine größere Schwierigkeit, die Colonien zu verprovianttren, und die Nothwendigkeit, einem Theile der Seemacht der Nation eine andere Richtung zu geben.

Die Expedition nach Portugal wird als verderblich angesehen, selbst auch dann, wenn wir keinen Un-

fall erlitten, sondern bloß durch die alleinige Wirkung
der Verzögerung." (L. d. B.)

Wien, den 9. Februar.

Vor mehreren Tagen hat der Erzherzog Franz, Königliche Hoh., Bruder Ihro Majestät der Kaiserinn,
unvermuthet eine Reise gegen die östlichen Grenzen
des Reichs angetreten — Die Zerstörung eines Theils
der Wälle in der Nähe der Kaiserlichen Burg giebt
nun Veranlassung zu einer wichtigen Verschönerung
derselb n Es wird nemlich die Burgbastei und der
anstoßende Theil des Walles vollends planirt, und daraus ein großer, mit eisernem Gatterwerk umgebener,
Platz geschaffen, in welchem Alleen für Spaziergänger
angelegt werden. Zugleich erhält das nach dem Walle
zu stehende Gebäude noch einen Seitenflügel, in Uebereinstimmung mit den bereits bestehenden, um die Sy-
metrie des Ganzen herzustellen. Ueberhaupt würde
Wien in mehr als einer Hinsicht sehr gewinnen, wenn
sämmtliche Festungswerke der innern Stadt, die ohnehin zu keinem Gebrauche mehr sind, eingeebnet werden
könnten, da der Verkauf des Materials leicht die De-
molirungskosten decken würde. Dadurch würde nicht
nur ein ungeheurer Raum gewonnen, der bei dem all-
seitigen Mangel an Wohnplätzen sehr zu Statten käme,
sondern es würde auch die Stadt selbst viel gesünder
werden, und die Bewohner der Vorstädte, deren Anzahl jene der eigentlichen Stadt um mehr als das
Dreifache übertrifft, würden eben auch viel dabei gewinnen. (K. f. D.)

Pernes, den 20. Januar.

Den 18. erhielt der Herr Herzog von Abrantes
Befehl, mit einem Theil seines Armeecorps eine Recognoscirung an dem Rio-Major zu machen, wo der
Feind steht. Wir setzten uns in Marsch, und den 19.
Mittags waren unsere Truppen schon über den Rio-
Major. Se. Excellenz, welche selbst sehen wollte, wie
stark der uns entgegenstehende Feind sei, und aus welchen Arten von Truppen er bestände, näherte sich bis
zu den Tirailleurs bei einer kleinen Erhöhung, die ihm

die Ausficht raubte. In dem nehmlichen Augenblick
traf ihn eine Kugel der feindlichen Tirailleurs, die
ihm das Nasenbein zerschmetterte und in das Fleisch
zwischen den Backenknochen und die Nase drang, wo
sie stecken blieb Sie ist noch nicht herausgezogen worden, aber die schmerzhafte Operation ist nicht gefährlich. Der Meinung der Wundärzte zufolge wird Se.
Excellenz nicht entstellt werden und keinen von den Zu-
fällen erleiden, welche eine ähnliche Wunde fürchten
machen könnte.

N. S. Ich öffne meinen Brief wieder, um Ihnen zu sagen, daß sich der Herzog von Abrantes entschlossen hat, sich operiren zu lassen. Die Kugel ist
herausgezogen worden Se. Excellenz hat unstreitig
gelitten, aber man kann wegen der Folgen der Operation ruhig seyn. Der Oberwundarzt und die Regi-
ments-Chirurgi, die zugegen waren, geben uns alle
diese Versicherung. Der Kranke leidet jetzt wenig.

(L. d. B.)

Constantinopel, den 10. Januar.

Der Großherr hat befohlen, daß das Winterhaupt-
quartier in Schumla bleiben soll, wiewohl der Großvezier es wegen der ungesunden Lage nach Silimnia
bei Adrianopel verlegen wollte.

In allen Firmans an die Pascha's von Assen, Ae-
gypten ꝛc., in welchem der Sultan neue und beträchtliche Truppen-Aushebungen befiehlt, sagt er indeß,
daß er mit kommendem Frühjahr sich selbst an die
Spitze der Armee stellen werde. (L. d. B.)

Wien, den 11. Februar.

Am Aoend des 7. Februars wurde die Casse des
Griechischen Handelsmanns, Emanuel X., aus dem
Comptoir desselben geraubt. Sie war mit starken
Schrauben an den Boden befestigt und nur mit unge-
stümer Gewalt konnte sie losgerissen werden. Der
Verdacht fiel sogleich auf einen vor kurzem erst einge-
tretenen Diener des Hauses. Allein während man die

Wohnung desselben untersuchte und nur Beweise klei-
nerer Hausdiebstähle fand, war die Casse bereits auf
einem andern Wege gerettet worden. Die Thäter hatten nämlich einen Mann, bei welchem einer derselben
vormals zur Miethe gewohnt hatte, ersucht, die Casse
bei sich aufzubewahren und ihm für diesen Dienst,
wenn er schweigen würde, nicht weniger als 25000 Fl.
(fünf und zwanzig tausend Gulden) versprochen. Allein dieser erfüllte nur die Hälfte der Forderung. Er
verwahrte zwar die Casse, aber mit einer Ehrlichkeit,
die bei einer so großen Versuchung nicht unter die all-
täglichen Erscheinungen gehört, entdeckte er zugleich
den Antrag, der ihm gemacht worden war. Die Polizei eilte hin, fand die Casse und bei derselben die
Thäter. Es waren drei Italiäner. Einer derselben
hatte sein.. Schwager unter einem fremden Namen in
die Dienste des Handelshauses gebracht und mit seiner
Hülfe den Raub ausgeführt. Es war eben jener, auf
welchen der Verdacht zuerst fiel. Noch hatten sie nicht
Zeit gefunden, die Casse zu eröffnen, in welcher 50000
Fl. in Bankozetteln, mehrere 100 Fl. in Conventions-
Münze, 121 Karat Diamanten von vorzüglicher Größe
und Schönheit, viele Wechsel 2c. sich befanden. Das
Haupt dieser Verbrecher ist ein Mann, der eine jährliche Rente von 1800 Fl. besaß, und mit einem gewissen Anstande lebte. Und der Redliche, welcher auf
eine so seltene Weise eine große Geldsumme ausschlug,
ist ein armer Reitknecht. Sein Name verdient, mit
Achtung genannt zu werden. Er heißt Christoph
Strehle, in den Diensten des Großhändlers von Gey-
müller.

Der Kaufmann bewies ihm seine Erkenntlichkeit
für die Rettung eines Werths von 106686 Fl. (einmal
hundert sechstausend sechshundert sechs und achtzig
Gulden) durch ein Geschenk von 800 Fl. (Achthundert
Gulden!). Allein den höchsten Lohn trägt dieser brave
Mann in seiner Brust.

1811.   No. 50.

Berliner Abendblätter.

Berlin, den 28sten Februar 1811.

Bülletin der öffentlichen Blätter.

Prag, den 12. Februar.

Eine Gesellschaft des hiesigen hohen Adels, deren Anzahl schon auf 60 Mitglieder angewachsen ist, hat sich
schon im vorigen Jahre unter dem Titel: „Vereinigung zur Beförderung der Tonkunst in Böhmen," für
diesen schönen Zweck verbunden.   Die Subscription des
jährlichen Beitrags beträgt über 18000 Gulden, wozu
sie sich auf 6 Jahre anheischig machen.   (L. d. B.)

Stockholm, den 12. Februar.

Von dem dermaligen König Gustav Adolph will
man wissen, daß derselbe im Begriff sei, nach Nords-
Amerika abzugeben.

Der öffentliche Verkauf von Species-Silberthalern
auf der Stadt-Auktion ist nicht zu Stande gekommen,
weil die Polizei solchen verboten hat; Russische Sil-
ber-Rubel wurden aber das Stück zu 1 Rthlr. 24 Schill.
Blo Spec. ausgeboten.

In Finnland kommt jetzt vieles Schlachtvieh aus
Circassien an, das vom Russischen Militair und von den
Eingebohrnen begierig gekauft und allem anderen
Rindfleisch vorgezogen wird.

Die auf Gothland organisirte Landwehr zählt jetzt
4000 Mann, von welchen man sich einen glücklichen
Widerstand verspricht, im Fall die Engländer einmal
Versuche gegen diese Insel machen sollten.

Vorgestern, als dem Namenstage der Kronprinzessinn, war wieder großer Ball auf dem Königlichen
Schlosse.

Paris, den 15 Februar.

Man erinnere sich der von dem Londoner Journal, Alfred, verbreiteten Verläumdungen gegen die Einwohner von Dünkirchen, in Bezug auf den Schiffbruch des Schiffes Elisabeth, und des von dem Capitain dieses Saiffes an Se Excellenz den Minister der Marine gerichteten Briefes! Dieser Capitain und seine Leute haben nun folgenden Brief an die Einwohner von Dünkirchen geschrieben:

„Meine Herren!

Da Se. Kaiserl Majestät die Gnade gehabt haben, uns zu erlauben, nach England zurückzukehren, so können wir diese Stadt nicht verlassen, ohne ihnen unsere innigste Dankbarkeit für die Güte und Aufmerksamkeit, die sie uns seit unserm unglücklichen Schiffbruch bewiesen haben, zu bezeugen. Wir geben ihnen die Versicherung, daß wenn sich je eine Gelegenheit darbietet, Ihnen unsere Dankbarkeit zu bezeigen, wir sie mit vielem Eifer ergreifen werden Genehmigen Sie unsere Wünsche ꝛc.

Unterz. W. Eastwick, Jacson, Laire, Hanward, Eddis, Sacker.

Französisches Reich.

Es ist im Werke, dem Invalidenhause gegenüber eine eiserne Brücke von Einem Bogen über die Seine zu schlagen. — Seit Publikation des Kaiserl Dekrete, wodurch die Einfuhr der levantischen Baumwolle längs der Rheingränze auf den künftigen ersten Mai für völlig verboten erklärt, und nur von Italien her oder zur See durch die Häfen des mittelländischen Meeres gestattet wird, war an die Spediteuren dieses Artikels in Wien und in andern Handelsplätzen die Weisung von Seiten ihrer Korrespondenten in Frankreich ergangen, die Absendung ihrer vorräthigen Waaren so viel möglich zu beschleunigen, damit dieselben noch vor Ablauf des Termins über die französische Grenze gelangen könnten Die meisten französischen Häuser, die in diesem Artikel Geschäfte machen, gaben zugleich den Auftrag, nach dem 15. Februar oder spätestens nach dem 1. März von Wien aus keine fernere Absendung zu machen, indem man dieselbe sonst nicht mehr annehmen werde. Die Langsamkeit in den Transporten und die Schwierigkeiten, denen dieselben auf ihrer Route von Wien bis Strasburg ausgesetzt waren, und die schon öfte z die Veranlassung zu kostspieligen Prozessen wurden, haben diese Instruktionen nöthig gemacht Inzwischen sollen von Seiten mehrerer Handels=ammern des nördlichen Frankreichs Vorst llungen in Paris gemacht worden seyn, um eine Modifikation in oben erwähntem D kret zu erhalten und wenigstens eine Ausnahme für Einen Punkt längs dem Rhein zu bewirken, auf dem die Einfuhr levantischer Baumwolle künftig noch Statt haben dürfe. Einige dieser Handels=kammern sollen besondere Deputirte nach Paris geschick: haben, um ihre schriftlichen Sollicitationen durch mündliche Vorstellungen zu unterstützen Von deren Erfolg hat man noch keine sichere Nachricht; doch h ist es nun, es sei vorläufig für die Sperrung der bisherigen Handelsstraße über Strasburg ein Aufschub von zwei Monaten bewilligt worden, so daß die levantische Baumwolle über Kehl noch bis zum 1. Jul d J. eingeführt werden darf Ob in der Folge dieser Termin noch weiter hinaus verlängert oder vielleicht eine wirkliche Modifikation des Dekrets Statt finden wird, ist zur Zeit noch ungewiß. Merkwürdig ist dabei, daß ungeachtet des beträchtlichen Imposts, der von der levantischen Baumwolle in dem ersten französischen Grenzbüreau entrichtet werden muß, die Preise seitdem in Frankreich nicht nur nicht gestiegen, sondern sogar gefallen sind. Die Importation der westindischen und amerikanischen Baumwolle längs dem Rhein ist noch immer verboten; doch heißt es, man werde eine Autorisation zur Einfuhr derjenigen Vorräthe bewilligen, die erweislich zur Zeit, als dieses Verbot erlassen wurde, schon französischen Fabrikanten oder Kaufleuten zugehört haben. (K. f. D.)

Aus Italien.

Aus Sizilien hatte man zu Neapel keine neuere Nachrichten, weil die deutschen Soldaten, die sich unter den englischen Truppen befinden, nicht mehr nach Kalabrien herüber desertiren konnten. Es schien, als ob General Stuart, um das Ausreißen zu verhindern, alle Vorposten längs der Küste mit Sizilianern besetzt habe. (K f. D.)

Aus der Schweiz.

Nach Berichten aus dem Kanton Tessin sind daselbst neue Truppen aus dem Königreich Italien eingerückt, und die Gerüchte von bevorstehender Vereinigung mit diesem Staate dauern fort; andere glauben jedoch, es dürfte nur um eine Grenzberichtigung und um eine Abtretung des Bezirks Mendrisio, welcher der Hauptsitz der Kontrebande war, zu thun seyn. (K f. D.)

Niederrhein, den 7. Februar.

Schon sind Transporte vormaliger österreichischer, aus den belgischen Provinzen gebürtiger, Militärs auf dem linken Rheinufer angekommen. Diejenigen, welche nicht mehr dienen wollen, erhalten Pässe zur Rückkehr in ihre Heimath. Im Laufe dieses Monats werden von Passau, wo die Ueberlieferung geschieht, noch zahlreiche ähnliche Transporte erwartet. — Wie man erfährt, ist ein beträchtliches Detaschement von Grenadieren der ehemaligen holländischen Garde, die in die Kaiserl. Garde inkorporirt worden waren, theils zu Straßburg, theils zu Weissenburg im Elsaß angekommen, und in die dortigen Depots der Regimenter Latour d'Auvergne und Isenburg aufgenommen worden. (K f. D.)

Miscellen.

Die Militärkommission zu Dijon hat über zwei kriegsgefangene Spanische Hauptleute, deren Einer als Mörder, der Andere als Mitschuldiger angeklagt waren, abgeurtheilt. Der Mord geschah in einer Schenke als Folge eines Streites und einer gewaltsamen Aufwallung. Der Erste wurde zu 10jähriger Gefangenschaft verurtheilt.

Berliner Abendblätter.

Berlin, den 1sten März 1811.

Bülletin der öffentlichen Blätter.

Aus Italien.

Die italiänischen Bischöfe haben dem Prinzen Vize-
König Adressen überreicht, welche die nemlichen Gesinnungen ausdrucken, die das Kapitel von Paris erklärte.
— Weil der König von Neapel dem ersten unter seiner Regierung erbauten Linienschiffe den Namen Capri
gab, überreichten 6 Mädchen aus dieser Insel am 24.
Januar eine vergoldete, mit Loorbeer , Oliven- und
Eichenblättern gezierte Krone, die der König huldreichst
aufnahm.   General Graf Lauriston ist am 1 Februar
auf seiner Reise zu Florenz eingetroffen. — Zu Vene-
dia haben die Wechselhäuser Giovanni Battist Fazzo,
und Giuseppe Batistella, vormals Girolamo, ihre Zahlungen eingestellt. — Nach öffentlichen Berichten aus
Ancona ist die französisch-italiänische Flottille des Kapitäns Dubourdien durch die zu ihr gestoßenen Verstärkungen nunmehr zahlreich genug, um allenfalls gegen
die Engländer im adriatischen Meere offensiv zu agiren.
Auch die zu Corfu liegende französische Eskadre ist zu
einer bedeutenden Stärke angewachsen, und die englischen Streifschiffe trauen sich nicht mehr einzeln, die
dortigen Gewässer zu beunruhigen.   (K f. D)

Wien, den 15 Februar.

Es sind Nachrichten von der türkischen Grenze hier
eingetroffen, nach welchen die Russen von ganz Serbien
Besitz genommen, und nach Belgrad eine Besatzung
gelegt haben, so daß sie nun auch von dieser Seite
Nachbarn der österreichischen Monarchie geworden sind.
— Die Gesellschaft adelicher Frauen, zur Beförderung

des Guten und Nützlichen, welche, unter Genehmigung
Sr Majestät des Kaisers, ihre Organisation erhalten
hatte, hat, unter dem Vorsitze der Fürstinn von Lobko=
witz bereits ihren schönen Wirkungskreis eröffnet. Die
Unterstützung mehrerer öffentlichen Anstalten, deren
Einkünfte, bei den jetzigen geringen Werthe des Pa=
piergeldes, dem Bedarf nicht mehr angemessen sind, z.
B der Waisenhäuser, des Instituts für Blinde, Taub=
stumme ꝛc., so wie anderer nützlichen Anstalten, liegt
in den menschenfreundlichen Zwecken dieser schönen Ge=
sellschaft Schon haben sich mehrere Damen zur un=
entgeldlichen Erziehung von Waisenkindern erboten.
An jährlichen Beiträgen, die zu jenen Unterstützungen,
so wie auch zur Beförderung inländischer Indu=
strie verwendet werden, hofft die Gesellschaft mehr als
die Summe von 80,000 fl. zu erhalten. Seit einigen
Tagen ist hier ein starkes Thauwetter eingefallen, das
plötzlich allen Schnee und das Eis entfernt hat, und
einen baldigen Frühling verspricht. Die Donau ist da=
bei stark angeschwollen, und der kleine Arm derselben
bereits an mehreren Orten aus dem Ufer getreten.

(K. f. D.)

Aus Sachsen.

Die außerordentlichen bisher an die Stände ge=
machten Forderungen auf die nächst folgenden 6 Jahre
betragen 11.606,000 Rthlr., folglich in Verbindung
mit den gewöhnlichen und fortlaufenden Abgaben ge=
gen 21,000,000 Rthlr., dabei sind jedoch noch nicht die
Kosten gerechnet, welche auf die Befestigung von Tor=
gau verwendet werden müssen, und die gewiß auf
5,000,000 Rthlr. betragen möchten: obwohl man sich
nach den Versicherungen, welche der in dieser Angele=
genheit nach Paris geschickte Hauptmann des Königl.
Generalstabs Hr. Aster, daselbst erhalten, und bei der
Aussicht zu einem dauerhaften Continental=Frieden, mit
Torgau nicht zu übereilen braucht. Von Seiten eines
angesehenen Kollegii ist dem Könige der Plan zu ei=
ner neuen Eintheilung des Landes vorgelegt worden,
man glaubt aber nicht, daß darauf eingegangen wer=
den dürfte.

(K. f. D.)

Aus Frankfurt.

Unterm 27. Januar erschien die allgemeine Militair, Konskriptions, und Dispensations, Verordnung für das Großherzogthum Frankfurt. Dem Grundgesetze gemäß ist jeder Staatsbürgers, und Unterthanssohn, ohne Unterschied des Standes und der Religion, zur Leistung der Kriegsdienste verpflichtet. Diese Kriegsleistung geschieht entweder 1) durch freiwillige Werbung, oder 2) durch die Militärkonskription oder 3) durch Erlegung der gesetzlichen Dispensationstaxe. Die Konskription umfaßt alle Staatsbürgers, und Unterthanssöhne vom 19 bis zum 25. Jahre. Im Januar jedes Jahrs werden die Listen verfertigt. Alle Konskriptionspflichtige, die sich denselben entziehen, sollen als Deserteurs betrachtet werden. Nicht zugbar zum Militär sind 1) diejenigen, welche wegen eines körperlichen Gebrechens oder Mißstaltung offenbar untauglich sind, 2) jene, welche die gesetzliche Größe, wenigstens 4 Schuh 9 Zoll, nicht haben. Durch Dispensation können von der Aushebung ausgenommen werden: 1) einzelne Söhne von Wittwen, welche zur Unterstützung derselben unentbehrlich sind; 2) elternlose Söhne, die zur Besorgung einiges Gewerbs unentbehrlich sind; 3) jene, welche aus irgend einer besondern Ursache um Befreiung von der Militärdienstpflichtigkeit angesucht und dieselbe gegen Abfindung erhalten haben. Die Taxe, welche der dispensirt werdende Konskribirte zu entrichten hat, ist bei einem Vermögen bis auf 7000 fl. auf 5 fl. festgesetzt, jedes weitere Tausend bis zu 17,000 fl. zahlt 30 kr.: bis zu 27,000 fl., 45 kr.: bis zu 50,000 fl. 1; u. s. w.   (K. f. D.)

Türkisches Gebet.

Folgendes ist das Gebet, welches an jedem Freitage in allen Moscheen des Osmannischen Reichs für den Sultan gehalten wird: „Herr, beschütze die Osmanischen Krieger, die nur dich anbeten! Herr, erhalte die Macht unsers Sultans, schrecklich seinen Feinden, Mahmud Chan, Sohn des Sultans Abdul Hamid Chan, Sohn des Achmet Chan, Dieners der beiden er-

habenen Arams (heilige Tempel) zu Mecca und Jerusalem! Herr, gieße Reichthum und Macht über sein
Haupt, erhalte ihn zu allen Zeiten, auf daß sein Schwert
die Ungläubigen vernichte, und er Herr des Erdkreises werde!" Dieß Gebet wurde ehemals auch in Mecca für Sultan, als den Beschützer der Gläubigen, gehalten; jetzt aber hat das Haupt der Wahabis sich an
dessen Stelle setzen lassen.

Heilkunde.

Hr. Rangue, Arzt an dem Krankenhause zu Orleans, hat, mit dem besten Erfolge, eine neue Heilart
wider die Krätze angewandt, welche darin besteht, die
kranken Theile mit einem Abjud von Läuseritterpsporn
(Delphinium Staphisagria) zu waschen, worin er ein
wenig rohes Opium mit auflösen lassen. Er hat sich
vorgenommen, unverzüglich eine weitläuftigere Beschreibung seiner schon sehr zahlreichen Erfahrungen bekannt
zu machen.

Miscellen.

Neulich ereignete sich zu Stockholm ein tragischer
Vorfall. Ein junges Brautpaar ging zur Kirche, um
sich trauen zu lassen, als ihm plötzlich ein Einspänner
in den Weg kam, der von seinem Fuhrmann, ein m
Comptoirbedienten, so ungeschickt regiert wurde, daß
er die Braut niederstürzte, und ihr beide Beine zerbrach: weßhalb selbige sogleich ins Lazareth gebracht
werden mußte, anstatt, wie sie dachte, an den Altar geführt zu werden.

Berliner Abendblätter.

Berlin, den 2ten März 1811.

Bülletin der öffentlichen Blätter.

Burgos, den 8 Februar.

Se. Majestät der Kaiser hat die Formirung einer
Armee, unter dem Namen des Norden von Spanien,
befohlen, die aus der Division von der Arrieregarde
unter dem General Reilli, der Reserve-Division unter
dem General Caffarelli, dem Corps der Kaiserl. Garde
unter dem General Dorsenne, der leichten Cavollerie-
Brigade unter General Watier, der Division des General Bonnet ꝛc. ꝛc. bestehen soll. Das Arrondissement
dieser Armee des Norden von Spanien ist folgendermaßen zusammengesetzt: Die Provinz Navarra, die drei
Provinzen von Biscaya und die Provinz St Ander,
die Provinzen Burgos, Aranda und Soria, die Provinzen Valenzia, Valladolid, Leon, Benavente, Toro
und Zamora, die Provinz Asturien, die Provinz Salamanka.

Der Marschall Herzog von Istrien, General-Ober-
ster der Kaiserl. Garde, ist von Sr. Majestät zum
Obergeneral der Armee des Norden von Spanien, und
der Brigadegeneral Lecamus zum Chef des Generalsta-
bes derselben ernannt worden. Das Hauptquartier
derselben ist zu Burgos.

Die Ankunft des Herrn Marschalls Bessieres, Herzogs von Istrien hieselbst, hat hier die angenehmste
Sensation gemacht. Sein früheres Benehmen hatte
ihm bereits alle Herzen gewonnen. Se. Excellenz er-
ließen gleich folgende

Proklamation an die Einwohner von
Biscaya ꝛc. ꝛc.

Spanier!

„Der Kaiser Napoleon hat mir das Oberkommando
seiner Armee des Norden von Spanien anvertraut.“

„Es ist mir erfreulich, mich zum zweiten Male
unter euch zu befinden, und ich erinnere mich mit der
größten Zufriedenheit des Enthusiasmus und der Gesinnungen, die ihr mir für Se. Majestät den Kaiser
und euren König Joseph geäußert, so wie auch eures
Eifers, den Bedürfnissen der Armee zu begegnen.“ —

„Jetzt beunruhigen einige verführte Menschen, ver-
ächtliche Werkzeuge des Hasses unserer gemeinschaftlichen Feinde, einige Theile enrer Provinzen, hindern
eure Communicationen, machen die Gegenwart einer
zahlreichen Armee nothwendig, und verstopfen die
Quelle des öffentlichen Wohles für euch alle.“

„Unterstützet die Colonnen, die ich zu ihrer Vernichtung aussende; laßt sie sich nicht mehr ungestraft
euren Städten und Dörfern nähern; bewachet und
zeiget ihre Bewegungen, ihre Schritte, und die ihrer
feigen Theilnehmer an; dann werden eure Uebel bald
enden.“

„Diese verirrten Menschen, die unwillkürlich die
Spielbälle der schwarzen Politik der Feinde des Continents sind, können noch das sie erwartende Schicksal
vermeiden. Ich biete ihnen Verzeihung des Vergangenen an. Die Militär-Commandanten haben überall
Befehl, ihre Unterwerfung anzunehmen. Sie können,
mit der Gewißheit, beschützet zu werden, zu ihren Hütten zurückkehren.“

„Wenn sie aber taub bleiben vor der Stimme der
Gnade so sollen sie überall verfolgt und ausgestoßen
werden. Eure Ruhe hängt von der Vernichtung aller
ihrer Banden ab, so wie die Minderung der euch auferlegten Opfer und euer Glück“

„Stets werde ich mich mit eurer Wohlfahrt beschäftigen. Ich werde selbst eure Vorstellungen annehmen und untersuchen. Männer, die unter euch ausgewählt worden, sollen mich mit euern Bedürfnissen und
mit eurer Noth bekannt machen. Ich werde Mittel zu
ihrer Linderung finden. Ueberall werde ich strenge
Disciplin halten. Niemand, sei er Spanier oder Franzose, soll ungestraft die Pflichten seines Amtes und was
er dem Kaiser und seinem erhabenen Bruder Joseph
schuldig ist, verletzen dürfen.“

„Der große Napoleon will alle eure Wunden heilen. Durch euer Betragen macht euch seines Schutzes würdig! Rechnet auf meinen Eifer, seine wohlthätigen Absichten für euch auszuführen!"

Hauptquartier Burgos, den 1. Februar 1811.

Herzog von Istrien,

Obergeneral der Armee des Norden
von Spanien.

———

Cartaxo, den 26. Januar.

Die Morning Chronicle enthält Folgendes:

„Der Brigade-General Charles Stewart ist von der Armee bei Lissabon hier angekommen und ohne Zweifel vom Lord Wellington beauftragt, über den Zustand der Armee und über ihre wirkliche Lage einige vertrauliche Details zu geben, die schriftlich mitzutheilen nicht klug seyn würde. Unsere Leser werden aus den offiziellen Depeschen ersehen, daß noch nichts anzeigt, daß die Franzosen sich anschicken, bald unsere Linien anzugreifen, und man sagt selbst, daß Lord Wellington fortdauernd der Meinung sei, daß Massena vor dem Monat April seine Operationen nicht ernstlich anfangen werde. Er stützt seine Meinung nicht nur auf die schlechte Beschaffenheit der Wege, sondern auch auf die Nothwendigkeit, die Massena fühlen müsse, die langen Tage abzuwarten, ehe er seine Operationen auf eine so ausgedehnte Linie anfängt, um seine Telegraphen benutzen zu können. Dies glaubt man wenigstens allgemein bei unserer Armee, und alle unsere Vorbereitungen sind in dieser Hinsicht gemacht. Von der nördlichen Seite fürchtet Lord Wellington nicht, daß seine Linien forcirt werden können, obgleich das ganze Land dem Feinde offen ist. Südlich vom Tagus ist man unaufhörlich mit der Vermehrung der Vertheidigungsmittel beschäftigt; das einzige, was fehlt, sind Verstärkungen. Wie stark diese seyn müßten, können wir nicht sagen; wir fürchten aber, daß bei allen Berechnungen, die man über die Zeit der Eröffnung des Feldzuges macht, man seine Rechnung ohne den Wirth mache." (L. d. V.)

———

Lissabon, den 1. Februar.

Bei der Position unserer Armee hat keine Veränderung statt gehabt. Das Corps von la Romana wird sich noch Badajoz begeben; weil die Franzosen sich in der Gegend dieses Platzes verstärkt haben: und die Belagerung, wenn sie statt hätte, nicht von langer Dauer seyn würde. — Die meisten Kaufleute haben ihre besten Sachen eingepackt, um im Fall eines Ereignisses fertig zu seyn. (L. d. B.)

Gaunerei.

Am 7. Febr. Abends wurde die Kasse des griechischen Handelsmanns X. in Wien aus dem Comptoir desselben geraubt. Die Thäter gaben die Kasse dem armen Reitknecht Strehle zur Verwahrung, und versprachen ihm 25,000 fl. wenn er schweigen würde. Dieser aber machte die Anzeige bei der Polizei. Das Haupt dieser Verbrecher ist ein Mann, der eine jährliche Rente von 1800 fl. besaß. Der Kaufmann bewies dem Reitknecht seine Erkenntlichkeit für die Rettung eines Werths von 106,686 fl. durch ein Geschenk von — 800 Gulden!!

Dem griechischen Kaufmanne Martin A. aus Ugram wurden am 6. Februar aus seinem Zimmer in dem Gasthofe zum Lamm auf der Wieden 10,500 fl. in Bankozetteln aus seinem Koffer gestohlen. Es war sein ganzes Vermögen. Verzweiflungsvoll zeigte er den Fall der Polizei an; aber die Verdachtsgründe führten zu keinem Resultate. Am folgenden Tage erhielt er die ganze Summe durch einen griechischen Geistlichen zurück.

(Der Schluß folgt.)

Berliner Abendblätter.

Berlin, den 4ten März 1811.

Bülletin der öffentlichen Blätter.

Aus Spanien.

Die Bestimmung der mit dem Namen Nordarmee
bezeichneten neu formirten Franz. Armee in Spanien
scheint eine Veränderung erlitten zu haben. Sie wird
vorläufig bloß als Reservearmee gebraucht werden, und
zu diesem Ende ihre Positionen nur auf dem rechten
Flügel bis Salamanka ausdehnen: ihr Centrum und
linker Flügel hingegen sollen sich auf beiden Ufern des
Ebro aufstellen, so daß auch die Provinz Arragonien
zu dem von ihr besetzten Distrikt gehören wird, während dagegen alle Truppen vom Suchetschen Armeekorps zur Expedition gegen Valencia mitzuwirken bestimmt sind. Die bereits von Burgos gegen Leon ab-
marschirten Regimenter der Nordarmee sind daher auch
wieder in ihre alten Standquartiere zurückgekehrt. Die
Ursache dieser Abänderung im Operationsplan ist bis
jetzt unbekannt. Wahrscheinlich wird die Nordarmee
erst dann mit Nachdruck zu agiren beginnen, wenn
Massena's Expedition gegen die Engländer beendigt ist,
und die Armee von Portugal freien Spielraum hat,
gegen die nördlichen Provinzen zu operiren. Eine
Folge hievon ist wahrscheinlich die Rückkehr des Marschalls Bessieres nach Bayonne, wo er sich jetzt wieder
aufhält, ohne sich nach Madrid begeben zu haben.
Ein Theil des Generalstabs befindet sich indessen noch
zu Valladolid. — Ueber Madrid hat man Berichte
aus Sevilla, nach welchen alle noch daselbst befindliche Truppen, mit Ausnahme einer nicht sehr beträchtlichen Garnison, nach Estremadura aufgebrochen waren, um sich mit dem Armeekorps des Marschalls
Mortier zu vereinigen. Auch war ein beträchtlicher
Artilleriepark von Sevilla eben dahin abgegangen.

Vielleicht wird derselbe zur Belagerung der spanischen
Festung Badajoz gebraucht, wozu man ernstliche Anstalten traf. Ein Theil des Hauptquartiers und der
Militairadministrationen der Südarmee war gleichfalls
von Sevilla nach Est-emadura aufgebrochen. General
Lery, Oberbefehlshaber des Geniekorps, wird, wie
man wissen will, die Belagerung von Badajoz dirigiren, die von einer Abtheilung des Mortierschen Armeekorps unternommen werden soll, während die übrigen Truppen dieses Korps und die andern disponiblen
Kolonnen der mittäglichen Armee die Belagerung dek-
ken. Erst nach Bezwingung dieser Festung, die von
dieser Seite her als der Schlüssel von Portugal angesehen wird, dürfte Mortiers Einmarsch in dieses Königreich erfolgen, wenn anders nicht schon zuvor Massena's Expedition beendigt ist. Es scheint sich zu ergeben, daß alle bisherigen Bewegungen der einzelnen
Truppenabtheilungen von Mortiers Armeekorps nur
Demonstrationen waren, um die Aufmerksamkeit der
Engländer auf den östlichen Theil von Alentejo zu ziehen und sie zu nöthigen, einen Theil ihrer Truppen
zur Deckung des linken Tajoufers abzuordnen, und dadurch die Vereinigung des Drouetschen Armeekorps
mit Massena's Hauptarmee zu erleichtern. Badajoz ist
übrigens eine nach dem alten System angelegte ziemlich starke Festung, deren Werke seit einem Jahr ausge-
bessert worden sind, und die durch ein unter dem Schutz
der Kanonen des Platzes angelegtes befestigtes Lager,
das aber nicht ganz beendigt ist, gedeckt wird. Es
sollen sich daselbst mehrere englische Ingenieurs befinden. Die Ueberreste von dem so oft geschlagenen Korps
des spanischen Generals Ballesteros haben sich in ge-
dachtes verschanztes Lager zurückgezogen. Die französischen Truppen, welche Meister von den beiden Ufern
der Guadiana sind, hatten sich der Festung bereits in
einiger Entfernung genähert. Die Abschneidung aller
Kommunikation mit der benachbarten portugiesischen
Festung Elvas muß die erste Operation der Belagerer
seyn. Diese letztere ist indessen nach allen Berichten
in sehr schlechtem Zustande. Ihre Garnison besteht
nur aus Milizen, und es mangelt an Artillerie und
Munition. Sie dürfte daher auch außer Stande seyn,
einen langen Widerstand zu leisten, ob sie gleich fürs
erste nur beobachtet werden soll. Eine große Schwie-

rigkeit für jede gegenwärtig in Estremadura operirende
Armee liegt in dem großen Mangel an Lebensmitteln
in dieser unkultivirten und armen Provinz, die durch
den seit zwei Jahren ununterbrochen dort geführten
kleinen Krieg völlig ausgesogen ist. Zur Verprovian-
tirung der französischen Armee sind daher ansehnliche
Vorräthe von Vieh, Zwieback, Wein und andern Bedürfnissen aus den französischen Magazinen zu Sevilla
nach Estremadura abgeführt worden. Die dahin füh-
rende Militärstraße ist gegenwärtig vollkommen gegen
Ueberfälle gesichert.   (K. f. D.)

—————

Rotterdam, den 22. Februar.

Der Herr Präfekt der Maas-Mündungen hat an
die Herren Unter-Präfekten und Maires folgendes Cir-
culair erlassen:

„Ich bin mit dem Wunsche zu Ihnen gekommen,
meine Herren, aus allen Kräften zum Glücke meiner
Untergebenen mitzuwirken. Es thut mir leid, daß ich
die Landessprache nicht verstehe; demohngeachtet möchte
ich gern selbst von allen Sachen Kenntniß nehmen, und das ist es, was mich bewegt, Sie zu bitten,
meine Herren, mit der Präfektur in französischer Sprache zu correspondiren. Dies ist ein wahrer Dienst,
den Sie mir leisten werden, und ich werde Ihnen dafür unendlich dankbar seyn.“

„Ich habe die Ehre, meine Herren, Sie mit einer
vollkommenen Achtung zu grüßen.“

Unterz.   G. de Staffart.

—————

Madrid, den 19. Januar.

Von allen Seiten werden die Guerillas, die feindlichen Partheien im Innern von Spanien, in die Enge getrieben, und der Augenblick ist nicht fern, in welchem die Gegenden, welche sie verheeren, davon gänzlich befreiet seyn werden.

Die Anführer Empecinado, Medico, Abuelo, Ca-
milo, Hernandez, Aroca, Chaleco und andere sind nach

und nach entweder geschlagen oder gänzlich vernichtet
worden. Manche irren angstvoll in den höchsten und
wildesten Gebürgen herum, andre sind ganz verschwunden.

Der General Hauenstein hat unlängst eine Zahl
davon erreicht, und sie von Alcazar de San Juan bis
Campo de Criptana verfolgt, wobei viele umgekommen
sind. (L. d. B.)

Gaunerei.

(Schluß.)

Das Morgenblatt erzählt, daß einer der ersten Ju-
weliere zu Paris sehr arg betrogen wurde. Ein vornehm gekleideter Herr steigt aus der vorgefahrnen Kutsche, und verlangt Diamanten zu kaufen. Während
dieser Herr die vorgelegten Steine besieht, klopft ein
Bettler ans Fenster und bittet um Almosen. Der Juwelier weist ihn ab, da aber der Unverschämte nicht
fort will, so sagt der vornehme Herr: „Warten Sie,
solch unverschämtes Zeug kann man nur mit Geld entfernen,“ zugleich greift er in die Tasche und giebt dem
Armen etwas in die Hand Dieser verbeugt sich und
entfernt sich schnell. Der Fremde wird nun über die
Preise der Diamanten einig, und trägt dem Kaufmann
auf, die ausgesuchten Steine den folgenden Tag in sein
Hotel zu tragen. Beim Aufräumen bemerkt der Juwelier, daß ihm drei prächtige Diamanten fehlen, und
sagt es dem Fremden in einem heftigen Ton. Dieser
entrüstet sich, leert alle Taschen, und befiehlt dem Kaufmann, gleich alle seine Kleider zu untersuchen. Der
Juwelier thut es, erkennt den Fremden für unschuldig
und bittet ihn 1000 Mal um Vergebung. Am so gen-
den Tage ging er zum angewiesenen Hotel, allein Niemand wußte etwas von dem Fremden. Er fand seine
Diamanten nicht wieder, und begriff erst nach einigem
Nachsinnen, daß 2 abgefeimte Gauner ihr Spiel mit
ihm getrieben hatten, und daß der Eine dem Andern,
der als Bettler gekleidet war, die Diamanten, unter
dem Vorwande eines Almosens, hingereicht hatte.

Berliner Abendblätter.

Berlin, den 5ten März 1811.

Bülletin der öffentlichen Blätter.

Venedig, den 11. Februar.

Schiffe, die aus den Gewässern von Corfu kommen, bringen die Nachricht mit, daß ein gewisser Prinz sich zu Durazzo (in Türkisch-Albanien) eingeschifft habe. Er war daselbst, wie es schien, über Ungarn her, eingetroffen.   (K. s. D.)

Constantinopel, den 15. Januar.

Da hier im Publikum das falsche Gerücht von Friedensunterhandlungen mit Rußland circulirte, so hat das Gouvernement bei schwerer Strafe verboten, ferner davon zu reden. Der Großherr hat zugleich einen Aufruf an alle Muselmänner ergehen lassen, in welchem er sie ermahnt, sich bereit zu halten, zur Armee zu stoßen und das Vaterland zu vertheidigen, indem er sich selbst mit Anfang des Frühjahrs an die Spitze der Truppen stellen und gegen den Feind aufbrechen werde.   (L. d. B.)

London, den 14. Februar.

(Aus dem Moniteur.)

Am Bord der Africaine, im Port Louis, auf Isle de France, den 6. December 1810.

Mein Herr, ich habe die Ehre, Ihnen die Einnahme von Isle de France anzuzeigen, damit Sie ihren Herrlichkeiten Nachricht davon geben.

Durch die Depesche, die ich Ihnen am 12. Octobr., mit dem Otter, von der Insel Bourbon aus übersandt habe, hatte ich die Ehre, Sie zu benachrichtigen, daß ich im Begriff sei, den Blokus von Isle de France wieder vorzunehmen. Demzufolge kam ich am 19. vor dieser Insel an. Nachdem ich mich versichert hatte, daß alle feindliche Schiffe im Hafen, und bloß zwei im Stande waren, unter Segel zu gehen, ließ ich den Capitain Rowley, mit der Boadicea, dem Nisus und der Nereide zurück, um die Bewegungen des Feindes zu beobachten; nachdem ich den Ceylan und den Staunch detaschirt hatte, um eine Division Landtruppen von der Insel Bourbon nach der Insel Rodriguez zu convoyiren, begab ich mich, mit dem sich am Bord der Airlkaine befindlichen, die Truppen en chef commandirenden, General Abercromby, nach diesem Punkt. Am 24. stieß der Contre-Admiral Drury mit einer Division seiner Eskadre zu mir; dadurch war ich im Stande, die Blokade-Escadre mit 2 Schiffen zu verstärken. Ich segelte mit den übrigen nach der Insel Rodriguez, wo ich am 3 November ankam, und die Truppen Division von Bombay vorfand. Am 6. kam die Division von Madras und am 12. die von Ceylon an.

Da die Division von Bengalen und die von dem Vorgebürge der guten Hoffnung am 20. noch nicht angekommen, die Jahrszeit aber weit vorgerückt, und der Ankerplatz, mitten unter Felsenbänken, keinesweges sicher war, so entschloß ich mich, am 22, mit der ganzen Flotte die Anker zu lichten, mit dem Vorsatz, mit der ganzen Convoy zu kreuzen, in der Hoffnung, sie würde gegen den Wind manövriren, bis wir eine von den Divisionen angetroffen hätten. Glücklicherweise erfuhr man in der Nacht vom 21., daß die Division von Bengalen im Gesicht sei. Der General Abercromby war, wie ich, der Meinung, es wäre besser, daß diese Division gar nicht vor Anker ginge, sondern daß, nachdem wir mit ihr communicirt, und sie die bedürftigen Vorräthe erhalten hätte, wir zusammen nach Isle de France unter Segel gingen, ohne die Truppen vom Cap zu erwarten. Demzufolge lichtete die ganze Flotte die Anker, und kam am 29. des Morgens auf dem Landungspunkt an, den man in der großen Bay, zwölf Meilen windwärts vom Port Louis, zu occupiren Willens war. Wie voraus bestimmt, war, bahnte die

Africaine den andern Kriegsschiffen, denen die ganze
Convoy folgte, den Weg: und die ganze Flotte, ungefähr aus 70 Segeln bestehend, hatte um 10 Uhr Vormittags die Anker geworfen. Die Armee, die Artillerie, die Provision, die Munition, die verschiedenen Detaschements Marine-Soldaten, die am Bord der Schiffe
dienten, mit einem ansehnlichen Corps Matrosen, landeten denselben Tag, ohne den geringsten Verlust oder
den mindesten Zufall. Eine Division der bewaffneten
Schiffe blokirte den Hafen sehr enge; eine andere war
beauftragt, die Convoy auf dem Ankerplatz zu beschü-
tzen: eine dritte Division endlich, unter meinem unmittelbaren Befehl, war bestimmt, sich überall hinzubege-
ben, wo es nöthig sein dürfte, weil die Armee in allen ihren Bedürfnissen durchaus von der Marine ab-
hieng.

Am 2. dieses ließ der General-Capitain de Caen
Bedingungen zu einer Capitulation vorschlagen; es
wurden von beiden Seiten Commissaire ernennt, und
es kam die Capitulation zu Stande, wovon ich Ew.
Herrlichkeit hierbei eine Abschrift schicke.

Ich habe die Ehre zu seyn ꝛc.

Unterz.   A. Bertie.

————————

Capitulation.

Artikel 1.

Die Officiere und Soldaten der See- und Landtruppen sollen nicht wie Kriegsgefangene behandelt
werden.

Artikel 2.

Sie werden ihre Effekten und Bagage mit sich
nehmen.

Artikel 3.

Sie sollen, so wie ihre Familien, nach irgend einem Hafen des Französischen Reichs transportirt
werden.

Artikel 4.

Zu diesem Endzweck behalte ich die vier Kaiserl.
Fregatten, la Manche, Bellone, l'Astrée und la Mi-
nerve, so wie die Corvetten, Viktor und Entrepenant,

mit ihren Offizieren, Equipagen, Kanonen, Munition und Mundvorräthen.

Artikel 5.

Es sollen auf Kosten des Brittischen Gouvernements passende Cartellschiffe, mit dem nothwendigen Mund- und Kriegsvorrath versehen, ausgerüstet werden, um die Französische Garnison und die Besatzung der Französischen Kriegsschiffe nach Frankreich zu transportiren Genannten Schiffen ist es gestattet, hierauf frei und ungehindert nach England zurück zu kehren.

Artikel 6.

Die Colonie und was davon abhängt wird ohne Bedingung übergeben, da die contrahirender Parth:ien nicht die Vollmacht haben, über ihr künftiges Schicksal etwas zu bestimmen.

Artikel 7

Alles Privat-Eigenthum wird respektirt werden.

Artikel 8.

Die Einwohner behalten freie Ausübung ihrer Religion, Gesetze und Gebräuche.

Artikel 9

Die Colonisten haben die Erlaubniß, mit ihrem Privat-Vermögen in einer Zeit von zwei Jahren die Colonie zu verlassen.

Artikel 10.

Die Verwundeten, welche in den Hospitälern zurückbleiben, sollen wie die Unterthanen Sr. Brittischen Majestät behandelt werden

(Die Additional-Artikel, welche hierauf folgen, enthalten Formal-Bedingungen, welche auf die Uebergabe der Colonie Bezug haben.)

Unterz.   Vandermäsen, Divisions-General.
        H. Warde, General-Major.
        J Roweley, Commandant.
        J. Dupéré, Linien-Schiffscapitän.

Gebilligt und ratificirt haben Gegenwärtiges:

        De Caen, General-Capitän.
        Charles de Coetlozon, Secretär der Commissaire.

Berliner Abendblätter.

Berlin, den 6ten März 1811

Bülletin der öffentlichen Blätter.

Paris, den 22. Februar.

Das heutige Journal de l'Empire enthält Folgendes:

„„Man hat zu Paris einige Exemplare eines Briefes, betitelt: Zenobio an seine Freunde in Venedig
und Mailand (London, den 14. December 1810), erhalten.“

„Der Verfasser dieses Pamphlets giebt sich für ein
Parthei=Haupt aus, das sich der Befreiung Venedigs
und Tyrols von dem Joche des Atheismus und der
Räuberei geweihet hat. Er spricht von einem Decret
gegen seine Person und sein Eigenthum, und verbietet
seinen Freunden, die Wirkung desselben zu verhindern,
weil er, wie er sagt, entschlossen ist, für eine so schöne
Sache zu leiden.“

„Er dankt ihnen übrigens wegen ihrer Bemühungen zu seinen Gunsten, und ist so unverschämt, die ersten Personen des Königreichs Italien, deren Namen
er verstümmelt, anzuführen. Er ladet endlich seine
Landsleute ein, ihre Fesseln zu brechen, zeigt ihnen an,
daß in Spanien, in Rußland, in Frankreich zum Sturz
der Regierung alles in Bereitschaft ist ꝛc. “

„Dies vorgebliche Partheihaupt, das eine blühende, ruhige Gegend von dem Joche des Atheismus und
der Räuberei befreien will, ist ein ehemaliger Venetia-
nischer Edelmann, der, trotz seines Vermögens und seiner Geburt, von dem Venetianischen Senat wegen seiner anti=socialen und anti=religiösen Meinungen ver-
bannt worden war. Nachdem er Mühe und Geld ver-
schwendet hatte, um in seinem Vaterlande die revolu-

tiendren Ideen von 1798, die ein Gegenstand der allgemeinen Verachtung geworden sind, zu verbreiten, schiffte er sich auf ein Englisches Fahrzeug ein, und beging am Bord so ernsthafte und gefährliche Thorheiten, daß der Capitän sich genöthigt glaubte, ihn auf eine Schaluppe zu setzen, und ihn an der afrikanischen Küste auszusetzen. Er irrte eine Weile in Afrika umher, ging dann nach England zurück, und von da nach dem festen Lande; im Jahre 1804 lag er in Schleswig krank, und sagte laut, die Engländer hätten ihn vergiftet. Alsdann irrte er im nördlichen Deutschland herum, ohne Hoffnung, ohne Freunde, ohne Vaterland, und hatte keinen andern Zufluchtsort, als Hospital und Narrenhaus."

"Der von ihm geschriebene Brief ist der Traum einer kranken Einbildungskraft, und kann nur diejenigen in Verwunderung setzen, denen es unbekannt ist, daß Zenobio seit langer Zeit seiner Sinne beraubt, und, so zu sagen, von der menschlichen Gesellschaft getrennt ist."
(L. d. B.)

Paris, den 22. Februar.

Die Entbindung Ihrer Majestät der Kaiserin wird in kurzem erwartet.

Der Oberst Eugen von Montesquiou, ältester Sohn des Ober-Kammerherrn, der beim 13. Chasseur-Regiment mit vieler Auszeichnung diente, ist mit Tode abgegangen.

Von den Gemälden, die im Museum Napoleon nicht gebraucht werden, haben Se. Majestät befohlen, 108 an die großen Kirchen zu Paris und 209 an die Städte Lyon, Dijon, Grenoble, Brüssel, Caen und Toulouse zu vertheilen. (L. d. B.)

Düsseldorf, den 14. Februar.

Zu Bonn hat man, wie es heißt, die Nachricht erhalten, daß der Kaiser beschlossen habe, diese ehemals so blühende Stadt zu einer Festung vom ersten Range

zu erheben. Zur Anlegung der Werke, die sehr aus-
gedehnt seyn sollen, sind bereits die Gelder angewiesen. (L. d. B.)

––––––

Augsburg, den 21. Februar.

In Europa findet man hie und da Biber (Casto-
re), aber doch nur sehr selten. Seit ein paar Jahren
wurden, eine kleine Meile oberhalb hiesiger Stadt am
Lech, einige dieser merkwürdigen Thiere verspürt, die
man sonst in unserer Gegend nur dem Namen nach
kannte. Jetzt scheinen sie sich beträchtlich vermehrt zu
haben. Denn man bemerkt nicht allein einige Dämme,
die sie in den Armen des Lechs unter dem Wasser an-
legten, sondern es entstehen auch in den benachbarten
Waldungen sichtbare Lücken, weil sie in denselben eine
Menge junger Bäume mit ihren scharfen Schneide-
zähnen fällen. Man wird diese Biber nicht auszurot-
ten, sondern nur ihre allzustarke Vermehrung zu hindern suchen. (L. d. B.)

––––––

Petersburg, den 15. Februar,

Am 9. wurden in Gegenwart Sr. Majestät, des
Kaisers, auf dem hiesigen Admiralitäts-Werfte die
Kiele zu zwei Fregatten von 44 Kanonen gelegt, wel-
che die Namen Autroil und Archipelagus erhielten.

Der wirkliche geheime Rath, Fürst Alexei Kurakin, ein Bruder des am Kaiserl. Französischen Hofe
residirenden Russisch-Kaiserl. Ambassadeurs, bisherigen
Ministers des Innern, ist auf seine Bitte entlassen.
Der geheime Rath und Senateur, bisheriger Minister-
College des Innern, Herr von Kosabawlew, ist an die
Stelle desselben zum Minister des Innern ernannt.
Diese Ernennung erregt hier sehr viele frohe Erwartungen, indem Herr von Kosabawlew bereits während
der Abwesenheit des Fürsten Kurakin — welcher bekanntlich auf einer außerordentlichen Sendung nach
Paris abgeschickt war — die Geschäfte des Ministeri-
ums des Innern, zur Zufriedenheit Sr. Majestät und
mit angestrengtem Eifer fürs Beste der Nation, be-

sonders für die Beförderung der inländischen Industrie, mit anerkannter Uneigennützigkeit verwaltet
hat. (L. d. B.)

Hamburg, den 1. März.

Seit einigen Tagen passiren durch Hamburg viele
Marine-Offiziers Sr. Königl. Dänischen Majestät an
der Spitze von Detaschements, die in Matrosen aus
Dännemark, Jütland, Norwegen, Schleswig und Hol-
stein bestehn. Letztere sind von dem Divisions-Chef der
Marine, Herrn Kammerherrn von Watersdorff, ausge-
hoben worden.

Herr Lars von Fabricius, Linienschiffs-Capitain
Sr. Dänischen Majestät, ist gleichfalls durch hiesige
Stadt nach Antwerpen passirt.

Diese verschiedenen Detaschements wurden von den
Herren Uldal, von Kaas, den Fregatten-Capitains Hrlst,
Waarendorff, und dem Linienschiffs-Lieutenant Kinck an-
geführt.

Jedermann läßt dem guten Geiste dieser Detaschements Gerechtigkeit widerfahren, die viele Zufriedenheit darüber bezeugten, daß sie von ihrem Souverain
den Auftrag erhalten, mit den Soldaten des Kaisers
Napoleon zu der Freiheit der Meere mitzuwirken.

Die Treulosigkeit der Engländer gegen den Souverain der Dänischen Nation, der Brand von Copenhagen, der im vollen Frieden erfolgte und der nicht
weniger treulose Raub der Dänischen Kriegsschiffe,
sind dem Gedächtnisse dieser Seeleute von allen Graden
eingeprägt.

Sie werden, wenn sich die Gelegenheit dazu zeigt,
durch ihren Muth alle demjenigen entsprechen, was
der loyale Souverain Dännemarks von ihnen erwartet; sie werden der Dänischen Flagge Ehre machen.

Berliner Abendblätter.

Berlin, den 7ten März 1811.

Bülletin der öffentlichen Blätter.

Paris.

**Pariser Blätter enthalten folgende Erzählung
aus Metz:**

„In unserm Departement haben verschiedene Dieb=
stäle statt gehabt; unter andern ward die St. Vincent=
Kirche zu Metz ihrer heiligen Gefäße beraubt, und zu
Saarbruck ein Kaufmann ansehnlich bestohlen. Ein
gewisser Garon aus Lyon, Mitschuldiger des erstern
Verbrechens und alleiniger Urheber des letztern, kam
vor vierzehn Tagen durch Metz, ward erkannt und fest=
genommen; er hatte noch alle zu Saarbruck gestohlne
Sachen bei sich. Sein Prozeß war beinahe zu Ende,
und es ward im Justiz=Pallast das letzte Verhör mit
ihm gehalten; da benutzt er einen günstigen Augen=
blick, schleicht sich an die Thüre, geht hinaus, dreht
geschwind den Schlüssel um, und schließt Wache, Huis=
sier, Greffier und den Direktor der Jury ein. Nun
wendet er sich gegen das Thor der Insel Saulen, wo
er durch die Mosel zu waten hoffte; als er aber fand,
daß das Wasser zu tief war, ging er durch das
Thor wieder in die Stadt hinein. Die Schildwache
fragte ihn, wer er wäre? Er gab sich für einen Schu=
ster=Gesellen aus, der Arbeit suche. Da aber sein gan=
zes Wesen verdächtig schien, so faßte ihn die Schild=
wach rasch beim Kragen, und sagte: „Fort auf die
Polizei." Garon antwortete ganz kaltblütig: Ihr
braucht mich ja nicht so anzuschreien, ich gehe mit
euch; doch ihr könnt mit gut fort, hier habt ihr mei=
nen Arm." Die Schildwache, die ein hölzernes Bein
hatte, faßte den Schelm unter den Arm, der sie denn
auch ruhig fortführte, bis er an einen Gang kam, der

nach dem Walle führt. Hier gab er dem Stelzfuß einen tüchtigen Stoß, schlüpfte in den Gang hinein, warf die Thür schnell ins Schloß, und entkam.

Baiern.

In einer Königl. Baierschen Verordnung vom 8. Dezemb wird festgesetzt, daß künftig das Fortrücken der Räthe und Individuen der Königl. Justizstellen in eine höhere Besoldungsgradation, so wie jede Beförderung, nur eine Auszeichnung im Dienste seyn soll. Das bloße Dienstalter gewährt keinen Anspruch auf höhere Beförderung und nur bei gleicher Qualifikation mehrerer Konkurrenten soll darauf Bedacht genommen werden.

(K. f. D.)

Oesterreich.

Am 20. Jannar hielten die evangelischen Glaubensgenossen, sowohl Civil- als Militärstandes, in Olmütz zum ersten Male Gottesdienst. Bei dem Mangel an einem andern Orte wurde einstweilen der große Zeichnungssaal in der Artilleriekaserne auf dem Juliusberge dazu verwendet.

(K. f. D.)

Vor 8 Jahren wurde der Leichnam des Artillerie-Oberstlieutenants Vega, der ein ausgezeichneter Mathematiker war, von der Donau ausgeworfen, und man glaubte, er sei bei dem Baden ertrunken. Vor Kurzem bemerkte man bei einem Artilleristen in Wien das silberne Reißzeug des Oberstlieutenants Vega. Der Artillerist gab auf Befragen an, er habe das Reißzeug von dem Hausknecht bei dem Wirth am Spitz über der Donau geschenkt erhalten. Der Hausknecht bejahete es und legte auf weiteres Befragen folgendes Geständniß ab: Der Oberstlieutenant Vega sei zu seinem Dienstherrn gekommen, habe demselben 200 Dukaten für ein Pferd hingezahlt und solche wieder eingestrichen, weil der Verkäufer auf 130 Dukaten bestanden sei. Er, der Hausknecht, habe dieß bemerkt, dem Oberstlieutenant auf dem Rückweg aufgelauert

und ihn todt geschlagen, beraubt und in die Donau
geworfen.   (K. f. D.)

———————

Sachsen, den 22. Februar.

So viel im Publikum verlautet, betragen die er-
höhten Auflagen, die das Königreich Sachsen tragen soll,
auf die nächsten 6 Jahre 12 Millionen, also jährlich
2 Millionen mehr als vorher. Es scheint noch nicht
entschieden zu seyn, auf welche Weise sie aufgebracht
werden sollen. Die Ritterschaft ist in zwei Partheien
getheilt, davon die eine ihre alten Freiheiten und Ge-
rechtsame mit Hartnäckigkeit versicht, die andere aber
billige und liberale Gesinnungen hegt, wie sie die Zeitumstände erheischen. Der König scheint, seinen bekannten edlen Grundsätzen nach, von der unbeschränkten
Macht, die ihm jetzt als Souverain zusteht, keinen Gebrauch machen zu wollen, sondern zu erwarten, daß
die Ritterschaft von selbst sich in eine neue Ordnung
der Dinge füge, wie sie die Zeitumstände erfordern.
Es wird sich nun zeigen, welche Parthei die Oberhand
behalten wird. Sollte die erstere durchdringen, so
scheint dennoch die Ritterschaft einen großen Theil der
neuen Lasten über sich nehmen zu müssen, wenn sie
auch bei ihren bisherigen Freiheiten, verwahrungs-
weise, sich erhalten sollte.

Der Herr Generallieutenant Thielemann ist von
Sr. Maj. dem Kaiser Napoleon zum Commandeur bei
der Ehrenlegion ernannt worden, womit 1000 Franken
Einkünfte verbunden sind.   (K. f. D.)

———————

Miscellen.

In Stockholm zieht jetzt ein Federkrieg ganz besonderer Art die Aufmerksamkeit des Publikums auf
sich, und droht ernste Folgen zu haben. Der General
Adlercreuz hatte nämlich, wie bekannt, in seinem Bericht an den König über den Aufruhr bei der Ermor-
dung des Grafen Fersen behauptet, die Garnison von
Stockholm sei jederzeit Beschimpfungen von Seiten
der Bürger ausgesetzt gewesen. Dagegen erhob sich
ein Anonymus in einem Stockholmer Blatte, und

führte zum Beweise des Gegentheils an, daß der General Adlercreuz selbst, bei seiner Rückkehr aus dem Feldzuge von Finnland, mit großen Ehrenbezeigungen von den Bürgern Stockholms empfangen worden sei, obgleich man von seinen Thaten nichts wüßte, als was er in seinen eigenen Berichten selbst davon gerühmt hätte.

Hierauf bot der General Adlercreuz in öffentlichen Blättern eine Prämie von 100 Rthlr. Banco auf die Entdeckung des Verfassers dieses Aufsatzes aus, den er zugleich für einen schändlichen Verläumder erklärte. Der Anonymus trat nun von neuem auf, und erbot sich, seinen Namen selbst zu entdecken, wenn es der General verlangte, wobei er sich aber vorbehielt, daß die Prämie an arme und verhungernde Soldaten von der weiland Finnischen Armee ausgezahlt würde, welche die Siege erfochten hätten, die den Ruhm des Generals ausmachten. Die Vertheilung dieses Geldes, wünschte er zugleich, möchte dem General Sandels übertragen werden. Darauf hat der General Adlercreuz den Betrag der Prämie deponirt, und der berühmte Grevesmöhlen, bekannt wegen eines außerordentlich wichtigen Prozeß s gegen die Zoll-Arrende-Societät, den Grafen Ugglas und mehrere andere, hat sich öffentlich als den Verfasser jenes Aufsatzes angegeben. Man ist auf den Ausgang dieser Sache äußerst begierig.

———————

Am 25. Jannar fiel ein 18jähriges Mädchen, Namens Wery aus Huy, in die Maas. Der Postbeamte Bourgeois wollte sie retten, wäre aber selbst bald ein Opfer seiner Menschenliebe geworden, wenn ihm nicht noch zu rechter Zeit der junge Dequinze geholfen hätte.

———————

In den ersten Tagen des Monats Februar wurde zu Lyon ein Kind getauft, dessen Pathe 87 Jahre und die Taufpathinn 105 Jahre zählte.

———————

Berliner Abendblätter.

Berlin, den 8ten März 1811.

Bülletin der öffentlichen Blätter.

Paris, den 7. Februar.

An dem heutigen Tage haben JJ MM den von dem Herzoge von Rovigo, Minister der Generalpolizey, gegebenen Ball paré mit Ihrer Gegenwart beehrt. Ihre Kaiserl. Hoheit, die Prinzessinn Pauline, die Großwürdenträger, welche sich zu Paris befinden, die Minister, die Botschafter, haben ebenfalls demselben beigewohnt. Man hätte keine glänzendere Gesellschaft zusammenbringen, noch mit mehr Geschmack so viel Pracht und Anmuth mit einander verbinden können. JJ. MM. welche um halb eilf Uhr angekommen waren, begaben sich um Mitternacht wieder nach Ihren Hotels. Der Ball dauerte bis 4 Uhr Morgens.

Den 8. gegen 2 Uhr Nachmittags kamen S. M., bloß von dem Herzoge von Friaul begleitet, in einem einfachen zweispännigen Wagen, ohne Bedeckung, auf der Brücke Austerlitz an. Se. Maj. stiegen aus dem Wagen, setzten sich zu Pferde, besahen die Arbeiten des Quai Rappe, und besuchten das Schloß Bercy. Der Wagen erwartete Allerhöchstdieselben am Ende der Brücke. Eine halbe Stunde nachher kam der Kaiser zurück, passirte, noch immer zu Pferde, die Brücke, ritt den Quai St. Bernhard hinunter, wo er die Halle der Hospizien, oder die Wein-Niederlage und den Markt besuchte. Se. Maj. stiegen wieder in den Wagen, und fuhren über die Insel St. Ludwig. Allenthalben, wo Se. Maj. durchkamen, ertönte die Luft von dem gewohnten Ausrufe: Es lebe der Kaiser! Se. Maj. geruheten, huldreich zu grüßen.   (W. Z.)

Oesterreich.

Die Reise eines hohen Prinzen auf seine Güter in Ungarn veranlaßte sonderbare Gerüchte, die sich, wie zu erwarten war, nicht zu bestätigen scheinen. Anfangs hieß es, diesem Prinzen sei eine der ersten Stellen in Ungarn zugedacht, wogegen er das Majorat seinem nachgebohrnen Herrn Bruder abtreten werde. In der Folge erzählte man sich, er sei von Ungarn aus heimlich über die Grenze in die Türkei gegangen, an der Grenze von 48 Spahis ehrerbietig empfangen, von solchen bis Thessalonich begleitet worden, und von da auf einem englischen Schiffe nach Palermo gesegelt, um die von seinem erhabenen Verwandten und Monarchen bisher ihm verweigerte Vermählung mit einer Königl. sicilianischen Prinzessinn zu vollziehen. Man setzte hinzu, ein großer Theil des väterlichen Vermögens dieses Prinzen liege in der englischen Bank. Dies ist eine von den mehreren auffallenden Unrichtigkeiten, wodurch sich die ganze Erzählung als Mährchen auszeichnet; denn es ist bekannt, daß der Herr Vater dieses Prinzen zwar eine Million Scudi baares Geld und 700,000 Dukaten in der Wiener Bank hinterlassen, in der Londoner Bank aber nichts angelegt gehabt hat.   (K. f. D.)

Die Dänischen Kriegsgefangenen in England.

Ihre Anzahl beträgt mehrere Tausende, unter denen viele Familienväter sind, die durch ihre lange Abwesenheit gänzlich verarmen, und deren Frauen und Kinder in Dürftigkeit schmachten. Die mehresten von ihnen sind nicht durch das Loos des Krieges in Englische Gefangenschaft gefallen, sondern wurden vor dem veranlaßten Friedensbruch in England zurückgehalten, und in Chatham und andern Orten auf Gefangenschiffe eingekerkert, wo, schrecklich zu denken, gegen tausend Menschen seit Jahren auf einem Schiffe zusammengehäuft sind. So sehr das meerumflossene, schiffeberaubte Dännemark verarmt, so bleibt der Nation ortwährend der Ruhm, mit am mehrsten unter allen Europäischen Völkern für ihre unglücklichen Seekrieger zu thun und zu sorgen. Fast nirgends sind so große Summen subscribirt, wie in Dännemark nach dem 2. April 801., und die Dänische Staatszeitung enthält auch während dieses Krieges einen stehenden Artikel über solche freiwillige Opfer des Patriotismus. Mögen sie das Verhängniß beschwören, und Freiheit und Recht dem Volke erhalten helfen!

Einer der Männer, die vorzüglich thätig für die Gefangenen sich zeigen ist der Dannebrogsmann und Schauspieler, Herr Knütsen, der, wie ein Skalde der Vorzeit, voriges Jahr das Land durchzog, und durch seine Lieder und Gesänge den Nationalgeist für die Gefangenen ansprach. Gegen die Zeit des Geburtstages des Königs, im Januar, hatte er wieder in dem Copenhagener Schauspielhause ein Fest veranstaltet, um ihnen die Einnahme davon zuzuwenden. Wie der Vorhang aufrollte, hörte man in der Ferne den Dänischen Salut mit Kanonenschüssen, und sah im Hintergrunde die Abbildung des Schiffes, welches die Dänen aus den Trümmern des Linienschiffes gebauet haben, das die Engländer auf dem Werfte bei ihrem Abzuge zerstörten. Auf dem Hintersteven brannte im Transparent der Name Phönix. Auf beiden Seiten standen festlich geschmückt: Schiffszimmerleute mit ihren Geräthschaften, feste und enrollirte Matrosen, Kanoniere und Soldaten, die größtentheils entweder das Dannebrogskreuz, oder die Medaille vom 2. April 1801 oder für 25jährige Dienste trugen. Unter sie trat Knutzen, als der freiwillige Sänger des Vaterlandes, und sprach einen Prolog von dem Professor Oehlenschläger. Er hatte die glückliche Idee, dabei das Schiff vorzuzeigen, welches die in Schottland sich befindenden Dänischen Gefangenen aus Knochen und Haaren gemacht, und ihrem Könige aus ihrer Gefangenschaft gesandt hatten, und auf welches der Prolog anspielte, der mit einem beliebten Volksliede, von welchem die Versammlung auf der Bühne den Refrain mitsang, und mit dem Ausruf des ganzen Hauses: Gott erhalte den König! schloß Hierauf wurde ein National Ballet, Rolff Blaskieg, mit vieler Pracht aufgeführt, und ein von dem Herrn N. T. Brun abgefaßter Epilog endigte das Ganze.

(Der Schluß folgt.)

Badajoz.

Badajoz, die Hauptstadt des spanischen Estremadura, liegt an der Guadiana, und ist eine der wichtigsten Grenzstädte gegen Portugal. Sie ist immer als der beste Waffenplatz dieses Theils der Grenzen der spanischen Monarchie angesehen worden. Ihre F.stungswerke wurden indeß nie sorgfältig unterhalten. Die umliegende Gegend kann durch die Guadiana unter Wasser gesetzt werden. Die Stadt hat eine Stückgießerei und wohlversehene Arsenäle. Ihre Bevölkerung beträgt nicht über 22,000 Menschen. Die große und einzige schöne Heerstraße von Madrid nach Lissabon geht über Badajoz. Fünf Stunden von da liegt die starke portugiesische Festung Elvas. Zu Badajoz ist eine schöne, von den Römern über die Guadiana erbaute, Brücke. Don Juan von Oesterreich, ein natürlicher Sohn Kaisers Karl des Fünften, der eine Zeitlang Generalgouverneur der Niederlande war, erfocht 1561 einen ausgezeichneten Sieg über die portugiesische Armee, welche über diese Brücke vordringen wollte; ein Theil der portugiesischen Truppen ertrank in der Guadiana.

Böses Gewissen.

Ein junger Mann stand im Parterre der Pariser-Oper. Er will nach der Uhr sehen, wie spät? — fort ist sie. Er sucht in Weste und Beinkleidern. Umsonst. Sie mußte ihm heraus gezogen sein. — Von ungefähr betrachtet er seinen Nachbar, der ihn in dem gleichen Augenblick seitwärts beobachtete. Der Mensch sah verdächtig aus, und stand dicht neben ihm. Der Bestohlene machte kurzen Prozeß, und sagte zu dem Nachbar: „Herr, geben Sie mir meine Uhr wieder, oder ich lasse Sie arretiren.“ — Dieser flüsterte zurück: „Da haben Sie sie; aber ich bitte Sie, machen Sie mich nicht unglücklich.“ — Als der junge Mensch nach Hause kam, war er natürlich sehr verwundert, seine Uhr auf dem Gesimse des Kamins liegen zu sehen, wo er sie vergessen hatte, und eine andere in seiner Tasche zu finden.

Berliner Abendblätter.

Berlin, den 9ten März 1811.

Bülletin der öffentlichen Blätter.

Burgos, den 15. Februar.

Wir freuen uns hier schon des herannahenden Früh-
lings. Die Erde ist schon grün. Die Felder sind wie
im Frieden bestellt, und unsere Städte sind mit Einwohnern angefüllt. Die Bewohner der Provinzen bitten Gott um die Fortdauer der jetzigen Ruhe und Sicherheit. Die unglückliche Gährung, welche in Spanien glimmte, hat fast allenthalben sehr abgenommen.
Unter uns hat sie schon lange nicht mehr existirt. Wir
leben von neuem unter dem Schutze der Französischen
Truppen auf, und mit dem größten Leidwesen würden
wir sie von uns sich entfernt sehen. Sie schützen uns
vor den Brigands, die es nicht mehr wagen, sich zu
zeigen, sondern sich in den Gebürgen verbergen. Sie
haben aus Erfahrung gelernt, daß sie von unsern
Bauern nichts zu hoffen haben. Unsere Felder und
Straßen sind beinahe eben so sicher, als unsere Städte.
Wenn einige Elende es wagen, sich in den Thälern zu
zeigen, welches doch selten der Fall ist, so erndten sie
keine andere Früchte von ihren ängstlichen Streifereien,
als daß sie einen Courier oder einige einzelne Menschen
ausplündern. Diese Vorfälle waren ehedem häufiger,
als jetzt. Die Franzosen führen allenthalben Ordnung
und eine gute Polizei ein.   (L. d. B.)

Paris, den 25. Februar.

Obgleich sich die Kaiserinn im neunten Monate
ihrer Schwangerschaft befindet, so hat sie doch noch am
24. die Messe in der Capelle der Tuillerien gehört.
Man glaubt, daß Ihre Majestät bei ihrer bevorstehen-

ben Niederkunft ihre Zimmer nun nicht mehr verlaſſen werden. Sie befindet ſich übrigens ſehr wohl und iſt auch nicht ein einziges Mal unpäßlich geweſen.

Se. Eminenz, der Cardinal Maury, haben eine Ordonnanz erlaſſen, wie es gehalten werden ſoll, um bei der Entbindung Ihrer Majeſtät der Kaiſerinn die Gebete in allen Kirchen von Paris gleichzeitig zu verrichten. (L. d. B.)

Die Däniſchen Kriegsgefangenen in England.

(Schluß.)

Der Schauplatz ſtellte eine waldige Gegend vor, nach alter Sitte des Landes, voller Denkſteine mit Inſchriften. Zunächſt der Königl. Loge ſtand ein Denkmal für Willemoes und die andern auf dem Kriegsſchiffe Prinz Chriſtian gefallenen Krieger. Ein anderes ſtand g. genüber für die Vertheidiger Norwegens. Ein dritter Stein für diejenigen errichtet, die auf den Kanonenböten im Kampf mit dem feindlichen Linienſchiffe, der Afrikaner, geblieben waren. Auf der Mitte der Bühne erhob ſich das Denkmal für die in der Schlacht gegen Nelſon getödteten Vaterlands-Vertheidiger. Andere Steine waren denjenigen Bürgern geweiht, die in der Schreckensnacht vom 5. September 1807 auf den Wällen von Copenhagen, und die bei den Ausfällen gegen die Belagerer gefallen waren. Bei jedem Todtenmale ſtanden zwei weißgekleidete, myrthenbekränzte Mädchen, mit Lorbeerkränzen in den Händen. Unter ſie trat Herr Knutſen, wie ein achtzigjähriger Seemann, mit einem hölzernen Beine und der Ehren-Medaille aus der Nelſon-Schlacht, und ſprach einen Epilog, worin er kurz das Schickſal ſeiner Söhne, die alle dem Vaterlande ſich geweihet hatten, erzählte. Während der Greis mit Rührung Abrahamſons ſchönes Grablied auf gefallene Krieger ſang, bekränzten die Mädchen bei dem letzten Vers die Denkſteine mit den Lorbeerkränzen, und ein Hurrah! des Enthuſiasmus für den König worin alle einſtimmten, durchdrang das Haus.

Der König und die Königl. Familie verſchönerten das National-Feſt durch ihre Anweſenheit. Das Haus war gedrängt voll, und überall sah man Seeleute und Seekrieger, die sich beeiferten, bei dem Genuß der reinsten Freude das harte Schicksal ihrer gefangenen Brüder zu lindern. Nach dem Prolog waren im Parterre und in den obern Logen Plätze für diejenigen Krieger, die an dem Prolog Theil genommen hatten, bereit, wo sie Zeugen waren, wie die Nation ihre Krieger ehrte. Im Troz des Druckes der Zeiten zeigte sich der Dänische Edelmuth an diesem Tage im schönsten Lichte. Die Copenhagener Bürger-Bewaffnung nahm ein Billet, und bezahlte es mit 4285 Rthlr. Der Monarch selbst gab 1000 Rthlr., der Geheime Rath Rosenkranz 600 Rthlr., viele Privatleute sehr bedeutende Summen, und einige dem Schiffbruche so eben entronnene Seeleute 280 Rthlr.

Möge dies schöne Beispiel in unserm und den alliirten Ländern für die Gefangenen jedes Volkes nicht ohne Folgen seyn! Abgebrochen sind die Unterhandlungen der Auswechselung: ohne sichtbare Hoffnung der Rückkehr die gefangenen Krieger; nicht die Zeit mildert, sie verherbt ihre Gefangenschaft. Was ein einzelner Mann vermag, daß er ohne eigenes Vermögen dennoch fürstlich geben kann, das hat Herr Knutsen früherhin, wie er das Land durchreisete und Concerte gab, und jezt durch das eben beschriebene, von ihm gestiftete Fest bewiesen, dessen Ertrag er die Freude hatte, seinem Monarchen an dessen Geburtstage mit 13000 Rthlr. zu überreichen.

Moden.

(Paris.) Die Kopfzierden in Galla müssen alle eine antike Form haben, und mit Diamanten, Perlen oder Blumen geziert seyn. Für die Zirkel und Spektakel kann der Puzmacher gefärbte Steine, einen ganzen oder halben Turban anwenden, und Blumen mit Kreppe, Sammt oder Lahn gatten, wenn er nur die Regel beobachtet, die Farbe der Blumen, Perlen xc. nach der Robe zu wählen. Bei den Modehändlern sieht man, wie gewöhnlich, weiß, rosenroth, grau, gelb, wenig himmelblau, grün fast gar nicht, und die Federn stehen mit den Blumen in gleichem Kredit. Die zwei Manieren, die Federn zu stecken, sind dieselben auch bei den Blumen, d. h. eine Schnur an der Passe in weiter Entfernung von der Verbrämung, oder ein Bouquet an der linken Seite der Passe. Unter den Blumen unterscheidet man weiße Rosen, Moosrosen und Rosen de Provins. Einige schwarzsammtne Kapots haben um sich herum eine kleine Rundschnur von Gold, und statt des Tülls eine schwarze Spitze zur Garnitur. — Der Luxus der Zimmerverzierungen ist außerordentlich gestiegen. Sonst begnügte sich die Bürgersfrau mit gemalter Leinwand in ihrem Schlafzimmer, die vornehme Dame mit Seidenstoff; jetzt verlangt die Geringste der Erstern Seide in ihrem Zimmer Nun sind nicht nur die Wände tapezirt, sondern auch der Plafond, und dieß nicht einfach, sondern in Falten geworfen, daß man wenigstens noch einmal so viel braucht. Zieht man nun die übrigen Verzierungen, als doppelte Vorhänge, Draperien, Franzen 2c. in Betracht, so findet man, daß jetzt ein Zimmer zu meubliren mehr kostet, als sonst ein ganzes Logis, ohne von den Kommoden, die sonst eingelegt waren, nun von Mahagonyholz von außen, und von innen von wohlriechendem Holze seyn müssen, um die Wäsche der Damen zu parfümiren, — von den Betten mit goldbronzirten allegorischen Figuren, von den Spiegeln à la Psyché, worin man seine ganze Figur sehen kann, zu reden. Und dieser Somno, ein Meubel, das man sonst sorgfältig verbarg, und womit man jetzt Parade macht, mit Blumenvasen auf dem Deckel, und jener über dem Bette der Schönen schwebende, und über sie wachende Schwan mit goldenem Halse, wie er mit seinem Schnabel die mit Rosen und Mohn gezierten Bettvorhänge hält!

1811.   No. 59.

Berliner Abendblätter.

Berlin, den 11ten März 1811.

Bülletin der öffentlichen Blätter.

Paris, den 25. Februar.

Am 12. ist die Sloop, the Friends, die am 3. von Lissabon, mit Citronen und Orangen beladen, abfegelte, in Boulogne eingelaufen; sie war von dem Kaper le Rancunier genommen. Der Englische Capitain hat dem Begräbniß von Romana beigewohnt.

Am nämlichen Tage wäre beinahe ein Englischer Parlamentair, der mit 232 Französischen Kriegsgefangenen von der Insel Napolean kam, beim Einlaufen in Morlaix verunglückt. Von allen Seiten kam man herbei, um die Schiffbrüchigen zu retten; die Behörden waren dabei wetteifernd thätig.   (L. d. V.)

Amsterdam, den 2. März.

Den 30. December haben drei Seeleute von dem Schiffe Vrouw Hendrike, das von Bergen in Norwegen nach Dordrecht bestimmt und von der Englischen Fregatte la Desirée genommen worden war, nicht nur Mittel gefunden, aus ihrer Gefangenschaft zu entwischen, sondern auch eine gegen sie doppelt stärke Anzahl von Engländern zu Gefangenen zu machen. Als nämlich eine Englische Schaluppe mit 6 Mann an Bord des Schiffes gekommen war, benützten diese Tapfern den günstigen Augenblick, und bemächtigten sich des Steuers, an dem sie sich behaupteten, und mit dem Schiffe an der Küste der Insel Ameland auf den Strand liefen. Nicht zufrieden, auf diese Art den Engländern ihre Beute entrissen zu haben, übergaben sie ihre Gefangenen der Gensd'armerie, um sie in das allgemeine Depot der Englischen Gefangenen zu bringen, und ent-

234

fernten sich, ohne ihre Namen anzugeben. Man hat
Nachforschungen halten müssen, um sie zu entdecken.

(L. d. B.)

————

Madrid, den 1. Februar.

Die vom Lager vor Cadix eingetroffenen Nachrichten melden, daß man mit der größten Thätigkeit an
der Expedition gegen die Insel Leon arbeitet, deren
Eroberung den Fall von Cadix nach sich ziehen wird.
Diese Expedition kann nur vermittelst einer Landung
bewerkstelligt werden. Zu diesem Behuf versammelt
sich zu Puerto Real eine zahlreiche Flottille. Inzwischen fährt man Tag und Nacht fort, die Französischen
nahe bei Puerto-Real aufgefahrnen Batterien spielen
zu lassen. Es befinden sich bei der Insel Leon verschiedene feindliche Schiffe, die sich nicht entfernen können,
ohne dem Feuer der Batterien ausgesetzt zu seyn. Die
Franzosen haben die Stadt Leon außerordentlich geschont; sie hätten diese leicht in einen Aschenhaufen
verwandeln können. Von der Halb-Insel Trocadero
wird Cadix mit neuer Thätigkeit bombardirt. Durch
die im Osten von Matagorda liegenden Forts Napoleon und Louise wird der Stadt hart zugesetzt, und
di se verhindern auch, daß sich die Engländer ihr zu
nähern wagen. Es kommen fortdauernd Englische und
Spanische Ueberläufer an.   (L. d. B.)

————

Stockholm, den 22. Februar.

Der Oberstatthalter rc. Skjöldebrand hat in die
Zeitung: „Dagligt Allehanda,“ Folgendes einrücken
lassen: „Da die Ordres Sr. Königl. Majestät an mich
enthalten, daß zu der Zeit des Tags, wenn die Wacht-
Parade aufgestellt wird und auf dem Schloßhof defilirt.
keine ungebührende Person sich daselbst aufhalten soll:
so habe ich die Ehre, den Herrn Oberstatthalter, General-Major und Commandeur zu ersuchen, diesen gnä-
digen Befehl in den Zeitungen publiziren und zugleich
zu erkennen geben zu lassen, daß die Schildwachen, die
bei dieser Gelegenheit an der Schloßpforte angestellt
sind, anzeigen werden, wann die Passage wieder zuge-

standen iſt. An ſolchen Tagen, wo Se. Königl.
Hoheit der Kronprinz ſelbſt ſich auf der Wacht-Parade
einfinden, wird der Befehl Sr. Königl. Hoheit jedesmal eingeholt, ob Zuſchauer daſelbſt eingelaſſen werden. Stockholms Schloß, den 15. Februar 1811.

L. B. Peyron,
befehlhabender General-Adjutant in
Stockholm.

Unterm 4. dieſes haben Se. Majeſtät den Kammerherrn, Grafen Axel de la Gardie, zum Landeshaupt-
mann in Chriſtiansſtadt Gouvernement an die Stelle
des Freiherrn von Nolcken ernannt, der auf Anſuchen
ſeinen Abſchied erhalten hat.

In einer frohen Geſellſchaft ereignete ſich vor einigen Tagen der traurige Vorfall, daß einer von den
Gäſten auf der Stelle getödtet und ein anderer ſo hart
verwundet wurde, daß auch er jetzt ohne Beſinnung
und Hoffnung darnieder liegt. Letzterer nämlich, ein
70-jähriger Greis, ſtieg in der Freude ſeines Herzens
auf eine Handleiter, welche im Saal zu ſtehen pflegte,
um Lichtkrone und Decoration in Ordnung zu erhalten; da nun dieſe zu ſchwanken anfing, ſo wollte Er-
ſterer hinzuſpringen und ſelbige aufhalten, kam jedoch
zu ſpät und wurde erſchlagen, während der ſo hoch
Geſtiegene herunter ſtürzte und mehrere Rippen zerbrach. Heute feiert die mit fünf Waiſen hinterlaſſene
Wittwe das Begräbniß ihres allgemein betrauerten
Gatten.   (L. d. B.)

Anekdote.

Die Abbé's Bernis und Montazet waren innige
Freunde, aber ſehr arm. Einſt machte Bernis, in einer ſchlafloſen Nacht, Verſe auf die Pompadour, und über-
ſandte ſie am andern Morgen. Gleich darauf wurde
er von der Pompadour zum Mittageſſen eingeladen und gefiel der Hausherrinn. Nach Tiſche ſchlug die Pompadour
ein Spiel vor. Bernis entſchuldigte ſich. D e Pompadour,
die ſeinen Geldmangel kannte, bot ihm ihre Börſe an.
Bernis blieb auf ſeinem Verweigern. Die Pompadour be-

sahl ihm endlich, die Ursache zu sagen. „Werfen Sie, gnädige Frau, sagte Bernis, Ihre großen, schönen Augen auf meine sammtnen Beinkleider." — ich verstehe Sie nicht," sagte die Pompadour erröthend. — „Ach, gnädige Frau, erwiderte Bernis, diese Beinkleider gehören mir nicht allein, sondern dem Abbé Montazet zur Hälfte. Wenn ich ausgehe, bleibt er zu Hause, und wenn er ausgeht, ich   Nun muß er diesen Abend unvermeidlich einen Besuch abstatten, ich habe ihm versprochen, um 6 Uhr zu Hause zu seyn. Sie sehen also, gnädige Frau, daß ich von Ihrer Güte nicht länger Gebrauch machen kann, ohne die Freundschaft zu verrathen." — „Gehen Sie, sagte hier auf die Pompadour, und sagen Sie Ihrem Freunde, daß sich bald jeder Beinkleider wird anschaffen können." — Am andern Morgen erhielt jeder eine Pension von 1000 Thalern; Bernis wurde bald Kardinal und Montazet Erzbischof von Lyon.

Miscellen.

In einer Stadt am Main wurde neulich ein allgemein geliebtes Mädchen beerdigt. Es war hübsch eingekleidet, hatte ein niedliches Kettchen um den Hals, und einen Ring am Finger. Hiernach lüsterte einen Bösewicht. Er öffnete das Grab, beraubte die Leiche, zerbrach ihr bei der Entkleidung den Arm, und stürzte sie wieder in den Sarg. Ihre Gespielinnen, die ihr am folgenden Tage noch eine Thräne auf den Hügel wollten fallen lassen, entdeckten die Verwüstung.

Von der Knippelsbrücke zu Kopenhagen stürzte am 4. Februar ein beladener Wagen ins Wasser hinab, weil das Pferd scheu ward, und sich mit großer Gewalt aufs eiserne Geländer warf, daß es zerbrach. Der Fuhrmann büßte dabei das Leben ein, aber Pferd und Wagen wurden geborgen.

Berliner Abendblätter.

Berlin, den 12ten März 1811.

Bülletin der öffentlichen Blätter.

Paris, den 1. März.

Der heutige Moniteur enthält Folgendes:

Nachrichten von der Armee in Spanien.

Armee in Catalonien.

Als der Commandant von Lerida Nachricht erhalten
hatte, daß der Feind ein kleines Corps, das in den engen Pässen von Monblanch stand, einige Bewegung
machen ließ, ließ er den 2. Januar ein Detaschement
von 400 Mann vom 29sten Jägerregiment zu Pferde
mit dem Befehle abgehen, das Dorf Anglesola zu besetzen und sich mit dem zu Tarrega, unter dem Commando des Obersten Villat, in Garnison stehenden Ca-
vallerie-Detaschement in Communikation zu setzen. Der
Spanische General Georget griff wirklich am 3. bei
Anbruch des Tages an der Spitze von 800 Pferden
und 1200 Mann Infanterie Tarrega an; die Garnison
war gleich zu Pferde, und stellte sich außerhalb der
Stadt, die sie zu verlassen Miene machte, in Schlachtordnung, um den Feind nach Belpuig zu locken, und
dem Detaschement vom 29sten Jägerregiment Zeit zu
verschaffen, im Rücken des Feindes anzulangen. Dieses Manöver gelang vollkommen. Der Feind hatte
versucht, unsere Leute durch Schüsse anzugreifen, die
vergeblich gewesen waren; er suchte sich von neuem zu
ordnen, als die 400 Jäger unvermuthet in seinen Flan-
ken und im Rücken erschienen; 300 Feinde wurden auf

dem Plaße niedergehauen. Der General Georget, der am Kopf verwundet, und von einem Jäge zu Boden geworfen worden, war mit 100 von den Seinigen gefangen gemacht: die übrigen, namentlich die Infanterie, hat in Unordnung nach Monblanch die Flucht genommen.

Die Obersten Maymat und Villate, nebst den Capitäns Famechon und Boulemagne und den Unterlieutenants Busque, Verton und Dapont haben sich ausgezeichnet

Der Jäger hat allein den General Georget zu Boden geworfen und gefangen genommen.

Armee von Arragonien.

Tortosa, den 11. Januar.

Der General Suchet läßt mit der größten Thätigkeit die Breschen von Tortosa ausbessern. Die Insurgenten hatten unermeßliche Summen verwendet, um die Festungswerke dieses Plaßes zu vermehren. Der Brückenkopf, ein vortreffliches Werk, ist völlig wieder hergestellt und mit Artillerie versehen.

Auch die Mündung des Ebro und der Hafen von Rapita sind in Vertheidigungsstand gesetzt worden.

O'Donell hat die Provinz verlassen und sich nach England eingeschifft.

Der General Musnier, der zum Gouverneur von Tortosa ernannt worden, läßt zu gleicher Zeit Teruel und Morella besetzen, und beobachtet die Trümmer der Valencianischen Armee.

Täglich legen die aufrührerischen Bauern ihre Waffen nieder und schwören auf das Evangelium, nicht länger gegen uns zu fechten.

Einnahme des Forts Balaguer.

Da der General Suchet den Schrecken benußen wollte, den die Einnahme von Tortosa eingeflößt hatte, so ließ er den General Habert mit seiner Division und vier Haubißen, den 8. Januar um Mitternacht, gegen das Fort des engen Passes Balaguer marschiren. Das Fort wurde, ohngeachtet der Hindernisse des Weges, bei Anbruch des Tages eingeschlossen und aufgefordert. Der Gouverneur verlangte vier Tage, und erbot sich, zu capituliren, wenn er während der Zeit keinen Succurs erhalten hätte; auf seine Antwort eröffnete unsre Artillerie gegen den Platz ein sehr gut unterhaltenes Haubitzenfeuer, während sechs Compagnien alle Aussen Posten verjagten und sie nöthigten, sich in die hohlen Wege zu stürzen. Da die Garnison, durch das Haubitzenfeuer bestürzt gemacht, Unentschlossenheit gezeigt hatte, so befahl der General Habert sogleich den Sturm; bald wurden die Palissaden umgerissen, und durch Hülfe einiger Leitern, und indem der eine auf den andern kletterte, erreichten unsere Soldaten die Schießscharten, und drangen in das Fort.

Der Schrecken wurde allgemein; ein Theil der Garnison stürzte sich nach der Straße von Tarragona; der Gouverneur, 13 Offiziere, 120 Soldaten blieben in unsrer Gewalt.

Arrondissement der Armee des Nordens.

Die Gegenwart des Herzogs von Istrien hat den Maaßregeln eine neue Thätigkeit gegeben, die genommen worden, um die Ruhe in den Provinzen wieder herzustellen, und sie gänzlich von den Ueberresten der Banden von Guerillas zu reinigen, welche den unglücklichen Einwohnern beschwerlich fielen.

In der Nacht vom 28 auf den 29. Januar wurde eine Diebesbande, die gegen den Weg von Vittoria zu im Hinterhalt lag, überrumpelt, und selbst die Bauern verhafteten 10 von diesen Bösewichtern nebst ihrem Chef, und lieferten sie aus.

Den 27. wurde der Posten von Cabezon, auf welchem der Capitän Daubenton kommandirte, von einem Haufen von allen Banden, die aus den Gebirgen von Asturien herausgekommen und sich zu Potus versammelt hatten, angegriffen. Der Capitän schloß sich in einem Hause ein, und vertheidigte sich mit seltener Unerschrockenheit, bis er Beistand erhalten hatte. Die Brigands haben 300 Mann auf dem Platze gelassen.

Da die beweglichen Colonnen avertirt wurden, verfolgten sie dieselben nach allen Punkten, und verließen sie nicht eher, als bis sie sie ganz aufgerieben hatten.

Den 10. wurde Ortiz mit 40 Mann, die ihm zu Villa Nova übrig blieben, auf dem Wege von Spinosa überfallen. Der Capitän Destcquois schloß die Stadt während der Nacht ein; kein einziger Mann entkam.

Der öffentliche Geist dieser Provinz bessert sich von Tage zu Tage. Die Insurgenten kehren nach ihren Dörfern zurück: die Pfarrer haben selbst die jungen Leute ihrer Dörfer zum Commandanten von Burgos geführt, und verlangt, daß man sie bei den Arbeiten am Fort gebrauchen möchte, um sie den Verfolgungen der Räuber-Chefs zu entziehen.

(Die Fortsetzung folgt.)

———

Wien, den 24 Februar.

Den Posthaltern von hier bis an die Bayersche Gränze ist der Befehl ertheilt worden, bei Tag und bei Nacht vier angeschirrte Pferde bereit zu halten, daß, wenn der Courier mit der Nachricht von der glücklichen Entbindung Ihrer Majestät der Kaiserinn von Frankreich ankommt, derselbe augenblicklich weiter befördert werden könne.

Mehrere Türkische Couriere nehmen jetzt den Weg von Paris nach Constantinopel und von da zurück nicht mehr, wie bisher, über Wien, sondern über Triest, weil er der nähere ist.

Miscellen.

Ein junger Künstler aus Neapel, und Zögling des berühmten Ritters Canova, Herr Villa-Reale, hat einen Amor von 5 Fuß Höhe verfertigt. Diese Bildhauerarbeit wird von allen Kunstkennern als ein Meisterstück angesehen, und ein Prinz von Rang hat bereits eine bedeutende Summe Geldes dafür geboten.

———

Berliner Abendblätter.

Berlin, den 13ten März 1811.

Bülletin der öffentlichen Blätter.

Paris, den 1. März.

Der heutige Moniteur enthält Folgendes:

Nachrichten von der Armee in Spanien.

Arrondissement der Armee des Centrums.

(Fortsetzung.)

Der General Lahoussaye hat Befehl erhalten, über
den Tagus zu gehen, und eine Parthei nach der Guadiana zu schicken, um sich mit dem 5ten Corps, das
mit der Belagerung von Badajoz beauftragt ist, zu
verbinden. Der General Lahoussaye hat sich den 24.
Januar mit einer Recognoscirung des 5ten von Merida
ausgegangenen Corps zu Miajada vereinigt. Er hat
in diesem Lande kein feindliches Corps angetroffen. 30
Räuber, die in den Gebirgen von Guadeloupe versteckt
waren, haben sich, nach einigen Gewehrschüssen, eiligst
zerstreuet.

Eine Division von der Armee des Centrums hat
Befehl erhalten, nach Alcantara zu marschiren, um mit
der Armee von Portugal zu communiciren.

Die von der Junta von Valencia in den inneren
Provinzen organisirte Räuberei hat durch die Einnahme
von Tortosa einen neuen Stoß erhalten. Da die Va-
lencianische Armee, welche um mehr als die Hälfte
vermindert ist, nicht mehr zur Vertheidigung dieser
von der Armee von Arragonien bedrohten Stadt hinreichen konnte, so hat sie alle Banden von Guerillas,

die die Provinzen von Cuença und Toledo unsicher
machen, zu Hülfe gerufen.

Arrondissement der Armee des Süden.

Belagerung von Cadix.

In den letzten Decembertagen haben sich 60 feindliche Kanonierschaluppen, welche von den Batterien
der Erdzunge gedeckt wurden, bis zur halben Schußweite Trocadero genähert, und von neuem versucht,
unsre Flottille durch das lebhafteste Haubitzen-euer
und mit Congrevischen Raketen in Brand zu stecken;
unsere Batterien haben den Feind aber bald zum Rückzug
gezwungen, nachdem sie ihm viele Leute getödtet und
verwundet, mehrere von seinen Schiffen beschädigt,
und eine Canonier-Schaluppe in den Grund gebohrt
hatten. Wir haben nur einen durch den Fall einer
Rakete verwundeten Offizier vom 5ten Regimente.

Seit Anfang des Januars nimmt der Feind alles
Holz von den Dächern der Magazine von la Carraque
ab; diese sonderbare Maaßregel kann nur von dem
äußersten Holzmangel, der in Cadix herrscht, eingegeben werden, oder ist von der Englischen Treulosigkeit
eingegeben worden, die keinen andern Zweck, als die
Zerstörung dieses wichtigen Arsenals, hat.

Zwei unserer Kaper haben sich in den Gewässern
von Rota und von San Lucar mehrerer mit Lebensmitteln nach Cadix bestimmten Kähne bemächtigt; sie
haben auch die Goelette Traveller, die eine Ladung
von 500 Tonnen gesalzenes Fleisch hatte, genommen.

In dem Arsenal von Sevilla wird unaufhörlich
gearbeitet, um Haubitzen a la Villantroy zu gießen,
welche zu der neuen Batterie bestimmt sind, die man
300 Toisen vor der Batterie Napoleon anlegt. Ihre
jetzige Tragweite ist 2500 Toisen.

In dem Arrondissement des ersten und vierten
Corps herrscht die größte Ruhe; die beweglichen Co-

sonnen lassen den Insurgenten keine Zeit, sich in Haufen zu sammeln; überall wird Ordnung eingeführt.

Die Belagerungsarbeiten werden mit großer Thätigkeit betrieben.

Fünftes Armee-Corps.

Der Herzog von Dalmatien hat das 5te Armee-Corps, nebst mehreren Infanterie-Detaschments und einer starken Cavallerie-Reserve, gegen Llerena vereinigt; den 3. Januar stieß die Avantgarde, welche aus dem 26sten Dragoner-Regimente und einer Escadron vom 4ten Spanischen Jäger-Regimente bestand zu Magre auf die feindliche Artiergarde, die bei der Nachricht von der Bewegung des Marschalls sich eiligst zurückzog; der Feind wurde mit Ungestüm angegriffen und mit Verlust von 50 Mann und eben so viel Pferden geworfen. Mendizaba, an der Spitze von 6000 Mann Infanterie und 2500 Portugiesischen und Spanischen Pferden, übereilte seinen Rückzug nach Almendralejo und Merida, während die Division von Ballasteros, auch 5 bis 6000 Mann stark, Calera zu erreichen suchte; aber der Herzog von Trevino hatte den Marsch des letzteren recognoscirt; er ließ ihn durch die Brigade Veplin und das 2te Husaren-Regiment angreifen; nach einem Gefechte von 2 Stunden wurde Ballasteros geschlagen und in der Richtung von Fegenhal verfolgt, nachdem er viele Leute verloren hatte. Den 4. wurden alle unsere Colonnen zu Fruente Cantos vereinigt. Den 5. kamen sie zu Los Santos und zu Zafra an; die Division Gazan wurde detaschirt, das Corps von Ballasteros auf dem linken Flügel zu verfolgen, und zu gleicher Zeit den Marsch der großen Belagerungs-Equipage zu decken, welchen schreckliche Regengüsse um einige Tage verspätet hatten.

Die feindlichen Corps, welche einzig aus den Garnisonen der Portugiesischen Gränzfestungen bestanden, eilten, ihre Posten wieder zu erreichen. Den 7. begab sich der Herzog von Dalmatien nach Merida, von wo der General Briche Tages vorher die Spanische Cavallerie vertrieben hatte, die sich nach dem rechten Ufer der Guadiana zurückzog; während Mendizabal mit der Portugiesischen Cavallerie nach Badajoz über das linke Ufer zurückzugehen eilte.

Der General Briche erhielt Befehl, das rechte Ufer des Flusses gänzlich zu reinigen; er schickte seine Colonne bis nach Albuquerque; bei seiner Annäherung zog sich aber alles schnell nach Badajoz zurück; seine Arriergarde wurde eingeholt und zu la Botoa nieder-gehauen. Der General Briche ließ den Platz bis nahe an die Brücke der Guadiana recognosciren, nachdem er einige hundert Gefangene gemacht und mehrere Con-voys weggenommen hatte, die nach Badajoz zurück giengen. Da der Herzog von Dalmatien zu gleicher Zeit gehört, daß der Feind eine Garnison von 4 bis 5000 Mann in Olivenza, einen festen Platz, geworfen hatte, so machte er sogleich seine Dispositionen, um das bei den Alliirten verbreitete Schrecken zu benutzen; und ohne seine Belagerungs Artillerie zu erwarten, ließ er den 11. die Division Girard nach dieser Stadt marschiren. Den 12. wurden die Laufgräben eröffnet, und den 21. war der bedeckte Weg mit den Mit-teln der Artillerie und des Genie der Avantgarde vor der Bastion Nr. 8. gekrönt. Da eine Division Bela-gerungs Artillerie angekommen war, so wurde dieselbe während der Nacht in eine Batterie aufgestellt. Der Feind versuchte den 20. eine Diversion zu machen, in-dem er den General Briche, der zur Beobachtung zu Palavera la Real stand, mit seiner ganzen Cavallerie angriff; aber er wurde nachdrücklich zurückgeworfen und bis bei Badajoz verfolgt.

Den 22 Morgens wurde die Bresche-Batterie de-maskirt; am Ende von zwei Stunden fing sie an, sich zu formiren, als der Gouverneur, der seine schwachen Vertheidigungsmittel bereits erschöpft hatte, zu capitu-liren verlangte. Man antwortete ihm, daß, da er den ersten Tag die Propositionen, die man ihm gemacht, verworfen habe, so könnte er nur noch auf Discretion sich ergeben; einen Augenblick nachher zeigte er sich mit seinem Generalstaabe vor dem Thore und unterwarf sich mit allen Truppen unter seinem Commando, 4500 Mann an der Zahl.

(Der Schluß folgt.)

Berliner Abendblätter.

Berlin, den 14ten März 1811.

Bülletin der öffentlichen Blätter.

Paris, den 1. März.

Der heutige Moniteur enthält Folgendes:

Nachrichten von der Armee in Spanien.

Fünftes Armee Corps.

(Schluß.)

Man hat in dem Platze 18 Kanonen, die brauchbar waren, und viel Wurfgeschoß gefunden. 132 Familienhäupter, welche die Insurgenten gezwungen hatten, sich in ihre Reihen zu stellen, sind der Freiheit und ihren Familien zurückgegeben worden. Die Gefangenen sind sogleich nach Frankreich abgeführt worden.

Der Herzog von Dalmatien hat seine Truppen, nach der Einnahme von Olivenza, nach Badajoz marschiren laßen. Den 26. sind alle feindliche Posten zurückgezogen worden, und nach einigen Scharmützeln, wobei die Insurgenten 4 Kanonen, viele beladene Wagen und einige hundert Gefangene verloren haben, ist die Einschließung formirt worden. Die Belagerung wird mit dem größten Nachdruck von Einem Theile der Armee betrieben werden, während der andere die benachbarten Plätze beobachten, und die Division Gazan vollends die Banden von Ballasteros aufreiben und die Communikationen mit Sevilla erhalten wird. Die Garnison von Badajoz ist 8000 Spanier und Portugiesen stark. Dieses ziemlich beträchtliche Corps ist sehr in Gefahr gesetzt. Die Englische Armee kann Badajoz eben so wenig zu Hülfe kommen, als sie Almeida und Olivenza zu Hülfe kommen konnte.

Armee von Portugal.

Neuntes Corps.

Die Gegenwart des 9ten Armee=Corps in Portugal hatte den General Silveira genöthigt, seine Positionen um Pinhel und Trancoso herum zu verlassen, um sich nach dem Douro zurückzuziehen; er glaubte, nach dem Uebergang des Grafen von Erlon zurückkommen, und die Communikationen der Armee von neuem beunruhigen zu können. aber die Division Claparede hatte Befehl erhalten, Trancoso zu bewachen und seine Bewegungen zu beobachten. Den 35. December zeigte er sich vor Bermende, das er von unsern Leuten besetzt fand, die ihn nachdrücklich empfingen, so daß er genöthigt war, sich eiligst zurückzuziehen, indem er viele Todte und Verwundete auf dem Platze ließ, und eine große Anzahl Gefangener verlor. Unter den Todten hat man einen Major und einen Oberst=Lieutenant gefunden; man hat sich zehn mit Patronen und vielen Carabinern und Englischen Gewehren beladener Maulthiere bemächtigt.

Als der General Claparede den 9. Januar seine Dispositionen gemacht und zwei Colonnen von seinen Truppen gebildet hatte, setzte er sich in Marsch, um Silveira anzugreifen, und jenseits des Douro zurück zu treiben. Als er eine Viertel=Lieue von Guillaro angekommen war, hörte er, daß der Feind die Höhen von Sarzeda besetzt habe, indem er an deren Fuße eine ausgedehnte Linie von Tirailleurs bilde. Der General ließ sogleich eine Colonne vorrücken, um den linken Flügel des Feindes zu tourniren, währe d er selbst schnell nach dem Centrum marschirte. Silveira wartete das Resultat dieses Manövres nicht ab, sondern zog sich sogleich zurück. Den 11. verfolgte man ihn nach Villa de Ponte. Er hatte auf den Höhen des linken

Ufers der Tavora Posto gefaßt, die Brücken von Villa und Freisigh versperrt, und alle Wege coupirt; er schien disponirt, den Uebergang nachdrücklich vertheidigen zu wollen.

Der General Claparede führte sogleich den größten Theil seiner Macht nach der Brücke von Fresstab, ohne sich wegen des lebhaften Gewehrfeuers zu beunruhigen, das sogleich anfing; die Brücke wurde im Sturmschritt genommen und die Höhen mit Ungestüm angegriffen; der Feind konnte keinen Widerstand leisten; er wurde gezwungen, von allen Seiten in Unordnung zu fliehen, indem er viele Leute verlor; nur die Nacht that der Verfolgung nach Villa de Rua Einhalt; ein Englischer Oberst Lieutenant, der alle Bewegungen dirigirte, wurde verwundet und starb während der Nacht zu Prado, zwei Lieues vom Schlachtfelde.

Den 12. marschirte man zur Nachsetzung des Feindes durch Motmento de Beira und Leomil Abends blieb seine Arriergarde, die aus seinen besten Truppen bestand, zu Moudin stehen. Sie wurde von unserer Avantgarde sogleich angegriffen und bis jenseits la Coura zurückgeworfen. Seit dieser letzten Niederlage war es dem Silveira nicht mehr möglich, seine Truppen zu versammeln, die ihre Flucht nach allen Punkten des Douro, wo sie Kähne finden konnten, beschleunigten.

Den 13. Abends kam der General Claparede zu Lamego an, indem er unterwegs alle Nachzügler und Silveiras Bagage sammelte; vorwärts Lamego errichtete Werke waren verlassen worden.

Miller marschirte dem Silveira zu Hülfe; er hörte aber den 13. zu Tatouca, drei Lieues von Lamego, seine Niederlage und seine Flucht, und hielt es für klug, sogleich nach Castro-Daito und Viseu zurückzugehen, ohne unsere Recognoscirungen zu erwarten.

Die Resultate dieser kurzen Expedition sind, dem Feinde mehr als 500 Mann von seinen besten Soldaten getödtet, ihm gegen 1000 verwundet, und 200 mit einer Fahne genommen zu haben. Viele Waffen und

Munition aller Art sind genommen oder zerstört
worden.

Die Zerstreuung der Armee von Silveira hat im
Lande große Sensation gemacht; der Anblick eines
Französischen Detaschements ist allein hinreichend, um
diese Banden, welche von England zu Fanatikern ge=
macht worden, zu zerstreuen.

Der General Claparede hat bis zum 28. Januar
an dem Douro manövrirt, ohne eine einzige feindliche
Parthei anzutreffen. Nachdem er alle Lebensmittel des
Landes eingesammelt, hat er, seinen erhaltenen Befeh=
len zufolge, wieder den Weg nach Celorico genommen.
Der General, Baron Foy, war den 2. Februar mit sei=
ner Division von Almeida abmarschirt, um sich mit
der Armee zu vereinigen.

————

Miscellen.

Am 8. Februar fand man zu Nimes, unter dem
Schutt des Amphitheaters, eine goldene Medaille von
der Kaiserinn Domitia; sie zeigt einen Pfau mit der
Umschrift; Concordia August.

————

In der Spezialschule für die orientalische Sprache
bei der Kaiserl. Bibliothek in Paris wird dieses Jahr
auch ein Kurs der armenischen Sprache, von Herrn
Cerbied, einem gebornen Armenianer, gegeben.

————

1811. No. 63.

Berliner Abendblätter.

Berlin, den 15ten März 1811.

Bülletin der öffentlichen Blätter.

London, den 27. Februar.

(Aus dem Moniteur.)

(The Times.)

Die mit dem Felleisen von Lissabon angekommenen Briefe sind gestern ausgegeben worden. Unter denen, die uns mitgetheilt worden, haben wir folgenden als den interessantesten ausgewählt:

Lissabon den 9. Februar.

„Nachdem der Feind von Olivenza Besitz genommen, rückte er sogleich gegen Badajoz vor, von da wir keine directe Nachrichten haben; wir erfahren indeß aus guter Quelle, daß der General Mendizabal von Badajoz zu Elvas angekommen ist, und auf der Stelle alle Truppen in der Nachbarschaft versammelt hat, um dieser Festung zu Hülfe zu kommen. Spätere Nachrichten sagen, daß man von dieser Seite ein starkes Artillerie- und Musketenfeuer gehört habe, und daß eine ernsthafte Affaire vorgefallen seyn müsse. Einige Personen, die sich aus der belagerten Stadt geflüchtet haben, sagen aus, daß der Feind angefangen habe, sie zu bombardiren, und daß sie deshalb von da abgereiset wären. In diesem Augenblick erfahren wir durch einen Expressen, daß alle von Elvas gekommene Truppen an ihrer Bestimmung angelangt sind und daß es zu einer Action mit dem Feinde gekommen sei.“

Geistererscheinung.

Im Anfange des Herbstes 1809 verbreitete sich in der Gegend von Schlan (einem Städtchen 4 Meilen von Prag auf der Straße nach Sachsen) das G.ücht einer Geistererscheinung, die ein Bauerknabe aus Stredokluk (einem Dorfe auf dem halben Wege vo. Schlan nach Prag) gehabt habe. Dies Gerücht ward endlich so allgemein und so laut, daß endlich ein Hochlöbl. Kreis-Amt zu Schlan eine gerichtliche Untersuchung der ganzen Sache beschloß, und demzufolge eine eigene Commission ernannte, aus deren Akten zum Theil, und zum Theil aus mündlichen Berichten an Ort und Stelle, nachstehende Geschichte gezogen ist.

Ein Bauerknabe von ungefähr 11 Jahren aus Stredokluk, mit Nahmen Joseph, bekannt bei seiner Familie sowohl als im ganzen Dorfe für einen erzdummen Jungen, schlief für gewöhnlich mit einem alten Onkel und einigen seiner Geschwister, von seinen Eltern getrennt, in einer besondern Kammer. Eines Nachts wird er durch Schütteln geweckt, und wie er aus dem Schlafe aufschreckt, sieht er eine Gestalt sich langsam vom Fuße seines Bettes fortbewegen und im Dunkel verschwinden. Joseph, dem Schlafen über alles geht, nimmt es gewaltig übel, so muthwillig gestört zu werden, und in der Meinung, die Gestalt sei der Onkel gewesen, der ihn habe necken wollen, fängt er an, sich laut zu beklagen und sich dergleichen Scherze schellend zu verbitten. Der Onkel, ein alter Invalide, wacht über dem Lärm ebenfalls auf, fragt ziemlich barsch nach der Ursache, und da Joseph ihn zu Rede stellt, warum er ihn necke und nicht schlafen lasse, so ergrimmt der alte Soldat, und nach einigen Betheurungen und Fluchen, daß er von nichts wisse, die aber unserm Joseph nicht einleuchten wollen, steht er auf und, um seinen Gründen Gewicht zu geben, nimmt er den Steck und zerprügelt den ungläubigen Herrn Neffen. Joseph schreit fürchterlich, alle seine Geschwister werden wach und schreien mit, die Eltern eilen voll Angst herbei, sie besorgen Feuer oder Mord, beruhigen sich aber bald, da sie sehen, daß nur der dumme Joseph etwas geprügelt wird. Sie fragen nach dem Anlasse des Tumults; Joseph erzählt schluchzend seine Geschichte;

der Onkel flucht laut über den Lügner; den Eltern ist
der Fall zu spitzig; zum Untersuchen ist nicht Zeit, und
da Joseph von seinem Satz nicht abgeht, so vereinigen
sie sich der Kürze halber mit dem Onkel, prügeln gemeinschaftlich auf den Aermsten und schicken ihn zu
Bette. In der folgenden Nacht geht derselbe Spaß
von neuem an, Joseph wird wieder geweckt, sieht eine
Gestalt, hält sie wieder für den Onkel und da er diesmal seiner Sache noch gewisser zu sein glaubt, als das
erstemal, so beklagt er sich noch ungestümer; der alte
Onkel erwacht, prügelt, die Eltern kommen herbei,
prügeln auch, und Joseph flüchtet sich, ein gutes Theil
mürber als die vergangene Nacht, in sein Bett. In
der dritten Nacht dieselbe Erscheinung, aber nicht dieselben Prügel. In dem Kopfe des dummen Josephs
entwickelt sich allmählig die Idee vom ewigen Unrech-
te des Schwächern, er schweigt demnach. und versucht
es, mit einem äußerst verdrießlichen Gesicht, sobald wie
möglich wieder einzuschlafen, was ihm denn auch gelingt Den Tag darauf kömmt Joseph Abends vom
Felde nach Hause, und erzählt der Mutter, wie um die
Mittagsstunde ein fremder Herr zu ihm gekommen sei,
in einem weißen Mantel und mit sehr bleichem Ange-
sichte; wie dieser, als er sich anfangs vor ihm gefürch-
tet und davon laufen wollen, ihm freundlich zugeredet
habe, er solle sich nicht fürchten, er meine es gut mit
ihm und wolle ihn belohnen, wenn er hübsch folgsam
wäre. Als er sich hierauf beruhigt, habe der fremde
Herr mit tiefbetrübter Miene gesagt, daß er schon sehr
lange, lange auf ihn gewartet habe, daß er ihm die
drei vergangenen Nächte erschienen sei, und jetzt komme,
um von ihm einen Dienst zu begehren, dessen Gewährs-
leistung er nicht zu bereuen Ursach haben würde. Morgen nehmlich mit Sonnenaufgang solle er, mit einem
Spaten versehen, aufs Feld hinausgehn und an einem
Orte, den er ihm zeigen würde, nachgraben; er werde
dort Menschen-Knochen finden, an denen fünf eiserne
Ringe befestigt wären; dies wären seine Gebeine, über
die sein Geist nun schon seit 500 Jahren ohne Ruhe
und ohne Rast herumirre; habe er die Gebeine gefunden und herausgenommen, so solle er noch tiefer graben, wo er sodann auf fünf verschlossene irdene Truhen
stoßen werde; was damit zu thun, würde er ihm später entdecken. Nachdem er ihm dies alles gesagt, sei der

Herr plötzlich weggekommen, er wisse nicht wohin. Die
Mutter hatte mit offenem Munde zugehört und voller
Verwunderung ihren Joseph betrachtet, welcher, da er
so st in dummer Unbehülflichkeit kaum ein halb Dußend
Worte an einander zu reihen wußte, jetzt mit fließen-
der Rede, im reinsten Böhmisch seine Geschichte vortrug.
So unheimlich ihr auch bei der Erzählung zu Muthe
sein mochte, so witterte sie doch als eine kluge Frau in
den verheißenen Truhen so etwas von einem Schaße,
und um des Schaßes willen beschloß sie, mit ihrem
Joseph gemeinschaftlich das Abentheuer zu bestehn.

(Die Fortsetzung folgt.)

Miscellen.

In dem Dorfe Nersdorf bei Gräz kam unlängst
Feuer aus. Man rettete das, der nahen Entbindung
wegen zu Bette liegende, Weib des Bauern, die Kinder, dann alles Horn- und Borstenvieh; einzig der
große Haushund ließ sich auf keine Art bewegen, aus
dem brennenden Hause heraus zu gehen, sondern stand-
haft ließ er sich mit demselben, das seiner Wachsamkeit
anvertraut war, verbrennen.

Zu Ofen ist die Wassersnoth sehr groß. Es ist
ein schauderhafter Anblick, Gebäude, die unlängst noch
durch das Feuer halb Ruinen sind, im Wasser zu erblicken, und dem völligen Einsturz ausgesetzt zu sehen.
Die Noth der Bewohner ist unbeschreiblich, zumal, da
der Frost die nöthigen Maaßregeln von Seite des
städtischen Magistrats erschwert. Nicht weniger be-
trübt, oder vielmehr noch trauriger, sieht es in dem an
der Donau liegenden Theil von Pest aus.

Berliner Abendblätter.

Berlin, den 16ten März 1811.

Bülletin der öffentlichen Blätter.

Liſſabon, den 9. Februar.

(Aus dem Moniteur.)

(The Times.)

Die Abſicht der letzten Bewegung des Generals Jun=
hot, als er mit einer ſo beträchtlichen Macht nach dem
Rio Mayor ausbrach, war die, der Armee Salz zu
verſchaffen. Dieſe Abſicht gelang auch den Franzoſen
vollkommen, und ſie zogen ſich hierauf zurück. Gene=
ral Junot ward durch einen deutſchen Huſaren ver=
wundet; die Kugel war ſchon matt, als ſie zu ihm
drang; denn ſie ging durch einen Theil der Naſe und
blieb an der andern Seite der Backe, gerade oberhalb
ſeines Backenbarts, ſtecken und ward auf der Stelle
herausgezogen. Sein Sturz vom Pferde, der durch
die plötzliche Erſchütterung verurſacht wurde, hatte die
Perſonen, die ihn umgaben, glauben gemacht, daß er
tödtlich verwundet ſei.

Für das 14te und 16te Regiment leichter Drago=
ner iſt der Dienſt in der letzten Campagne ſo hart ge=
weſen, daß ſich die meiſten Offiziere in einem ſchlech=
ten Geſundheits=Zuſtande befinden. Im letzten Monat
waren bei dem 14ten Regiment leichter Dragoner nur
noch 2 Capitains, die im Stande waren, den Dienſt
auf den Vorpoſten zu verrichten. In Folge der Krank=
heit des Oberſtlieutenants Harvey und des Majors

Chapman, der sich in England befindet, war das temporäre Commando dieses Regiments an den Capitän Miller, den ältesten Capitän, übergegangen, der sich wohl befand.

(Aus dem Alfred.)

Auszug eines Schreibens aus Valentia, vom 12. Februar.

Seit der Einnahme von Tortosa erwarten wir hier den Feind von einem Tage zum andern, und ich verlasse diese Stadt, um mich mit meiner ganzen Familie nach Gibraltar zu begeben.

(Aus dem Courier.)

Man sagt, daß das Gouvernement des Regenten auf die Anforderungen des Gesandten der vereinigten Staaten eine cathegorische Antwort ertheilt habe. Sie ist so, wie jeder sie erwarten mußte, daß Großbrittanien den Grundsätzen getreu bleiben würde, auf welchen seine Oberherrschaft zur See und seine Größe beruhen. Sie besagt förmlich, daß Se. Brittische Majestät dem Recht des Visitirens nicht entsagen und Ihre Cabinets-Ordres nicht zurücknehmen werden, bis die Decrete von Berlin und Mayland gänzlich und wirklich zurückgenommen worden.

Es heißt allgemein, daß Herr Pinckney bloß seine Abschieds-Audienz erwartet, und daß er sich bereit macht, auf der Fregatte Essex nach Amerika zurückzukehren. Die Conferenzen, worauf die Rede des Lord Commissairs an das Parlement (die Rede des Regenten) anspielte, sind zu Ende, und die Minister fahren fort, die Cabinets Ordre zu behaupten; Napoleon hingegen scheint ein Versöhnungs System gegen die Amerikaner anzunehmen. Gestern hat man zu London ein Decret erhalten, welches alle Arten von Amerikanischen Produkten, bloß mit Ausnahme des Tabaks, in den Französischen Häfen zuläßt.

(The Times.)

Wir vernehmen aus guter Quelle, daß sich die Negociationen, die lange Zeit zwischen England und Amerika hingehalten wurden, ihrem Ende nähern, daß aber der Ausgang ganz anders ist, wie man erwartete.

Letzten Sonnabend hat, wie es heißt, der Marquis Welkesley eine entscheidende Antwort auf gewisse cathegorische Fragen ertheilt, die der Amerikanische Gesandte über die Hauptpunkte der Discussion gemacht hatte. Diese Antwort enthielt, daß Se. Brittische Majestät nicht einwilligen würden, Ihr Recht aufzugeben, am Bord Amerikanischer Schiffe (Kauffabrteischiffe, wie wir glauben) die Englischen Matrosen aufzusuchen; daß Sie keine Veränderung oder Modifikation in dem Bleckirungs-System machen, und Ihre Cabinets-Ordres nicht zurücknehmen würden, als wenn die Decrete von Berlin und Mayland der That nach widerrufen wären.

(The Times.)

Dännemark hat in einem mit Schweden gemachten Arrangement Bedingungen festgesetzt, die für dieses Land — für England — vortheilhaft sind. Es wird nicht von Dännemark abhängen, wenn die Commercial-Verhältnisse zwischen Schweden und England irgend einige Unterbrechung erleiden, weil es sehr schwer seyn wird, daß ein Schwedisches Schiff, welches nach England geht oder daher kommt, nicht in einem der Fälle begriffen sei, die in folgendem, kürzlich von dem Copenhagener Hofe gegebenen Decret bestimmt werden.

Decret.

1. Alle Schwedische Fahrzeuge, die angehalten worden, weil sie mit keinem Connoissement versehen waren, sollen ohne weitere Formalität freigegeben werden.

2. Kein Schwedisches Schiff, welches bloß deswegen angehalten worden, weil es nach einem Englischen Hafen bestimmt war, welches aber mit einer Autorisation der Schwedischen Regierung versehen ist, so wie auch kein Schwedisches Schiff, welches mit Salz beladen oder mit Ballast von England zurückkommt, soll angehalten oder condemnirt werden.

3. Die Schwedischen Schiffe, die nach England abgesegelt sind, ehe die Kriegserklärung in den Englischen Häfen bekannt war, aus welchen sie abgesandt wurden, können weder zurückgehalten, noch weniger condemnirt werden.

4. Ein Schwedisches Schiff kann nicht bloß deswegen condemnirt werden, weil es Englische Licenzen gebraucht hat.

5. Die Schwedischen Schiffe, die im Verdacht sind, eine Englische Escorte benutzt zu haben, können ohne die unwiderleglichsten Beweise nicht verurtheilt werden.

———

Man sagt, daß das Handels-Bureau beschlossen hat, Licenzen zur Einfuhr von Getraide und andern Lebensmitteln (mit Ausnahme von Oel, von Brantewein, von Hummers und Stockfisch) aus allen Häfen Norwegens, Schwedens und Dännemarks, die außerhalb der Ostsee liegen, zu bewilligen, die nämlich nicht der Blokade unterworfen sind und zwar auf Schiffe, die eine jede Flagge führen nur nicht die von Frankreich, oder die Flagge von Staaten, die sich unter dessen unmittelbarer Abhängigkeit befinden. (L. d. B.)

———

Berliner Abendblätter.

Berlin, den 8ten März 1811.

Bülletin der öffentlichen Blätter.

London, den 26. Februar.

(Aus dem Moniteur.)

(The Times.)

Von Lissabon ist ein Felleisen mit Zeitungen und Briefen bis zum 11. dieses angekommen.

Derjenige Theil der Spanischen Armee, der sich unter Commando von Ballasteros befand, ist, wie wir wenigstens besorgen, fast gänzlich aufgerieben oder gefangen genommen. Die letzten Depeschen von Lord Wellington meldeten, daß 3000 Mann dieser Truppen zu Olivenza gefangen genommen worden. Seitdem hatte sich, wie es scheint, Ballasteros auf das linke Ufer der Guadiana in der Absicht begeben, um zu Ayamonte 5000 Mann nach Cadix einzuschiffen. Um diese Einschiffung zu decken, hatte er eine Position zu Castilegos genommen, wo er von der Division Gazan angegriffen wurde; er ward geschlagen und mit großem Verlust auf das andere Ufer der Guadiana geworfen. Das Schicksal des zu Ayamonte befindlichen Corps wird vielleicht nicht besser seyn. Eingeschlossen zwischen dem Guadalquivir und der Guadiana, hängt seine Rettung allein von den Schiffen ab, die es an Bord nehmen sollen.   (L. d. B.)

Den 27. Februar.

(Morning-Chronicle.)

Eine Dubliner Zeitung vom 16. dieses enthält nach-
stehenden Artikel aus Limerick vom 16.:

„Dem Vernehmen nach haben die Linien-Regi-
menter, die nach Portugall eingeschifft werden sollten,
Contre-Ordre bekommen und müssen bis auf nähern
Befehl in ihren respektiven Standquartieren bleiben.
Auch heißt es, daß der General-Major Montresor, der
sich jetzt zu Fernay befindet, in kurzem das Commando des Distrikts und der Garnison von Limerick wieder übernehmen soll Die Truppen haben ihre Feld-
Equipage erhalten und alles ist in Bereitschaft gesetzt,
damit sie nöthigen Falls ins Feld rücken können."
(L. d. B)

(The Courier.)

Auszug aus der Evening-Post von Dublin.

Dublin, den 23. Februar.

Gestern ward ein geheimer Rath gehalten, und er
ist in diesem Augenblick zum zweitenmal versammelt,
wie es heißt, wegen des Schreibens des Herrn Pole
an die Sheriffs und Magistrats-Personen von Irland,
und in eben diesem Augenblick haben die Mitglieder
des katholischen Ausschusses beschlossen, sich zu versammeln. Wir wissen nicht, welche Entscheidung der geheime Rath genommen haben mag. Wir können aber
von guter Hand versichern, daß man die Garnison unter die Waffen beordert und der Artillerie Befehl ertheilt hat, von Chapelizod aufzubrechen Die Straße
Capel, wo sich der katholische Ausschuß versammelt,
ist mit einer Menge Menschen angefüllt, welche den
Ausgang mit lebhafter Besorgniß erwartet. Die nähern Umstände werden wir in einer zweiten Ausgabe
mittheilen.
(L. d. B.)

Geistererscheinung.

(Fortsetzung.)

Den andern Morgen in aller Frühe machten Mutter und Sohn gehörig zum Graben gerüstet sich auf und gingen dem Felde zu, wo der Geist sich hatte sehn lassen; kaum waren sie vor das Dorf gekommen, als Joseph sagte: ei seht doch Mutter, da ist der Herr schon. Wo? rief die Mutter erblassend und schlug ein Kreuz über ihren ganzen Leib. Hier dicht vor uns, antwortete Joseph, er hat mir aber gesagt, er komme, uns zu führen. Die Mutter sahe nichts; der Geist, nur dem auserwählten Joseph sichtbar, zog still vor ihnen her. Die Reise ging querfeld ein, einer Heide zu, die an einem Feldwege hinlief; dort steht Joseph still und sagt zur Mutter: hier Mutter, hier sollen wir graben, spricht der Herr. Die Mutter, den Angstschweiß auf der Stirn, setzt den Spaten an, und gräbt hastig darauf los. Sie mochte ungefähr 2 Schuh tief gegraben haben, als sie auf Todtengebeine stößt; der Herr sehe dem Dinge sehr freundlich zu, versichert Joseph der Mutter, die für die Freundlichkeit des 500 jährigen Herrn wenig Sinn hat, und geistliche Lieder und Avés und Beschwörungsformeln bunt durch einander sich immer lauter in Gedanken zuschreit. Der Gebeine wurden immer mehrere, sie waren mit einem gewöhnlichen Schimmel überzogen und zerfielen an der Luft in Asche, um beiden Arm- und Beinröhren, dicht über den Hand- und Fußgelenken, lagen starke eiserne Bänder. Auf einmal ruft Joseph in die Mutter hinein: Mutter, der Herr will, daß ihr dort mehr rechts grabet; dort, wo er mit dem Degen hinzeigt, da liege sein Kopf, spricht er. Die Mutter gehorcht und nach einigen Spatenstichen hebt sie einen Todtenkopf heraus, dessen Stirn ein großer eiserner Ring umgiebt. Nun wars mit der Mutter am Ende; mit jedem Knochen, den sie herausgegraben, hatte die Angst und der innere Lärmen sich gemehrt; halb in Verzweiflung hatte sie nach dem Schädel gesucht, sein Anblick gab ihr den Rest, sie warf den Spaten hin, und floh laut schreiend dem Dorfe zu. Joseph

begriff die Mutter nicht, ihm war nie so wohl in seiner
Haut gewesen. Als er den fremden Herrn fragen wollte,
was denn das bedeute, war dieser verschwunden; kopf-
schüttelnd nahm Joseph seine fünf Ringe um den Spaten, spielte noch ein wenig mit der Knochenasche, und
ging dann jubelnd dem Dorfe zu. Die fünf Ringe
wurden später bei den Gerichten deponirt, wo sie noch
jetzt zu sehn sind.

Als die Commission die Untersuchung dieser Geschichte geendigt hatte, ohne die Sache selbst ins Reine
gebracht zu haben, entschloß sich eine hohe Amts-
Obrigkeit, durch die fünf Ringe aufgemuntert, den verheißenen fünf Truhen nachzuspüren: es ward von Am ts-
wegen weiter nachgegraben. Im November 1809 wo
Erzähler die Grube selbst gesehn, war man schon zu
einer beträchtlichen Tiefe gelangt. Da die weitere
Fortsetzung der Arbeit die Kräfte gewöhnlicher Tagelöhner überstieg, so ließ man, um nicht den Vorwurf
halber Maaßregeln auf sich zu laden, endlich gar Berg-
leute kommen. Diese erweiterten den Bau und trieben
Gänge rechts und links; nicht lange, so wollte man es
haben hohl klingen hören, man grub und grub; umsonst, die Truhen zeigten sich nicht; man kam auf
Schutt, die Hoffnung wuchs; der Schutt ward durch-
wühlt, er verlohr sich, die Hoffnung sank. In der
Verlegenheit worin man sich befand, fiel es einem ge-
scheiten Kopfe ein, daß Schätze ihre Capricen haben,
die respektirt sein wollen, daß sie nicht jeder rohen
Faust in die Hände laufen sondern sich nur von sym-
pathetischen Fingern berühren lassen, und that daher
den Vorschlag, den Joseph kommen zu lassen, um künftig bei der Arbeit gegenwärtig zu sein.

(Der Schluß folgt.)

Berliner Abendblätter.

Berlin, den 19ten März 1811.

Bulletin der öffentlichen Blätter.

Paris, den 8. März.

Der Moniteur vom 7. enthält Folgendes:

„Der Herr Labouchere, Kaufmann aus Amsterdam,
hat von der Polizei einen Paß erhalten, um sich wegen
eigener Handels-Angelegenheiten nach London zu begeben. Daher hat sich das Gerücht verbreitet, es gebe
Friedensvorschläge mit England. Wir sind autorisirt,
diesen Gerüchten zu widersprechen. Es existirt keine
Art Unterhandlung (au u. s pourparlers) zwischen den
beiden Regierungen; und es kann deren keine geben,
so lange die gegenwärtige Englische Administration
dauert, deren Grundsätze, ewiger Krieg‟ ganz Europa
bekannt sind. Die Reise des Herrn Labouchere hat
Bezug auf seine persönlichen Angelegenheiten: sie kann
demnach in nichts Einfluß auf Handels-Verkehr
haben.‟

Die Stadt Paris hat Ihrer Majestät der Kaiserinn
eine en vermeil reich gearbeitete Wiege geschenkt.
Dieses Meisterstück der Kunst haben die Herrn Daiot
und Thomire nach den Zeichnungen des Herra Prud'hon
verfertiget.
                                          (L. d. B.)

London, den 1. März.

(Aus dem Moniteur.)

Die Gesundheit Sr. Majestät ist eben so, wie
gestern.

Herr Pincknen hat gestern seine Abschieds-Audienz beim Prinz Regenten gehabt; allein Herr Perceval hat auf eine von Seiten des Herrn Whitbread im Parlament an ihn ergangene Frage geantwortet, daß, obgleich Pincknen seine Abschieds-Audienz gehabt habe, er dennoch einen Chargé d'affaires in London zurücklasse, um die Unterhandlungen fortzusetzen, und daß von Seiten Groß-Brittaniens ein bevollmächtigter Minister nach den vereinigten Staaten abgehen werde.

Vom 4. März.

Gestern Morgen, sagt die Morning-Chronicle vom 28. Februar, haben wir die Zeitungen und Briefe von Cadix bis zum 13. dieses erhalten. Nach dem Tode des Marquis von Romana ist General Castannos zum Commandanten der Armee ernannt worden. Diese Wahl ist uns eine üble Vorbedeutung. Der Ausfall aus Cadix, um die Belagerungs-Armee anzugreifen, hat nicht statt gehabt, und die Garnison verhält sich fortdauernd ganz unthätig. Die Cortes und die Regentschaft sind sehr unpopulär. Die Regentschaft ist von Isle de Leon in die Festung verlegt und hat ihren Wohnsitz in dem St. Philipps-Kloster aufgeschlagen.

Durch ein Kauffahrtheischiff sind Briefe von der Mündung des Tajo bis zum 18. dieses eingegangen. Der Cooperations-Plan, welchen die Franzosen auf beiden Ufern des Flusses angenommen haben, fängt an, sich zu entwickeln. Wir haben bereits angeführt, daß sich General Beresford mit einem starken Armee-Corps auf dem südlichen Ufer befindet, um die Annäherung feindlicher Verstärkungen über Elvas zu verhindern, oder sie anzugreifen, ehe sie ihre Vereinigung mit dem Haupt-Corps unter Massena bewerkstelligen können. Um diese Dispositionen zu vereiteln, hat der Marschall Massena eine beträchtliche Anzahl Pontons zum schleunigen Uebersetzen einer erforderlichen Macht auf das andre Ufer versammeln lassen, so, daß, wenn General Beresford einen Schritt vorwärts macht, er in Gefahr kommt, abgeschnitten zu werden.

(Aus dem Alfred, vom 1. März.)

Dem Vernehmen nach ist die Englische Regierung übereingekommen, den Grafen, Lord Beverley, gegen den General Lefebure auszuwechseln, der beim Anfange des Ruckzugs des Generals Moore in einer Rencontre der Cavallerie Vorposten bei Sahagun zum Gefangenen gemacht wurde. Die Convention dieser Auswechselung erwartet bloß die Ratifikation der Französischen Regierung. Der General, Graf Lefebure, befindet sich jetzt zu Cheltenham, wo er fortdauernd mit Aufmerksamkeit und einer sehr liberalen Gastfreundschaft behandelt wird. Die Gräfinn Lefebure ist neulich aus Frankreich bei ihm angekommen.

Auszug eines Privatschreibens.

Newyork, den 24. Januar.

Wir kennen noch nicht die Wirkung, welche die Proklamation des Präsidenten in Betreff der Erneuerung der Non Importations-Akte bei Ihrer, der Englischen, Regierung hervorgebracht haben wird; wahrscheinlich aber werden wir in wenigen Tagen davon benachrichtigt seyn. Die Bill, welche jede Art von Handels-Verhältnissen verbietet, wird durchgehen und am 1. des nächsten Monats in Kraft treten. Nach den Bestimmungen des Präsidenten konnten unsre Schiffe mit ihren Ladungen nicht daselbst einlaufen. Es wird kein Mittel geben, dem Verbot der letztern Bill auszuweichen, und man darf gar keine Nachsicht erwarten. Nach den sichersten Erkundigungen, die ich habe einziehen können, ist die Regierung entschlossen, den politischen Kampf zu beendigen und auf die Entscheidung der streitigen Punkte lebhaft zu bestehen. Ihr habt also alle Verantwortlichkeit auf euch, und es hängt von euch allein ab, zu sagen, ob ihr lieber Freundschaft und Handel behalten, oder sie gänzlich vernichten wollt.

Vom 25. Januar.

Wir vernehmen von guter Hand, sagt der Nordfolk-Herald, daß Herr Brokholst Livingstone auf der

Brigg der vereinigten Staaten, le Nantilus, als ausserordentlicher Gesandter bei der Französischen Regierung nach Frankreich abgehen soll.

(Aus dem Alfred, vom 2. März.)

Die Times vom 2. erhebt sich gegen die Uebertretung der Grundsätze, die aus der Auswechielung des Generals Lefebure gegen Lord Beverley entstehen würde, da dieser Lord in Frankreich als Kriegsgefangener bloß in Folge einer Maßregel der Französischen Regierung zurückgehalten wird, deren Grundsatz diese Auswechselung consacriren würde.   (L. d. B.)

Geistererscheinung.

(Schluß.)

Da man schon im December ziemlich weit vorgerückt war, so packte man den armen Jungen warm ein, gab ihm einen kleinen Spaten in die Hand, und hieß ihm hin und her ein Schaufelchen Erde heraus heben. Man versprach sich viel von dieser List, doch es schien, als wäre es dem Geiste mehr um seine Knochen als um die Truhen zu thun gewesen, denn auch die Gegenwart unsers Josephs verfing nichts. Der zunehmende Frost machte endlich dem Suchen ein Ende; im Frühjahr, beschloß man, sollte die Arbeit fortgesetzt werden, hat es jedoch unterlassen. Uebrigens hat der Geist gegen Joseph nicht ganz undankbar gehandelt, als es auf den ersten Anblick scheinen möchte; denn, wenn er ihm auch den gehofften Schatz, den er ihm übrigens nie versprach, entrückte, so hatte er doch wahrscheinlich veranstaltet, daß die Leute von nah und von fern herbei strömten, um den kleinen Geisterseher zu sehn und reichlich zu beschenken.

Berliner Abendblätter.

Berlin, den 20sten März 1811.

Bülletin der öffentlichen Blätter.

London, den 1. März.

(Aus dem Statesman.)

Letzten Sonnabend und gestern ging das Gerücht, daß Massena einen Rückzug gemacht habe; allein nach unsern angestellten Untersuchungen scheint es, daß diese Nachricht aus keiner zuverlässigen Quelle herrühre.

Die Nachrichten, die wir am 17. und 18. Februar erhalten haben, bestätigen keinesweges die Gerüchte, von denen wir eben geredet haben. Die Nachrichten, die wir empfangen haben, lassen nicht sobald einen Rückzug oder eine Bataille hoffen. Vielmehr scheint es offenbar der Plan der Franzosen zu seyn, alle Punkte zu besetzen; aus welchen die alliirten Armeen neuen Proviant aus den benachbarten Ländern ziehen könnten. Eben deswegen errichteten die Franzosen eine neue Armee im nördlichen Spanien; eine Armee, womit sie das ganze nördliche Portugal besetzen werden.

Die alliirten Armeen sind leider genöthigt, dreimal in der Woche gesalzenes Fleisch zu essen. Auch wenden sie alle mögliche Mittel an, sich Lebensmittel aus der Barbarei und von den Azorischen Inseln zu verschaffen. Die Franzosen können nicht eher angreifen, als bis sie ihre schwere Artillerie haben; die Wege sind aber so schlecht, daß sie sie noch nicht haben kommen lassen können.

Die Bill, womit sich jetzt der Amerikanische Congreß beschäftigt, um die Commerz-Verhältnisse zwischen den vereinigten Staaten und den kriegführenden Mächten zu reguliren, hat, wie es scheint, in dem Ausschuß einige wichtige Verbesserungen erhalten, so daß alle Schiffe, die vor dem 2. Februar mit ihren Ladungen von England abgesegelt sind, in den Amerikanischen Häfen zugelassen werden sollen.

Der Gouverneur Gerby hat in der gesetzgebenden Versammlung von Massachusetts eine heftige Rede gehalten, worin er mit Wärme und Unwillen gegen das Betragen Englands gesprochen.

Unsre Regierung ist willens, in diesem Jahre nach der Ostsee eine der beträchtlichsten Flotten zu senden, die man daselbst je gesehen hat.

Herr Foster, der zu unserm bevollmächtigten Gesandten bei den vereinigten Staaten ernannt worden, wird diese Woche nach seiner Bestimmung abgehen.

In Dublin ist die Angelegenheit des Catholischen Ausschusses noch nicht beendigt. In einer Versammlung desselben am 26. Februar ward beschlossen, die Bemühungen zur Erhaltung der allgemeinen Freiheit und zur Abwendung der drückenden Maaßregeln fortzusetzen.

––––––––

Portugiesische Grenze, den 8. Februar.

Französische Streifparteien haben sich schon in der Nähe von Oporto gezeigt, und dort große Bestürzung verbreitet, obgleich die Franzosen, um diese Stadt zu besetzen, zuvor den Uebergang über den Douro bewerkstelligen müßten, welcher, allem Anschein nach, für jetzt nicht im Plan der französischen Heerführer liegt. In Oporto hatten sich viele Kaufleute bereits eingeschifft, und andere trafen Anstalten dazu. Das zuversichtliche Vertrauen, welches bisher die Portugiesen auf die Operationen der Engländer setzten, hat sich ganz verloren, und nur die Aussicht auf Beute hält noch manchen portugiesischen Bauer im Felde zurück. Für den Unterhalt der Truppen kann, in diesen Gegenden, nur mit vieler Anstrengung gesorgt werden, da das Land, durch die unausgesetzten Truppendurchzüge, sehr erschöpft ist. Zwischen den Hauptarmeen von Massena und Wellington ist noch nichts vorgefallen; doch deuten alle Anstalten auf eine kraftvolle Eröffnung des Feldzuges von Seiten der Franzosen. Ein Theil des großen Artillerieparks war schon im Januar zu Santarem angekommen, und man erwartete den Ueberrest in der ersten Hälfte des Februars. Zur Belage-

rung der gut befestigten Stadt Abrantes wurden alle
Vorbereitungen getroffen. Auch sind die Zurüstungen
zum Uebergang eines französischen Truppenkorps über
den Tajo vollendet. Es heißt, das Armeekorps des
Marschalls Ney, welches in den letzten Zeiten beträchtliche Verstärkungen erhalten hat, sei zu dieser Expedition bestimmt die vermuthlich wichtige Folgen haben
wird. Lord Wellington hält zwar das linke Ufer des
Tajo durch einen portugiesischen Truppenkordon besetzt,
allein eben dadurch sind die Truppen zu sehr von einander entfernt, als daß sie sich mit Leichtigkeit zusammen ziehen, und einen ernstlich unternommenen Uebergang verhindern könnten. Ohnehin ist Wellington genöthigt, seine Hauptstärke immer auf dem rechten Ta-
jouer versammelt zu halten, wo er täglich mit einem
Angriff von Massena bedroht ist. — Seit der Verwundung des Herzogs von Abrantes kommandirt General Loison provisorisch dessen Armeekorps, das die
Avantgarde der Hauptarmee bildet. Die Engländer
sind durch die Fortschritte des Marschalls Mortier in
Estremadura genöthigt worden, das spanische Hülfs-
korps, das sie zum Schutz von Lissabon in den Linien
von Torres Vedras zurück gelassen hatten, und das ihr
Reservekorps bilden sollte, nach Elvas zu detaschiren,
um Mortiers Einbruch in die Provinz Alentejo zu hindern. Seit diesem Abgang bewacht das, schon vor
einiger Zeit errichtete, Korps von Matrosen jene Verschanzungen allein.

Notizen aus Paris.

Das Carneval ist hier sehr fröhlich zugebracht,
und scheint bis in die Fasten hineingehen zu wollen;
es fanden noch niemals zahlreichere Masken- und andere Bälle Statt. Alle Straßen-Ecken von Paris sind
mit Anzeigen von Gesellschafts-Bällen, wo man
für Geld Zutritt erhält, beklebt Unter diesen verdient der Tivoli d'hiver, welcher in der Straße Gre-
nelle-Sainte Honorée errichtet ist, zuerst erwähnt zu
werden. Herr Baneur, Unternehmer der beiden Etablissements, welche den Namen Tivoli führen, zeigt

sich für die Vergnügungen des Publikums im Winter
nicht weniger sorgsam, wie im Sommer, und seine
Salons in der Straße Grenelle vereinigen, als Zuga-
be zum Tanz, fast alle Belustigungen, welche die Menge während der schönen Jahreszeit nach seinen Gärten
in der Straße Saint-Lazare ziehen; von geschickten
Künstlern aufgeführte Concerte, durch Olivier und Du-
pont geleitete Versuche aus der Experimental- und be-
lustigenden Physik, Prejeanne Taschenspieler, und Gad-
bois optische Künste, Luftspringer und Seiltänzer, Ita-
lientsche und Französische Scenen, machen aus dem
Tivoli d'hiver zugleich ein Athenäum, ein Schauspiel,
einen Ball, ein Concert und einen Jahrmarkt; es ist
dies endlich ein Ort, der dem Waxhall des Herrn
Thoré weit vorzuziehen ist: dieses wird nur noch von
solchen Leuten genannt, die ihre guten Ursachen haben,
sich an ihren ehemals genossenen Vergnügungen zu
ergötzen.

Indem wir von diesem erhabensten Punkt ausgehen, und einer steil absteigenden Leiter folgen, nennen
wir für diejenigen Klassen, die minder delicat, und
mehr beschränkt in ihren Ausgaben sind, den Prado
und den Cirque d'Elisée, das Rendez-vous der Bür-
gersleute von Marais und der Cité; das Vaurhall de
l'Ermitage; und den Ball du Passage Molté, welche
von Wäscherinnen, Modehändlerinnen, Ladenjungfern
und Comptoir-Dienern, besucht werden; das Colysée
du Boulevard Saint-Martin, für Grisetten und Ga-
listen der kleinen Theater; das Caprice des Dames,
wo sich die Damen und Helden der Halle versammeln;
und endlich den berüchtigten Grand-Salon, welcher seit
undenklicher Zeit des Vorrechts genießt, in seinem ungeheuern Bezirk alle Klassen der Pariser Volksmenge
während des Faschnachts-Abends zubringen zu sehen.

Der antike Wagen, der, wie schon erwähnt, am
letzten Sonntage vor dem Hotel des Prinzen von
Neufchatel, wo auch die Kaiserinn sich befand, stille
hielt, stelle den Olymp vor, auf dem sich die vornehmsten Gottheiten befanden.

Berliner Abendblätter.

Berlin, den 21sten März 1811.

Bülletin der öffentlichen Blätter.

Paris, den 8. März.

Die Wiege, welche die Stadt Paris der Kaiserinn geschenkt hat, befindet sich in den Appartements des Königs von Rom. Ihre Majestät haben diese kostbare Arbeit mit Vergnügen in Augenschein genommen.

Madrid, den 1. Februar.

Am 28. Januar ist eine Commission vom Könige ernannt worden, welche den Auftrag hat, 1) einen allgemeinen Plan für die öffentliche Erziehung und die Lehr-Anstalten auszuarbeiten; 2) die besondern Einrichtungen für die Schulen, Collegien und dergleichen auszufertigen, und 3) die Mittel ausfindig zu machen, wie sie zu bewerkstelligen seyn werden. Dazu sind folgende zehn Gelehrte bestimmt: Don Juan Melendez Valdes, D. Juan Penalver, D. Josef Vargas y Ponce, D. Pedro Estalá, D. Juan Andujar, D. Francesco Marino, D. Manuel Narganes y Posado, D. Martin Fernandez Navarrete, D. Josef Antonio Conde, D. Josef Marchena.

Am 21. August v. J. wurde den in den Spanischen Provinzen befindlichen Ordensgeistlichen durchaus verboten, Beichte zu hören und zu predigen. Am 23. Januar aber hat der König verordnet, daß diese Geistlichen ihre Gesuche an die Bischöfe und Erzbischöfe richten mögen. Diese haben alsdann genaue Zeugnisse und Erkundigungen über die wahre Nothwendigkeit solcher Beichtväter und Prediger einzuholen, wie auch über ihr gutes Betragen und ihre Fähigkeiten genaue Erkundigungen einzuziehen, und berichten alsdann an den Minister des geistlichen Departements.

———

Tunis, den 30. November.

Sogar Federvieh wird von hier nach Maltha gesandt, wo ein Huhn 1 Spanischen Piaster kostet. Aber die Theurung ist nicht das größte Unglück für Maltha, die häufigen und großen Bankerotte daselbst sind es. Diese Bankerotte sind Wirkungen der großen Fallissemente in England; denn kein Schiff kommt von da in Maltha an welches nicht Nachrichten von dem Fall angesehener Häuser mitbrächte. Die Preise hier stehen wie bisher, und werden wahrscheinlich noch steigen, denn die Getreide-Erndten sind nur in der Gegend von Tunis ergiebig gewesen. Den Gegenden um Susa, Sfar und Monastero hat der Regen gefehlt, welcher in hiesiger Gegend so reichlich fiel, und der Krieg mit Alaser hindert die wichtige Zufuhr von Rindvieh und Schaafen aus Constantine.

———

Brüssel, den 10. März.

Hier wird häufig auf einen Kupferstich subscribirt, welcher auf die Schwangerschaft Ihrer Majestät der Kaiserinn Bezug hat. Er stellt vor: Ihre Majestät allein in einem Ihrer Zimmer, wie Sie vor einem Fortepiano sitzen, mit Rührung eine Romanze singen, und eine Wiege betrachten, die mit einer reichen, mit Bienen übersäeten Draperie bedeckt ist, und von sechs Adlern getragen wird. Auf einer Staffelei sieht man das Portrait des Kaisers, von der Kaiserinn selbst gemahlt. Durch ein Fenster erblickt man den großen Triumphbogen de l'Etoile.

———

Der unentschiedene Wettstreit.

Unlängst vor dem Ausbruch des siebenjährigen Krieges lernten ein Preußischer und Oesterreichischer Offizier im Bade zu Karlsbad einander kennen und

lieb gewinnen. Sie waren beide jung, dierten beide
in der Reiterei, und durch gleiche Lust an Kriegsübun-
gen und Pferden schlossen sie sich immer fester zusammen. Man sah sie selten ohne einander, bisweilen
aber auch in lebhaftem Streit; denn Jeder hielt das
Exerzier-Reglement des Heeres, zu dem er gehörte, für
das bestmöglichste in der Welt, und vertheidigte es als
solches gegen seinen Freund, wobei denn das Gespräch
gewöhnlich von beiden Seiten mit den Worten schloß:
nun, wenn es einmal Ernst würde, sollte sich's bald
ausweisen! — Dergleichen kleine Zwistigkeiten schienen jedoch die gegenseitige Freundschaft nur zu erhöhen, und man schied mit herzlicher Liebe von einander,
sich den schon früher sich zugetrunkenen Brudernamen noch
vielfach mit den besten Wünschen aus der Ferne zu-
rufend.

Bald hernach ward es Ernst; wie sie so oft vor-
ahnend gesagt hatten. In der Schlacht bei Lowositz
jubelte Wilhelm, — so wollen wir den Preußen nennen, — als der erste Kavallerieangriff seine Behauptungen zu rechtfertigen schien. Die Oesterreichische
Reiterei stutzte, und wandte um, die Preußen hieben
jubelnd nach, und Wilhelm ward seines Oesterreichischen Freundes Joseph wohl ansichtig, wie er, der Letzte
unter den Flüchtlingen, oftmals mit zürnender Miene
und geschwungenem Pallasch nach den Verfolgern zu-
rückschaute. — „Heda, Herr Bruder, wer hatte Recht?"
schrie ihm der freudige Wilhelm nach, und Joseph
blickte ernst nach ihm um, und nickte drohend mit dem
Kopfe. Nicht lange mehr, da wandte sich das Glück.
Eine Batterie, welche in die Flanke der Preußen schoß,
brachte diese zum Stutzen, bald darauf ein vermehrtes
Kanonenfeuer sie zum Umdrehen, und die Kaiserlichen
Reiter, schnell gesammelt, hieben ihrerseits den Flüchtigen nach. — „Schaut's der Herr Bruder? rief Joseph nun wieder. Wer zuletzt lacht, lacht am Besten!"

Die Preußischen Reiter sammelten sich im Schutze
ihres Fußvolks, und begannen einen zweiten Angriff.
Jetzt aber trafen die beiden Freunde ernstlicher zusammen. Hieb um Hieb wechselten sie, und von beiden
Seiten sammelte sich ein dichtes Gedräng' braver
Kriegsmänner um die Tapfern Führer. Als dieses
endlich auseinander stäubte, lagen Wilhelm und Jo-

seph, von gegenseitigen Wunden gefällt, sterbend bei einander am Boden. Joseph richtete sich matt empor, sahe seinen Freund lächelnd an, und fragte: was meint der Herr Bruder nun? — Wilhelm streckte die Hand nach ihm aus, und entgegnete: daß wir beide Recht hatten, Herr Bruder, wir sind alle zusammen brave Kerls und gute Reiter. — Recht so Herr Bruder, sagte Joseph: lauter wackeres deutsches Volk und herzliche Christen von Herzensgrund. Schlaf' der Herr Bruder ein mit Gott, denn mich bedünkt, es sei am Letzten. Damit machte er über sich und seinen Freund das Zeichen des Kreuzes, und beide thaten für immer die Augen zu.

Tragische Vorfälle.

Am 20 Februar wurde, bei strenger Kälte, ein neugebornes Kind vor der Kirche der Augustiner zu Wien niedergelegt. Als man dasselbe fand, war es bereits todt. Der Polizei gelang es, die unmenschliche Mutter zu entdecken. Es ist eine Dienstmagd. So menschenfreundlich übrigens die Staatsverwaltung durch das Gebährhaus, so wie durch die (einer wohlthätigen Reorganisation sich nähernde) Findelanstalt dem Kindermorde und der Kinderweglegung entgegen zu wirken sich bestrebte, so gehören doch seit einigen Jahren beide Verbrechen überhaupt nicht mehr unter die Seltenheiten. Im Jahre 1810 wurden in Wien 7 weggelegte Kinder lebend gefunden; 5 fand man ermordet oder erfroren; eines derselben, das in dem Kanale eines Hauses lag, war bei der Entdeckung von den Ratten so zerfressen, daß man das Geschlecht nicht mehr zu erkennen vermochte.

Berliner Abendblätter.

Berlin, den 23ßen März 1811.

Bülletin der öffentlichen Blätter.

London, den 4. März.

(Aus dem Moniteur.)

Es heißt, daß der Canzler der Schatzkammer 3 Millionen an Schatzkammer-Scheinen vorschießen will, um unsern Handelshäusern zu Hülfe zu kommen; man besorgt aber, daß diese Summe nicht hinreichen werde, da mehrere Häuser viele todte Capitalien haben und da jedes 3 bis 400000 Pf. Sterl. zur Fortsetzung seines Handels braucht.

Auf den bei den Inseln unterm Winde stationirten Kriegsschiffen hat das gelbe Fieber große Verheerungen angerichtet. Die Fregatte Nyaden hat 85 Mann, worunter 6 Offiziere, und die Fregatte Thetis 81 Mann verloren. Auch die Einwohner zu Englisch Harbour haben viel durch das gelbe Fieber gelitten.

Von der Insel Anholt wird unterm 7. Februar gemeldet, daß man daselbst seit dem 4. December wegen des vielen Eises keine Communication mit Eng!und gehabt habe. Die Garnison befindet sich in gutem Stande.

Paris, den 11. März.

Der heutige Moniteur enthält Folgendes:

„Se. Majestät haben gestern ein Universitäts-Conseil gehalten."

„Ihre Majestät die Kaiserinn promenirten gestern Nachmittag, eine Stunde lang, im Garten der Tuillerien, dessen Alleen, Terrassen und Gänge von ungeheuer vielen Menschen voll waren, welche die Hoffnung, Sie zu sehen, herbeigezogen hatte."

Zu Hüningen kommen täglich, wie unsere Blätter anführen, Materialien zu einer Schiffbrücke an, zu deren Bau 400 Arbeiter gebraucht werden sollen.

Zu Rom beschäftigt man sich mit Herstellung der Rudera des Tempels des Jupiters Tonans. Bekanntlich ließ August diesen Tempel nach seiner Rückkunft aus Spanien, wo ihm zur Seite ein Mensch vom Blitz war getödtet worden, errichten.

Es soll eine unterirdische Gallerie gebauet werden, welche den Pavillon de Flore mit der Terrasse des Tuillerien-Gartens in Verbindung setzen wird. Die Arbeiten haben vorgestern angefangen   (L. d. B.)

Stockholm, den 8. März.

Der Baron Krassow und der Syndicus Gülich haben sich bei Ihren Königl. Majestäten beurlaubt, und ersterer ist bereits von hier abgereist.

Der Herr Oberstatthalter, General Skjöldebrand, befindet sich seit einiger Zeit sehr unpaß. (L. d. B.)

Die furchtbare Einladung.

Man weiß viel Beispiele aufzuführen von leichtfertigen Dienern der Liebe, welche bei späten Jahren nichts gethan und gedacht, als Rosenkränze abzählen und die weißen Scheitel mit Pönitenzasche bestreuen. Hier sei einer Bekehrung erwähnt, welche früher and gewaltsamer vor sich ging.

Ein junger Graf, dessen Verwandtschaft umsonst bemüht war, auf seinen Lebenswandel und sein wahres Glück einen günstigen Einfluß zu erlangen, ging einst bei Mondenschein auf einsamen Straßen einer großen

deutschen Stadt, nachdem er seinen Abend bei der
zierlichsten und eingespieltesten aller Guitarren-Dilet-
tantinnen zugebracht. Er fand es angenehm, sich in der
Nachtluft zu kühlen, und ging sehr langsam auf einem
völlig ausgestorbenen Platz um eine alte Kirche her,
in sonderbarem Spiele sein Schnupftuch um die rechte
Hand knüpfend und die Zipfel desselben von sich flat-
tern lassend. Mit einmal steht ein Mensch neben ihm,
lang wie die Hellebardenschweizer eines Hofes, und in
seinen Mantel verengt wie ein welscher Edler, der an
dem Stahl im Busen siegreich das Blut seines Neben-
buhlers nach Hause tragen will. Der Graf wird von
ihm aufgefordert zu folgen, nachdem er gefragt worden, ob er fertig sei, ihm auch, im Fall er keine bei
sich trage, zwei kleine Waffen eingehändigt worden
sind. Der Mann im Mantel geht, ohne die Antwort
abzuwarten, voraus. Der Graf würde sich aller Furcht-
anwandlung geschämt haben; er folgt seinem stummen
Führer an der Kirche vorüber in enge Gassen, durch
öde weite Plätze nach, die er nicht kennt, wo das
Pflaster nur ihre Tritte steinern nachtönt und der
Mond außer ihren Gestalten nur die Schatten der Häuser und Schornsteine hervorhebt. Der Anführer geht
endlich, nachdem sie an einem Kloster vorüber
sind, abermals eine lange zugige Gasse hinab, in
ein Haus, der Graf immer hinter ihm, alles ist dunkel
und eben, der Graf meint eine neue Straße hinunterzu-
gehn, so lange währt das Tappen über den Hausflur;
endlich eröffnet sich etwas, sie treten ein, der Führer
sagt, die Dame werde gleich da seyn, und der Graf,
unschlüssig ob er einer Verführung oder Anführung
entgegen gehe, steht allein in einem Gemache seltsamer
Art, dessen Fenster verhüllt seyn müssen; denn nur nach
einer unendlichen Folge von Schwächungen hat sich
ein Widerschein vom Mondenlicht hineingestohlen;
nichts ist bestimmt, als ein Springbrunnen, der mitten
im Gemache befindlich scheint. Eine schleierartig rau-
schende Erscheinung naht, der Graf belacht im voraus
sein Glück und sein Abentheuer, die Finsterniß bleibt,
sonst verändert sich die Scene dahin, daß er, von zwei
Armen umschlungen, bald von den Gluthen zweier Wangen angeduftet wird. Er glaubt das Aufblühen einer
Rose zu fühlen, und versagt ihr nicht die Reizung seines warmen Anhauchs. Indem, es ist sonderbar, durch-

geht ihn ein gewisser unbehaglicher Schauer, er fühlt
die Arme an, als berührte er Sammet gegen den Lauf
des Gewebes, und in dem Feuer der Wangen ist etwas Fieberartiges, das ihn widerwärtigerweise nüchtern
erhält. Die Dame beginnt leise zu sprechen; mit ihren
Küssen innehaltend sagt sie: Was ist Tugend, und was
ist Entschluß! den Fehltritt früherer Jugend bereuend,
schlug ich Ihre Hand aus, als ich Wittwe ward, und
gab einem zweiten Gemahl die Rechte, die Ihnen schon
halb eigen waren; ach das that ich, um die Schuld
nur größer zu machen. Neue sündiger Art führt mich
in Ihre Arme; der Wunsch, zu vergessen was mich
quält, erfüllt mir diese Stunde, und nimmt meinen
ganzen Willen hin.

Sie sank gegen den Grafen. Gott, meine Mutter!
rief der Entsetzte und stürzte sich tiefer in die unabseh-
bare Dunkelheit. Das Zeichen mit dem Schnupftuche
war das der Verabredung gewesen. Des Grafen Gestalt und Anzug hatte die Vertauschung befördert. Die
unglückliche Mutter lief einer Wahnsinnigen ähnlich bis
auf die Straße und schrie Mord. Aufgeschreckte sammelten sich, nur ihr schnelles Rückverschwinten in's
Haus errettete sie, wo nun die Mutter bald d m Sohne zu Füßen lag, ihn bald mit Abscheu von sich stieß;
der Sohn aber fühlte, wie seine Gedanken der Raserei
in die Hände fallen wollten; denn die herabgesetzt zu
sehn, deren Entehrung man nur als mit dem eignen
Lebensende Eins denken kann, ist ein Zustand, in welchem edelgebohrne Naturen ein Irrereden des Schicksals
zu hören und ein Verstummen der Vorsehung zu fürchten meinen.

Seit diesem Vorfalle suchte der Graf nichts auf,
als die Wälder und Einsamkeiten seiner Schlösser; er
glaubte die Stirn nicht und niemals frei, das heißt
adlich, tragen zu können an dem Orte, wo die eigene
Mutter ihm Veranlassung ward, die angeborne und gesetzmäßige Scheu und Heiligkeit zu verhöhnen: alle
Verstohlenheiten und Oeffentlichkeiten verliebter Abentheuer waren ihm Gift, und nur in der Liebe einer sehr
reinen und höchst zärtlichen Gräfin hat er im Laufe
der Tage Beruhigung erreicht, und wahres Leben gefunden.

O. H. Graf von Loeben.

———————————

Berliner Abendblätter.

Berlin, den 23sten März 1811.

Bülletin der öffentlichen Blätter.

Stockholm, den 8. März.

Zur Suite des allhier residirenden Russischen Gesandten, Generals v. Suchtelen, gehören: der Ambassade-Rath Sievers, Legations-Secretär Graf Santi, Gesandtschafts-Cavalier Capitän v. Suchtelen (ein Sohn des Generals), und der Capitän Löchner, als Adjutant des Generals.

Nun ist auch die so lange erwartete Vertheidigung des ehemaligen Commandanten der Festung Sveaborg, Admiral Cronstedt, bei dem Königl. Kriegs-Hof-Gericht eingegeben und unmittelbar darauf durch den Druck bekannt gemacht worden; das Publikum kauft und lieset solche mit dem gespanntesten Interesse.

Washington, den 1. Februar.

Man sieht jetzt eine Note des Herrn Pinkney an Lord Wellesley vom 3. November 1810, als dem Tage, nach dem die Französischen Decrete von Berlin und Mailand von diesem Amerikanischen Gesandten in London als revocirt angesehen wurden. In einer dieser Note beigefügten Depesche des Herrn Pinkney an den Staats-Secretär der vereinigten Staaten, giebt derselbe zu erkennen, wie wenig Hoffnung er schon damals (5. November 1810) hatte, daß das Englische Cabinet seine Ordres widerrufen werde.

Morgen tritt die Non-Inter-Course-Akte, nach der am 15 vorigen Monats durchgegangenen additionellen Bill, in Kraft. So wichtig dieser Gegenstand auch für einen Theil unserer Bevölkerung ist, so zieht doch ein anderer in diesem Augenblick die größte Aufmerksamkeit des Publikums auf sich; es haben nämlich die Bewohner der, ehemals unter Spanischer Herrschaft gestandenen, beiden Floridas, förmlich darauf angetragen, in den Schooß der Amerikanischen Familie aufgenommen zu werden, und einen integrirenden Theil unsers Bundesstaats auszumachen. Der Congreß hat sich bereits in mehreren geheimen Sitzungen mit dieser Angelegenheit beschäftigt, und man ist äusserst gespannt auf das Resultat seiner Berathschlagungen.

Der Moniteur enthält Folgendes:

„Das Bureau des longitudes, welches aus den öffentlichen Blättern die an unsern Küsten durch die von einem starken Südwinde begünstigte hohe Fluth vom 24. Februar verursachten Unglücksfälle ersehen hat, glaubt nachfolgende Warnung, die in der Connoissance des tems gedruckt, und vor kurzem in dem Annuaire von 1811 von neuem eingerückt ward, hier erneuern zu müssen. Diese Warnung ist um so nothwendiger, da die Fluth vom 25 März beinahe so stark wie die vom 24. Februar seyn soll, und die Winde sie eben so zerstörend machen könnten."

„Die höchsten Fluthen von 1811 werden die vom 24. Februar, vom 25. März, vom 3. September und vom 3. October seyn. Diese vier Fluthen, besonders die beiden ersten, werden außerordentlich genug seyn, um Ueberschwemmungen zu bewirken, wenn die Winde darnach sind; es ist daher für die See-Departementer sehr wichtig, davon benachrichtigt zu werden, um Unfällen, welche auf dieses Phänomen folgen könnten, zuvorzukommen." (Siehe Connaissance des tems, do l'an IX. Seite 21.) (K. b. B.)

Paris, den 12. März.

Die Militär-Commission zu Dijon hat am 6. dieses drei Englische Marine-Capitäns, die aus dem Depot zu Auxonne entwischt waren, zu sechsjähriger Kettenstrafe verurtheilt.

Der Doktor Prost, der von der Regierung den Auftrag hatte, die Fabriken von Trauben-Syrup zu besuchen, welche in mehreren südlichen Departementern des Reichs angelegt worden sind hat berechnet, daß, ohnerachtet der schlechten Erndte im letzten Jahre, in diesen Departementern so viel Syrup fabricirt worden ist, daß dadurch die Rohrzucker-Consumtion um die Hälfte vermindert wird.

Riga, den 28. Februar.

Heute Abends um 5 Uhr trafen Se. Durchlaucht, der Fürst Labanow Rostowsky, unser Allerhöchst verordneter General-Gouverneur, hieselbst ein, und wurden mit der pflichtgemäßen Feierlichkeit und Ehrfurcht empfangen.   (L. d. B.)

Stockholm, den 15. Februar.

(Aus dem Moniteur.)

Madame de Flotte ist von dem Könige zur Unter-Gouvernantinn der Prinzessinn von Schweden ernannt. Dieser Titel von Unter-Gouvernantinn gilt so viel als der Titel von Unter-Ober-Hofmeisterinn, welcher dem Hause der Königinn allein vorbehalten bleibt.

Der König hat befohlen, die verschiedenen patronimische Namen der Kronprinzessinn in den Schwedischen Almanach einzurücken. An dem Feste Sr. Königl. Hoheit gab man im Innern des Hofes eine Fete, wobei man vor der Königl. Familie das Französische Theaterstück Defiance et Malice spielte.

Ihre Königl. Hoheiten und der Herzog von Sudermannland wohnen regelmäßig den Bällen bei, welche die verschiedenen Gesellschaften zu Stockholm geben, und man sieht sie bei denselben immer mit neuem Vergnügen. Die Einwohner der Hauptstadt sind von Beweisen des Wohlwollens und der Güte überhäuft, die sie von diesen Durchlauchtigen Personen erhalten.

Copenhagen, den 14. März.

Einem auf Lebenszeit ins Raspelhaus verurtheilten Verbrecher, dem der König die dadurch verwirkte

Ehre wieder hergestellt hatte, wurde neulich diese Königliche Garde auf eine höchst feierliche Weise, im Beisein sämmtlicher Gefangenen, kund gethan. Der Vorsteher der Anstalt, Major d'Auchamp, und der Prediger derselben, hielten Reden. Der Canzlei Präsident und die Deputirten der Canzlei wohnten dieser feierlichen Handlung bei. Bei dieser Gelegenheit wurde zugleich den Gefangenen ein Königl. Beschluß bekannt gemacht, nach welchem selbst die größten Verbrecher durch gutes Betragen Milderung ihres unglücklichen Zustandes und selbst die Freiheit erlangen können.

<hr />

Bern, den 8. Februar.

Durch ein einhelliges Urtheil des Kriegsgerichts des 2ten Schweizer-Regiments in Lille, ist Herr Jonathan v. Graffenried von Bern, Bataillons Chef des 2ten Regiments, von jeder Art von Anklage von Feigheit und Verrätherei freigesprochen worden, daß er den seinem Commando anvertrauten Posten von la Suebia de Sanabria dem Feinde durch Capitulation übergeben habe. Während der siebentägigen Belagerung dieses nicht haltbaren Orts, war die Garnison auf halbe Rationen Lebensmittel herabgesetzt und hatte bei der Uebergabe gar keine mehr, auch nur sechs Schüsse Munition auf jede Flinte mehr übrig und kein gesundes Wasser. Eine Bresche war eröffnet zu fünf Mann en front aufzumarschiren. Die Garnison war so schwach, daß sie nur einen Mann auf fünf Schritte zur Vertheidigung der niedern Ringmauer stellen konnte.

(L. d. B.)

<hr />

Miscellen.

Am 2. März fiel ein, aus dem Kanton Aargau gebürtiger, erst 13 Jahr alter Knabe, ohne daß es Jemand gewahr wurde, in das Rad eines Wasserwerks zu Zürich, und ward von demselben auf eine schreckliche Weise zerrissen.

Berliner Abendblätter.

Berlin, den 25ften März 1811.

Bülletin der öffentlichen Blätter.

Paris, den 15 März.

Geftern früh um 7½ Uhr begaben fich Se. Majeftät nach dem Walde von St. Germain auf die Jagd.

Ihre Majeftät die Kaiferinn machten geftern Ihre gewöhnliche zwei Stunden lange Promenade.

Vorigen Montag ritt der Kaifer um 7 Uhr Morgens aus, um einen Theil der von ihm angeordneten öffentlichen Bauten in Augenfchein zu nehmen. Um 12½ Uhr kamen Se. Majeftät bei dem Schlachthaufe in der Straße Rochechouard an, ließen den mit diefem Bau beauftragten Architekten rufen, und erkundigten fich genau über alle darauf Bezug habende Gegenftände.

Im Departement de la Gironde werden nunmehr auch Baumwollen-Anpflanzungen Statt haben.

Unfere Blätter enthalten Folgendes:

„Der Canton Graubündten ift eins der Länder, wo man fich feit vielen Jahren ftandhaft geweigert hatte, den Gregorianifchen Calender anzunehmen. Man muß diefe Weigerung größtentheils einer Art Fanatismus zufchreiben: denn die Widerfpenftigen gaben vor, ihre religiöfen Grundfätze erlauben ihnen nicht, diefen Calender anzunehmen. Die Mehrzahl der Einwohner hat lange fchon das Widerfinnige empfunden, in einem Syftem zu beharren, welches mit dem ihrer Nachbaren nicht in Uebereinftimmung war; aber fie fürchtete immer, Privat-Meinungen zu beleidigen, und ließ die Sache fo hingehen. Der große Rath des Cantons Graubündten hat endlich in einer feiner letzten Sitzungen angeordnet, daß der Gregorianifche Calender eingeführt werden folle. Diefe Entfcheidung hat in mehreren Gemeinden eine große Gährung hervorgebracht man schreiet gegen die Neuerer, und an mehreren Orten haben Unordnungen Statt gehabt. Es scheint aber doch nicht, daß die Regierung die Verordnung zurücknehmen werde, und die Bewohner dieser Gebirge werden sich allmählig an diese Veränderung gewöhnen."

London, den 8. März.

(Aus dem Moniteur.)

Zu Falmouth ist ein Kauffahrteischiff angelangt, welch s Lissabon am 26. Februar verlassen hat. Es hat nichts Neues von Wichtigkeit mitgebracht. Bei der Abfahrt desselben bemerkte man Bewegungen in der französischen Armee; man wußte aber nicht, ob sie die Absicht hatte, eine Schlacht zu liefern, oder über den Tajo zu gehen.

Lord William Bentik ist zum General en Chef der Englischen Kriegsmacht auf Sicilien und zum bevollmächtigten Minister bei dem Hof von Palermo ernannt. Der General Friedrich Maitland wird unter ihm commandiren. Herr Friedrich Lambe ist zum Legations-Secretär ernannt.

Aus Plymouth wird Folgendes vom 4. März gemeldet:

"Mit Vergnügen berichten wir, daß die Brigg Eliza so eben die Nachricht überbringt, daß Admiral Yorke mit sieben Linienschiffen und einer Convoi von ungefähr 6000 Mann Truppen zu Lissabon angelangt ist."

Das heutige Bulletin von dem Befinden des Königs lautet folgendermaßen:

"Se. Majestät befinden sich eben so, als gestern."

Künftigen Montag, als den 11. dieses, wird der Bericht der vom Hause der Gemeinen niedergesetzten

Comité, um den Zustand des Handels- Credits zu untersuchen, in Berathschlagung genommen werden. Man
sagt, die, an einige Kaufleute zu bewilligende, Summe
als Unterstützung werde sechs Millionen Pfund Sterl.
in Schatzkammer- Scheinen betragen.

Noch heute wird eine Bothschaft des Prinz Regenten an das Parlament gelangen, um auf eine Vermehrung der Ausgaben von einer Million Pfund Sterl.
für die in unserm Solde stehenden Portugiesischen
Truppen anzutragen.

———

Mit Leidwesen zeigen wir den Tod des Generals
Mille an: er war der älteste Englische Offizier in Portugiesischen Diensten. Sein Begräbniß hatte den 9 Feb.
zu Oporto Statt. (L. d. B.)

———

Paris, den 16. März.

Das Hotel de Frankfort, in der Straße de vieux
Augustins, ist auf Befehl der Polizei drei Monate geschlossen worden, weil es sieben Tage hindurch Fremde
beherbergt hatte, die es der Polizei nicht angezeigt
und von denen es nicht wußte, ob sie mit Sicherheits-
Karten versehen wären. Es wird so gegen alle Auber-
gen verfahren werden, die sich nicht nach den Polizei-
Verfügungen richten. (L. d. B.)

———

Aus Spanien.

Es bestätigt sich, daß der Insurgentenchef Odon-
nel quittirt und Tarragona verlassen hat, um sich nach
Majorka zu begeben. An seine Stelle wurde der Marquis von Campoverde ernannt. Die Uneinigkeiten,
welche zwischen den Bürgern und Soldaten herrschen,
werden aber auch diesen bald zwingen, seine Stelle
aufzugeben.

Zu Barcelona sind 11 französische Schiffe mit
42000 Centner Lebensmitteln eingelaufen. Durch diesen Ueberfluß wurde der Muth der Besatzung wieder
belebt. Mit jedem Ausfall aus Barcelona werden viele Insurgenten zerstört, und die Verbindung mit Frank-

reich zu Lande wird bald wieder hergestellt seyn. Zwischen der Insurrektionsjunta und den Militärchefs von Oberkatalonien herrschen Uneinigkeiten. Ein gewisser Oller, Repräsentant der Junta von Tarragona wurde verhaftet. Die Einwohner nannten ihn nur den katalonischen Robespierre. Allein nach seiner Verhaftung gingen die Sachen nicht besser. Jedes Mitglied der Junta handelt nach frier Willkühr und sucht nur Schätze an sich zu reißen, um endlich damit entfliehen zu können. Das Volk wird ausgezogen; sein Rachgeschrei hat sich in die Stimme der Verzweiflung verwandelt. Es erwartet mit Ungeduld seine Befreier. General Baraguey-d'Hilliers hat eine gänzliche und allgemeine Amnestie allen Kataloniern bewilligt, die bis zum 15. März die Waffen niederlegen würden. Diese Maaßregel hat schon glückliche Folgen bewirkt. Viele Bauern kehren zu ihren Wohnungen zurück und die Haufen der Insurgenten werden dünner. Mehrere Bauern haben sich selbst unter die organisirten Nationalkompagnien aufnehmen lassen, um den Räubern den zu Leibe zu gehen.

(K. f. D.)

Miscellen.

Eine Witwe in Zürich bekam durch den letzten Brand eine Furcht vor Feuersgefahr, daß sie alle Nächte vor dem Schlafengehen, an alle Schränke die Schlüssel ansteckte. Dieß wußte eine Magd, die aus dem Dienst entlassen worden war; diese schlich sich in der Nacht vom 18 auf den 19. Februar in das Haus, und stahl aus 3 Schränken Geld, Silbergeschirr und Kleidungsstücke. Der Verdacht fiel gleich auf diese Magd; sie ward eingesteckt, und gestand bei dem ersten Verhör gleich alles.

Berliner Abendblätter.

Berlin, den 26sten März 1811.

Bülletin der öffentlichen Blätter.

Stockholm, den 8. März.

Se. Königl. Majestät haben nunmehr die, von der
früher erwähnten Pommerschen Comité vorgeschlagene,
neue Regulirung des Herzogthums Pommern und der
Insel Rügen bestätigt und unterzeichnet.

Man berechnet, daß die Kosten für den Aufenthalt
der Pommerschen Committirten und der Reise gegen
7000 Rthlr Pomm. Courant betragen.

Einige wollen wissen, daß Se. Excellenz, der General-Gouverneur Graf von Essen, zum Zeichen besonderer Königl. Gnade, das Gouvernements-Haus in
Stralsund zum Geschenk erhalten habe.

An die Stelle Sr. Excellenz des Herrn Generals
Baron von Armfeldt, dessen plötzliche Abreise von hier
bestätigt wird, ist der Herr General-Major Baron
Sandels zum Präsidenten im Kriegs-Collegio ernannt
worden.

Wie es heißt, so hat der General-Adjutant von
Peyron, auf Ansuchen, den Abschied mit Pension erhalten.

Endlich ist die Königl. Instruktion erschienen,
wornach sich die Committirten bei der von den Reichs-
ständen 1809 und 1810 beschlossenen Soldaten-Vorrung
zu richten haben.

Da in der Neuen Post den Offizieren des 1sten
Garde Regiments der Vorwurf gemacht war, daß sie
ihren Unter Offizieren und Gemeinen das zur Gage
und Kleidung Ausgesetzte zum Theil vorenthalten oder
geschmälert, so hatten Se. Majestät ihrem General-Ad-
jutanten Peyron den Befehl gegeben, die Subalternen

und Soldaten des gedachten Regiments in der Form Rechtens zu vernehmen und darüber ein Protokoll auszufertigen zu lassen. Dieses Protokoll liefert uns die Hofzeitung vom Sonnabend, und bezeugt, daß die angeblich Uebervortheilten alles richtig und zu rechter Zeit erhalten und nichts zu klagen hatten. (L. d. B.)

Paris, den 16. März.

Man verkündigt als nahe bevorstehend die Installation der Facultäten der Theologie, der schönen Künste und Wissenschaften, der Akademie zu Paris. Das Programm der theologischen Facultät wird im Lateinischen publizirt werden.

Alle Spanische Kriegsgefangene, die sich in der 10ten Militär-Division befanden, werden nach dem Innern gesandt.

Die Pläne des Palais von Rom sind beendigt. Sie sind das Werk des Herrn Fontaine, Architekten Sr. Majestät. Von der Höhe des Balcons werden Allerhöchstdieselben das Marsfeld vor Augen haben, wo sie eine große Armee manövriren lassen können. Der Park wird mit dem Park von St. Cloud durch das Gehölz von Boulogne in Verbindung stehen.

Der zum Ambassadeur nach St. Petersburg ernannte General Lauriston tritt diese Woche seine Reise dahin an.

Zwölf Auditeurs des Staatsraths reisen diese Woche nach Spanien ab.

Amsterdam, den 19. März.

Das Gerücht erneuert sich, daß nach Endigung des Wochenbettes der Kaiserinn, Se. Majestät der Kaiser und König uns mit Allerhöchst Ihrer Gegenwart beehren werden.

Man versichert, daß Se. Durchlaucht, der Herr General Gouverneur von Holland, einen Theil der schönen Jahrszeit auf einem Lustschloß, nahe bei dem Gehölze vom Haag, genannt Oranje Saal, zubringen, und sodann sich nach dem Schlosse Loo, in Geldern, begeben werden.

Der Präfekt des Süder-Departements, Graf von Celles, hat, da verschiedene Préposés der Douanen sich beklagt haben, daß einige Maires sich geweigert, sie bei vorzunehmenden Haus-Durchsuchungen zu unterstützen, eine Anzeige an die Herren Maires ergehen lassen, in welcher er sie an ihre gesetzliche Verpflichtung erinnert, den Préposés der Douanen in jedem Fall, wo sie Haussuchungen zu machen für nöthig finden, einen Municipal-Beamten zur Assistenz zu geben.

Das vormalige Königl. Institut in Holland ist beibehalten worden, und erhält den Namen: Holländisches Institut. Die Königl. Bibliothek, die sich zum Theil in Amsterdam befand, ist nach dem Haag verlegt, und wird ins künftige Holländische Bibliothek heißen. Sie steht dem Publiko alle Tage offen, ausgenommen Sonnabends und Sonntags.   (L. d. B.)

Copenhagen, den 19. März.

Die am 18. Februar bei Skagen gestrandete Englische Cutterbrigg Pandora ist so tief in den Sand versunken, daß von derselben nichts geborgen werden kann. Wegen des stürmischen Wetters, das bis zum 28. ununterbrochen anhielt, durften die Bergen auf Skagen sich erst an diesem Tage wieder zu derselben Zeit hinaus wagen.   (L. d. B.)

Vermischte Nachrichten.

Im Königreich Westphalen ist durch ein Rescript erlaubt, daß ein jeder sein Vermögen nach dem Königreich Preußen ausführen darf, ohne dafür Abzugsgelder entrichten zu dürfen.

———

Nachrichten aus der Schweiz zufolge, hat der Bildhauer Christen auf einer Reise nach Italien auf dem Splügen Spuren eines weißen Marmors, und in deren Verfolg einen ungeheuern Marmor-Felsen, unfern der Straße entdeckt, der nicht nur eben so weiß, sondern noch härter ist, als der carrarische. Der Künstler, wird hinzugesetzt, etablirt sich nun dort, und läßt Vieles für seine Bedürfnisse brechen.

———

Das zu Scutari in Albanien verbreitete Gerücht, als herrsche zu Podgoriza eine ansteckende Krankheit, hat sich nicht bestätigt. Emigranten aus dieser letztern Stadt hatten figürlich die dortige Regierung die Pest genannt, da sie aber dennoch gezwungen werden sollten, Scutari zu verlassen, so sind dadurch am Ende Januars unruhige Auftritte entstanden.

Neueste Nachrichten.

Zürch, den 9. März.

Gestern ist Herr Heer, Landammann, auf seiner Rückreise nach Glarus hier durchpassirt.

———

Der Rath Alberti, von Solothurn kommend, ist heute, nachdem er sich hier einige Tage aufgehalten, nach Bellinzona zurückgekehrt.

———

Miscellen.

Zu Paris zeigt man jetzt ein 10jähriges Kind, das 230 Pfund wiegt; — viel, wenn es nicht irgendwo mit Blei ausgestattet ist.

———

Berliner Abendblätter.

Berlin, den 27sten März 1811.

Bülletin der öffentlichen Blätter.

Paris, den 16. März.

Vorgestern musterten Se. Majestät der Kaiser mehrere Corps der Garde, die sich gegen Mittag auf dem Caroussel-Platz befanden. Die Hoffnung, Se. Majestät zu sehen, hatte ungemein viele Menschen herbeigezogen. Als Sie wieder in die Tuilerien zurückkehrten, erscholl der laute Ruf: Es lebe der Kaiser!

Am 14. hatte der Senat eine Sitzung, unter dem Vorsitz Sr. Durchlaucht, des Prinzen Erzkanzler des Reichs.

Die Arbeiten bei den öffentlichen Bauten und Monumenten nehmen bereits wieder ihren Anfang.

Hier ist gegenwärtig ein Urtheil des Tribunals erster Instanz der Seine öffentlich angeschlagen, wodurch ein gewisser Herr Lamy, weil er, dem Decret vom 28 Ventose, Jahr IX., zuwider, Geschäfte als Wechsel-Makler gemacht hat, zu einer Geldstrafe von 8333 Fr. 33 Cent. verurtheilt wird.   (L. d. B.)

Aus Deutschland.

Da die Postwagen im Meklenburgischen der Beraubung ausgesetzt waren, so werden dieselben nun mit bewaffneten Leuten begleitet und auch die Wagenmeister und Postillons müssen Waffen führen.

Im Großherzogthum Baden ist eine allgemeine Hundstaxe eingeführt worden. Für jeden Hund wird eine jährliche Taxe von 3 fl., je 1 fl. 30 kr. im Juni und November, bezahlt. Von der Zahlung dieser Taxe sind befreit: die Metzger, Fuhrleute, Wächter und Hirten, worunter auch die Schäfer und die Feldhüter oder Bannwarte zu zählen sind; ferner alle Besitzer solcher Gebäude, die zu ihrer Sicherheit einen Hund halten, der aber, so lange die Hofraithe offen steht, an der Kette zu verwahren ist; endlich sind davon befreit die zur Jagd berechtigten Stellen und Personen: diese sind aber verbunden, die Hetz- und Fanghunde außer der Zeit des Gebrauchs eingesperrt zu halten. (K. f. D.)

Aus Sachsen.

In unserm Handel, schreibt man aus Leipzig, herrscht jetzt eine ungewöhnliche Stille. In Kolonialwaaren haben wir keinen andern Absatz, als auf das platte Land; aber der Krämer in kleinern Ortschaften, der sonst den Zucker nach Zentnern einkaufte, hat jetzt an einem oder 2 Broden (Hüten) genug. Bei diesem geringen Absatze sind gleichwohl die Vorräthe sehr groß; kein Wunder also, daß seit den 6 Monaten, wo der Impost eingeführt wurde, die Preise der Kolonialartikel immer tiefer herunter gehen. Der gute ordinari Kaffe ist jetzt zu 16 Groschen, folglich wohlfeiler, zu haben, als vor dem Impost. Auch in andern Artikeln fühlt man den Druck des Geldmangels und der Armuth. Den Kaufleuten, die ihren Impost in baarem Gelde vor dem Termin bezahlen, ist eine Gratifikation von 5 Procent bewilligt. Fallimente giebt es hier nicht; aber in den kleinern Städten von Sachsen sind Bankerotte und Subhastationen an der Tagesordnung. Bedenkt man die ungeheuern Vorräthe des hiesigen Platzes, den hohen baar zu erlegenden Impost, den Mangel an Absatz, das Fallen der Preise, wobei Mancher ungeheuer verliert, endlich die starken auswärtigen Fallimente, so muß man sich wundern, daß Leipzig die bisherigen Stürme so glücklich aushalten konnte. Von Zeit zu Zeit kommen zahlreiche russische Karawanen an, die Vorräthe von ihren rohen Produkten,

welche einen langen Landtransport ertragen, mit.
bringen. (K. f. D.)

Französisches Reich.

Der Generalintendant der Armee des Zentrums
in Spanien, Herr Denniée, wurde zum Ritter des
Ordens der eisernen Krone ernannt. — Der franz.
Konsul in Tunis hat nach Genua fürs Museum der
Akademie eine Korallensammlung und andre Seepro-
dukte gesandt. In dieser Sammlung befindet sich auch ein
afrikanischer Skorpion, der mit seinem Stachel Löwen
und Tyger tödten soll. — Schon lange wußte man,
daß die Gebirge des jetzigen Departements des Simplon, vormals das Walliser Land genannt, edle Metalle enthalten; allein aus politischen Gründen suchte
man dieselben nicht auf. Nunmehr aber hat eine Gesellschaft sich zusammen gethan, und Aktien errichtet,
deren jede 12 Louisd'or kostet, um in der Nachbarschaft von Briegg Bergwerke anzulegen. Man verspricht sich eine gute Ausbeute an Silber, Blei,
Kupfer ꝛc. (K. f. D.)

Aus Italien.

Die Karnevalslustbarkeiten sind auch zu Neapel
nun vorüber; sie waren zahlreicher und glänzender, als
jemals. Auf Königl. Kosten wurde am 24. Februar
dem Volk ein Fest gegeben. Bei diesem sah man auf
dem großen Platz vor dem Königl. Palais ein zirkel-
rundes Dorf, mit Bäumen umgeben. An diesen hiengen statt der Früchte verschiedene Preise. In der Mitte war ein Springbrunnen, der Wein ausgoß. Um
diesen tanzte das Volk nach der Musik mehrerer Orchester: 43 ländlich gekleidete Mädchen erhielten Heiraths-
güter, und unter 3000 arme Familien wurden 3000
Säcke Mehl ausgetheilt; Volksdichter sangen lustige
Lieder ab ꝛc. — Die Ladungen verschiedener nordame-
rikanischer Kauffahrer, oder vielmehr verkappter Engländer, sind nunmehr zu Neapel konfiszirt worden:

man hatte sie gleich bei ihrer Ankunft in Beschlag genommen.
(K. f. D.)

Nachricht von dem Magnet-Berg auf der Insel Cannay.

Von Georg Dempster.

Die Insel Cannay hat zehn bis zwölf Englische Meilen im Umfange, und einen trefflichen Hafen. Auf derselben befindet sich ein ziemlich hoher Hügel Compaß-Hill genannt, worin ein kleines, ein bis zwei Fuß tiefes, Loch ist. Stellt man einen Compaß in dieses Loch, so wird er augenblicklich gestört, und in Kurzem schweift die Nadel nach Osten, bis zuletzt der Nordpunkt eine bestimmte südliche Richtung nimmt, und dort beharrt; in einiger Entfernung von diesem Loche erhält die Nadel ihre gewöhnliche Stellung wieder.

Der Hafen an der Nordseite wird von einem steilen Basalt-Felsen gebildet, der ungefähr eine halbe Meile unterhalb und im Süden des Magnethügels liegt, wovon dieser Felsen eine Fortsetzung ist. Unter diesem Felsen, und sobald ein Boot dessen Mittelpunkt erreicht, neigt sich der Nordpunkt des Compasses nach Süden, und beharrt dort; doch diese Abweichung hört auf, so wie man den südlichern Theil des Felsens erreicht. Stücke von diesem Felsen stören die Magnetnadel nicht. Die Insel ist übrigens noch mit mehrern säulenförmigen Basalt-Hügeln besetzt, die denen auf Staffa gleichen: aber nur jener einzige Felsen und die Höhle scheinen auf die Magnetnadel zu wirken.

Berliner Abendblätter.

Berlin, den 28sten März 1811.

Bülletin der öffentlichen Blätter.

Paris, den 17. März.

Hiesige Blätter enthalten Folgendes unter der
Rubrik Dresden:

„Man hat vielleicht die Wirkung des auf dem gegenwärtigen Reichstage entstandenen Kampfs zwischen
den Privilegirten und Nicht Privilegirten zu sehr über-
trieben; doch ist dieser Kampf nicht ohne Gefahr in einem Augenblick, wo die Gemüther noch wegen des
Streits, der sich über diesen Gegenstand in Frankreich
erhoben hätte, betroffen sind. Allein die Liebe aller
Sachsen für den erhabenen Fürsten, der sie regiert,
wird sie vor Ausschweifungen sichern. Man zweifelt
keinesweges, daß die Loyalität und Gerechtigkeitsliebe
des Monarchen Modifikationen anwenden werden, die
geeignet sind, die verschiedenen Interessen zu vereinbaren, und allen Partheien Genüge zu leisten. Die Gleich-
förmigkeit in der Regierung der verschiedenen Provinzen ist beschlossen   Die Gleichheit der Auflagen ist als
nothwendig anerkannt; es ist nur noch die Rede von
gewissen Vorrechten, auf welche gewisse Distrikte und
einige Mitglieder der Ritterschaft Anspruch machen;
beide aber werden solche aufgeben, sobald der König
sich dahin äußern wird, daß dies zum Wohl des Staats
nothwendig sei.
                                    (L. d. B.)

Hand, bei Pilsen, den 15. März.

Heute früh wurde das von Hof aus hieher, so
wie in den ganzen erbländ. Kaiserstaat, verschlossen ge-

sandte neue Finanz-Patent publizirt. Dasselbe bewirkt die größte Revolution im ganzen Finanz- und Kassa-wesen, ändert auf einmal alle bis jetzt bestandenen Kontrakte und Verbindlichkeiten, da der Bankozettel nur zum 5ten Theil des Nennwerths angenommen und ausgegeben werden darf (wer also 100 fl. zu zahlen hat, muß 500 B. Z. geben), mit dem 1. Januar 1812 aber ganz außer Kurs tritt. Der Schlag ist groß und entscheidet über das Vermögen Vieler. Im Kontante müssen nun neue Preise für alle Verkaufsartikel regu-lirt werden, es heben sich alle Verhältnisse mit den Pächtern und Robotspflichtigen, die reluiren. Eben so wesentlichen Einfluß hat das Patent auf die Leihkasse. Kurz, überall treten ein anderer Stand, neue Ansichten ein. (Das Patent selbst folgt nach.)   (K. f. D.)

Aus Italien.

Die Arbeiten an der Wiederherstellung der alten Monumente rücken stark vorwärts. Das Colosseum ist fast ganz von dem Schutt befreit, der es seit 14 Jahr-hunderten zur Hälfte bedeckte. Auf em Kapitolium wird ein neuer Weg angelegt, der zwischen schönen Alterthümern durchführt und mit 1000 neu gepflanzten Lorbeerbäumen besetzt ist.   (L. f. D.)

Südamerika.

Das südliche Amerika liefert jetzt ein Seitenstück zu den Scenen, die das nördliche Amerika vor 30 und einigen Jahren darstellte. Der Kampf um Unabhän-gigkeit hat in diesen großen, von der Natur so gesegne-ten, Provinzen, die nach ihrer Entdeckung ein Schau-platz so vieler Greuel waren, zwischen Eingebo nen una Europäern seinen Anfang genommen, und ist an mehreren Orten von Massacren begleitet gewesen, die so gewöhnlich im Gefolge von Revolutionen sind. Das gräßlichste Blutbad (man erinnere sich des-sen, was bereits in unserm Blatte angeführt wurde) im Königreich Peru, zu Quito, vorgefallen. Die ober-ste Junta zu Santa Fo erließ folgende Publikation:

Die oberste Junta dieser Hauptstadt, welche nie aufgehört hat, ihre Thränen mit denen aller Gutgesinnten
zu vereinigen, sobald sie mit den unglücklichen Begebenheiten, welche zu Quito vorgefallen sind, bekannt
geworden, und die, obgleich sie verzweiflungsvoll alles
dort v rloren glaubte, stets ihr hauptsächliches Augen-
merk auf die Rettung jenes Volks, und der Schlachtopfer richtete, die mit Dolchen geopfert wurden, diese
Junta sieht sich jetzt genöthigt, jenem edlen Volke,
welches so theuer die ersten Schritte zur Freiheit bezahlen mußte, seine Trauer bekannt zu machen. O,
warum trennt uns eine solche Entfernung von eurer
Stadt! Wäre sie uns näher, büßen sollten für ihre
Verwegenheit jene Herrscher von Quito, die Usurpato-
ren der gesetzmäßigen Rechte des Volks! Tausend Pa-
trioten erbieten sich freiwillig, zu eurer Hü fe herbei
zu eilen, ohne eine andere Belohnung zu fordern, als
ihre Brüder zu rächen. Quito hat jedoch jetzt in seiner Trauer den Trost — daß alle Südamerikaner die
Waffen ergreifen, und einmüthig um Rache zum Himmel schreien; aber ach, unersetzlich ist der erlittene Verlust! Salines, Morales, Quinoga, Selvalegre, wie
werdet ihr zu ersetzen seyn? Di Franklin's und Was-
hington's unserer Revolution haben nicht so lange gelebt, um Zeugen unserer errungenen Freiheit zu seyn,
Ewige Trauer wird sich in die Wonne unsers zukünftigen Glücks einmischen. Und wenn einst unsere Nachkommen sich an die rühmlichen Thaten unserer Revolution erinnern werden, ach! dann wird das Andenken an diese theuern Namen ihre Erzählung verbit-
tern. Quito wird einst dankbar ihrem Andenken Sta-
tuen errichten, so wie Südamerika selbst es eingestehen
wird, daß es ihnen seine Freiheit verdankt. Möge
doch dieß edelmüthige Volk für seine Nachkommen
Sorge tragen, möge die Dankbarkeit dieses Landes die
Sprößlinge mit Liebe umfassen, sie, die einzigen Ueberbleibsel jener Männer, welche unter dem Beil der Ty-
rannei ihr Leben aushauchten! Doch, in den enthusia-
stischen Ausdrücken der Dankbarkeit, darf die oberste
Junta auch die am 12ten gefallenen Schlachtopfer
nicht mit Stillschweigen übergehen, Schlachtopfer, deren Namen unsern Nachkommen aufbehalten werden
müssen. Unser Andenken wollen wir vorzüglich denen
widmen, welche vertheidigunglos im Kerker durch feige

Mörder, die keine Schaam, eine solche scheußliche That
zu begehen, kannten, geopfert wurden Die oberste
Junta beschließt 3 Tage, der öffentlichen Trauer und
dem Gebete gewidmet. Eine Subscription soll für die
Wittwen und Waisen der am 2 August Erschlagenen
eröffnet und jener Tag auf immer als Ausdruck unserer Trauer festlich begangen werden. Die Kirche soll
ihre Ueberreste durch feierliche Gebräuche weihen, und
es sollen ihnen alle diejenigen beigesellt seyn, welche
zu Quito, Soccoro und in den Ebenen fielen. Gott
erhalte Ew. Excellenz! Santa Fé, den, 5. Sept. 1810.
Don Joseph Miguel Pey, Vice-Präsident.

Tragischer Vorfall.

Am 10. März wurden, wegen der weggeschwemm-
ten Brücken, von Badanhausen aus, auf einem Floße
16 Schulkinder von einem alten, ungelernten Schiffmann nach dem Pfarrdorf Kirchanhausen übergestoßet.
Die Unruhe der hin und her laufenden Kinder, das
Alter und die Ungeschicklichkeit des Floßmannes, brachten den Floß aus seinem Gleichgewicht. Er schlug um,
und die 16 Kinder wurden mehrere hundert Schritte
unter Geschrei und Kampf von dem angeschwollenen
Altmühlfluß fortgerissen, endlich aber durch herbei gebrachte Schiffe bis auf 2 Kinder nebst dem Floßmanne
aufgefangen; zwei der Kinder aber sind noch gar nicht
gefunden worden. Diese, als leblos aus dem Wasser
gezogenen, Kinder wurden, durch den eben so geschickten als thätigen, menschenfreundlichen Landgerichtsarzt,
Hrn. Dr. Scheffer, bis auf 2 in das Leben zurück gebracht. Es kamen also in allem 4 Kinder um das Leben, und zwölf, sammt dem Schiffmann wurden gerettet.

Berliner Abendblätter.

Berlin, den 29ften März 1811.

Bülletin der öffentlichen Blätter.

Aus Baiern.

Ein Königl. Edikt vom 19. Februar verfügt, daß die
Königl. Finanzdirektionen der 9 Kreise des Reichs einstweilen den Betrag von 2 Drittheilen der Exigenz für
den Unterhalt des dermal noch beftehenden Polizeikor-
dons, nach dem Steuerfuße repartirt, erheben laffen
follen. Demnach find im Mainkreise 15,000 fl., im
Rezatkreise 12,000, im Regenkreise 22,000, im Ober-
donaukreise 20,000, im Unterdonaukreise 20,000, im Il-
lerkreise 12 000, im Isarkreise 25,000, im Salzachkreise
4000, und im Innkreise 800 fl. dergeftalt zu repartiren,
daß jene neuen acquirirten Bezirke und Landgerichte, in
welchen kein Kordon befteht, mit der Konkurrenz verschont bleiben.

Am 11. März ftarb zu München im 64ften Jahre
ihres Alters die Gräfinn Elisabeth v Pappenheim,
Obersthofmeisterinn Ihrer Durchlaucht der verwittweten Frau Kurfürstinn.   (K. f. D.)

Hamburg, den 24. März.

Heute Mittag ift die mit so vieler Sehnsucht erwartete Nachricht von der glücklichen Entbindung Ihrer Majeftät, der Kaiserinn, von einem Prinzen, hier
eingetroffen Dieses erfreuliche Ereigniß hatte am
20. dieses, Morgens um 9 Uhr, ftatt, und ward heute
Mittag bereits den Einwohnern unferer Stadt durch
den Donner der Kanonen und das Läuten aller Glokken kund gethan.

Zugleich erhielten wir durch außerordentliche Gelegenheit den Weftphälischen Moniteur vom 22. dieses,
welcher Folgendes enthält:

„Se. Majestät, der König, hat die telegraphische
Nachricht erhalten, daß Ihre Majestät die Kaiserinn,
den 20., Morgens um 9 Uhr, von einem Prinzen, die
Hoffnung der gegenwärtigen Generation, glücklich entbunden worden ist."

Paris, den 17. März.

Der heutige Moniteur enthält einen, am 20. November 18 0 zu Tornea, zwischen Rußland und Schweden abgeschlossenen, Gränz T aktat. Ferner die am 19.
Februar zu Stockholm erlassene Verordnung in Betreff
der Fremden und Reisenden in Schweden.

Paris, den 20. März.

Der heutige Moniteur enthält Folgendes:

„Ihre Majestät, die Kaiserinn, fingen gestern
Abend gegen 8 Uhr an, Geburtsschmerzen zu empfinden. Sie nahmen in der Nacht ab, und hörten gegen
Morgen ganz auf. Ihre Majestät befinden sich übrigens in dem besten Zustande.

Den 20. März, um 6 Uhr des Morgens.

Unterz.   Corvisord, erster Leibarzt.
Anton Dubois, und
Bourdier.

Magdeburg, den 21 März.

Eine Colonne Französischer Truppen, ungefähr
2500 Mann stark, von allen Waffen, ist heute von
hier nach Stettin abmarschirt.

Die diesen verschiedenen Corps gegebenen Befehle
sagen, daß sie bestimmt sind, die Garnison dieses Platzes
auszumachen, und die gegenwärtige zu ersetzen, die
vier zu schwach ist, um daselbst den Dienst und die
Polizei zu versehen.

Die Co onnen folgen der Militär-Straße, welche
durch die mit Preußen gemachten Conventionen bei
den letzten Tractaten zur Recrutirung, Erneuerung und
Ersetzung der Garnisonen, welche Frankreich kraft die-

ser Tractaten in den Oder-Festungen hält, fortgesetzt worden ist.

Wenn es erlaubt wäre, über diese übrigens durch sich selbst sehr natürliche Bewegung einige Vermuthungen hinzuzufügen, so könnte man hinzusetzen, daß sie so durch die Absicht bestimmt worden sey, um diesen Platz vor einem Coup de main von Seiten der Engländer zu schützen. Die Annäherung der Jahreszeit die ihnen erlauben wird, sich an den Küsten der Ostsee zu zeigen, erfordert Vorsicht.

Die im Norden von England gemachten Vorbereitungen haben die Aufmerksamkeit der Französischen Regierung, welche diese Maaßregel befahl, erregen müssen.

Eröffnung der neuen Gemäldesammlung in Nürnberg.

Die in verschiedenen Kirchen, Kapellen und andern öffentlichen Gebäuden zu Nürnberg zerstreut gewesenen Originalgemälde alter deutscher Künstler sind vor geraumer Zeit in den Zimmern des alten Schlosses zusammen gestellt worden. Durch die Großmuth Sr. Königl. Maj. wurde diese Sammlung mit einer ansehnlichen Menge, zum Theil sehr vorzüglicher, Originalstücke aus den vormaligen Zweibrücker, Mannheimer und Bamberger Gallerien vermehrt, so daß sie in ihrer gegenwärtigen Gestalt, für den Liebhaber der Kunst, einen interessanten Anblick, für den Künstler selbst einen belehrenden Stoff zu seiner Bildung und Uebung gewährt. Diese Sammlung steht jetzt zweimal, und zwar Mittwoch und Sonnabend Nachmittag, dem Zutritt des gebildeten Publikums offen.

Auf Reisen erlangte Weisheit.

Ein junger Herr von Stande, der auf Reisen ging, hatte von seinem Vater den Auftrag erhalten, besonders auf die ökonomischen Vortheile zu achten,

die er in fremden Ländern bemerken würde. Eines
Tages fand er in dem Wirthshause, wo er einkehrte,
den Wirth mit dem Einsalzen einiger schönen Stücke
Rindfleisch beschäftigt und erfuhr von demselben, daß
er einen Viertelochsen eingeschlachtet habe. Dieß gab
ihm in seinem Tagebuche zu folgender Bemerkung Gelegenheit: hier wissen die Leute das Verderben des
Rindfleisches sehr gut zu verhüten. Sie schlachten von
dem Ochsen vor der Hand bloß ein Viertel, und lassen
die übrigen drei Viertheile so lange auf die Wiese gehen, bis sie dieselben nöthig haben.

Miscellen.

Nie ist die Mannigfaltigkeit und Verwirrung des
schweizerischen Maaß- und Gewichtsystems auffallender
erschienen, als seit der Hr Professor Heldmann zu
Aarau seine gehaltvolle Schrift: Schweizerische
Münz-, Maaß- und Gewichtskunde (Subr bei
Aarau 1811) herausgegeben hat. Erst hier übersieht
man den größten Theil, bei weitem nicht das Ganze,
der bisher ungezählten Abweichungen. So hat z. B.
der einzige Kanton Waadt, bei einer Bevölkerung von
ungefähr 150,000 Seelen, acht verschiedene Gewichte,
zwanzig verschiedene Längenmaaße   fünf und
zwanzig verschiedene Getreide- und über dreißig
verschiedene Getränkmaaße! Der Kanton Aargau zählt
zehnerlei Gewicht, elferlei Längenmaaß, achterlei Ge-
treide-, fünferlei Getränkmaaß auf einem Flächenraum
von acht und dreißig Gevierteilen. Nicht geringere
Mannigfaltigkeit zeigen die Kantone Freiburg, St.
Gallen, Solothurn u. s. w. Am meisten aber differi-
ren die verschiedenen Hohlmaaße in jedem Kanton von
einander.

Berliner Abendblätter.

Berlin, den 30sten März 1811

Bulletin der öffentlichen Blätter.

Paris, den 20. März.

Der heutige Moniteur enthält auch Berichte von der
Armee in Spanien: In den Arrondissements der Armee im Süden herrschte die größte Ruhe, General
Sbastiani hat zu Grenoda ein Arsenal und eine Stückgießerei errichtet, worin man sich mit alle denjenigen
beschäftigt was zur Belagerung von Corthagena nöthig ist. Er denkt in kurzem zu dieser Expedition abzugeben. In der Gegend von Cordova und Jaen waren die Banditenhaufen zerstreut worden. Von Cadix
ward Folgendes gemeldet:

„Der Herzog von Bellung läßt die unendlichen
Arbeiten der Belagerung von Cadix mit größter Thätigkeit fortsetzen. Man erbaut täglich neue Fahrzeuge
im Tracodero. Die Batterie Napoleon wirft täglich
einige Bomben mit dem größten Erfolge. Es giebt
keinen Punkt in der Stadt, den sie nicht erreichen
könnten. Die Unzufriedenheit des Volks steigt aufs
höchste; die Anführer der Insurgenten sind am Ende
ihrer Ressourcen; das Geld kommt nicht mehr von
Amerika an. Sie haben befohlen, Haussuchungen an-
zustellen und alles Silbergeräth der Kirchen und der
Privatpersonen nach der Münze zu bringen. Die benachbarten Provinzen genießen inzwischen der Ruhe.“

Folgendes enthält dieser Bericht über Badajoz:

„Die Belagerung dieser Festung hat die ganze
Aufmerksamkeit des Feindes auf sich gezogen. Alle Spanische Corps, die sich bei der Englischen Armee zu Lissabon, Villafranca und Abrantes befanden, sind unter
den Befehl von Carrera, Nachfolger von la Romana,

gestellt und in Eilmärschen Badajoz zu Hülfe gesandt worden.

Am 3. Februar that die Garnison einen Ausfall, um unsere Werke auf den beiden Ufern der Guadiana zu zerstören. Ein Bataillon des 88sten Regiments mit den Voltigeurs des 26sten leichten Infanterie-Regiments waren hinreichend, sie zurückzutreiben. General Guard zeichnete sich durch seine guten Dispositionen aus.

In der Nacht vom 4. auf den 5. ließ der Herzog von Dalmatien das Bombardement anfangen, welches eine große Wirkung hervorbrachte.

Seit einigen Tagen war die Witterung schrecklich: die Cavallerie, die den Auftrag hatte, die Blokade von Badajoz auf dem rechten Ufer der Guadiana zu formiren, hatte sich noch nicht etabliren können.

Am 5., um 1 Uhr des Nachts, erschien die Colonne von la Carrera, die von Portugal kam, und von der Spanischen und Portugiesischen Cavallerie von Elvas und durch 1090 Mann der Garnison von Campos major verstärkt worden war, zusammen 10000 Mann. Das zweite Regiment Husaren ward, ohne zu weichen, vielmal angegriffen, und zog sich langsam hinter die Brücke der Gebora zurück. Die Bewegung des Feindes war demaskirt; es wurden dem General Latour Maubourg Befehle ertheilt, mit aller Cavallerie der Armee gegen ihn aufzubrechen und so zu manövriren, daß er in die Festung marschiren müßte.

Am 6. des Morgens erschienen abermals 1000 Pferde um das zweite Husaren-Regiment hinter der Gebora anzugreifen, während die Infanterie in die Festung marschirte. Um Mittag griff General Maubourg den Feind an, und warf ihn zurück. Der Feind verlohr über 300 Mann an Todten und Ertrunkenen und 100 Gefangene.

Am 7., um 11 Uhr des Morgens, versuchte die feindliche Garnison, ungefähr 12000 Mann stark, einen allgemeinen Angriff, in der Hoffnung, die Aufhebung der Belagerung zu bewirken. Eine Colonne des Generals Gazan erschien zur rechten Zeit. Der Feind konnte den Angriff seiner Braven nicht aushalten. Er ward geworfen; vergebens suchten die Chefs, ihn wieder in den Kampf zu führen; er ward in eine völlige Déroute gebracht, und mit den Bajonett bis nach dem Glacis verfolgt. Eine Stunde vor Einbruch der Nacht hatte der Kampf aufgehört, und unsre Arbeiten wurden mit der größten Lebhaftigkeit angefangen.

Der Verlust des Feindes ist beträchtlich gewesen. Er hat gegen 300 Todte und 100 Gefangene zurückgelassen und über 1200 Verwundete gehabt. Ein Obrist ward unter den Todten gefunden. Der Brigadier Don Espana und verschiedene andere Chefs sind schwer verwundet. Unser Verlust besteht aus 50 Getödteten und 150 meist leicht Verwundeten. Das 5te Corps hat seinen alten Ruhm in dieser glänzenden Affaire behauptet. Die Cavallerie des Generals Latour Maubourg, die Artillerie und das Genie verdienen die größten Lobsprüche.

In der Stadt herrscht Bestürzung. Die Lebensmittel fangen an rar zu werden. Die Ankunft von la Carrera muß die Uebergabe des Platzes durch die Erschöpfung der schwachen Magazine beschleunigen, welche man nicht die Vorsicht gehabt hatte, anzufüllen. Die Belagerten haben schon ganz fruchtlos 80000 Pfund Pulver verschossen, ohne die Belagerungs-Arbeiten im geringsten hindern zu können.

General Gazan hatte seine Verfolgung gegen das Corps von Ballasteros glücklich fortgesetzt Am 25. Januar traf er ihn zu Villa Nova de Casteleyos. Ballasteros hatte seine Artillerie und seine Cavallerie nach Buymogo gesandt, so daß er, von diesen entblößt, mit Ungestüm angegriffen wurde. Seine Stellung ward mit dem Bajonett eingenommen, und seine Truppen wurden so übel zugerichtet, daß sehr wenige über die Guadiana entkamen. Der Rest ward getödtet, gefangen genommen oder ohne Waffen und Bagage zerstreut, indem er nicht mehr dienen wollte.

Der Herzog von Dalmatien erwartete vom 15. bis

20. Februar eine wichtigere Affaire. Er hoffte, das Fort Paldaleras zu nehmen, die Armee von Carrera aufzureiben und dadurch die Belagerung von Badajoz zu befördern.

Die Correspondenz von Madrid meldet auch, daß dasjenige, was der Herzog von Dalmatien ankündigte, gelungen ist.

Am 19. Februar gieng er über die Guadiana, überfiel bei Anbruch des Tages das Lager von Carrera, nahm seine Magazine, seine Bagage und seine Artillerie, die aus 50 bespannten Kanonen bestand. Von 10000 Mann, die Carrera hatte, tödtete er 2000 machte 5000 zu Gefangenen und zerstreute den Rest Drei Spanische Generale sind getödtet und zwei zu Gefangenen gemacht worden. Dieses Ereigniß ist bei dem Reste des Corps von Romana vorgefallen, welches mithin vernichtet ist. Man erwartet die Gefangenen zu Madrid.

Das Fort Paldaleras, 50 Klafter von Badajoz, war genommen und man logirte sich auf dem Glacis. Alles ließ hoffen, daß die Festung in den ersten Tagen des März zur Capitulation genöthigt seyn oder mit Sturm genommen werden würde. Wie gewöhnlich blieben die Engländer Zuschauer der Zerstörung ihrer Alliirten."

(L. d. B.)

Anzeige.

Gründe, die hier nicht angegeben werden können, bestimmen mich, das Abendblatt mit dieser Nummer zu schließen. Dem Publiko wird eine vergleichende Uebersicht dessen, was diese Erscheinung leistete, mit dem, was sie sich befugt glaubte, zu versprechen sammt einer historischen Construktion der etwanigen Differenz, an einem anderen Orte vorgelegt werden

H. v. K.

NACHWORT

In der Geschichte des Zeitungswesens sind Kleists „Berliner Abendblätter" eine durchaus originelle Erscheinung. In großer Auflage auf schlechtem Papier billig gedruckt und zu niedrigstem Preis ausgegeben — das erste Blatt wurde sogar gratis verteilt — waren sie ihrem Format nach eher ein Flugzettel als eine Tageszeitung zu nennen. Während die beiden großen Berliner Zeitungen, die „Voß" und die „Spener", nur dreimal wöchentlich erschienen, kamen die Abendblätter als erste Berliner Zeitung (wenn man von dem nur Anzeigen bringenden „Berliner Intelligenz=Blatt" absieht) täglich, unter Ausschluß des Sonntags, heraus. Ihr Hauptreiz lag in den Lokalberichten, die man in dieser Form noch nicht kannte. Der Polizeipräsident selbst lieferte aus persönlicher Freundschaft die täglichen Rapporte mit ihren anfangs so erregen= den Meldungen von der Mordbrennerbande, die Berlin in Atem hielt; Kleist seinerseits schrieb Reportagen über Unglücksfälle, Luftschiffahrten und sonstige Aktualitäten; in den Theaterartikeln wurde der Bühnenpapst Iffland in witziger Form aufs Korn genommen; lächerliche Briefe und drasti= sche Anekdoten bildeten einen ergötzlichen Lese= anreiz. Für ein paar Wochen wurde Kleists Blatt, für das sich selbst der König interessierte, zum Tagesgespräch von Berlin; das Volk stürmte die Ausgabestelle, so daß Polizei nötig wurde.

Kleists tiefere Absicht, wie sie sich in dem ein= leitenden „Gebet des Zoroaster" aussprach, blieb unerkannt und undurchführbar. Bald kam es zu empfindlichen Zusammenstößen mit der preußi= schen Zensur, die mit Rücksicht auf das Mißtrauen Napoleons und die diffizile innere Lage recht engherzig war. Eine Nachricht über französische Verluste in Portugal, Adam Müllers Kritik an

Hardenbergs Gesetzgebung, ein angeblich von den Abendblättern provozierter Theaterskandal führ= ten bald zu einschneidenden Verboten, denen über die Hälfte der vorgelegten Artikel zum Opfer fiel. Kleist konnte seinen ursprünglichen Plan, alle Stimmen zu Wort kommen zu lassen, soweit sie der „Nationalsache" dienten, nicht verwirklichen; aber auch die erbetene offizielle Unterstützung und Anerkennung seiner Zeitung durch die Regierung blieb ihm versagt.

Bald hatte das Publikum jedes Interesse verloren. Kleist führte das Blatt, das er mit so großem publi= zistischen Geschick und unerwartetem Erfolg be= gonnen hatte, lustlos und ohne inneren Anteil weiter. Noch vor Ende des ersten Quartals mußte er den Verleger wechseln. Von da an bestand der Inhalt zu drei Vierteln aus wörtlich nachgedruckten Artikeln und Nachrichten anderer Blätter. Da= zwischen findet sich anonym und unauffällig noch immer der eine oder andere Beitrag von seiner Hand; aber die Freunde und Mitarbeiter fehlen nun fast völlig.

Überhaupt mußte Kleist, dessen Anteil sich unter den verschiedensten Chiffern und Masken verbirgt, im wesentlichen sein Blatt selber schreiben. Gerade dieser Umstand ist es, der uns die Abendblätter heute so bedeutsam macht, während die Zeitgenos= sen in ihnen nur eine ephemere Erscheinung sahen, die des Aufbewahrens nicht wert war. Nur wenige und durchweg lückenhafte Exemplare sind trotz der hohen Auflage, mit der die Abendblätter anfangs erschienen, auf uns gekommen. Das einzige beinahe vollständige Exemplar verdanken wir den Brüdern Grimm, die diese „ideale Wurstzeitung" mit ihren „ganz köstlichen Anekdoten" in Kassel abonniert hatten und sich als gewissenhafte Bibliothekare den erschienenen halben Jahrgang einbinden ließen. Kurz vor seinem Tod im Jahre 1863 notierte Jakob Grimm in den Einband noch den gewichtigen Ver= merk: „liber nunc rarissimus" → „ein jetzt sehr

seltenes Buch"! Gerade um diese Zeit, fünfzig Jahre
nach dem Erscheinen der Abendblätter, war man
wieder auf sie aufmerksam geworden. Friedrich
von Raumer gab 1861 in seinen Lebenserinnerun=
gen eine Darstellung des Abendblatt=Streites zwi=
schen Kleist und der Staatskanzlei; ein Jahr später
sammelte Rudolf Köpke in seinen Nachträgen zu
Kleists Werken wenigstens einen Teil des von
Ludwig Tieck und Eduard von Bülow fast gänz=
lich verschmähten Abendblatt=Materials. Weitere
Kleistsche Beiträge zog Theophil Zolling 1885 für
seine historisch=kritische Kleist=Ausgabe ans Licht.
Aber erst Reinhold Steig konnte 1901 anhand des
Grimmschen Exemplars den Abendblättern eine
umfassende eigene Untersuchung widmen, bei der
ein reiches und bedeutsames Quellenmaterial zu=
tage trat. Allerdings hat die Forschung seither die
wichtigste seiner Thesen, wonach die Abendblätter
das Organ einer stockkonservativen und antisemi=
tischen Partei von Offizieren und märkischem Adel
gewesen seien, die sich dann in der „Christlich=
deutschen Tischgesellschaft" gesammelt habe, als
eine sachlich unhaltbare Fiktion abweisen müssen;
auch bei der Aufnahme einzelner Beiträge in Kleists
Werk hatte Steig nicht immer eine glückliche Hand
bewiesen.

Durch den Faksimile=Druck, den Georg Minde=
Pouet 1925 veranstaltete, wurden die Abendblätter
als Arbeitsfeld der Forschung allgemein zugänglich.
Wie Minde=Pouet in seinem Nachwort betonte,
blieben für zahlreiche Artikel die anonymen Ver=
fasser, die Quellen und die Zusammenhänge zu
ermitteln. Die von ihm gelieferten Chiffern=Auf=
lösungen und Verfasser=Angaben beruhten (ebenso
wie die Aufstellungen in Houbens Repertorium
von 1904) im wesentlichen auf den Mitteilungen
Steigs. Die Übersicht über den Anteil Kleists und
seiner Mitarbeiter blieb durch die Masse der ledig=
lich anderen Blättern nachgedruckten Artikel er=
schwert, deren genaue Quelle unbekannt war.

Für den vorliegenden fotomechanischen Neu=
druck der Abendblätter konnte auf Grund ein=
gehender Untersuchungen die Herkunft fast aller
Artikel angegeben werden, wodurch der Überblick
über die Originalbeiträge wesentlich erleichtert
wird. Literaturhinweise im Register ermöglichen
die Orientierung über die von der Forschung be=
reits veröffentlichten Quellen und Vorlagen. Zur
Kennzeichnung der weitreichenden Wirkung der
Abendblätter wurden ferner die Nachdrucke und
Entgegnungen in anderen zeitgenössischen Blättern
aufgeführt. Auch für die Nachrichten, wie Kleist
sie unter „Miszellen" oder im „Bülletin der öffent=
lichen Blätter" sammelte, ist in wesentlichen Fällen
die Quelle und Kleists Bearbeitungsweise regi=
striert; im übrigen mag hier der Hinweis genügen,
daß fast alle Nachrichten des zweiten (Kuhn=)
Quartals aus der Hamburger „Liste der Börsen=
halle" und dem Nürnberger „Korrespondenten von
und für Deutschland" stammen, aus denen Kleist
seine Vorlagen ausschnitt und unbearbeitet zum
Druck gab.

In zwei weiteren Registern werden die Anteile
der Mitarbeiter sowie die von Kleist redaktionell
benutzten Druckwerke gesondert zusammenge=
stellt. Kleists eigener Anteil, der hier um eine ganze
Anzahl bisher übersehener Stücke vermehrt er=
scheint, schält sich deutlich heraus. Die neuerschlos=
senen Beiträge, einschließlich seiner Bearbeitungen,
Übersetzungen und redaktionellen Bemerkungen,
finden sich erstmalig in der Neuauflage meiner
Kleist=Ausgabe (München 1959) vereinigt.

Der notwendig gewordene Neudruck der Berliner
Abendblätter wird in der vorliegenden Form nicht
nur dem Forscher, sondern jedem Literatur=Freund
willkommen sein.

Helmut Sembdner

BIBLIOGRAPHIE

Reinhold Steig: H. v. Kleists Berliner Kämpfe. Berlin u. Stuttgart 1901.
(Im Register zitiert als „Steig".)

Reinhold Steig: Neue Kunde zu H. v. Kleist. Berlin 1902.

Heinrich Hubert Houben: Zeitschriften der Romantik. Bibliograph. Repertorium, Bd. 2. Berlin 1904.

H. v. Kleist: Berliner Abendblätter. Mit e. Nachwort von Georg Minde=Pouet. Faksimiledrucke literar. Seltenheiten, Bd. 2. Leipzig 1925.

Helmut Sembdner: Die Berliner Abendblätter H. v. Kleists, ihre Quellen und ihre Redaktion. Schriften der Kleist=Gesellschaft, Bd. 19. Berlin 1939.
(Enthält eine ausführliche Bibliographie bis 1939. Im Register zitiert als „Sembdner".)

Helmut Sembdner: Neue Quellenfunde zu Kleists Berliner Abendblättern. Euphorion 1950, S. 471—77.
(Betr.: „Mordbrennerei", No. 6; „Wassermänner und Sirenen", No. 30/31; Westermann=Anekdote, No. 20; Zar Iwan, Bl. 50.)

Helmut Sembdner: Eine wiederentdeckte Kleist=Anek= dote. Euphorion 1950, S. 478—84.
(Betr.: „Franzosen=Billigkeit", Bl. 3.)

Helmut Sembdner: Kleine Beiträge zur Kleist=For= schung. Dt. Vierteljahrsschr. f. Literaturwiss. u. Geistesgeschichte 1953, S. 602—7.
(Betr.: „Von einem Kinde . . .", Bl. 38.)

H. v. Kleists Lebensspuren. Dokumente und Berichte der Zeitgenossen. Hrsg. von *Helmut Sembdner.* Sammlung Dieterich. Bd. 172. Bremen 1957.
(Enthält die Dokumente zur Geschichte der Abend= blätter.)

Helmut Sembdner: Neuentdeckte Schriften H. v. Kleists. Euphorion 1959, 2. Heft.
(Betr.: An unsern Iffland, Bl. 3; Theater, Bl. 5; Der Jüngling an das Mädchen, Bl. 57; Fragmente, Bl. 61; Jonas=Anekdote, Bl. 62; Anfrage, Bl. 73; Warnung, Bl. 75; Über die Aufhebung des laßbäuerl. Verhält= nisses, Bl. 76; Literatur, Bl. 76.)

DIE BEITRÄGE UND IHRE HERKUNFT

1. Blatt, 1. Okt. 1810. Gebet des Zoroaster. Unterz.: x. = Kleist; auszugsweise zitiert in „Zeitung f. d. eleg. Welt", 15. Okt. 1810. **Fragment eines Schreibens aus Paris.** Von Kleist (s. Bl. 2). **Tagesbegebenheiten.** = Eigenmeldungen. **Anzeige.** Unterz.: Die Redaction. = Kleist; ähnlich in der Voss. Zeitung, 29. Sept. 1810.

Extrablatt zum 1. Blatt. Einleitung und Schluß von Kleist, der auch die von Polizeipräsident Gruner ge= lieferten Polizeirapporte redigierte. Nachahmung die= ser Rubrik und der Kleistschen Ankündigung im „Neuen Bresl. Erzähler", 6. Jan. 1811; Parodie auf die Polizeirapporte usw. im „Beobachter a. d. Spree", 19. Nov. 1810, sowie in Cl. Brentanos Gedicht „Vom großen Kurfürsten".

2. Blatt, 2. Okt. 1810. Freimüthige Gedanken. Von A. Müller (s. Bl. 4). **Fragment eines Schreibens aus Paris.** Von Kleist; der erste Absatz in Bl. 1 vermutlich auf Grund einer Privatnachricht. **Polizei=Rapport.** Von Kleist bearbeitet; Nachdrucke im „Freimüthigen", 8. Okt. 1810, „Zeitung f. d. eleg. Welt", 15. Okt. 1810. **Tagesbegebenheiten.** (Capitain Bürger) Von Kleist; Nachdrucke im „Freimüthigen", 8. Okt., „Allgem. Modenzeitung", 23. Okt., „Archiv f. Literatur, Kunst und Politik", 28. Okt. 1810. Über den Tod des Arbeits= manns Pritz berichteten beide Berliner Zeitungen vom 2. Okt. sowie der „Beobachter a. d. Spree" vom 8. Okt., ohne die Lebensrettung Bürgers (vermutlich Stabskapi= tän Christoph Friedrich v. Bürger) zu erwähnen. (Whistmedaillen) = Eigenmeldung. **Interessante Schriften.** Von J. E. Hitzig.

3. Blatt, 3. Okt. 1810. Freimüthige Gedanken. Von A. Müller (s. Bl. 4). **An unsern Iffland.** Unterz.: Von einem Vaterländ. Dichter. = Kleist (Sembdner, Eupho= rion 1959); Spottgedicht auf Ifflands ausgedehnte Gastspielreisen. **Franzosen=Billigkeit.** Von Kleist; Quelle, auch von J. P. Hebel für „Schlechter Lohn" benutzt: Nürnb. „Korrespondent von und für Deutsch= land", 20. Jan. 1808 (Sembdner, Euphorion 1950); Nachdruck in „Sammlung von Anekdoten und Charak= terzügen", Heft 28, Febr. 1811. **Polizei=Rapport.** Von Kleist bearbeitet.

4. Blatt, 4. Okt. 1810. Freimüthige Gedanken (Beschluß). Unterz.: Ps. = Adam Müller. **Der verlegene Magistrat.** Unterz.: rz. = Kleist; Nachdrucke: „Bresl. Erzähler", 15. Dez. 1810, „Museum des Witzes" Bd. 3, „Zeitung f. d. eleg. Welt", 9. Juni 1812. Hamburger Lokalanekdote, in der handschriftl. Sammlung von Peter Friedr. Röding (1767—1846) auf einen Hamburger Seidenhändler Sylingk bezogen; eine ähnliche Anekdote von einem Pantoffelmacher erzählt Arnim im „Preuß. Correspondent", 31. Jan. 1814. **Theater** (Ton des Tages). Unterz.: xy. = Kleist; auf diesen Beitrag nimmt ein satirisches Epigramm im „Archiv für Literatur", 28. Okt. 1810, Bezug. **Tagesbegebenheiten** (Militair = Deserteur). Von Kleist. **Polizei = Rapport.** Nachwort von Kleist.

5. Blatt, 5. Okt. 1810. Ode auf den Wiedereinzug des Königs. Unterz.: H. v. K. = Kleist; im April 1809 war der Druck dieser Ode von Gruner verboten worden. **Literarische Merkwürdigkeiten.** Unterz.: A. M. = Adam Müller. **Der Griffel Gottes.** Von Kleist; mündlich überliefert durch Fürst Anton Radziwill; die gleiche Anekdote wurde auch auf Carl von Miltitz' Schloß Scharfenberg erzählt. Nachdrucke: „Bresl. Erzähler", 15. Dez. 1810, „Gemeinnütz. Unterhaltungsblätter", 10. Apr. 1811, „Zeitung f. d. eleg. Welt", 8. Juni 1812. Der „Bresl. Erzähler", 15. Dez. 1810, verteidigt Kleists „erzenen Leichenstein" gegenüber dem „Archiv für Literatur", 28. Okt. 1810. **Theater** (Sohn durchs Ungefähr). Unterz.: + + = Kleist (Sembdner, Euphorion 1959).

(Beilage) An das Publikum. Unterz.: Die Redaction. = Kleist; auch in beiden Berliner Zeitungen, 9. Okt. 1810.

6. Blatt, 6. Okt. 1810. Kunst = Ausstellung. Von Beckedorff (s. Bl. 17). **Anekdote aus dem letzten preuß. Kriege.** Von Kleist; Quelle: „Sammlung von Anekdoten und Charakterzügen", Bd. 1 u. 3, 1807 ff. (Sembdner, S. 88 ff.). **Gerüchte.** Von Kleist; Nachdruck im „Bresl. Erzähler", 15. Okt. 1810. **Interessante Schriften.** Von Hitzig.

7. Blatt, 8. Okt. 1810. Kunst=Ausstellung. Von Beckedorff (s. Bl. 17); Druckfehlerberichtigung in Bl. 8. **Über die wissensch. Deputationen.** Von Adam Müller.

Extrablatt zum 7. Blatt. Etwas über den Delinquenten Schwarz. Von Kleist bearbeitet; Nachdrucke: „Nord.

Miszellen", 21. Okt. 1810, „Schweiz. Nachrichten",
7. Nov. 1810. Schwarz hieß eigentlich Joh. Christoph
Peter Horst; vgl. Steckbrief in der Spenerschen Zei=
tung, 11. Okt. 1810.

8. Blatt, 9. Okt. 1810. Kunst=Ausstellung. Von Becke=
dorff (s. Bl. 17). **Betrachtungen über den Weltlauf.** Un=
terz.: z. = Kleist. **Poliz. Tages=Mittheilungen** (Toller
Hund). Von Kleist nach einem Polizeibericht (Steig,
S. 366); s. „Druckfehler", Bl. 9. **Stadt=Gerücht.** Von
Kleist. **Interessante Schriften.** Von Hitzig.

9. Blatt, 10. Okt. 1810. Kunst=Ausstellung. Von Becke=
dorff (s. Bl. 17). **Anmerk. d. Herausgeb.** (betr. Gerhard
v. Kügelgen) Unterz.: H.v.K. = Kleist. **Muthwille des
Himmels.** Von Kleist; Feldprediger P . . . = Carl Sa=
muel Protzen. **Anzeige.** Von Kleist. **Interessante Schrif=
ten.** Von Hitzig. **Druckfehler** (Toller Hund). Von Kleist.

10. Blatt, 11. Okt. 1810. Das Bettelweib von Locarno.
Unterz.: mz. = Kleist; Quelle: mündl. Überlieferung
durch Pfuel. Geringfügig verändert in Kleists „Erzäh=
lungen" 2. Teil, 1811. **Räthsel** (betr. ein Bild von J. C.
A. Ludewig). Unterz.: L. A. v. A. = Arnim.

11. Blatt, 12. Okt. 1810. Über Chr. J. Kraus. Unterz.:
Ps. = Adam Müller; Entgegnungen in Bl. 19/22 und
24. **Nützliche Erfindungen** (Bombenpost). Unterz.:
rmz. = Kleist; s. auch Bl. 14. **Auf einen Denuncianten.**
Unterz.: st. = Friedr. Aug. v. Stägemann; Auflösung
in Bl. 12. Tyrann Phalaris = Napoleon.

**12. Blatt, 13. Okt. 1810. Empfindungen vor Fried=
richs Seelandschaft.** Unterz.: cb. = Clemens Brentano.
Vom 5. Satz an völlig Kleists Eigentum (Sembdner,
S. 180 ff.); s. „Erklärung", Bl. 19, und Kleists Brief an
Arnim vom 14. Okt. 1810. **Selbstbeherrschung.** Unterz.:
fs. = Friedr. Schulz. **Charité=Vorfall.** Von Kleist; s.
„Polizei=Ereignis", Bl. 7. Geh. Rath K. = Kohlrausch.
Auflösung des Räthsels (betr. Graf Bentzel=Sternau,
Verfasser des „Goldnen Kalbs" und Herausgeber der
Zeitschrift „Jason"). Unterz.: Fr. Sch. = Friedr. Schulz.
Miscellen. (Commendant in Eisenach) = Eigenmel=
dung. (Hiesige Künstlerin, d. i. Auguste Schmalz.) Von
Kleist; s. auch Bl. 15. **(Anzeige)** Von Hitzig.

**13. Blatt, 15. Okt. 1810. Zum Geburtstag des Kron=
prinzen.** Unterz.: F. L. = Friedrich v. Luck. **Schreiben
aus Berlin** (Luftschiffahrt). Von Kleist. **Der Studenten
erstes Lebehoch.** Unterz.: L. A. v. A. = Arnim.

14. Blatt, 16. Okt. 1810. Kunst=Ausstellung. Von Beckedorff (s. Bl. 17). **Schreiben eines Berliner Einwohners** (Bombenpost). Unterz.: Der Anonymus. = Kleist. **Antwort an den Einsender.** Unterz.: Die Redaktion. = Kleist. **Fragment eines Haushofmeisters=Examens.** Unterz.: Vx. = Kleist; nach Schlegels Shakespeare=Übersetzung IV, 2. Die scherzhafte Anspielung auf die Seelenwanderungslehre steht in Beziehung zum Epigramm „An die Nachtigall", Bl. 15. **Miscellen.** = Eigenmeldung.

Extrablatt zum 14. Blatt. Über die gestrige Luftschiff=fahrt. Von Kleist. Nachdruck im „Freimüthigen", 22. Okt. 1810; Polemik gegen Kleists Behauptungen in der Spenerschen Zeitung, 25. Okt. 1810; s. Bl. 25/26.

15. Blatt, 17. Okt. 1810. Kunst=Ausstellung. Von Beckedorff (s. Bl. 17). **Theater: Unmaßgebliche Bemer=kung.** Unterz.: H. v. K. = Kleist; auf diesen Aufsatz nimmt das Schreiben aus Dresden, Bl. 33, Bezug. **An die Nachtigall.** Unterz.: Vx. = Kleist; betr. die Sänge=rinnen Herbst und Schmalz. Nachdruck in „Zeitung f. d. eleg. Welt", 9. Nov. 1810. **Miscellen.** (Schwanger=schaft der Kaiserin.) Von Kleist redigiert; das von ihm eingesetzte Datum muß natürlich heißen: 30. Sept. (Sembdner, S. 343). (Rechtfertigung Friedr. Wilh. II.). Eigenmeldung nach Zschokkes „Misz. f. d. Neueste Weltkunde", 3. Okt. 1810.

16. Blatt, 18. Okt. 1810. Kunst=Ausstellung. Von Beckedorff (s. Bl. 17). **Theater.** Von Möllendorff (s. Bl. 17). **Stadt=Neuigkeiten.** Von Kleist; Nachdrucke: „Nord. Miszellen", 25. Okt. 1810, „Zeitung f. d. eleg. Welt", 9. Nov. 1810. **Neueste Nachricht** (Ballon des Claudius). Eigenmeldung. **Anzeige.** Unterz.: Die Redaction. = Kleist; die anonym eingereichten drei Aufsätze er=schienen in Bl. 19/21, 24, 21.

17. Blatt, 19. Okt. 1810. Kunst=Ausstellung (Be=schluß). Unterz.: L. B. = L. Beckedorff. **Theater.** Unterz.: v. M. = Major v. Möllendorf; seine Kritik wird vom „Freimüthigen", 29. Okt. 1810, angegriffen, s. Bl. 35. **Der Branntweinsäufer und die Berliner Glocken.** Unterz.: xyz. = Kleist; durch eine Anekdote im „Beobachter an der Spree", 8. Okt. 1810, angeregt (Sembdner, S. 91 ff.).

18. Blatt, 20. Oktober 1810. Über Darstellbarkeit auf der Bühne. Unterz.: W . . . t. (W . . l.?) = F. G. Wetzel. **Anekdote aus dem letzten Kriege.** Unterz.: x. = Kleist; Quelle: „Sammlung von Anekdoten und Charakter=

zügen", Bd. 7, 1810 (Steig, S. 343), woraus der „Beob=
achter an der Spree", 22. Okt. 1810, nachdruckt. Vgl.
auch Kleists Brief an Prinz Lichnowsky vom 23. Okt.
1810. **Warum werden die Abendblätter...** Unterz.:
d. l. M. F. = Fouqué.

19. Blatt, 22. Okt. 1810. Erklärung. Unterz.: Heinrich
von Kleist. **Christian Jacob Kraus.** Von ? (s. Bl. 21).
Literarnotiz. Unterz.: ps. = A. Müller. **Brief eines
Mahlers an seinen Sohn.** Unterz.: y. = Kleist; wird
von Arnim, Bl. 37, S. 145, als „ironischer Brief" miß=
verstanden. **Erklärung.** Unterz.: H. v. K. = Kleist.

20. Blatt, 23. Okt. 1810. Christian Jacob Kraus. Von
? (s. Bl. 21). **Zuschrift eines Predigers.** Unterz.: F...
= Kleist. **Nachricht an den Einsender.** Unterz.: Die
Redaction. = Kleist. **Anekdote** (Shakespeare). Von
Kleist leicht redigiert; stand schon im „Freimüthigen",
31. Okt. 1803 (Jahrb. d. Kleist=Ges. 1925/26, S. 135 ff.).
Nachdruck in „Zeitung f. d. eleg. Welt", 19. Juni 1812.
Miscellen. (1) nach „Liste der Börsenhalle", 20. Okt.
1810, bearbeitet (Sembdner, S. 349). **Interessante Schrif=
ten.** Von Hitzig.

21. Blatt, 24. Okt. 1810. Christian Jacob Kraus (Be=
schluß). Von Staatsrat Joh. Gottfried Hoffmann?
Der Verfasser war Kleist unbekannt, s. Erklärung Bl. 19.
Fragmente aus den Papieren eines Zuschauers. Von
Christian Frh. v. Ompteda; Quelle: Dutens, „Mémoires
d'un voyageur", Bd. 3, 1806. **Wer ist der Ärmste? Der
witzige Tischgesellschafter.** Unterz.: xp. = Kleist.
Anekdote (Bach). Von Kleist; Quelle: „Museum des
Wundervollen", Bd. 6, 1807 (Sembdner, S. 93 f.); mit
dem dort nicht genannten Komponisten war nicht
Bach, sondern Georg Benda gemeint. Nachdruck in
„Zeitung f. d. eleg. Welt", 8. Juni 1812. **Interessante
Schriften.** Von Hitzig; „Lectiae" soll heißen „Lesbiae".

22. Blatt, 25. Okt. 1810. Das Gesicht Karls XI. (s.
Bl. 23) Einleitung von Kleist. **Literarische Neuigkeiten.**
Unterz.: A. M. = A. Müller. **Französisches Exercitium.**
Unterz.: Vx. = Kleist.

23. Blatt, 26. Okt. 1810. Das Gesicht Karls XI. (Be=
schluß) Aus „Brief über Gripsholm" im „Vaterl. Mu=
seum", Okt. 1810; dort unterz.: H. von Pl. = E. M.
Arndt; das mitgeteilte Dokument fand eine weite Ver=
breitung und wurde u. a. von Prosper Mérimé und
Fontane literarisch benutzt. **R. Eylert.** Unterz.: d. l. M.
F. = Fouqué. **Kriegsregel.** Von Fouqué; in seine „Ge=

fühle, Bilder und Ansichten", 1819, aufgenommen. **Miscellen.** (P. Schmid) Eigenmeldung.

24. Blatt, 27. Okt. 1810. Antikritik. Unterz.: △** = Geh. Staatsrat Nicolovius? Einsender ist Kleist unbekannt; s. „Anzeige" in Bl. 16. **Bescheidene Anfrage.** Unterz.: rQ. = Adam Müller. Auf die Anfrage nimmt die Hamburger „Minerva", Januar 1811, Bezug. **Miscellen.** Bearbeitung s. Steig, S. 399 f.; (Frau v. Stael) Aus „Liste der Börsenhalle", 24. Okt. 1810. (Brand in Wilmersdorf, Pechkuchen) Eigenmeldungen. **(Anzeige)** Von Hitzig.

25. Blatt, 29. Okt. 1810. Allerneuester Erziehungsplan. Von Kleist (s. Bl. 36). **Aëronautik.** Von Kleist (s. Bl. 26). **Miscellen.** (Fr. v. Stael) Eigenmeldung auf Grund eines Briefes von Chamisso an Hitzig vom 10. Okt. 1810.

26. Blatt, 30. Okt. 1810. Allerneuester Erziehungsplan. Von Kleist (s. Bl. 36). **Aëronautik** (Beschluß). Unterz.: rm. = Kleist. **Schreiben aus Berlin** (Crdillon). Unterz.: y. = Kleist. **An die Verfasser schlechter Epigramme.** Unterz.: st. = Friedr. Aug. v. Stägemann. **Miscellen.** (Insel Bonaparte) Nach „Liste d. Börsenhalle", 27. Okt., von Kleist bearbeitet (Sembdner, S. 372 f.). (Saumarez) Nach „Frankfurter Staatsristretto", 23. Okt. (Sembdner, S. 345). **(Anzeige)** Von Hitzig.

27. Blatt, 31. Okt. 1810. Allerneuester Erziehungsplan. Von Kleist (s. Bl. 36). **Noch ein Wort der Billigkeit über C. J. Kraus.** Unterz.: L. A. v. A. = Arnim; s. auch Bl. 36. **Nothwehr.** Unterz.: xp. = Kleist.

28. Blatt, 1. Nov. 1810. Herausforderung Karls IX. (s. Bl. 29) Einleitung von Kleist. **Schreiben aus Neuhof.** Unterz.: F. Fl . . . . r. = Friedrich Flitner. **Fragment** (Brandes). Von A. Müller. **Räthsel.** Von Kleist; „Auflösung" erfolgte nicht! **Miscellen.** (Sache der Engländer) tendenziöse Formulierung Kleists (Sembdner, S. 373 f.). (Kaffeeanbau) Nach „Zeitung f. d. eleg. Welt", 23. Okt. 1810, bearbeitet (Sembdner, S. 366 f.). (Clinicum) Von Kleist. **(Anzeige)** Von Hitzig.

29. Blatt, 2. Nov. 1810. Herausforderung Karls IX. (Beschluß). Aus „Allgem. Modenzeitung", 23. Okt. 1810; Quelle: Ludwig v. Holbergs „Dänische Reichshistorie", 1743. **Fragmente aus den Papieren eines Zuschauers.** Von Christian Frh. v. Ompteda; Entgegnung in Bl. 53/54.

30. Blatt, 3. Nov. 1810. Eine Legende nach Hans Sachs: Gleich und Ungleich. Von Kleist (Sembdner, S. 218 ff.); Nachdruck in „Gemeinnütz. Unterhaltungs=blätter", 17. April 1811. Als Prosaerzählung in Arnims „Gräfin Dolores", 1810. **Sonderbares Versehn.** Unterz.: ava. = Arnim; Originalmanuskript mit Kleists Redak=tionsvermerken bei Steig, Neue Kunde, S. 39 ff. **Guter Rath.** Unterz.: W. = F. G. Wetzel; Nachdruck in „Ge=meinnütz. Unterhaltungsblätter", 22. Mai 1811. **Zeichen.** Unterz.: W. = F. G. Wetzel. **Miscellen.** (1—8). Bear=beitung s. Sembdner, S. 351 ff. Die 7. Meldung, aus „Schweizerische Nachrichten", 19. Okt. 1810, führte zu einer Beschwerde des französ. Gesandten und Ver=schärfung der Zensur.

31. Blatt, 5. Nov. 1810. Warnung gegen weibliche Jägerei. Von Arnim (s. Bl. 32). **Fragmente aus den Pa=pieren eines Zuschauers.** Von Christian Frh. v. Omp=teda. **Miscellen.** (1. Französ. Courier, d. i. Cabinets=Courier Garlett) Eigenmeldung als Dementi der Nach=richt in Bl. 30. (3. König von Spanien) Bearbeitung s. Sembdner, S. 350.

32. Blatt, 6. Nov. 1810. Warnung gegen weibliche Jägerei (Beschluß). Unterz.: vaa. = Arnim; enthält Erstdruck von Goethes Schneider=Gedicht für Zelters Liedertafel. **Brief eines jungen Dichters an einen jun=gen Mahler.** Unterz.: y. = Kleist. **Als dem mittelmä=ßigen Alcest…** Unterz.: sn. = Friedr. Aug. v. Stäge=mann; vermutlich gegen Iffland gerichtet. Abgewan=delt in der Spenerschen Zeitung, 8. Nov. 1810. **Miscel=len.** (5.) Tendenziöse Bearbeitung, s. Sembdner, S. 374 f.

33. Blatt, 7. Nov. 1810. Theater (Dresden, 25. Okt. 1810). Unterz.: Gr. v. S. = ? **Tages=Ereigniß** (Uhlan Hahn). Von Kleist nach einem Polizeibericht (Steig, S. 367 f.); vgl. auch Tages=Mittheilungen, Bl. 14. Nach=druck im „Freimüthigen", 12. Nov. 1810. **Miscellen.** (Reichardt) Eigenmeldung.

34. Blatt, 8. Nov. 1810. Kurze Antwort. Unterz.: Der Verfasser des zweiten Aufsatzes (s. 19. Bl.)… = Joh. Gottf. Hoffmann?; s. Bl. 19/21 und 52. **Die sieben klei=nen Kinder.** Unterz.: ava. = Arnim. **Korrespondenz=Nachricht** (Unzelmann). Von Kleist; vermutliche Quel=le: „Königsberger Correspondent" 1810. Nachdrucke: „Bresl. Erzähler", 6. Jan. 1811, Müchlers „Museum des Witzes", Bd. 4. **Miscellen.** (Paris) Aus „ Misz. f. d. N. Weltkunde", 17. Okt. 1810.

35. Blatt, 9. Nov. 1810. Allerneuester Erziehungsplan. Von Kleist (s. Bl. 36). **(Anmerkung, S. 135)** Unterz.: Die Redaction. = Kleist. **Welche Bücher soll man öfter lesen?** Unterz.: d. l. M. F. = Fouqué; in seine „Gefühle, Bilder und Ansichten", 1819, aufgenommen. Der dort abschließende Hinweis auf die Bibel anscheinend von Kleist getilgt. **Öffentliche Danksagung.** Unterz.: v. M. = Major v. Möllendorff (s. Bl. 17). **Miscellen.** Aus „Liste der Börsenhalle"; (2. 3.) Kleists Formulierungen.

36. Blatt, 10. Nov. 1810. Allerneuester Erziehungs= plan (Beschluß). Unterz.: C. J. Levanus (nach Jean Pauls „Levana") = Kleist. **(Anmerkungen)** Unterz.: Die Redaction. = Kleist. **Wer ist berufen?** Unterz.: L. A. v. A. = Arnim. **Korrespondenz und Notizen aus Paris.** Aus „Zeitung f. d. eleg. Welt", 2. Nov. 1810, von Kleist bearbeitet (Sembdner, S. 257 f.). **Miscellen.** (5. Konstantinopel) Bearbeitung s. Sembdner, S. 350. (6. Upsala) Aus „Rhein. Correspondenz", 31. Okt. 1810 (Sembdner, S. 333, 341 f.).

37. Blatt, 12. Nov. 1810. Übersicht der Kunstausstel= lung. Von Arnim (s. Bl. 39). **Korrespondenz und Notizen** (Staëls „Lettres sur l'Allemagne"). Von Kleist, der die Aushängebogen bei Hitzig einsehen konnte. Auf Kleists Darstellung beruhen die Miscellen im „Österr. Beobachter", 7. Dez. 1810, die von der „Leipziger Zeitung", den „Schweizer. Nachrichten" und der „Allg. Modenzeitung" übernommen werden. **Poliz. Tages=Mittheilungen.** Von Gruner; Iffland gab eine Gegendarstellung in den Berliner Zeitungen, 13. Nov. 1810. „des Tages" muß heißen „des Tanzes".

38. Blatt, 13. Nov. 1810. Übersicht der Kunstausstel= lung. Von Arnim (s. Bl. 39). **Von einem Kinde...** Von Kleist (Sembdner, Dt. Vierteljahrsschrift 1953); der erste Teil nach Wickrams „Rollwagenbüchlin", 1557. Nachdrucke: „Bresl. Erzähler", 22. Dez. 1810, und, mit Hinweis auf die „Abendblätter", in Grimms Märchen, 1812. **Theater=Neuigkeit** (Schweizerfamilie). Unterz.: rz. = Kleist; Entgegnungen: Spenersche Zeitung, 17. Nov. 1810, „Journal des Luxus u. d. Moden", Januar 1811. **Glückwunsch.** Von Kleist. **Miscellen.** (2.) Bearbeitung s. Sembdner, S. 351.

39. Blatt, 14. Nov. 1810. Übersicht der Kunstausstel= lung (Beschluß). Unterz.: aa. = Arnim. **Anekdote** (Napoleon). Nach Zschokkes „Miszellen f. d. Neueste Welt=

kunde", 31. Okt. 1810, von Kleist bearbeitet (Steig, S. 345 ff.); Quelle: Rühle von Liliensterns „Reise mit der Armee", 2. Teil. **Auf einen glücklichen Vater.** Un= terz.: A. v. A. = Arnim; betr. Adam Müllers am 7. Nov. 1810 getauftes Töchterchen Cäcilie. **Miscellen.** (1. u. 2.) Aus „Wiener=Zeitung". (3. Selbstmord zweier Liebenden). Von Kleist nach „Journal des Dames et des Modes", 4. Nov. 1810 (Sembdner, S. 175 ff.).

40. Blatt, 15. Nov. 1810. Die heilige Cäcilie. Von Kleist (s. Bl. 42). **Fragmente.** Unterz.: A. M. = A. Mül= ler. **Aufforderung.** Unterz.: zr. = Kleist; zustimmend erwähnt im „Freimüthigen", 19. Nov. 1810; Antwort in Bl. 45. **Miscellen.** (Moden) Nach „Allg. Modenzei= tung", 9. Nov. 1810, von Kleist zusammengestellt (Sembdner, S. 259 f.).

41. Blatt, 16. Nov. 1810. Die heilige Cäcilie. Von Kleist (s. Bl. 42). **Vom Nationalcredit.** Unterz.: Ps. = A. Müller; der Artikel veranlaßte eine Königl. Zensur= order; Gegenartikel in Bl. 45. **Poliz. Tages=Mittheil.** (2.) Dementi der Universität in No. 29.

42. Blatt, 17. Nov. 1810. Die heilige Cäcilie (Be= schluß). Unterz.: yz. = Kleist; Patengeschenk für A. Müllers Töchterchen. In erweiterter Form in „Er= zählungen", 2. Teil, 1811. **Uralte Reichstagsfeierlich= keit.** Von Kleist nach „Gemeinnütz. Unterhaltungs= blätter", 27. Okt. 1810 (dort vermutlich von C. Baech= ler, s. No. 43/44), unter Mitbenutzung des ungenann= ten Hans Sachs bearbeitet (Sembdner, S. 228 ff.); Nach= druck: „Bresl. Erzähler", 22. Dez. 1810. **Miscellen.** (1. 4. 5.) Bearbeitung s. Sembdner, S. 375 f., 367, 345.

43. Blatt, 19. Nov. 1810. (Einleitung) Unterz.: Die Red. = Kleist. **Brief der Gräfinn Piper.** Von Kleist übersetzt (s. Bl. 44). **Politische Neuigkeit.** Von Kleist.

44. Blatt, 20. Nov. 1810. Über die gegenwärtige Lage von Großbrittanien. Von Kleist?; veranlaßte Entgeg= nung Chr. Frh. v. Omptedas; s. Anzeige, Bl. 48, und Kleists Brief vom 24. Nov. 1810. **Fragmente.** Unterz.: ωα. = ? Gegenartikel zu A. Müllers Fragmenten, Bl. 40. **Verhör der Gräfinn Piper** (Beschluß). Von Kleist übersetzt nach dem französischen Text in „Die Zeiten", Oktober 1810 (Steig, S. 403 ff., Sembdner, S. 153 ff.); s. auch „Bülletin" in Bl. 67 u. No. 1.

45. Blatt, 21. Nov. 1810. Vom Nationalcredit. Von ?; Gegenartikel zu A. Müllers Aufsatz, Bl. 41. Druck= fehlerberichtigung in Bl. 46. **Physiologie.** Unterz.: W.

= F. G. Wetzel; Quelle: „Allg. Literaturzeitung",
31. Okt. 1810. **Antwort auf die Aufforderung im
40 ten Stück.** Unterz.: J. C. F. R. = Rellstab. Der
Redacteur des Theaterartikels. = S. H. Catel. Einlei=
tung von Kleist.

46. Blatt, 22. Nov. 1810. Erklärung. Unterz.: H. v. K.
= Kleist. **Auch etwas über Chr. J. Kraus.** Von Joh. Ge=
orge Scheffner in Königsberg. **An den Großherrn.** Von
Kleist? **Anekdote** (Baxer). Von Kleist.

47. Blatt, 23. Nov. 1810. (Einleitung) Unterz.: Die
Redaction. = Kleist. **Schreiben eines redlichen Ber=
liners.** Unterz.: $\mu\eta$. = Kleist. **Der Kreis.** Unterz.: W.
= F. G. Wetzel. **Bülletin.** (Geßners „Tod Abels")
Eigenmeldung; Lablées Übersetzung erschien im „Mo=
niteur" vom 11. und 21. Nov. 1810.

**48. Blatt, 24. Nov. 1810. Ps. zum Schluß über C. J.
Kraus.** Von A. Müller. **An die Recensenten der Ele=
mente der Staatskunst.** Unterz.: W. = F. G. Wetzel.
Bülletin. Bearbeitung s. Sembdner, S. 343 f. **Anzeige**
(betr. Kleists Schreiben an Frh. v. Ompteda vom 24.
Nov.) Unterz.: Die Redaction. = Kleist.

49. Blatt, 26. Nov. 1810. Theater. Unterz.: Fr. Sch. =
Friedr. Schulz; Druckfehlerberichtigung in Bl. 52. Teil=
nachdruck in „Zeitung f. d. eleg. Welt", 18. Dez. 1810.
Bülletin. (2. La Peyrouse) Bearbeitung s. Sembdner,
S. 367 f.

50. Blatt, 27. Nov. 1810. Literarische Notiz (Vaterl.
Museum). Von Kleist. **Theater** (Schweizerfamilie).
Unterz.: rz. = Kleist; s. auch Bl. 38. **Anekdote** (Zar
und Botschafter). Nach John Barrows „Abrégé chrono=
logique ou Histoire des descouvertes, traduit par M.
Targe", Paris 1767 (Steig, S. 348 f.); schwerlich von
Kleist übersetzt. **Schönheit. Austausch.** Unterz.: W. =
F. G. Wetzel. **Bülletin.** (1.) Tendenziöse Bearbeitung,
s. Sembdner, S. 376 f.

**51. Blatt, 28. Nov. 1810. Über den Geist der neueren
preuß. Gesetzgebung.** Unterz.: lh. = ? **Nachricht von
einem deutschen Seehelden.** Unterz.: L. A. v. A. = Ar=
nim; nach „E. G. Happelii größeste Denkwürdigkeiten
der Welt", Hamburg 1687. **Miscellen** (Bild der Laura).
Nach „Miszellen f. d. Neueste Weltkunde", von Kleist
redigiert (Steig, S. 412 f.). **Anzeige.** Unterz.: Die Re=
daction. = Kleist.

52. Blatt, 29. Nov. 1810. Die Heilung. Unterz.: M. F.
= Fouqué; erweitert in seine „Kleinen Romane", Bd. 3

1814, aufgenommen. **Berichtigung.** Von J. G. Hoff=
mann? Einleitung und Schluß unterz.: Die Red. =
Kleist. **Miscellen** (Cendrillon in Kassel). Nach „Journal
des Luxus und der Moden", November 1810, von Kleist
bearbeitet (Steig, S. 210).

**53. Blatt, 30. Nov. 1810. Bemerkungen über das erste
Fragment.** Von ? (s. Bl. 54). **Berichtigung.** Von Friedr.
Schulz; s. Theater, Bl. 49. **Anekdote** (Kapuziner). Von
Kleist; Nachdrucke: „Bresl. Erzähler", 6. Jan. 1811,
„Zeitung f. d. eleg. Welt", 8. Juni 1812. **Bülletin.** (2. 5.)
Bearbeitung s. Sembdner, S. 368 f., 342 f.

**54. Blatt, 1. Dez. 1810. Bemerkungen über das Frag=
ment** (Beschluß). Unterz.: W.; nicht von Wetzel, son=
dern von einem Kleist unbekannten Einsender; vgl.
Kleist Brief an Ompteda vom 2. Dez. 1810. **Vermischte
Nachrichten** (Kanarienvögel. Der junge Witte). Von ?
Bülletin. (2.) Bearbeitung s. Sembdner, S. 369.

Erste literarische Beilage. Von Hitzig.

55. Blatt, 3. Dez. 1810. Gewerbfreiheit. Unterz.: lh.
= ? Druckfehlerberichtigung in Bl. 57. **Fragmente.**
Unterz.: Fr. Sch. = Friedr. Schulz.

**56. Blatt, 4. Dez. 1810. Geographische Nachricht von
der Insel Helgoland.** Unterz.: hk. = Kleist; Quelle:
„Gemeinnütz. Unterhaltungsblätter" Nr. 38, 22. Sept.
1810 (Sembdner, S. 237 ff.). **Gut und Schlecht.** Unterz.:
W. = F. G. Wetzel.

57. Blatt, 5. Dez. 1810. Das Grab der Väter. Unterz.:
M. F. = Fouqué. **Andeutungen.** Unterz.: N. = Franz
Horn; in seine „Latona", 1811, aufgenommen. **Der
Jüngling an das Mädchen.** Von Kleist (Sembdner,
Euphorion 1959); Auflösung in Bl. 58. **Bülletin.** (1. Her=
ausgeber der Schweizerischen Nachrichten, d. i. Dr. Al=
brecht Höpfner.) Von Kleist auf Grund einer Notiz in
„Schweiz. Nachr.", 21. Nov. 1810. (3.) Bearbeitung s.
Sembdner, S. 369 f.

58. Blatt, 6. Dez. 1810. (Einleitung) Von Kleist.
**Über eine wesentl. Verbesserung ... der Tasteninstru=
mente.** Von Karl Christian Friedr. Krause, den Kleist
aus der Dresdner Zeit kannte; der Aufsatz erschien zu=
erst in der „Allgem. musikalischen Zeitung", 11. Juli
1810, von wo ihn das „Journal für Kunst u. Kunst=
sachen, Künsteleien u. Mode", Januarheft 1811, über=
nahm. **Anekdote** (Diogenes). Aus „Gemeinnütz. Unter=
haltungsblätter", 22. Sept. 1810, von Kleist bearbeitet
(Steig, S. 376). **Helgoländisches Gottesgericht.** Von

Kleist nach „Gemeinnütz. Unterhaltungsblätter",
6. Nov. 1810 (Sembdner, S. 243 f.). **Miscellen.** (Robert=
son) Aus „Österr. Beobachter", 5. Nov. 1810, von Kleist
bearbeitet (Sembdner, S. 370). (Viehseuche) Aus „Hall.
patriot. Wochenblatt", Nov. 1810.

59. Blatt, 7. Dez. 1810. Von der Überlegung. Unterz.:
x. = Kleist. **Anekdote** (Herr von D.). Aus „Gemein=
nütz. Unterhaltungsblätter", 29. Sept. 1810. **Miscellen**
(Österr. Banknoten). Unterz.: A. M. = A. Müller.

**60. Blatt, 8. Dez. 1810. Eine Legende nach Hans
Sachs: Der Welt Lauf.** Von Kleist (Sembdner, S. 221 ff.).
Bülletin. (1.) Bearbeitung s. Sembdner, S. 370 f.

61. Blatt, 10. Dez. 1810. Über Schwärmerei. Unterz.:
M. F. = Fouqué. **Fragmente.** Von Kleist (Sembdner,
Euphorion 1959). **Anekdote** (Schauspieler Edwin). Von
Chr. Frh. v. Ompteda. **Eigentliches Leben.** Unterz.: W.
= F. G. Wetzel. **Bülletin.** (1.) Bearbeitung s. Sembdner,
S. 356 f. **(Anzeige)** Von Hitzig; Verfasser des „Todes=
bunds" ist Fouqué.

**62. Blatt, 11. Dez. 1810. Autorität und Würde des
Parlaments in England.** Von Chr. Frh. v. Ompteda.
Anekdote (Jonas). Unterz.: Z. = Kleist (Sembdner,
Euphorion 1959); Nachdrucke: „Museum des Witzes",
Bd. 4, „Zeitung f. d. eleg. Welt", 6. Juni 1812. **Richt=
schnur.** Unterz.: W. = F. G. Wetzel. **Bülletin.** (1.) Be=
arbeitung s. Sembdner, S. 357 f.

**63. Blatt, 12. Dez. 1810. Über das Marionetten=
theater.** Von Kleist (s. Bl. 66). **Litterarische Bemerkung.**
Unterz.: v. S. = Friedr. Karl v. Savigny? Erwiderung
in No. 13. **Bülletin.** Bearbeitung s. Sembdner, S. 371 f.,
377 f.

**64. Blatt, 13. Dez. 1810. Über das Marionetten=
theater.** Von Kleist (s. Bl. 66). **Austern und Butter=
brodte.** Unterz. L. A. v. A. = Arnim.

**65. Blatt, 14. Dez. 1810. Über das Marionetten=
theater.** Von Kleist (s. Bl. 66). **Fragmente.** Unterz.: Fr.
Sch. = Friedr. Schulz. **Bülletin.** Bearbeitung s. Sembd=
ner, S. 364 ff. **(Anzeige)** Von Hitzig.

**66. Blatt, 15. Dez. 1810. Über das Marionetten=
theater** (Beschluß). Unterz.: H. v. K. = Kleist. **Aus
einem Schreiben aus Potsdam.** Unterz.: W. = ?

67. Blatt, 17. Dez. 1810. Schreiben aus Berlin. Unterz.:
l. v. p. = A. Müller im Auftrag eines Adligen; vgl.
auch Kleists Brief an Raumer vom 15. Dez. 1810. **Bülle=
tin.** Bearbeitung s. Steig, S. 400 ff. **(Anzeige)** Von Hit=

zig; die Shakespeare=Übersetzer sind H. K. Dippold und H. Voss.

68. Blatt, 18. Dez. 1810. Weihnachtsausstellung. Unterz.: hk. = Kleist. **Anekdote** (Wellesley). Von Chr. Frh. v. Ompteda. **(Anzeige)** Von Hitzig.

69. Blatt, 19. Dez. 1810. Andenken eines trefflichen Deutschen Mannes. Unterz.: Clemens Brentano. Wiederabdruck in Runges Hinterlass. Schriften, 1840.

70. Blatt, 20. Dez. 1810. (Über die Luxussteuern) Fingierter Brief und Antwort, unterz.: Anonymus. = Kleist; wurde vermutlich mit Schreiben vom 15. Dez. 1810 Raumer vorgelegt. **Bülletin** (Andreas Pearse). Aus Hormayrs „Archiv f. Geographie, Historie, Staats= u. Kriegskunst", 22./24. Okt. 1810.

Zweite literarische Beilage. Von Hitzig.

71. Blatt, 21. Dez. 1810. Betrachtungen eines Greises ... Von O. H. Graf v. Loeben? vgl. „Der Schlüssel zum Brunnen" (Steig, Neue Kunde, S. 52 ff.). **(Anzeige)** Von Hitzig.

72. Blatt, 22. Dez. 1810. (Erinnerungen an das Königspaar) Unterz.: L. B. = Ludolph Beckedorff. **Ankündigung.** Unterz.: Redaktion = Kleist; Kunst= u. Industrie=Comptoir = August Kuhn. Erster Entwurf in Kleists Brief an Hardenberg vom 3. Dez. 1810; abweichende Fassung im „Freimüthigen", 20. Dez. 1810.

(Beilage) An das Publikum. Von Hitzig; Kleists und Kuhns Entgegnung in Bl. 73.

73. Blatt, 24. Dez. 1810. Schreiben aus Berlin (Beisetzung der Königin Luise). Von Kleist. **Anfrage.** Von Kleist (Sembdner, Euphorion 1959); Antwort in No. 3. **Anzeige.** Unterz.: Kunst= u. Industrie=Comptoir = Kuhn. **Berichtigung.** Unterz.: Die Red. = Kleist; Hitzigs Gegenerklärungen in beiden Berliner Zeitungen, 29. Dez. 1810, und in „Zeit. f. d. eleg. Welt", 3. Jan. 1811.

74. Blatt, 27. Dez. 1810. Miszellen (Waizenkorn). Aus Nürnb. Korrespondent, 18. Dez. 1810. **Bei Gelegenheit der Jubelfeier.** Unterz. L. A. v. A. = Arnim; Quelle: Friedr. Myconius' (nicht Myrenius) „Historia Reformationis", 1541. **Stiftung einer fortlaufenden Feier.** Unterz.: 𝔚. = ?

75. Blatt, 28. Dez. 1810. Erinnerungen a. d. Krankheitsgeschichte d. Königs v. England. Unterz.: † = Chr. Frh. v. Ompteda. **Warnung.** Von Kleist (Sembdner, Euphorion 1959); betr. Anzeige in der Spenerschen Zeitung Nr. 156 (nicht 155), 27. Dez. 1810, die unver ändert am 5. und 10. Jan. 1811 wiederholt wird. **Miszellen.** Aus Nürnb. Korrespondent, 18. Dez. 1810; (2.) bezieht sich auf die 2. Miszelle in Bl. 37, die inzwischen von Torgau dementiert worden war. **Anzeige.** Von Kuhn.

76. Blatt, 29. Dez. 1810. Über die Aufhebung des laßbäuerl. Verhältnisses. Von Kleist (Sembdner, Euphorion 1959). **Literatur** (Halle und Jerusalem). Von Kleist (Sembdner, Euphorion 1959). **Anekdote** (Killigrew). Unterz.: ††; wörtlicher Auszug aus dem Aufsatz „Die Freudenmacher" in „Allgem. Modenzeitung", 27. Nov. 1810; wahrscheinlich von dem Herausgeber J. A. Bergk. **Neue Musikalien.** Von Kuhn.

77. Blatt, 31. Dez. 1810. Bülletin. (1.) Bearbeitung s. Sembdner, S. 358 ff. **Über die in Östreich erschienene neue Censurverordnung.** Von Kleist nach „Allgem. Literaturzeitung", 11. Dez. 1810, zusammengestellt (Sembdner, S. 307 ff.). **Duplik.** Unterz.: Kunst= u. Industrie=Comptoir = Kuhn; von Kleist formuliert? **Seufzer eines Ehemanns.** Aus Nürnb. Korrespondent, 18. Dez. 1810; Verfasser: Ludwig Giseke in „Zeitung f. d. eleg. Welt", 18. Mai 1810. **Miscellen** (Fallstaff). Unterz.: tz. = Kleist; Quelle: Shakespeares „Heinrich IV.", 1. Teil III, 3 und 2. Teil I, 2. **Anzeige.** Von Kuhn oder Kleist.

Nro. 1, 2. Jan. 1811. Ein Satz aus der höheren Kritik. Unterz.: ry. = Kleist. **Miscellen** (Montesquieu). Von Kleist; Quelle: „Lettres persanes", 99. Brief. Nachdruck in „Nord. Miszellen", 31. Jan. 1811.

No. 2, 3. Jan. 1811. Bülletin. Aus „Westphäl. Moniteur", 28. Dez. 1810. **Sonderbare Geschichte, die sich . . . in Italien zutrug.** Unterz.: mz. = Kleist. **Miscellen** (Pariser Moden). Aus „Allg. Modenzeitung", 21. Dez. 1810.

No. 3, 4. Jan. 1811. Bülletin. Wörtlich aus „Liste der Börsenhalle", 1. Jan. 1811. **Neujahrswunsch eines Feuerwerkers.** Von Clemens Brentano? vgl. dessen Philister=Abhandlung (Steig, S. 621 f.); Kleist sind diese Barockstil=Spielereien fremd. **Antwort und Berichtigung.** Vom französ. Konsistorium (Steig, Neue Kunde, S. 7 ff.).

No. 4, 5. Jan. 1811. Bülletin (Eidexe). Aus „Archiv f. Literatur, Kunst u. Politik", 26. Dez. 1810. **Brief eines Dichters an einen anderen.** Unterz.: Ny. = Kleist; Druckfehlerberichtigung in No. 7. **Kalender=Betrach-**

tung. Von Kleist; im Datum muß es heißen: 1811. Das gleiche Motiv in D. Christ. Kühnaus Distichon „Die Mondfinsternis", Preuß. Vaterlandsfreund, 9. März 1811.

No. 5, 7. Jan. 1811. Mord aus Liebe. Aus Nürnb. Korrespondent, 29. Dez. 1810; französ. Quelle: Journal Encyclopédique 1770, Bd. 4, S. 453. Auch in „Zeitung f. d. eleg. Welt", 18. Dez. 1810. **Der neuere (glück= lichere) Werther.** Von Kleist.

No. 6, 8. Jan. 1811. Beispiel einer unerhörten Mord= brennerei. Aus Nürnb. Korrespondent, 10. April 1808; Einleitung von Kleist (Sembdner, Euphorion 1950). **Merkwürdige Prophezeihung.** Aus „Museum des Wun= dervollen", Bd. 8. 1809, von Kleist bearbeitet (Sembd= ner, S. 149 ff.); französ. Quelle: J. L. Dugas de Bois= Saint=Just, „Paris, Versailles et les Provinces", Bd. 1, 1809.

No. 7, 9. Jan. 1811. Bülletin (Stocks=Börse). Aus Nürnb. Korrespondent; dessen Quelle: „Politisches Journal", Nov. 1810. **Mutterliebe.** Von Kleist nach eigenem Erlebnis und literar. Vorlage im „Museum des Wundervollen", Bd. 7, 1808 (Sembdner, S. 72 f.); ähn= liches Motiv auch bei J. P. Hebel. **Beitrag zur Natur= geschichte des Menschen.** Von Kleist nach „Museum des Wundervollen", Bd. 8, 1809, zusammengestellt (Sembdner, S. 244 ff.). **Verm. Nachrichten** (Proclama= tion). Aus „Nord. Miszellen", 3. Jan. 1811.

No. 8, 10. Jan. 1811. Unwahrscheinliche Wahrhaf= tigkeiten. Unterz.: vx. = Kleist; Quellen: Eigenes Er= lebnis, mündl. Überlieferung durch Graf Yorck v. War= tenburg und Carl Curths' Fortsetzung von Schillers „Geschichte des Abfalls der Niederlande", 3. Teil, 1810 (Sembdner, S. 73 ff.). **(Musikalien)** Von Kuhn.

No. 9, 11. Jan. 1811. Bülletin. Wörtlich aus „Liste der Börsenhalle", 8. Jan. 1811.

No. 10, 12. Jan. 1811. Neueste Nachrichten. Aus Nürnb. Korrespondent, 4. Jan. 1811; die gleiche Nach= richt des „Schweizer=Bothen", diesmal aus der „Liste der Börsenhalle", 12. Jan. 1811, auch in No. 12. **Über den Zustand der Schwarzen.** Von Kleist übersetzt (s. No. 12). **Kunst=Nachrichten.** Aus „Zeitung f. d. eleg. Welt", 22. Nov. 1810. **Randglosse.** Aus Nürnb. Korre= spondent, 26. Dez. 1810; Verfasser ist Theophil Frey= wald im „Freimüthigen", 8. Dez. 1810. **Miscellen** (Duelle). Aus Nürnb. Korrespondent, 26. Dez. 1810.

No. 11, 14. Jan. 1811. Über den Zustand der Schwar=zen (s. No. 12).

No. 12, 15. Jan. 1811. Bülletin. (3. Neujahrstag in Paris) Aus „Nord. Miszellen", 10. Jan. 1811. **Über den Zustand der Schwarzen in Amerika.** Von Kleist über=setzt nach der französ. Abhandlung von Louis de Seve=linges im „Mercure de France", Dezember 1810 (F. H. Wilkens, „Modern Language Notes", Febr. 1931); engl. Quelle: Henry Bolingbroke, „A Voyage to the Deme=rary", London 1810.

No. 13, 16. Jan. 1811. Zur Beantwortung der literär. Bemerkung. Von G. A. Reimer, dem Verleger des Buches. **Fragment über Erziehung.** Unterz.: lb. = Lu=dolph Beckedorff; wird in „Zeitung f. d. eleg. Welt", 28. Febr. 1811, zitiert. **Anekdote** (Zinngießer). Aus Nürnb. Korrespondent; Nachdruck in „Museum des Witzes", Bd. 4.

No. 14, 17. Jan. 1811. Sind die Termine ... passend? Unterz.: —e = ? **Das Waschen durch Dämpfe.** Nach „Annales des Arts et Manufactures", 1809, Nr. 97/98 (Sembdner, S. 177 f.); von Kleist verfaßt?

No. 15, 18. Jan. 1811. Bülletin. (1.) Bearbeitung s. Sembdner, S. 360 ff. **(Über die Finanzmaßregeln)** Un=terz.: xy. = Kleist; Quelle für Boerhaave=Anekdote: „Museum des Wundervollen", Bd. 6, 1807 (Sembdner, S. 129).

No. 16, 19. Jan. 1811. Ständische Commission. Un=terz.: L. B. = Ludolph Beckedorff; Druckfehlerberich=tigung in No. 18. **Merkwürdiger Prozeß.** Aus Nürnb. Korrespondent, 5. Jan. 1811; von Jakob Grimm auf dem Deckel seines Abendblätter=Exemplars hervorge=hoben.

No. 17, 21. Jan. 1811. Miscellen. (Wonnethal) Aus „Gemeinnütz. Unterhaltungsblätter", Jan. 1811; letzter Satz von Kleist (Sembdner, S. 263).

No. 18, 22. Jan. 1811. Anekdote (Gluck). Aus Nürnb. Korrespondent, 3. Jan. 1811; von Kleist gekürzt (Sembdner, S. 105 f.). Quelle: W. Römer im „Pan=theon" 1810, S. 355, der Glucks Ausspruch auf die Al=ceste=Aufführung 1774 in Paris bezieht. **Über das Sprichwort ...** Aus Nürnb. Korrespondent, 31. Dez. 1810; von Jakob Grimm auf dem Deckel seines Abend=blätter=Exemplars hervorgehoben.

No. 19, 23. Jan. 1811. Kurze Geschichte des gelben Fiebers. Von Kleist bearbeitet (s. No. 20). **Räthsel aus**

der Hervararsaga. Von Wilhelm Grimm, der sie an Arnim gesandt hatte; Einleitung von Arnim? Wieder=abdruck mit Quellenangabe in W. Grimms Kleineren Schriften, Bd. 1, 1881.

No. 20, 24. Jan. 1811. Kurze Geschichte des gelben Fiebers (Schluß). Aus „Politisches Journal", Dez. 1810; von Kleist tendenziös bearbeitet (Sembdner, S. 311 ff.). **Miscellen.** (Westermann) Aus Nürnb. Korrespondent, 5. Juli 1808, leicht bearbeitet (Sembdner, Euphorion 1950); Quelle: Châteauneuf, „Histoire des généraux", T. 12, 1808. (Türkisches Bad) Aus Nürnb. Korrespondent, 4. Juli 1808; Quelle: Balthasar Frh. v. Campen=hausens „Bemerkungen über Rußland", Leipzig 1807, S. 128.

No. 21, 25. Jan. 1811. Methode der Alten. Tragische Vorfälle. Aus Nürnb. Korrespondent, 6. Jan. 1811.

No. 22, 26. Jan. 1811. Haydns. Tod. Von Kleist über=setzt (s. No. 24). **Miscellen** (Frau v. Helwig). Eigen=meldung.

No. 23, 28. Jan. 1811. Bülletin. (1.) Bearbeitung s. Sembdner, S. 362 f. **Haydns Tod.** Von Kleist übersetzt (s. No. 24).

No. 24, 29. Jan. 1811. Haydns Tod (Schluß). Von Kleist übersetzt nach der franzöŝ. Abhandlung von Joachim le Breton im „Moniteur", 3. Jan. 1811 (Sembd=ner, S. 159 ff.). **Räubergeschichte.** Aus Nürnb. Korre=spondent, 19. Jan. 1811.

No. 25, 30. Jan. 1811. K. L. Fernow. Von Arnim (s. No. 26).

No. 26, 31. Jan. 1811. K. L. Fernow. Unterz.: L. A. v. A. = Arnim; Auszug aus dem Buch von Johanna Schopenhauer. **Aus Paris.** Aus „Zeitung f. d. eleg. Welt", 31. Dez. 1810. **Miscellen.** (Madame Geoffrin) Aus „Gemeinnütz. Unterhaltungsblätter", Jan. 1811; leicht bearbeitet, letzter Satz von Kleist (Sembdner, S. 263). (Große Glocke) Aus „Gemeinn. Unterhaltungs=blätter".

No. 27, 1. Febr. 1811. Bülletin. (1.) Bearbeitung s. Sembdner, S. 354 ff. **Diebshändel** (s. No. 28).

No. 28, 2. Febr. 1811. Bülletin. (2. 3.) Aus „Wiener=Zeitung", 26. Jan. 1811. **Diebshändel** (Schluß). Aus Nürnb. Korrespondent, 22. Jan. 1811.

No. 29, 4. Febr. 1811. Erklärung. Von Prof. Schmalz, korrigiert von J. G. Fichte (Steig, S. 313 ff.).

No. 30/31, 5./6. Febr. 1811. Wassermänner und Sire‑nen. Von Kleist zusammengestellt nach „Museum des Wundervollen", Bd. 1, 1803, Nürnb. Korrespondent, 6. Juli 1808, und Gehlers „Physikal. Wörterbuch", 3. Teil, 1798 (Sembdner, S. 248 ff., Euphorion 1950).

No. 32, 7. Febr. 1811. Bülletin (Konstantinopel). Nicht aus „L. d. B.", sondern aus „Wiener‑Zeitung", 30. Jan. 1811. **Unglücksfälle.** Aus Nürnb. Korrespondent, 29. Jan. 1811. **Feine List.** Aus Nürnb. Korresp.; auch bei J. P. Hebel: „Der Handschuhhändler". Nachdruck in „Museum des Witzes", Bd. 4. **Ankündigung.** Von A. Müller; die „Staatsanzeigen" erschienen erst 1816.

No. 33, 8. Febr. 1811. Das weibliche Ungeheuer. Aus „Nord. Miszellen", 3. Febr. 1811; auch von J. P. Hebel als „Schreckliche Mordtat" erzählt. **Außerordentliches Beispiel von Mutterliebe** (s. No. 34). **Miscellen.** Aus Nürnb. Korrespondent, 28. Jan. 1811.

No. 34, 9. Febr. 1811. Außerordentliches Beispiel von Mutterliebe bei einem wilden Thiere (Schluß). Fast wörtlich in „Museum des Wundervollen", Bd. 9, 1809, das aber hier nicht Kleists Vorlage bildet (Sembdner, S. 147 ff.); engl. Quelle: The Annual Register: Natural History, London 1776. **Sonderbarer Rechtsfall in Eng‑land.** Von Kleist; Quelle: „Museum des Wundervol‑len", Bd. 4, 1805 (Sembdner, S. 78 ff.). **Der Papagei.** Aus Nürnb. Korrespondent.

No. 35/37, 11./13. Febr. 1811. Wissen, Schaffen, Zer‑stören, Erhalten. Von Friedr. Gottl. Wetzel (Sembdner, S. 52 ff.). Der Lesefehler „Zerstreuen" wird erst am Schluß beseitigt.

No. 37/40, 13./16. Febr. 1811. (Brief aus Salzburg, 12. April 1809) Von Henriette Hendel‑Schütz; von Kleist redigiert? **Einleitung.** Von Kleist.

No. 38, 14. Febr. 1811. Aufwand des Marquis Welles‑ley. Miscellen. Aus Nürnb. Korrespondent, 5. Jan. 1811.

No. 40, 16. Febr. 1811. Gaunerei. Schilde. Miscellen. Aus Nürnb. Korrespondent, Jan. 1811.

No. 41, 18. Febr. 1811. Aufklärung über die Natur‑erscheinung. Miscellen. Aus Nürnb. Korrespondent, Jan./Febr. 1811.

No. 42/43, 19./20. Febr. 1811. Der Rodenstein. Aus Nürnb. Korrespondent, 6. Febr. 1811; anonymer Ver‑fasser: Theodor von Haupt, der 1816 den Beitrag in „Ährenlese aus der Vorzeit" wiederholt. Nachdruck in der „Zeitung f. d. eleg. Welt", 25. Juni 1811, von den

Brüdern Grimm für „Deutsche Sagen", 1816, benutzt.

No. 43/44, 20./21. Febr. 1811. Geschichte eines merk= würdigen Zweikampfs. Von Kleist nach C. Baechlers „Hildegard von Carouge" in den „Gemeinnütz. Un= terhaltungsblätter", 21. April 1810, bearbeitet, unter Benutzung der dort nicht genannten Froissartschen „Chronique de France" (Sembdner, S. 199 ff.); Einfluß auf Kleists „Zweikampf" und „Findling". Nachdruck in Hormayrs „Archiv", 25./27. März 1811.

No. 45, 22. Febr. 1811. Theateranekdote. Gauner= streich. Tragischer Vorfall. Miscellen. Aus Nürnb. Kor= respondent, 9. u. 10. Febr. 1811. Druckfehler S. 178: „stand" statt „starb", „rothbezwickeltem" statt „roth= bewickeltem".

No. 47, 25. Febr. 1811. Miscellen (Boros von Rakos). Aus Nürnb. Korrespondent, 5. Jan. 1811.

No. 48, 26. Febr. 1811. Miscellen. Aus Nürnb. Kor= respondent, 5. Jan. 1811.

No. 49, 27. Febr. 1811. Bülletin. (Wien, 11. Febr.) Aus „Liste der Börsenhalle", 23. Febr. 1811; Quelle: „Vater= länd. Blätter f. d. österr. Kaiserstaat", 13. Febr. 1811. Die gleiche Begebenheit auch in „Gaunerei", No. 52.

No. 50, 28. Febr. 1811. Miscellen. Aus Nürnb. Kor= respondent, 4. Febr. 1811.

No. 51, 1. März 1811. Türkisches Gebet. Heilkunde. Miscellen. Aus Nürnb. Korrespondent, 5. Jan., 19. Febr. 1811.

No. 52/53, 2./4. März 1811. Gaunerei. Aus Nürnb. Korrespondent, 19. Febr. 1811; s. auch No. 49.

No. 56, 7. März 1811. Bülletin (Kriminalfall in Metz). Aus „Nord. Miszellen", 28. Febr. 1811. **Miscellen.** (Feder= krieg) Aus „Nord. Miszellen", 3. März 1811. (Unglücks= fall, Kindstaufe) Aus Nürnb. Korrespondent, 23. Febr. 1811.

No. 57, 8. März 1811. Die Dänischen Kriegsgefan= genen (s. No. 58). **Badajoz. Böses Gewissen.** Aus Nürnb. Korrespondent, 22. Febr. 1811.

No. 58, 9. März 1811. Die Dänischen Kriegsgefan= genen (Schluß). Aus „Nord. Miszellen", 17. Febr. 1811; dort unterz.: J. Nachdruck in Hormayrs „Archiv", 25./ 27. März 1811. **Moden.** Aus Nürnb. Korrespondent, 16. Febr. 1811.

No. 59, 11. März 1811. Anekdote. Miscellen. Aus Nürnb. Korrespondent, 17. u. 23. Febr. 1811.

No. 60, 62, 63. Miscellen. Aus Nürnb. Korrespondent.

No. 63, 65, 66, 15./19. März 1811. Geistererscheinung. Dem Stil nach von Clemens Brentano, der im Juni 1810 Gut Bukowan bei Prag besucht hatte; nicht von Kleist.

No. 67, 20. März 1811. Notizen aus Paris. Aus „Nord. Miszellen", 14. März 1811.

No. 68, 21. März 1811. Der unentschiedene Wett= streit. Von Fouqué; in seine „Gefühle, Bilder und An= sichten", 1819, aufgenommen. **Tragische Vorfälle.** Aus Nürnb. Korrespondent, 9. März 1811.

No. 69, 22. März 1811. Die furchtbare Einladung. Unterz.: O. H. Graf von Loeben.

No. 70, 71, 72. Miscellen. Aus Nürnb. Korrespondent.

No. 73, 27. März 1811. Nachricht von dem Magnet= Berg. Von George Demps*er. Aus „Nord. Miszellen", 24. März 1811; auch im „Freimüthigen", 22. März 1811, sowie ausführlicher im „Museum des Wundervollen", Bd. 4, 1805 (nach „Wonderful Museum", März 1805). Ursprüngl. engl. Quelle: „Transactions of the Society of Antiquarious in Scotland", Bd. 1.

No. 74, 28. März 1811. Bülletin. (2.) Das im Nürnb. Korrespondent, 18. März, versprochene „Patent" wird von Kleist nicht mehr gebracht. **Tragischer Vorfall.** Aus Nürnb. Korrespondent, 19. März 1811.

No. 75, 29. März, 1811. Gemäldesammlung. Auf Reisen erlangte Weisheit. Miscellen. Aus Nürnb. Kor= respondent.

No. 76, 30. März 1811. Bülletin. Dem ganzen Umfang nach aus „Liste der Börsenhalle", 26. März. **Anzeige.** Unterz.: H. v. K. = Kleist.

DIE AUTOREN

Arndt, Ernst Moritz. Das Gesicht Karls XI. (Bl. 22/23).

Arnim, Ludwig Achim von (Unterz.: aa., ava., A. v. A., L. A. v. A., vaa.). Räthsel (Bl. 10). Der Studenten erstes Lebehoch (13). Noch ein Wort der Billigkeit über Christ. Jacob Kraus (27). Sonderbares Versehn (30). Warnung gegen weibliche Jägerei (31/32). Die sieben kleinen Kinder (34). Wer ist berufen? (36). Übersicht der Kunstausstellung (37/39). Auf einen glücklichen Vater (39). Nachricht von einem deutschen Seehelden (51). Austern und Butterbrodte (64). Bei Gelegenheit der Jubelfeier in der Waisenhaus= kirche (74). Räthsel aus der Hervararsaga: Einlei= tung (?) (No. 19). K. L. Fernow (No. 25/26).

Baechler, C. Uralte Reichstagsfeierlichkeit (?) (Bl. 42). Geschichte eines merkwürdigen Zweikampfes (No. 43/44).

Barrow, John. Anekdote: Zar und Botschafter (Bl. 50).

Beckedorff, Ludolph (Unterz.: L. B., lb.). Kunst=Aus= stellung (Bl. 6—9, 14—17). Andenken an das Königs= paar (72). Fragment über Erziehung (No. 13). Stän= dische Commission (No. 16).

Bergk, Johann Adam. Anekdote: Killigrew (Bl. 76).

Bolingbroke, Henry. Über den Zustand der Schwarzen in Amerika (No. 10/12).

Brentano, Clemens (Unterz.: cb.). Empfindungen vor Friedrichs Seelandschaft (Bl. 12). Andenken eines trefflichen Deutschen Mannes und tiefsinnigen Künstlers (69). Neujahrswunsch eines Feuerwerkers (?) (No. 3). Geistererscheinung (?) (No. 63, 65, 66).

Le Breton, Joachim. Haydns Tod (No. 22/24).

Campenhausen, Balthasar Frh. von. Miscellen: Tür= kisches Bad (No. 20).

Catel, Samuel Heinrich. Antwort auf die Aufforderung im 40ten Stück (Bl. 45).

Chamisso, Adalbert von. Miscellen: Frau von Stael (briefl. Mitteilung) (Bl. 25).

Châteauneuf, Agricol Hippolyte de. Miscellen: Wester= mann (No. 20).

Dempster, George. Nachricht von dem Magnet=Berg auf der Insel Cannay (No. 73).

Dugas de Bois=Saint=Just, Jean Louis Marie. Merkwür=
dige Prophezeihung (No. 6).

Fichte, Johann Gottlieb. Erklärung (redakt. Mitwir=
kung) (No. 29).

Flitner, Friedrich (Unterz.: F. Fl .... r). Schreiben aus
Neuhof (Bl. 28).

Fouqué, Friedrich de la Motte= (Unterz.: d. l. M. F.;
M. F.). Warum werden die Abendblätter nicht auch
Sonntags ausgegeben? (Bl. 18). R. Eylert (Bl. 23).
Kriegsregel (Bl. 23). Welche Bücher soll man öfter
lesen? (Bl. 35). Die Heilung (Bl. 52). Das Grab der
Väter (57). Über Schwärmerei (61). Der unentschie=
dene Wettstreit (No. 68).

Freywald, Theophil. Randglosse (No. 10).

Froissart, Jean. Geschichte eines merkwürdigen Zwei=
kampfs (No. 43/44).

Giseke, Ludwig. Seufzer eines Ehemanns (Bl. 77).

Goethe, Johann Wolfgang. Es ist ein Schuß gefallen
(Bl. 32).

Grimm, Wilhelm. Räthsel aus der Hervararsaga
(No. 19).

Gruner, Justus. Polizeiliche Tagesmittheilungen: Extra=
blatt zu Bl. 1, Bl. 2—5, 7, Extrablatt zu Blatt 7,
Bl. 8—13, Extrablatt zu Bl. 14, Bl. 15—27, 29—37,
41—43, 46, 49, 50, 52, 56, 60, 62, 66, 68, 71, 73, 76;
No. 1, 13, 15, 21.

Happel, Eberhard Werner. Nachricht von einem deut=
schen Seehelden (Bl. 51).

Haupt, Theodor von. Der Rodenstein (No. 42/43).

Hendel=Schütz, Henriette. Brief aus Salzburg, den
12. April 1809 (No. 37/40).

Hitzig, Julius Eduard. An das Publikum (Extrablatt zu
Bl. 72). Verlagsanzeigen: Bl. 2, 6, 8, 9, 12, 20, 21, 24,
26, 28, Erste literarische Beilage (zu Bl. 54), Bl. 61,
65, 67, 68, Zweite literarische Beilage (zu Bl. 70),
Bl. 71.

Hoffmann, Staatsrat Johann Gottfried (?) Christian
Jacob Kraus (Bl. 19/21). Kurze Antwort auf den L. A.
v. A. unterzeichneten Aufsatz (34). Berichtigung (52.)

Holberg, Ludwig von. Herausforderung Karls IX.
Königs von Schweden an Christian IV. König von
Dänemark (Bl. 28/29).

Horn, Franz (Unterz.: N.). Andeutungen (Bl. 57).

Kleist, Heinrich von (Unterz.: Anonymus; Vaterlän=
discher Dichter; F.; hk.; H. v. K.; C. J. Levanus; mz.;

Ny.; rm.; rmz.; rs.; ry.; rz.; tz.; vx.; Vx.; x.; xp.;
xy.; xyz.; y.; yz.; Z.; z.; zr.; $\mu\eta$.; $++$.).
Gebet des Zoroaster (Bl. 1). Fragment eines Schrei=
bens aus Paris (1/2). Tagesbegebenheiten: Capitain
Bürger (2). An unsern Iffland (3). Franzosen=Billig=
keit (3). Der verlegene Magistrat (4). Theater: Ton
des Tages (4). Ode auf den Wiedereinzug des Kö=
nigs (5). Der Griffel Gottes (5). Theater: Der Sohn
durchs Ungefähr (5). Anekdote aus dem letzten
preuß. Kriege (6). Betrachtungen über den Welt=
lauf (8). Muthwille des Himmels (9). Das Bettel=
weib von Locarno (10). Nützliche Erfindungen: Ent=
wurf einer Bombenpost (11). Empfindungen vor
Friedrichs Seelandschaft (12). Charité=Vorfall (12).
Schreiben aus Berlin: Luftschiffahrt (13). Schreiben
eines Berliner Einwohners: Bombenpost (14). Ant=
wort an den Einsender (14). Fragment eines Haus=
hofmeisters=Examens aus dem Shakespear (14). Über
die gestrige Luftschiffahrt (Extrablatt zu Bl. 14). Un=
maßgebliche Bemerkung (15). An die Nachtigall (15).
Der Branntweinsäufer und die Berliner Glocken (17).
Anekdote aus dem letzten Kriege (18). Brief eines
Mahlers an seinen Sohn (19). Zuschrift eines Predi=
gers (20). Nachricht an den Einsender (20). Wer ist
der Ärmste? (21). Der witzige Tischgesellschafter
(21). Anekdote: Bach (21). Französisches Exercitium
(22). Allerneuester Erziehungsplan (25—27, 35, 36).
Aëronautik (25/26). Schreiben aus Berlin: Cendril=
lon (26). Nothwehr (27). Räthsel (28). Miscellen:
Clinikum (28). Gleich und Ungleich (30). Brief eines
jungen Dichters an einen jungen Mahler (32). Kor=
respondenz=Nachricht: Unzelmann (34). Korrespon=
denz und Notizen: Lettres sur l'Allemagne (37). Von
einem Kinde, das kindlicher Weise ein anderes Kind
umbringt (38). Theater=Neuigkeit: Schweizerfamilie
(38). Glückwunsch (38). Die heilige Cäcilie. (40/42).
Aufforderung (40). Politische Neuigkeit (43). Über
die gegenwärtige Lage von Großbrittanien (?) (44).
An den Großherrn (?) (46). Anekdote: Baxer (46).
Schreiben eines redlichen Berliners (47). Literarische
Notiz: Vaterländ. Museum (50). Theater: Schweizer=
familie (50). Anekdote: Kapuziner (53). Geographi=
sche Nachricht von der Insel Helgoland (56). Der
Jüngling an das Mädchen (57/58). Helgoländisches
Gottesgericht (58). Von der Überlegung (59). Der

P. Schmid (23). Brandstifter (24). Frau v. Stael (25). Französ. Courir (31). Reichardt (33). „Tod Abels" (47). Herausgeber d. Schweiz. Nachrichten (57). Frau v. Helwig (No. 22).

Redaktionelle Erklärungen: Bl. 1, Extrablatt zu 1, Bl. 4, Beilage zu 5, Bl. 9, 14, 16, 19, 20, 22, 28, 35, 36, 43, 45—48, 51, 52, 58, 72, 73, 77, No. 37, 76.

Konsistorium, Französisches. Antwort und Berichtigung (No. 3).

Krause, Karl Christian Friedrich. Über eine wesentliche Verbesserung der Klaviatur der Tasteninstrumente (Bl. 58).

Kuhn, August. Ankündigung (Bl. 72). Anzeige (73). Duplik (77). Verlagsanzeigen: Bl. 75, 76, No. 8.

Loeben, Otto Heinrich Graf von. Betrachtungen eines Greises über die Weihnachtsbescheerungen (?) (Bl. 71). Die furchtbare Einladung (No. 69).

Luck, Friedrich von (Unterz.: F. L.). Zum Geburtstag des Kronprinzen (Bl. 13).

Möllendorff, Major von (Unterz.: v. M.). Theater (Bl. 16/17). Öffentliche Danksagung (Bl. 35).

Müller, Adam (Unterz.: A. M.; l. v. p.; ps.; Ps.; rQ.). Freimüthige Gedanken bei Gelegenheit der neuerrichteten Universität in Berlin (Bl. 2/4). Literarische Merkwürdigkeiten (5). Über die wissenschaftlichen Deputationen (7). Über Christian Jakob Kraus (11). Literarnotiz (19). Literarische Neuigkeiten (22). Bescheidene Anfrage (24). Fragment: Brandes (28). Fragmente (40). Vom Nationalcredit (41). Ps. zum Schluß über C. J. Kraus (48). Miscellen (59). Schreiben aus Berlin (67). Ankündigung (No. 32).

Myconius, Friedrich. Bei Gelegenheit der Jubelfeier: Aus „Historia Reformationis" (Bl. 74).

Nicolovius, Geh. Staatsrat Georg Heinrich Ludwig ? (Unterz.: △**). Antikritik (Bl. 24).

Ompteda, Oberstlt. Christian Frh. von. Fragmente aus den Papieren eines Zuschauers am Tage (Bl. 21, 29, 31). Anekdote: Schauspieler Edwin (Bl. 61). Autorität und Würde des Parlaments in England (62). Anekdote: Wellesley (68). Erinnerungen aus der Krankheitsgeschichte des Königs von England (75).

Piper, Gräfin. Brief an eine Freundin in Deutschland (Bl. 43/44).

Reimer, Georg Andreas. Zur Beantwortung der literärischen Bemerkung (No. 13).

Fragment eines Zuschauers am Tage (Unterz.: W.)
(53/54). Vermischte Nachrichten: Kanarienvögel —
Der junge Witte (54). Gewerbfreiheit (Unterz.: lh.)
(55). Aus einem Schreiben aus Potsdam (Unterz.:
W.) (66). Stiftung einer fortlaufenden jährlichen
Feier zum Gedächtniß der verewigten Königin von
Preußen (Unterz.: 𝔚.) (74). Sind die Termine ...
noch passend? (Unterz.: —e) (No. 14).

DIE VON KLEIST BENUTZTEN DRUCKWERKE

Annales des Arts et Manufactures. Paris 1809 (No. 14).
Archiv für Geographie, Historie, Staats= und Kriegs=
    kunst. Hrsg. von Josef Frh. von Hormayr. Wien 1810
    (Bl. 70).
Archiv für Literatur, Kunst und Politik. Hrsg. von Carl
    Reinhold. Hamburg 1810 (No. 4).
Der Oesterreichische *Beobachter*. Hrsg. von Friedrich
    Schlegel. Wien 1810 (Bl. 58).
Rheinische *Correspondenz*. Mannheim 1810 (Bl. 30, 36;
    zitiert als „Rhein. Cor.").
Journal des Dames et des Modes. Francfort sur le Mein
    1810 (Bl. 39; zitiert als „Jour. d. Dam.").
Journal für Kunst und Kunstsachen, Künsteleien und
    Mode. Hrsg. von Dr. Heinrich Rockstroh. Berlin u.
    Leipzig 1810 (Bl. 58).
Journal des Luxus und der Moden. Hrsg. von Carl Ber=
    tuch. Weimar 1810 (Bl. 52).
Politisches *Journal*. Hrsg. von Wilh. Benedict v. Schi=
    rach. Hamburg 1810 (No. 19/20).
Der *Korrespondent* von und für Deutschland. Nürn=
    berg 1808 (Bl. 3, No. 6, 20, 31). 1810/1811 (Bl. 74, 75,
    77, No. 5, 7, 10, 13, 16, 18, 21, 24, 27/28, 32—34,
    38, 40—43, 45, 47, 48, 50—53, 56—60, 62, 63, 68,
    70—72, 74, 75. Außerdem von Bl. 74 an für zahlreiche
    Nachrichten benutzt; zitiert als „Corr. f. Deutschl.",
    „K. f. D.").
Privilegierte *Liste* der Börsen=Halle. Hamburg 1810/1811
    (bildete neben dem Nürnberger Korrespondenten die
    Hauptnachrichtenquelle; im 2. Quartal für 77⁰/₀ aller
    Nachrichten benutzt; zitiert als „L. d. B.").
Allgemeine *Literatur=Zeitung*. Hrsg. von Christian
    Gottfried Schütz. Halle 1810 (Bl. 45, 77).
Mercure de France. Paris 1810 (No. 10/ 12).

Altonaischer *Mercurius*. Altona 1810 (Bl. 30).

Nordische *Miszellen*. Hrsg. von Friedr. Alex. Bran. Hamburg 1811 (No. 7, 12, 33, 56, 57/58, 67, 73; zitiert als „N. M.").

Miszellen für die Neueste Weltkunde. Hrsg. von Hein= rich Zschokke. Aarau 1810 (Bl. 15, 34, 39, 51; zitiert als „Misc. f. d. allg. Weltk.", „Misc. d. n. Weltk.").

Allgemeine *Moden=Zeitung*. Hrsg. von Dr. Johann Adam Bergk. Leipzig 1810 (Bl. 28/29, 40, 76, No. 2).

Le *Moniteur* universel. Paris 1810/1811 (Bl. 47, No. 22/24. Im übrigen zitiert Kleist den Moniteur nach Hamburger Blättern).

Westphälischer *Moniteur* — Le Moniteur Westphalien. Cassel 1810 (No. 2).

Vaterländisches *Museum*. Hrsg. von Friedrich Perthes. Hamburg 1810 (Bl. 22/23, 50, Literar. Beilage zu Bl. 54).

Museum des Wundervollen oder Magazin des Außer= ordentlichen in der Natur, der Kunst und im Men= schenleben. Hrsg. von Joh. Adam Bergk u. Friedr. Gotthelf Baumgärtner. Bd. 1—10, Leipzig 1803—1810 (Bl. 21, No. 6, 7, 15, 30/31, 34).

Gemeinnützige Schweizerische *Nachrichten*. Hrsg. von Dr. Albrecht Höpfner. Bern 1810 (Bl. 30, 57; zitiert als „Schw. N.").

Sammlung von Anekdoten und Charakterzügen aus den beiden merkwürdigen Kriegen in Süd= und Norddeutschland in den Jahren 1805, 6 und 7. Hrsg. Joh. Adam Bergk. Bd. 1—7, Leipzig 1807—1810 (Bl. 6, 18).

Frankfurter *Staats=Ristretto*. Frankfurt a. M. 1810 (Bl. 26, 54; zitiert als „Frk. St. Rist.").

Gemeinnützige *Unterhaltungs=Blätter*. Hamburg 1810/1811 (Bl. 42, 56, 58, 59, No. 17, 26, 43/44).

Hallisches patriotisches *Wochenblatt*. Halle 1810 (Bl. 58).

Die *Zeiten* oder Archiv für die neueste Staatengeschichte und Politik. Hrsg. von D. Christian Daniel Voß. Leipzig 1810 (Bl. 42/43).

Staats= und Gelehrte *Zeitung* des Hamburgischen un= partheyischen Correspondenten. Hamburg 1810 (im ersten Quartal für zahlreiche Nachrichten benutzt; zitiert als "Hamb. Z.", „Hamb. Zeit.", „Hamb. Corr.").

Hamburgische Neue *Zeitung*. Hamburg 1810 (Bl. 67 u. ö.; zitiert als „H. neue Zeitung").

Magdeburgische *Zeitung*. Magdeburg 1810 (Bl. 34, 40, 64).

Zeitung für die elegante Welt. Hrsg. von August Mahlmann. Leipzig 1810 (Bl. 28, 36, No. 10, 26).

Oesterreichisch = Kaiserliche privilegirte Wiener = *Zeitung*. Wien 1810/1811 (Bl. 39, No. 22, 24, 28, 32, 57; zitiert als „W. Z.").

In den Berliner Abendblättern zitiert, aber von Kleist nur mittelbar benutzt wurden: Augsburger *„Allgemeine Zeitung"* (zitiert als „A. Z."), Morgenblatt für *gebildete Stände*, *Journal de l'Empire* (zitiert als „J. de l'E."), sowie englische Journale wie *Statesman*, *Times* usw.